D0656917

Das Buch

So hat sich Claire ihr zukünftiges Familienleben nicht vorgestellt! Kaum ist sie mit ihrer neugeborenen Tochter aus dem Kreißsaal, eröffnet Ehemann James ihr, daß er sie verlassen werde – er hat sich in eine verheiratete Nachbarin verliebt! Claire ist am Boden zerstört und noch erschöpft von der Geburt, sieht, wie sie findet, aus wie eine Wassermelone in Stiefeln, und das Kind hat noch keinen Namen. Wie soll es nun weitergehen? Verzweifelt wirft Claire ein paar Sachen und einen Packen Windeln in eine Tasche und flieht zu ihrer chaotischen Familie nach Dublin. Versorgt von Vater und Mutter und genervt von den Schwestern legt sie zunächst ein wochenlanges Heulfasten ein. Doch je mehr die Erschöpfung weicht, desto deutlicher kommt Claire ihre Wut zu Bewußtsein – die Wut auf James, die sich nur durch Toben und Schreien, Fluten von Wodka und manisches Strampeln auf dem Zimmerfahrrad ein wenig lösen läßt. Doch auf einmal ist alles vorbei. Verblüfft steht Claire vor dem Spiegel und erkennt sich selbst wieder. Als hübsche junge Mutter – und nicht als Wassermelone! – schafft sie es zum ersten Mal seit Monaten wieder, das Haus zu verlassen. Und dann steht Adam in der Tür …

Die Autorin

Marian Keyes wurde 1963 als ältestes von fünf Kindern im irischen Cork geboren. Sie wuchs in Dublin auf, wo sie auch Jura studierte. 1986 siedelte sie nach London über, hielt sich mit Gelegenheitsjobs über Wasser und machte einen Abschluß in Buchprüfung. 1993 begann sie zu schreiben, und als sie ihre Kurzgeschichten an einen Verlag schickte, behauptete sie, ihr erster Roman sei teilweise fertig. Als sich der Verlag interessiert zeigte, mußte sie den Roman tatsächlich schreiben, und daraus wurde *Wassermelone*. Ihr zweiter Roman *Lucy Sullivan wird heiraten* ist ebenfalls bei Heyne erschienen. Marian Keyes lebt mit ihrem Ehemann in Dublin.

MARIAN KEYES

WASSERMELONE

Roman

Aus dem Englischen
von K. Schatzhauser

WILHELM HEYNE VERLAG
MÜNCHEN

HEYNE ALLGEMEINE REIHE
Nr. 01/10742

Die Originalausgabe
WATERMELON
erschien bei Poolbeg Press Ltd., Irland

Besuchen Sie uns im Internet:
http:// www.heyne.de

Umwelthinweis:
Das Buch wurde auf
chlor- und säurefreiem Papier gedruckt.

3. Auflage

Printed in Germany 1998
Umschlagillustration: Uwe Seeger, München und Gregor Schuster, Frankfurt/Main
Umschlaggestaltung: Atelier Ingrid Schütz, München
Satz: Leingärtner, Nabburg
Druck und Bindung: Presse-Druck Augsburg

ISBN 3-453-14723-5

Danksagung

In erster Linie habe ich meiner Lektorin Kate Cruise O'Brien zu danken. Sie hat mich ›entdeckt‹, als ich einige Kurzgeschichten einfach so ins Blaue an den Poolbeg-Verlag schickte. Vom ersten Augenblick an hatten wir einen Draht zueinander. Von ›*Wassermelone*‹ war sie noch vor mir überzeugt, sogar schon, als es noch gar nicht geschrieben war! Sie hat sich großartig mir gegenüber verhalten, mich unter ihre Fittiche genommen, war ungeheuer begeistert, stets für Änderungs- oder Verbesserungsvorschläge empfänglich, gar nicht davon zu reden, daß sie außerordentlich liebenswürdig, gastfreundlich und eine gute Freundin ist.

Zu großem Dank verpflichtet bin ich selbstverständlich auch Mr. Poolbeg, Philip MacDermott und all seinen fabelhaften Mitarbeitern. Philip hat mich in seinem Verlag mit offenen Armen willkommen geheißen, und alle haben das Projekt ›*Wassermelone*‹ nach Kräften unterstützt. Besonders danken möchte ich Brenda für die hervorragende Umschlaggestaltung, Nicole für den akribisch genauen Satz, Breda für Marketing und Werbung und Kieran für seine Geduld bei der Abfassung meines Vertrages.

Ebenso danke ich meinen Eltern, die immer für mich da waren. Sie sind die selbstlosesten und besten Menschen, denen ich je begegnet bin. Auch meinen wunderbaren, schönen, begabten und einzigartigen Geschwistern Niall, Caitriona, Tadhg und Rita-Anne bin ich zu Dank verpflichtet.

Mein Dank gilt auch Charlotte und Niall für ihre grenzenlose Geduld, Nachsicht und Unterstützung. Ihnen beiden wie auch Kirsten muß ich für die Güte und Einfühlung danken, die sie mir entgegengebracht haben. Ebenfalls danke ich meinem ›Versuchskaninchen‹ Belinda für ihre Begeisterung und Ermutigung.

Eileen habe ich vieles zu danken: ihre Freundlichkeit, ihre rückhaltlose Freundschaft und die Genauigkeit bei der Abfassung meines Vertrags.

Ailish danke ich für ihre Begeisterung, Tatkraft und die Freundschaft, die sie mir über die Jahre hinweg erwiesen hat.

Ich danke Louise, die zu mir gehalten und mir ihre Liebe und Freundschaft geschenkt hat.

Ich danke Conor, Patricia und Alan für alles, vor allem für den Januar 1994. Dafür gibt es keine Worte.

Ich danke Liam für das gute Beispiel und den großartigen Witz.

Jenny danke ich für *alles*. Sie hat so viel für mich getan, daß ich nicht weiß, wo mit der Aufzählung anfangen.

Ich danke der wunderbaren Albyn. Sie kennenzulernen war ein wirkliches Geschenk.

Ich danke Maureen Rice für ihr ausgesprochen schönes Zitat.

Ich danke den Mitarbeitern des Rutland Centre und denen, die während meines Aufenthalts ebenfalls dort waren. Mein Dank gilt all den großartigen Menschen, die ich bei den *Anonymen Alkoholikern* kennengelernt habe.

Schließlich danke ich meinem geliebten Tony, meinem sanften Pedanten – für seine Bewunderung, seinen Ansporn, wenn ich keine Lust hatte zu arbeiten, seine praktischen Ratschläge, sein Lachen, wenn es mir gelang, etwas Lustiges niederzuschreiben, und außerdem dafür, daß er mich so glücklich gemacht hat.

FÜR MUM UND DAD

Vorwort

Der 15. Februar ist für mich ein ganz besonderer Tag. An diesem Tag habe ich nicht nur mein erstes Kind zur Welt gebracht, es ist auch der Tag, an dem mich mein Mann verlassen hat. Da er bei der Geburt dabei war, nehme ich an, daß zwischen den beiden Ereignissen irgendein Zusammenhang besteht.

Ich wußte gleich: ich hätte mich auf mein Gefühl verlassen sollen. Ich war eine Anhängerin der klassischen – man könnte auch sagen, der überlieferten – Rolle, die bei der Geburt eines Kindes für Väter vorgesehen ist. Auf keinen Fall haben sie Zutritt zum Kreißsaal. Man verbanne sie mit vierzig Zigaretten und einem Feuerzeug auf den Krankenhausflur und lasse sie dort auf und ab marschieren, das heißt, wenn sie an dessen Ende angekommen sind, sollen sie sich umdrehen und an ihren Ausgangspunkt zurückkehren. Bei Bedarf ist das Ganze zu wiederholen.

Alle Unterhaltungen sind knapp zu halten. Lediglich mit anderen künftigen Vätern, die neben ihnen auf und ab gehen, dürfen sie einige Worte wechseln.

»Mein erstes« (schiefes Lächeln).

»Glückwunsch … mein drittes« (trübseliges Lächeln).

»Gut gemacht« (gezwungenes Lächeln). *Will er damit durchblicken lassen, daß er männlicher ist als ich?*

In dieser Zeit liegen die Gefühle ziemlich blank.

Von mir aus kann man es den Männern auch erlauben, sich auf jeden Arzt zu stürzen, der erschöpft und bis zu den Ellbogen voll Blut aus dem Kreißsaal kommt, und ihm zuzukeuchen: »Gibt's was Neues???« Darauf könnte der Arzt antworten: »Großer Gott, Mann, nein! Der Muttermund ist ja erst drei Zentimeter weit geöffnet.« Daraufhin wird der Mann wissend nicken, obwohl er lediglich begriffen hat, daß er noch eine ganze Weile wird auf und ab gehen müssen.

Er darf auch gequält das Gesicht verziehen, wenn er von drinnen die Schmerzenslaute seines geliebten Weibes hört. Erst nachdem alles vorbei ist, wenn Mutter und Kind frisch gewaschen sind und die Mutter erschöpft, aber glücklich in einem sauberen Nachthemd auf dem spitzenbesetzten Kissen ruht und das vollkommene Kind an ihrer Brust nuckelt, erst dann dürfte man den Vater einlassen.

Aber nein, ich hatte dem Druck anderer Frauen nachgegeben und mich überreden lassen, den neumodischen Kram mitzumachen – war allerdings von Anfang an voller Zweifel gewesen. Schließlich sähe ich es ja auch nicht gern, wenn irgendwelche Freunde und Verwandte dabei wären, während man mir – beispielsweise – den Blinddarm herausnimmt. Erniedrigend! In einem solchen Fall ist man grundsätzlich im Nachteil. All diese fremden Leute bekommen Stellen des eigenen Körpers zu sehen, die man selbst nicht mal im Spiegel gesehen hat. Ebensowenig wie ich das Aussehen meines Dickdarms kannte, wußte ich, wie mein Gebärmutterhals aussah, und ich wollte es auch nicht wissen. Aber das halbe Personal im Sankt-Michaels-Krankenhaus wußte es.

Ich fand mich wirklich im Nachteil und hatte den Eindruck, daß ich irgendwie zu kurz kam.

Ich sah einfach nicht sehr vorteilhaft aus. Wie schon gesagt, eine erniedrigende Angelegenheit.

Ich hatte im Fernsehen genug äußerst männlich wirkende Fernfahrer gesehen, die eine Träne im Auge zerdrückten, kaum ein Wort herausbrachten und mit belegter Stimme zu erklären versuchten, was für Emo … Emoti … Gefühle sie dabei hatten, als sie der Geburt ihres Kindes beiwohnten. Auch hatte ich Geschichten von biertrinkenden schottischen Rugbyspielern gehört, die die ganze Mannschaft eingeladen hatten, sich das Video von der Geburt ihres Kindes anzusehen. Da fragt man sich doch nach den Motiven.

Jedenfalls hatten James und ich uns in die Sache hineingesteigert und beschlossen, daß er dabeisein sollte.

Das ist die Vorgeschichte, jetzt wissen Sie, wie es kam, daß er bei der Geburt dabei war. Die Geschichte, warum und wie er mich verließ, ist ein bißchen länger.

1

Es tut mir leid, vermutlich halten Sie mich jetzt für sehr unhöflich. Kaum sind wir einander vorgestellt, und schon schildere ich Ihnen all das Entsetzliche, was mir widerfahren ist.

Ich will jetzt ganz schnell das Wichtigste über mich sagen und Einzelheiten, wie beispielsweise meinen ersten Schultag, auf später verschieben, vorausgesetzt, uns bleibt Zeit dafür.

Mal sehen. Was müssen Sie wissen? Nun, ich heiße Claire, bin neunundzwanzig und habe, wie bereits erwähnt, vor zwei Tagen mein erstes Kind zur Welt gebracht (ein Mädchen, 3.290 Gramm, wunderschön). Mein Mann (habe ich schon gesagt, daß er James heißt?) hat mir vor etwa vierundzwanzig Stunden mitgeteilt, daß er seit einem halben Jahr etwas mit einer anderen hat und zwar – man bedenke – nicht etwa mit seiner Sekretärin oder irgendeinem bezaubernden Geschöpf aus dem Büro, sondern mit einer verheirateten Frau, die zwei Stockwerke unter uns wohnt. Wenn das nicht *spießig* ist! Er betrügt mich nicht nur mit ihr, er möchte sich auch scheiden lassen.

Tut mir leid, wenn das sarkastisch klingt. Ich weiß nicht, wo mir der Kopf steht. Bestimmt dauert es nicht mehr lange, und ich muß wieder heulen. Vermutlich stehe ich nach wie vor unter Schock. Sie heißt Denise, und ich kenne sie ziemlich gut – nicht so gut wie James natürlich. Das Schreckliche ist, daß ich sie immer recht nett fand.

Sie ist fünfunddreißig (fragen Sie mich nicht, woher ich das weiß, ich weiß es einfach. Und auf die Gefahr hin, daß es so aussehen könnte, als hingen mir die Trauben zu hoch und ich damit Ihre Sympathien verliere, sage ich, daß sie auch wie fünfunddreißig aussieht). Sie hat drei Kinder und einen netten Mann (von meinem einmal abgesehen). Offenbar ist sie aus ihrer Wohnung ausgezogen und James aus seiner (oder unserer), und sie sind zusammengezogen, niemand weiß, wo.

Sollte man das für möglich halten?! Das reinste Rührstück! Zwar ist ihr Mann Italiener, aber ich glaube nicht, daß er die beiden umbringen wird. Er ist Kellner und kein Handlanger der Mafia, was soll er also machen? Die beiden mit schwarzem Pfeffer um die Ecke bringen? So lange vor ihnen dienern, bis sie im Koma liegen? Sie mit dem Servierwagen überfahren?

Schon wieder könnte man sagen, ich sei sarkastisch. Das ist aber nicht so. Todunglücklich bin ich. Es ist die reinste Katastrophe. Ich weiß nicht einmal, wie ich meine Kleine nennen soll. James und ich hatten über verschiedene Namen gesprochen – im Rückblick muß ich sagen, *ich* hatte darüber gesprochen, und er hatte so getan, als habe er zugehört –, uns aber noch nicht entschieden. Jetzt scheint mir die Fähigkeit zu eigenen Entschlüssen abhanden gekommen zu sein. Ich weiß, das ist ziemlich kläglich, aber so ist das, wenn man verheiratet ist. Mit einem Schlag ist jegliches Gefühl für Selbstbestimmung beim Teufel!

Ich war nicht immer so. Früher hatte ich einen ausgeprägten Willen und war voller unbändigem Unabhängigkeitsstreben. Aber all das scheint ziemlich lange her zu sein.

Ich war mit James fünf Jahre zusammen, und seit drei Jahren sind wir verheiratet. Großer Gott, und ich liebe diesen Mann.

Auch wenn wir keinen besonders günstigen Start erwischt hatten, sind wir doch rasch dem Zauber verfallen. Wir waren uns darüber einig, daß wir uns etwa eine Viertelstunde nach unserem Kennenlernen ineinander verliebt haben. Verliebt geblieben sind wir bis auf den heutigen Tag – jedenfalls bin ich es.

Lange war ich überzeugt, ich würde nie einen Mann kennenlernen, der bereit wäre, mich zu heiraten. Vielleicht sollte ich das etwas genauer ausführen.

Ich war überzeugt, keinen *netten* Mann kennenzulernen, der bereit wäre, mich zu heiraten. Zweifellos gab es einen ganzen Haufen verrückter Kerle, die das wollten, aber ich wollte einen netten Mann, ein bißchen älter als ich, mit einem anständigen Beruf, der gut aussah, lustig und liebenswürdig war. Sie wissen schon – einen, der mich nicht schief ansah, wenn ich sagte, daß ich mir im Fernsehen gern Serien ansah, und nicht etwa einen, der mich zum Abendessen bei McDonald's auszuführen versprach, sobald er die Mittlere Reife hatte oder der sich entschuldigte, weil er mir kein Geburtstagsgeschenk besorgen konnte, weil sich seine Frau, von der er getrennt lebte, durch richterliche Anordnung sein Gehalt hatte überschreiben lassen. Ich wollte auch keinen, bei dem ich mir altmodisch und gehemmt vorkam, weil ich wütend wurde, wenn er mir erklärte, daß er mit seiner Ex-Freundin geschlafen hatte, nachdem er tags zuvor mit mir im Bett war (mein Gott, ihr früheren Klosterschülerinnen seid aber auch so was von *verklemmt*), keinen, bei dem ich das Gefühl hatte, ich wäre geistig unterbelichtet, weil ich den Unterschied zwischen Piat d'Or und Zinfandel nicht kenne (was auch immer das sein mag!).

James behandelte mich überhaupt nicht auf diese unangenehme Weise. Fast zu schön, um wahr zu sein. Er mochte mich. Er mochte fast alles an mir.

Als wir uns kennenlernten, lebten wir beide in London. Ich war Kellnerin (davon später mehr) und er Steuerberater.

Von allen Restaurants mit texanisch-mexikanischer Küche in allen Städten der Welt mußte er ausgerechnet in das geraten, in dem ich arbeitete. Ich war keine *richtige* Kellnerin, sondern hatte einen Abschluß in Englisch. Aber gerade damals lehnte ich mich gegen die bürgerliche Gesellschaft auf, ziemlich spät mit meinen dreiundzwanzig Jahren. Mir gefiel die Vorstellung, meine recht ordentlich bezahlte Dauerstellung mit Pensionsanspruch in Dublin aufzugeben und ins gottlose London zu ziehen, um dort ein freies und ungebundenes Studentenleben zu führen.

Eigentlich hätte ich das machen sollen, als ich eine freie und ungebundene Studentin *war*. Aber damals hatte ich alle Hände voll damit zu tun, in den Semesterferien an verschiedenen Arbeitsplätzen praktische Erfahrungen zu sammeln, und so mußte meine Ungebundenheit eben warten, bis ich reif dafür war. Auch Spontaneität braucht ihren Ort und ihre Zeit.

Jedenfalls war es mir gelungen, als Kellnerin in diesem unwahrscheinlich schicken Londoner Restaurant voll lauter Musik, Videobildschirmen und kleiner Berühmtheiten unterzukommen.

Ehrlich gesagt fanden sich mehr kleine Berühmtheiten unter dem Personal als unter den Gästen, denn es bestand größtenteils aus arbeitslosen Schauspielerinnen, Models und dergleichen.

Ich werde nie verstehen, wieso man mich dort genommen hatte. Vielleicht wollte man eine Alibi-Normalkellnerin haben. Immerhin war ich die einzige, die kleiner war als zwei vierzig und mehr wog als fünfunddreißig Kilo. Zwar taugte ich nicht zum Model, aber ich habe einen gewissen, sagen wir, natürlichen Charme. Sie wissen schon: kurzes, glänzendes brünettes Haar, blaue Augen, Sommersprossen, ein breites Lächeln, so in der Art.

Außerdem war ich so naiv und weltunerfahren, daß ich nie merkte, wenn ich bekannten Größen von Bühne und Fernsehen von Angesicht zu Make-up-Angesicht gegenüberstand. Mehr als einmal hatte mich eine Kollegin, wenn ich an einem Tisch bediente (ich verwende den Begriff im weitesten Sinne des Wortes), so in die Rippen geboxt, daß einem bedauernswerten Gast kochendheiße Barbecue-Soße über die Lenden schwappte, um mir zuzuzischeln: »Ist das nicht der Wie-heißt-er-noch-gleich aus der und der Musikgruppe?«

Darauf hatte ich vielleicht geantwortet: »Welcher? Der im Lederanzug?« (Man muß bedenken, das waren die achtziger Jahre.)

»Nein«, zischelte sie zurück. »Der mit den blonden Rasta-Locken und dem Chanel-Lippenstift. Ist das nicht ihr Lead-Sänger?«

»Ach ja?« hatte ich dann gestammelt und war mir unwissend und hinterwäldlerisch vorgekommen, weil ich nicht wußte, wer dieser Mensch war.

Jedenfalls machte mir meine Arbeit dort Spaß. Sie ließ mir einen Schauer durch das Mittelschicht-Mark meiner bürgerlichen Knochen laufen. Ich fand es dekadent und erregend, Tag für Tag um ein Uhr mittags aufzuwachen, von sechs bis Mitternacht zu arbeiten und mich anschließend mit den Männern hinter der Bar und den Aushilfskellnern vollaufen zu lassen.

Unterdessen vergoß meine Mutter daheim in Irland bittere Tränen beim Gedanken daran, daß ihre akademisch gebildete Tochter

Popmusikern Hamburger auf den Tisch stellte. Es waren nicht einmal berühmte Popmusiker, was das Ganze noch schlimmer machte.

An dem Abend, an dem ich James kennenlernte, arbeitete ich seit etwa einem halben Jahr da. Freitags kamen üblicherweise die Nadelstreifen-Typen. So nannten wir die jungen Angestellten, die wie am Jüngsten Tag die Toten ihren Gräbern den Londoner Büros entquollen, um ins Wochenende zu gehen. Ganze Scharen bleicher, pickeliger junger Männer in billigen Anzügen stürmten mit weit aufgerissenen Augen unser Lokal, weil sie – in beliebiger Reihenfolge – Berühmtheiten sehen und sich betrinken wollten.

Wir Kellnerinnen pflegten dazustehen und verächtlich auf diese Gästeschar hinabzublicken, angesichts ihrer Anzüge, Frisur und so weiter ungläubig und mitleidsvoll den Kopf zu schütteln und sie während der ersten Viertelstunde betont nicht zur Kenntnis zu nehmen. Mit klirrenden Ohrringen und Armreifen liefen wir an ihnen vorbei und hatten ganz offensichtlich weit Wichtigeres zu tun, als uns um ihre lächerlichen Bedürfnisse zu kümmern. Wenn sie schließlich vor Verzweiflung und Hunger den Tränen nahe waren, traten wir breit lächelnd an den Tisch, Schreibblock und Stift in der Hand. »'n Abend, die Herren, möchten Sie etwas trinken?«

Dann waren sie richtig *dankbar*, und anschließend war es völlig unerheblich, ob wir ihnen die falschen Getränke brachten oder sie ewig auf ihr Essen warten ließen. Sie gaben uns trotz allem ein üppiges Trinkgeld, weil sie glücklich waren, daß wir sie mit unserer Aufmerksamkeit beehrt hatten.

Unser Wahlspruch lautete: »Nicht nur hat der Gast grundsätzlich unrecht, höchstwahrscheinlich ist er obendrein auch äußerst schlecht gekleidet.«

Am fraglichen Freitag abend saßen James und drei seiner Kollegen in meinem Revier, und ich kümmerte mich auf die gewohnte verantwortungslose und schludrige Weise um sie. Das heißt, ich nahm praktisch keine Notiz von ihnen, hörte kaum hin, als ich ihre Bestellung aufnahm, und vermied jeden Blickkontakt. Andernfalls wäre mir womöglich aufgefallen, daß einer von ihnen (jawohl, natürlich James) mit seinen schwarzen Haaren, grünen Augen und knapp eins achtzig sehr gut aussah. Ich hätte durch den Anzug die Seele des Mannes erkennen müssen. Oberflächlichkeit, dein Name ist Claire.

Aber ich wollte im Hinterzimmer bei den anderen Kellnerinnen sein, Bier trinken, rauchen und mit ihnen über Sex reden. Gäste waren da nichts als eine lästige Störung.

»Kann ich mein Steak nur ganz wenig durchgebraten haben?« fragte einer von ihnen.

»Hm«, sagte ich unverbindlich. Ich war noch weniger interessiert als gewöhnlich, weil ich auf dem Tisch ein Buch gesehen hatte. Ein wirklich gutes, ich hatte es selbst gelesen.

Ich las gern, und ich mochte Männer, die Bücher lasen. Mir gefielen Männer, die den Unterschied zwischen Existentialismus und Magischem Realismus kannten. Schließlich hatte ich die letzten sechs Monate mit Leuten zusammengearbeitet, die mit Müh und Not imstande waren, die Zeitschrift der Bühnengewerkschaft zu lesen (wobei sie halblaut mitbuchstabierten). Mit einem Mal wurde mir klar, wie sehr mir eine gelegentliche intelligente Unterhaltung fehlte, und es gab mir einen Stich.

Bei einem Gespräch über den modernen amerikanischen Roman konnte ich mit jedem mithalten. Sag mir was über Hunter S. Thompson, und ich sag dir was über Jay McInerney.

Plötzlich waren die Leute an diesem Tisch nicht mehr lästig, sondern gewannen eine Art Identität.

»Wem gehört das Buch?« fragte ich unvermittelt und hörte auf, die Bestellungen aufzunehmen. (*Es ist mir* egal, *wie Sie Ihr Steak haben wollen.*)

Die vier am Tisch zuckten zusammen. Ich hatte das Wort an sie gerichtet! Ich hatte sie fast wie Menschen behandelt!

»Mir«, sagte James, und als sich der Blick meiner blauen Augen mit dem seiner grünen über seinem Mango-Daiquiri kreuzte (bestellt hatte er ein großes Bier), war es um uns geschehen, der Zauberstaub hatte uns berührt. In diesem Moment geschah etwas Wunderbares. Vom ersten Augenblick an, da wir einander angesehen hatten, war uns klar, daß wir einem besonderen Menschen begegnet waren, auch wenn der eine sonst fast nichts über den anderen wußte. (Außer daß wir die gleichen Bücher mochten und einander gern ansahen.)

Ich habe immer gesagt, daß wir uns an Ort und Stelle ineinander verliebt haben. Er hat nichts dergleichen gesagt; wohl aber hat er mich als hoffnungslos romantisch bezeichnet und erklärt, er habe mindestens eine halbe Minute länger gebraucht, sich in mich zu verlieben. Diesen Streit werden die Historiker austragen.

Als erstes mußte ich dafür sorgen, daß er merkte, auch ich hatte das Buch gelesen. Da ich dort als Kellnerin arbeitete, hielt er mich vermutlich für irgendein dämliches Model oder eine dämliche Sängerin – ungefähr so, wie ich ihn als eine Art Untermensch eingestuft hatte, weil er im Büro arbeitete. Geschah mir ganz recht.

»Haben Sie das gelesen?« fragte er, offenkundig überrascht, wobei im Ton seiner Stimme die Frage mitschwang: »*Können* Sie überhaupt lesen?«

»Ja, ich habe alle seine Bücher gelesen«, erklärte ich.

»Tatsächlich?« fragte er, lehnte sich nachdenklich gegen die Stuhllehne und hob interessiert den Blick zu mir. Eine Locke seines seidigen schwarzen Haares war ihm in die Stirn gefallen.

»Ja«, brachte ich heraus. Ich spürte, wie mir vor Fleischeslust fast ein wenig schlecht wurde.

»Die Verfolgungsjagden im Auto sind gut, was?« sagte er. Dazu muß ich erklären, daß in keinem dieser Bücher irgendwelche Verfolgungsjagden mit Autos vorkommen. Es handelt sich um ernsthafte Literatur, in der es um Leben, Tod und dergleichen geht.

Gott im Himmel! dachte ich beunruhigt. *Er sieht gut aus, ist intelligent und obendrein witzig. Ob ich das verkrafte?*

Dann lächelte er mir zu. Ein sich langsam ausbreitendes erotisches Lächeln, ein wissendes Lächeln, das im völligen Widerspruch zu seinem Nadelstreifenanzug stand, und ich schwöre, meine Innereien verwandelten sich in eine Masse, die warmem Speiseeis ähnelte. Sie wissen schon, es kitzelte heiß und kalt zugleich und fühlte sich an... nun..., als würden sie jeden Augenblick zerlaufen oder so was.

Noch Jahre später, lange nachdem sich der erste Zauber gelegt hatte und die meisten unserer Gespräche um Versicherungspolicen, Weichspüler und Hausschwamm kreisten, brauchte ich mich nur an jenes Lächeln zu erinnern, und sofort kam es mir wieder vor, als hätte ich mich gerade frisch verliebt.

Wir redeten noch ein wenig miteinander. Nur ein paar Worte. Aber sie genügten, zu sehen, daß er nett, klug und witzig war.

Er bat mich um meine Telefonnummer. Ich gab sie ihm, obwohl die Kündigung drohte, wenn das bekannt wurde.

Als er an jenem Abend das Restaurant mit seinen drei Kumpels verließ, ein Durcheinander aus Aktentaschen, Regenschirmen, zusammengerollten *Financial Times* und dunklen Anzügen, lächelte er mir zum Abschied zu. Da wußte ich (nun, hinterher läßt sich das leicht sagen, es ist kein Kunststück, die Zukunft vorauszusagen, wenn sie schon eingetreten ist), daß ich meinem Schicksal begegnet war. Meiner Zukunft.

Nach ein paar Minuten war er wieder da. »Entschuldigung«, sagte er breit grinsend. »Wie heißen Sie?«

Als meine Kolleginnen merkten, daß mich einer von diesen Clowns in Nadelstreifen um meine Telefonnummer gebeten und, schlimmer noch, ich sie ihm gegeben hatte, behandelten sie mich wie eine Aussätzige. Es dauerte ziemlich lange, bis sie mich wieder zum Kokainschnupfen einluden, das kann ich Ihnen sagen. Aber das war mir egal, denn ich war James mit Haut und Haar verfallen.

Trotz all meines Geredes von Unabhängigkeit war ich in tiefster Seele sehr romantisch. Trotz all meines Geredes von Aufbegehren war ich so bürgerlich, wie das nur möglich ist.

Schon von unserer ersten Verabredung an war die Sache herrlich. Romantisch, wunderschön.

Tut mir wirklich leid, aber ich werde jetzt eine ganze Reihe von Klischees ausbreiten. Ich sehe keine andere Möglichkeit.

Es ist mir richtig peinlich zu sagen, daß ich wie auf Wolken ging. Noch mehr tut mir leid, behaupten zu müssen, daß es mir vorkam, als hätte ich ihn schon mein ganzes Leben lang gekannt. Noch schlimmer mache ich die Sache sicher mit der Erklärung, daß ich das Gefühl hatte, noch nie habe mich jemand so verstanden wie er. Da ich nun ohnehin schon vollkommen unglaubwürdig bin, kann ich ebensogut hinzufügen, ich hätte es nie für möglich gehalten, daß man so glücklich sein kann. Um die Sache nicht auf die Spitze zu treiben, verkneife ich mir die Aussage, daß er mir das Gefühl der Geborgenheit gab und ich mir mit einem Mal klug, liebreizend und verlockend vorkam. (Es tut mir wirklich leid, aber das eine noch: ich hatte die Empfindung, meiner anderen Hälfte begegnet und jetzt erst vollständig zu sein. Vielleicht sollte ich aber noch schnell sagen, daß er großartig im Bett und sehr lustig war. Das ist jetzt aber wirklich *alles*. Ehrenwort.)

Als wir miteinander ausgingen, hatte ich anfangs fast jeden Abend Dienst, so daß ich ihn erst nach Feierabend treffen konnte. Aber er wartete auf mich, und wenn ich dann erschöpft aus dem Lokal kam, weil ich den Londonern (genauer gesagt den Leuten aus Hamburg oder Pennsylvania) stundenlang verkohltes Grillfleisch serviert hatte, wusch er mir die schmerzenden Füße – ich kann es bis auf den heutigen Tag nicht glauben – und massierte sie mit Pfefferminz-Fußlotion aus dem Body Shop. Dabei war es nach Mitternacht, und er mußte am nächsten Morgen um acht wieder im Büro sein, wo er Leuten dabei half, ihre Steuererklärung zu frisieren, oder was auch immer Steuerberater so tun. Fünf Nächte die Woche kümmerte er sich um mich. Außerdem hielt er mich über Fernsehserien auf dem laufenden oder holte an der Tankstelle Zigaretten, wenn ich keine mehr hatte. Oder er erzählte mir lustige kleine Geschichten von seiner Arbeit. Ich weiß, es fällt schwer zu glauben, daß Geschichten aus dem Alltag eines Steuerberaters lustig sein können, aber er brachte das Kunststück fertig.

Wegen meiner Arbeit konnten wir samstags abends nie ausgehen, und er hat sich nicht darüber beklagt. Merkwürdig, was? Das dachte ich auch.

Außerdem half er mir, mein Trinkgeld zu zählen, und beriet mich, wie ich es anlegen sollte. Zum Beispiel in Staatsanleihen und dergleichen. Gewöhnlich kaufte ich mir Schuhe dafür.

Kurz danach widerfuhr mir das große Glück, entlassen zu werden. Der Anlaß war ein dummes Mißverständnis, bei dem es um mich, mehrere Flaschen Importbier und darum ging, daß einem absolut unvernünftigen Gast, der keine Spur Humor hatte, ein Teller voll Essen auf dem Schoß gelandet war. Ich glaube, daß seine Narben inzwischen so gut wie verheilt sind.

Daraufhin gelang es mir, eine andere Anstellung mit angenehmeren Arbeitszeiten zu bekommen, und unsere Romanze ging mit einem herkömmlicheren Stundenplan weiter.

Nach einer Weile sind wir dann zusammengezogen, und noch eine Weile später haben wir geheiratet. Ein paar Jahre später beschlossen wir, uns ein Kind zuzulegen, und da meine Eierstöcke mitzuspielen schienen, seine Spermatozoen keinen Protest einlegten und meine Gebärmutter keine Einwände erhob, wurde ich schwanger und brachte ein kleines Mädchen zur Welt.

Das ist die Stelle, an der Sie dazugestoßen sind.

Ich denke, wir sind jetzt so ziemlich auf dem laufenden.

Wenn Sie hier eine blutrünstige Beschreibung der Geburt erwartet oder erhofft hatten, mit gynäkologischen Beinstützen, Geburtszange, qualvollem Stöhnen und geschmacklosen Vergleichen wie dem konfrontiert zu werden, daß es der Gebärenden vorkommt, als stieße sie einen Halbzentnersack Kartoffeln aus, muß ich Sie leider enttäuschen.

(Na schön, einfach um Ihnen eine Freude zu machen: stellen Sie sich Ihre schlimmsten Periodenschmerzen vor, multiplizieren Sie sie mit sieben Millionen, und stellen Sie sich weiter vor, sie dauerten vierundzwanzig Stunden – dann haben Sie eine ungefähre Vorstellung davon, wie es bei den Wehen zugeht.)

Ja, es war angsteinflößend, schmutzig, erniedrigend und ziemlich schmerzhaft. Es war aber auch aufregend, begeisternd und herrlich. Doch für mich war am wichtigsten, daß es vorbei war. Zwar konnte ich mich mehr oder weniger an die Schmerzen erinnern, aber sie taten mir nichts mehr. Aber als James ging, merkte ich, daß ich lieber hundert Mal die Wehen ertragen würde, als noch ein einziges Mal die Qualen, die ich bei seinem Verlust empfand.

Jetzt soll berichtet werden, wie er mir seinen bevorstehenden Fortgang mitteilte. Nachdem ich mein Töchterchen zum ersten Mal in den Armen gehalten hatte, brachten die Schwestern sie auf die Säuglingsstation und mich auf die Wöchnerinnenstation, wo ich eine Weile schlief. Als ich wach wurde, stand James an meinem Bett und sah auf mich herab. Seine Augen wirkten in seinem bleichen Gesicht sehr grün. Schläfrig und siegesgewiß lächelte ich ihm zu. »Hallo, Liebling.«

»Hallo, Claire«, sagte er kühl und höflich.

Dummerweise glaubte ich, diese Ernsthaftigkeit hänge mit seiner Achtung vor mir zusammen. (Seht, meine Frau! Sie hat heute ein Kind geboren, sie schenkt Leben – so in etwa.)

Er setzte sich auf den Rand des harten Krankenhausstuhls und sah dabei aus, als wolle er jede Sekunde aufspringen und davonlaufen. Was ja auch der Fall war.

»Hast du dir deine Tochter schon angesehen?« fragte ich ihn verträumt. »Sie ist wunderschön.«

»Noch nicht«, sagte er knapp. »Claire, ich gehe«, sagte er unvermittelt.

»Warum?« fragte ich und kuschelte mich wieder in die Kissen. »Du bist doch gerade erst gekommen.« (Ja, ich weiß, ich kann es selbst nicht glauben, daß ich das sagte. Wer *schreibt* eigentlich meinen Text?)

»Claire, hör mir zu«, sagte er, wobei er ein bißchen lebhafter wurde. »Ich verlasse dich.«

»Was?« sagte ich gedehnt und betont. Ich war augenblicklich hellwach.

»Weißt du, es tut mir wirklich leid, aber ich hab' eine andere kennengelernt und will mit ihr leben. Das mit der Kleinen und daß ich dich jetzt so im Stich lasse, tut mir natürlich leid, aber ich kann nicht anders«, stieß er hervor. Er war weiß wie ein Laken und sah gequält drein.

»Was willst du damit sagen, daß du ›eine andere kennengelernt hast‹?« fragte ich verwirrt.

»Ich meine … nun …, ich hab' mich in eine andere verliebt«, sagte er mit unglücklichem Gesicht.

»Soll das heißen eine andere Frau, oder was?« Ich kam mir vor wie jemand, dem man einen Kricketschläger auf den Kopf geschlagen hatte.

»Ja«, sagte er, zweifellos erleichtert, daß ich die Situation im großen und ganzen erfaßt hatte.

»Und du *verläßt* mich also?« fragte ich ihn ungläubig.

»Ja«, sagte er. Um meinem Blick auszuweichen, sah er dabei auf seine Schuhspitzen, zur Decke und auf meine Limonadenflasche.

»Du liebst mich also nicht mehr?« fragte ich schließlich.

»Ich weiß nicht. Ich glaube nicht«, gab er zur Antwort.

»Und was ist mit der Kleinen?« fragte ich benommen. Er konnte mich unmöglich verlassen, schon gar nicht jetzt, wo wir ein gemeinsames Kind hatten. »Du mußt dich um uns beide kümmern.«

»Es tut mir leid, aber das kann ich nicht«, sagte er. »Ich werde dafür sorgen, daß die finanzielle Seite geregelt wird. Auch wegen der Wohnung, der Hypothek und allem werden wir eine Lösung finden, aber ich muß gehen.«

Ich konnte nicht glauben, daß wir dieses Gespräch führten. Wovon zum Teufel redete er? Was sollte der Blödsinn mit Wohnung, Geld, Hypothek und dem ganzen Kram? Üblicherweise hätten wir uns jetzt mit der Kleinen beschäftigen und uns freundschaftlich darüber streiten müssen, welchen Großeltern sie ähnlicher sah. Aber James, *mein* James, sprach davon, mich zu verlassen. Wer ist hier zuständig? Ich möchte mich über mein Leben beschweren. Ich hatte ausdrücklich ein glückliches Leben mit einem liebenden Mann bestellt, passend zu meinem neugeborenen Kind. Wieso drückte man mir jetzt statt dessen diese minderwertige Karikatur auf?

»Großer Gott, Claire«, sagte er. »Es fällt mir wirklich nicht leicht, dich so im Stich zu lassen. Aber wenn ich jetzt mit dir und dem Kind nach Hause gehe, komme ich nie von euch los.«

Das sollst du ja auch gar nicht, dachte ich verwirrt.

»Ich weiß, daß es keinen passenden Zeitpunkt gibt, dir so was zu sagen. Als du schwanger warst, ging es nicht, weil du sonst vielleicht das Kind verloren hättest. Also muß ich es jetzt sagen.«

»James«, sagte ich schwach. »Das ist alles vollkommen verrückt.«

»Ich weiß«, stimmte er zu. »Du hast in den letzten vierundzwanzig Stunden viel durchgemacht.«

»Warum warst du bei der Geburt dabei, wenn du mich von vornherein im Stich lassen wolltest, kaum daß es vorüber ist?« fragte ich ihn und faßte seinen Arm, damit er mich ansah.

»Weil ich es versprochen hatte«, sagte er und schüttelte meine Hand ab. Wie ein geprügelter Schuljunge sah er beiseite.

»Weil du es versprochen hattest?« fragte ich und versuchte zu verstehen, was das Ganze sollte. »Aber du hast mir viel versprochen. Beispielsweise mich zu lieben und zu achten, bis daß der Tod uns scheidet.«

»*Das* Versprechen kann ich nicht halten«, murmelte er. »Tut mir wirklich leid.«

»Und wie soll es weitergehen?« fragte ich benommen. Keine Sekunde akzeptierte ich auch nur ein Wort von dem, was er sagte. Aber die Musik spielt auch dann weiter, wenn niemand auf der Tanzfläche ist. Zwischen mir und James lief etwas ab, was ein unbeteiligter außenstehender Beobachter als Unterhaltung ansehen mochte. Aber es war keine, denn ich meinte kein Wort von dem, was ich sagte, und akzeptierte nichts von dem, was er sagte. Als ich ihn fragte, wie es weitergehen würde, brauchte ich keine Antwort. Ich *wußte*, wie es weitergehen würde. Er würde mit mir und dem Kind nach Hause kommen, und damit wäre Schluß mit diesem Unsinn.

Ich war überzeugt, daß er merken würde, wie absurd es war, auch nur an eine Trennung zu denken, wenn ich es nur schaffte, daß er bei mir blieb, und ihn dazu brachte, weiterzureden.

Er stand auf. Er war zu weit entfernt, als daß ich nach ihm hätte greifen können. Er trug einen schwarzen Anzug (wir hatten früher oft darüber gescherzt, daß er ihn trug, wenn er bei Konkursen Firmen liquidieren mußte), und er sah entschlossen und bleich aus. In gewisser Hinsicht war er mir nie schöner erschienen.

»Ich sehe, du trägst deinen Leichenbestatter-Anzug«, sagte ich bitter. »Hübscher Einfall.«

Er machte sich nicht einmal die Mühe zu lächeln. In dem Augenblick begriff ich, daß ich ihn verloren hatte. Er sah aus wie James, er klang wie James, roch wie James, aber er war nicht James.

Es war wie in einem Science-fiction-Film aus den fünfziger Jahren, in dem ein außerirdisches Wesen in den Körper der Freundin des Helden schlüpft – von außen sieht sie aus wie immer (rosa Angorapullover, niedliches Handtäschchen, so spitzer BH, daß sie damit einer Spinne das Auge ausstechen könnte, und so weiter) –, aber ihre Augen haben sich verändert.

Ein flüchtiger Beobachter würde eventuell immer noch denken, daß es sich um meinen James handelte, aber der Blick in seine Augen hatte mir gezeigt, daß er fort war. Irgendein kalter Fremder ohne Liebe hatte sich seines Körpers bemächtigt. Ich wußte nicht, wohin *mein* James verschwunden war.

Vielleicht war er zusammen mit Peggy-Jo im Raumschiff der Außerirdischen.

»Das meiste von meinen Sachen habe ich schon weggebracht«, sagte er. »Ich melde mich. Mach's gut.«

Er machte auf dem Absatz kehrt und verließ die Wöchnerinnenstation fast im Laufschritt. Am liebsten wäre ich ihm nachgerannt, aber der Dreckskerl wußte, daß ich dank mehrerer Stiche, mit der man den Dammschnitt genäht hatte, fest im Bett liegenbleiben mußte. Dann war er fort.

Eine ganze Weile lag ich stocksteif da. Ich war wie betäubt, entsetzt und fassungslos, konnte es nicht glauben. Doch war da sonderbarerweise etwas, das mich veranlaßte, den Vorfall zu glauben, ein Gefühl, das mir fast vertraut war.

Wirklich vertraut konnte es nicht sein, da mich noch nie zuvor ein Ehemann verlassen hatte. Aber da war etwas. Ich vermute, daß es im Hirn eines jeden Menschen, auf jeden Fall in meinem, etwas gibt, das ständig von einem Felsennest hoch in den Bergen Ausschau nach möglichen Gefahren hält. Es meldet dem übrigen Gehirn, wenn sich Schwierigkeiten ankündigen. Auf der Gefühlsebene ist das wohl die Entsprechung von ›Die Indianer greifen an‹. Je mehr ich darüber nachdachte, desto deutlicher wurde mir, daß dieser Teil meines Gehirns vermutlich schon seit Monaten Licht- und Rauchsignale ausgesandt hatte. Aber mein übriges Hirn hielt sich bei der Wagenburg unten im angenehm grünen Tal der Schwangerschaft auf und wollte von der bevorstehenden Gefahr nichts wissen. Also achtete es einfach nicht auf die Botschaften, die ihm galten.

Gewiß, James war während des größten Teils meiner Schwangerschaft ziemlich unglücklich gewesen. Das hatte ich auf meine Stimmungsumschwünge geschoben, meinen beständigen Heißhunger und meine übertriebene Sentimentalität, die dazu führte, daß ich über alles heulte, sogar über lächerliche Fernsehserien.

Natürlich war auch unser Geschlechtsleben deutlich eingeschränkt gewesen. Aber ich war davon ausgegangen, daß alles wieder normal würde, sobald das Kind auf der Welt war. Normal, nur besser als zuvor.

James' Trübsal schien mir einfach mit meiner Schwangerschaft und den damit verbundenen Nebenwirkungen zusammenzuhängen, doch fällt mir im Rückblick auf, daß ich vielleicht manches übersehen hatte, was ich nicht hätte übersehen dürfen.

Was also sollte ich tun? Ich wußte nicht einmal, wo er sich aufhielt. Mein Gefühl riet mir, ihn eine Weile in Ruhe zu lassen. Geh auf ihn ein, tu so, als ob du ihn verstehst.

Ich konnte es kaum glauben.

Wie kam er dazu, mich zu verlassen? Normalerweise reagierte ich auf Kränkungen oder Verrat damit, daß ich das Kriegsbeil ausgrub, aber irgendwie war mir klar, daß das in dieser Situation nichts fruchten würde. Ich mußte gelassen und bei klarem Verstand bleiben, bis sich eine Möglichkeit ergab zu entscheiden, was ich tun konnte.

Eine Krankenschwester trat auf quietschenden Gummisohlen an mein Bett. Sie blieb stehen und lächelte mir zu. »Wie fühlen Sie sich?« fragte sie.

»Ganz gut«, sagte ich, weil ich wollte, daß sie wieder verschwand.

»Ich nehme an, Ihr Mann wird später kommen, um Sie und das Kind zu sehen«, sagte sie.

»Darauf würde ich nicht wetten«, antwortete ich bitter.

Sie sah mich erstaunt an und ging rasch zu einer der netten, freundlichen, höflichen Mütter, wobei sie mit ihrem Kugelschreiber klickte und mir über die Schulter nervöse Blicke zuwarf.

Ich beschloß, Judy anzurufen.

Sie war, seit wir achtzehn waren, meine beste Freundin. Wir waren von Dublin gemeinsam nach London gegangen, und sie war meine Trauzeugin gewesen. Mit dieser Sache wurde ich nicht allein fertig. Sie würde mir sagen, was ich tun könnte. Mit äußerster Vorsicht schob ich mich aus dem Bett und ging ans Münztelefon, so rasch die bewußte Dammschnittnaht das zuließ.

Sie nahm sofort ab.

»Hallo, Claire«, sagte sie. »Gerade wollte ich auf einen Sprung vorbeikommen.«

»Gut«, sagte ich. Gott weiß, ich wäre am liebsten in Tränen ausgebrochen und hätte ihr alles über James und seinen Weggang gesagt, aber hinter mir wartete eine Schlange von Frauen in rosa Frottee-Morgenmänteln (zweifellos wollten sie ihre ihnen ergebenen Männer anrufen), und ich hatte wider Erwarten noch einen *Rest* Stolz im Leibe.

Eingebildete Schnepfen, dachte ich säuerlich und (wie ich zugeben muß) verärgert, während ich mich in mein Bett zurückschleppte.

Als Judy kam, war mir klar, daß sie über James Bescheid wußte, denn sie sagte: »Claire, ich weiß wegen James Bescheid.« Außerdem merkte ich es daran, daß sie mit leeren Händen gekommen war: sie hatte weder einen riesigen Blumenstrauß noch eine küchentischgroße Glückwunschkarte voller Störche mitgebracht. Nicht einmal ein breites Lächeln schenkte sie mir. Statt dessen schien sie besorgt und nervös.

Das Herz sank mir bis in die Zehenspitzen. Wenn James es auch anderen erzählte, *mußte* es stimmen.

»Er hat mich verlassen«, sagte ich melodramatisch.

»Ich weiß«, sagte sie.

»Wie konnte er nur?« fragte ich.

»Ich weiß nicht«, sagte sie.

»Er hat eine andere«, sagte ich.

»Ich weiß«, sagte sie.

»Wieso weißt du das?« fragte ich und stieß wie ein Raubvogel mit dem Kopf nach ihr.

»Von Michael. Aisling hat es ihm gesagt. George hat es ihr gesagt.«

Michael war Judys Freund, Aisling war eine Arbeitskollegin von ihm, und ihr Mann George arbeitete in James' Büro.

»Also weiß es jeder«, sagte ich leise.

Eine Pause trat ein. Judy sah aus, als würde sie am liebsten sterben.

»Dann wird es wohl stimmen«, sagte ich.

»Das denke ich auch«, sagte sie, offensichtlich betreten.

»Kennst du die andere?« fragte ich. Es war mir unangenehm, sie in eine so peinliche Situation zu bringen, aber ich mußte es erfahren, und vorher war ich zu entsetzt gewesen, um James selbst zu fragen.

»Äh, ja«, sagte sie, noch betretener als zuvor. »Es ist Denise.«

Es dauerte eine Minute, bis ich begriff, von wem sie sprach.

»WAS!« schrie ich. »Doch nicht die nette Denise von unter uns?«

Ein klägliches Nicken Judys antwortete mir. Nur gut, daß ich schon lag.

»So ein *Luder*!« stieß ich hervor.

»Es geht noch weiter«, murmelte sie. »Er redet davon, daß er sie heiraten will.«

»Was zum Teufel willst du damit sagen?« brüllte ich sie an. »Er *ist* schon verheiratet. Mit mir. Ist seit neuestem vielleicht die Vielehe erlaubt?«

»Ist sie nicht«, sagte sie.

»Aber dann …« Meine Stimme schwand.

»Claire«, seufzte sie niedergeschlagen. »Er sagt, daß er sich scheiden lassen will.« Wie gesagt, nur gut, daß ich schon lag.

Der Nachmittag verging, zusammen mit Judys Geduld und jeglicher Hoffnung, die ich möglicherweise noch gehabt hatte. Ich sah sie verzweifelt an.

»Judy, was soll ich nur tun?«

»Sieh mal«, sagte sie nüchtern. »In zwei Tagen kommst du hier raus. Du hast eine Wohnung, genug Geld, um dich und die Kleine zu ernähren. Du mußt dich um ein Neugeborenes kümmern und gehst in sechs Monaten wieder arbeiten. Laß James ein bißchen Zeit. Bestimmt werdet ihr eine Lösung finden.«

»Aber Judy«, jammerte ich. »Er will sich *scheiden* lassen.«

Allerdings schien er dabei etwas Wichtiges übersehen zu haben. In Irland kannte man keine Scheidung. Wir hatten in Irland geheiratet. Der Pfarrer der Kirche Unserer Lieben Frau von der immerwährenden Hilfe hatte unsere Ehe gesegnet. Viel schien es ja nicht genützt zu haben. Fahr dahin, immerwährende Hilfe.

Ich war völlig ratlos. Ich fühlte mich allein und hatte Angst. Am liebsten hätte ich mir die Decke über den Kopf gezogen und wäre gestorben. Aber das ging nicht, denn ich mußte mich um ein hilfloses Neugeborenes kümmern.

Was für ein Start ins Leben für die Kleine! Noch keine zwei Tage alt, und schon hatte der Vater sie verlassen, und ihre Mutter stand am Rande eines Nervenzusammenbruchs. Zum tausendsten Mal fragte ich mich, wie James mir das nur hatte antun können.

»Wie konnte James mir das antun?« fragte ich Judy.

»Das hast du mich schon etwa tausend Mal gefragt«, sagte sie.

Das stimmte.

Ich wußte nicht, wie er mir das hatte antun können, ich wußte nur, daß er es getan hatte.

Bis dahin hatte ich wohl angenommen, daß mir das Leben die unangenehmen Dinge in gleich großen mundgerechten Happen zuteilte, und zwar immer nur so viel, wie ich jeweils verarbeiten konnte. Wenn ich von anderen Menschen hörte, die von mehreren Katastrophen gleichzeitig heimgesucht wurden (eine Frau hatte in ein und derselben Woche einen Verkehrsunfall, verlor ihre Arbeit und erwischte ihren Freund mit ihrer Schwester im Bett), hatte ich immer gedacht, daß sie selbst die Schuld daran hätten. Na ja, nicht gerade *Schuld*. Aber wer sich aufführt, als könnte ihm jederzeit etwas zustoßen, dem stößt etwas zu, und wer mit dem Schlimmsten rechnet, dem passiert es auch.

Jetzt erkannte ich, wie falsch das war. Manchmal suchen sich Menschen ihre Opferrolle nicht aus und fallen trotzdem einem Übel zum Opfer. Sie können nichts dazu. Es war sicherlich nicht meine Schuld, daß mein Mann glaubte, sich in eine andere verliebt zu haben. Ich hatte nicht damit gerechnet, und ich *wollte* auf keinen Fall, daß so etwas geschah. Aber es war geschehen.

In dem Augenblick begriff ich, daß das Leben besondere Umstände nicht respektiert. Die Macht, die uns Katastrophen in den Weg schleudert, sagt nicht: »Schön, dieses Jahr kriegt sie den Knoten in der Brust nicht. Sie soll sich erst mal vom Tod ihrer Mutter erholen.« Sie tut, wonach ihr ist und wann ihr danach ist. Ich begriff, daß niemand vor einer Anhäufung von Katastrophen sicher ist. Selbstverständlich hielt ich es nicht für eine Katastrophe, ein Kind zu bekommen, aber man konnte eine Geburt ja wohl unter der Überschrift *umwälzendes Ereignis* einordnen.

Ich hatte stets die Meinung vertreten, ich hielte mein Leben in der Hand und wäre imstande, sofern mir oder James – Gott behüte – je etwas zustieße, mit einem gewissen Aufwand an Zeit und Energie die Dinge in Ordnung zu bringen. Ich hatte nicht damit gerechnet, daß ich binnen vierundzwanzig Stunden nach der Geburt meines ersten Kindes sitzengelassen würde, zu einem Zeitpunkt, da sich meine Energien auf einem nie gekannten Tiefpunkt befanden und meine Verwundbarkeit einen nie dagewesenen Höchstwert erreicht hatte.

Ganz davon zu schweigen, daß ich unsagbar dick war. Ein dicker Hintern hatte James noch nie gelockt.

Schweigend saß Judy auf meiner Bettkante, und wir versuchten uns etwas einfallen zu lassen. Mit einem Mal hatte ich die Lösung. Es mochte nicht unbedingt *die* Lösung sein, aber es war eine Lösung, die es mir erlaubte, einstweilen weiterzumachen.

»Ich weiß, was ich tu«, sagte ich. Ich konnte richtig hören, wie Judy voll Inbrunst *Gott sei Dank* dachte.

Wehmütig sagte ich – wie Scarlett O'Hara am Ende von *Vom Winde verweht* –: »Ich kehre zurück. Zurück nach Dublin.«

Sicher, ›Dublin‹ klingt nicht ganz so wie ›Tara‹, aber was für einen Sinn hätte es gehabt, wenn ich nach Tara zurückgekehrt wäre? Dort kannte ich niemanden. Ich war erst ein- oder zweimal auf meinem Weg nach Drogheda durchgekommen.

2

Ein paar Tage später holte mich Judy vom Krankenhaus ab. Sie hatte für mich und die Kleine einen einfachen Flug nach Dublin gebucht und brachte mich in meine Wohnung, damit ich ein paar Sachen zusammenpacken konnte.

Von James hatte ich noch nichts gehört. Ich bewegte mich in trübseliger Benommenheit durch den Tag.

Manchmal konnte ich es einfach nicht glauben. Alles, was er mir gesagt hatte, kam mir vor wie ein Traum. Ich konnte mich nicht an die Einzelheiten erinnern, wohl aber an das Übelkeit verursachende Gefühl, daß etwas ganz und gar nicht stimmte.

Manchmal aber tauchte der Verlust in einer Gastrolle auf.

Er machte sich in mir breit. Er war wie eine Kraft, die das Leben aus mir vertrieb und mir den Atem nahm. Er war gefährlich und grausam, er haßte mich. Das mußte er wohl, wenn es mir solche Schmerzen verursachen konnte.

Ich weiß nicht mehr genau, wie ich die wenigen Tage im Krankenhaus hinter mich brachte. Ich erinnere mich undeutlich, daß es mich durcheinanderbrachte, wie all die anderen jungen Mütter von einem grundlegenden Wandel in ihrem Leben sprachen und davon, daß es nie wieder um sie allein gehen würde. Sie sprachen davon, wie schwierig es sei, ihr Leben auf das Kind einzustellen und so weiter.

Nur verstand ich nicht, wo da das Problem lag. Ich konnte mir schon jetzt ein Leben ohne mein Kind nicht vorstellen. »Wir beide, du und ich, Schätzchen«, flüsterte ich ihr zu. Vermutlich hat es unseren Verschmelzungsprozeß beschleunigt, daß uns der Mann in unserem Leben verlassen hatte. Nichts bringt die Menschen einander so nahe wie eine Krise, wie es so schön heißt.

Ich verbrachte viel Zeit damit, ganz still zu sitzen und die Kleine zu halten. Ich berührte ihre *winzigen* Puppenfüßchen, ihre vollkommenen rosa Miniaturzehen, ihre fest geschlossenen Fäustchen, ihre samtweichen Öhrchen, streichelte zärtlich die feine Haut ihres unglaublich kleinen Gesichts, fragte mich, welche Farbe ihre Augen wohl annehmen würden.

Sie war so schön, so vollkommen, ein solches Wunder.

Ich hatte von allen Seiten gehört, daß ich damit rechnen müsse, überwältigende Liebe zu meinem Kind zu empfinden, ich war also gewarnt. Aber nichts hätte mich auf diese Intensität vorbereiten können, auf das Gefühl, daß ich imstande wäre, jeden umzubringen, der die blonden Haarbüschelchen auf ihrem weichen kleinen Kopf auch nur berührte.

Daß James mich verlassen hatte, konnte ich verstehen – nun, eigentlich nicht –, aber *völlig* unverständlich war mir, wie er dies wunderschöne, vollkommene kleine Kind im Stich lassen konnte.

Die Kleine weinte viel. Aber darüber kann ich nicht wirklich klagen, denn das tat ich auch. Ich versuchte, sie immer wieder zu beruhigen, aber sie hörte nur selten auf. Nachdem sie am ersten Tag acht Stunden am Stück geweint und ich ihre Windel hundertzwanzig Mal gewechselt und sie neunundvierzigtausend Mal gefüttert hatte, wurde ich allmählich hysterisch und verlangte, daß ein Arzt nach ihr sah.

»Irgend etwas *kann* mit ihr nicht stimmen«, erklärte ich dem erschöpft dreinblickenden jungen Mann, der sich als Arzt vorgestellt hatte. »Sie kann *unmöglich* hungrig sein, sie hat sich auch nicht in die Windel gemacht, aber sie hört einfach nicht auf zu schreien.«

»Nun, ich habe sie untersucht, und soweit ich sehen kann, fehlt ihr absolut nichts«, erklärte er mir geduldig.

»Aber warum schreit sie dann?«

»Weil sie ein Säugling ist«, sagte er. »Das tun sie alle.« War das alles, was ihm nach sieben Jahren Medizinstudium dazu einfiel? Er überzeugte mich damit nicht. Vielleicht schrie sie, weil sie irgendwie spürte, daß ihr Dad sie im Stich gelassen hatte. Vielleicht aber schrie sie einfach – nagendes Schuldgefühl –, weil ich sie nicht stillte. Vielleicht hatte sie grundsätzliche Vorbehalte gegen das Fläschchen. Mir ist klar, daß Sie jetzt wahrscheinlich empört sind, weil ich nicht stillte, und vermutlich halten Sie mich für eine Rabenmutter. Aber schon lange *bevor* ich mein Kind bekam, fand ich es in Ordnung, daß ich meinen Körper zurückverlangen konnte, nachdem ich ihn neun Monate hergeliehen hatte. Mir war klar, daß mir jetzt, da ich Mutter war, meine Seele nicht mehr gehörte. Aber eigentlich hatte ich gehofft, daß mir meine Brustwarzen gehörten. Und, ich schäme mich, es zu sagen, ich fürchtete, daß meine Brust, wenn ich mein Kind stillte, verschrumpeln und unansehnlich werden würde.

Jetzt, in Gegenwart meines wundervollen, vollkommenen Kindes, kamen mir meine Bedenken wegen des Stillens kleinlich und egoistisch vor. Alles ändert sich, wenn eine Frau ein Kind zur Welt bringt. Ich hätte nicht geglaubt, daß ich den Tag erleben würde, an dem ich die Bedürfnisse eines anderen Menschen für wichtiger halten würde als die Verlockung, die von meinen Brüsten ausging.

Wenn also mein kleines Schätzchen nicht bald zu schreien aufhörte, würde ich darüber nachdenken, es zu stillen. Wenn es sie glücklich machte, würde ich mich mit rissigen und tropfenden Brustwarzen abfinden und auch damit, daß kichernde dreizehnjährige Jungen im Bus einen Blick auf meine Titten zu erhaschen versuchten.

Mit Judy und der Kleinen ging ich nach Hause. Ich schloß auf, und obwohl ich wußte, daß James ausgezogen war, war ich nicht auf die kahlen Stellen im Badezimmer, den leeren Kleiderschrank und die Lücken im Bücherregal gefaßt.

Es war einfach entsetzlich.

Langsam setzte ich mich auf unser Bett. Das Kissen roch noch nach ihm, und er fehlte mir so sehr.

»Ich kann es nicht glauben«, schluchzte ich. »Er ist wirklich fort.«

Auch die Kleine fing an zu weinen, als spüre sie ebenfalls die Leere. Dabei hatte sie erst vor fünf Minuten damit aufgehört. Die arme Judy war hilflos. Sie wußte nicht, wen von uns beiden sie trösten sollte. Nach einer Weile hörte ich auf zu weinen und wandte Judy langsam mein tränenüberströmtes Gesicht zu. Ich fühlte mich erschöpft vor lauter Kummer.

»Na schön«, sagte ich. »Packen wir.«

»Gut«, flüsterte sie und schaukelte nach wie vor tröstend mich und das Kind in den Armen.

Ich begann, einiges in eine große Reisetasche zu werfen. Ich packte alles ein, wovon ich glaubte, ich würde es brauchen. Ich machte mich daran, einen Stapel Wegwerfwindeln von der Größe eines kleineren südamerikanischen Staates mitzuschleppen, aber Judy meinte, ich sollte sie dort lassen. »Die gibt es auch in Dublin«, erinnerte sie mich freundlich. Ich warf Trinkfläschchen in die Tasche, einen Flaschenwärmer mit einem Abziehbild von einer Kuh, die über den Mond sprang, Schnuller, Spielzeug, Rasseln, Strampelanzüge, Söckchen so groß wie Briefmarken, und was mir noch für mein armes vaterloses Kind wichtig erschien.

Vermutlich überkompensierte ich, weil ich jetzt eine alleinerziehende Mutter war. *Tut mir leid, Schätzchen, du hast keinen Vater, weil ich nicht klug oder schön genug war, ihn zu halten, aber ich will das dadurch ausgleichen, daß ich dich mit irdischen Gütern überschütte.*

Dann bat ich Judy, mir einige Windeln zurückzugeben.

»Wozu?« fragte sie und hielt sie fest an sich gedrückt.

»Es könnte ja im Flieger zu einem Zwischenfall kommen«, sagte ich und versuchte, sie ihr zu entreißen.

»Haben die dir im Krankenhaus denn keine Binden mitgegeben?« fragte sie. Es klang entrüstet.

»Nicht *mir* könnte ein Zwischenfall passieren, aber der *Kleinen*. Strenggenommen wäre es ja nicht wirklich ein Zwischenfall«, sagte ich nachdenklich, »sondern eher Berufsrisiko.« Zögernd gab sie mir drei Windeln.

»Weißt du, du kannst sie nicht ewig ›die Kleine‹ nennen«, sagte Judy. »Du wirst ihr einen Namen geben müssen.«

»Mir fällt im Augenblick aber keiner ein«, sagte ich und merkte, wie Panik hochkam.

»Aber was hast du denn in den letzten neun Monaten getan?« Erneut klang Judys Stimme entrüstet. »Du mußt dir doch ein *paar* Namen überlegt haben.«

»Hab' ich auch«, sagte ich, und meine Lippe begann zu zittern. »Aber ich hab' das mit James zusammen getan. Es ist nicht recht, ihr einen von diesen Namen zu geben.«

Judy sah mich ein wenig verärgert an. Aber da ich wieder den Tränen nahe war, sagte sie weiter nichts.

Für mich selbst nahm ich außer einer Handvoll Bücher zur Kinderpflege kaum etwas mit. *Wozu*, dachte ich, *jetzt, wo mein Leben vorbei ist.*

Außerdem paßte mir nichts mehr. Ich öffnete den Kleiderschrank und wich vor den herablassenden Blicken zurück, mit denen mich all meine viel zu engen Kleider musterten. Kein Zweifel: sie redeten miteinander über mich.

Ich konnte förmlich sehen, wie sie sich anstießen und sagten: »Sieh dir nur an, wie dick sie ist. Glaubst du allen Ernstes, daß wir zierlichen Sechsunddreißiger was mit der Vierundvierziger-Figur zu schaffen haben wollen, die sie mit sich rumschleppt? Kein Wunder, daß ihr Mann mit einer anderen durchgebrannt ist.«

Ich wußte genau, was sie dachten.

»Du hast dich gehenlassen. Dabei hast du immer wieder gesagt, du würdest das nicht tun. Du hast uns enttäuscht, und dich selbst auch.«

»Tut mir leid«, erklärte ich unterwürfig. »Ich verspreche euch, daß ich abnehme. Ich komm zu euch zurück, sobald ich kann.«

Ihre Skepsis ließ sich mit Händen greifen.

Ich hatte die Wahl zwischen meinen Umstandskleidern oder Jeans, die James bei seinem überstürzten Aufbruch zurückgelassen hatte. Ich zog sie an und betrachtete im Schlafzimmerspiegel meinen abstoßenden übergewichtigen Körper. Ich sah verheerend aus! Ich kam mir vor, als hätte ich den Michelinmännchen-Anzug meiner großen Schwester angezogen. Oder noch schlimmer, als wäre ich immer noch schwanger.

In den Wochen unmittelbar vor der Geburt hatte ich gewaltige Ausmaße. Richtig kugelrund war ich. Das einzige, was mir in jener Zeit gepaßt hatte, war mein grünes wollenes Kittelkleid, und da mein Gesicht wegen meiner beständigen Übelkeit stets grün war, sah ich aus wie eine Wassermelone, die sich Stiefel angezogen und ein wenig Lippenstift aufgelegt hatte. Zwar war ich jetzt nicht mehr grün, sah aber in jeder anderen Beziehung nach wie vor aus wie eine Wassermelone. Wie eine Wassermelone, die eine Packung Eisentabletten hätte vertragen können.

Was passierte da mit mir? Wohin waren mein wirkliches Ich und mein wirkliches Leben *entschwunden*?

Schweren Herzens – nicht das einzige Schwere an mir – rief ich ein Taxi an, das uns zum Flughafen bringen sollte. Es klingelte an der Tür. Ich sah mich ein letztes Mal in meinem Wohnzimmer um, warf einen letzten Blick auf die halbleeren Regale mit den Löchern darin, die nagelneue, ungebrauchte Gegensprechanlage zur Überwachung des Kinderzimmers, die an der Wand hing (was für eine *Geldverschwendung*), und den Berg Windeln auf dem Fußboden, die wir zurückließen.

Ich schloß mit Nachdruck die Tür hinter mir, bevor ich wieder anfing zu weinen.

Ja, ich weiß. Ziemlich aufgesetzte Symbolik. Tut mir leid.

Dann fiel mir auf, daß mir etwas fehlte. »Gott«, sagte ich, »meine Ringe.« Ich rannte wieder hinein und holte meinen Verlobungs- und meinen Ehering aus dem Schlafzimmer. Sie hatten in den letzten beiden Monaten auf dem Nachttisch gelegen, weil auch meine Finger so dick angeschwollen waren, daß ich sie nicht tragen konnte. Ich rammte sie mir auf meine Finger. Sie paßten so grade.

Ich sah, wie mir Judy einen sonderbaren Blick zuwarf.

»Er ist nach wie vor mein Mann, weißt du«, sagte ich trotzig. »Das heißt, ich bin immer noch verheiratet!«

»Ich hab' kein Wort gesagt«, sagte sie mit Unschuldsmiene.

Judy und ich nahmen den Aufzug nach unten, wobei wir mit Plastiktüten, Reisetaschen, Handtaschen und einem zwei Tage alten Kind in seiner Trageschale jonglieren mußten.

Auch das sagt einem niemand, wenn man ein Kind bekommt! In den Handbüchern müßte etwas in der Art stehen wie: »Es ist unerläßlich, daß Ihr Mann Sie während der ersten Monate nach der Geburt des Kindes nicht verläßt, da Sie sonst alles selbst tragen müssen.«

Gerade als Judy das ganze Gepäck in das Taxi wuchtete, sah ich voll Entsetzen Denises Mann die Straße entlangkommen. Wahrscheinlich war er auf dem Heimweg von der Arbeit.

»O Gott«, sagte ich voll böser Vorahnungen.

»Was ist?« fragte Judy beunruhigt. Ihr Gesicht war von der Anstrengung rot und schweißbedeckt.

»Der Mann von Denise«, murmelte ich.

»Ja und?« fragte sie laut.

Ich fürchtete, daß er mir irgendeine schreckliche und erregte Szene machen würde. Wie gesagt, er war Italiener. Vielleicht hatte ich auch Angst, daß er irgendeine Art von Bündnis zwischen mir und ihm vorschlagen wollte, so nach dem Motto ›Der Feind meines Feindes ist mein Freund‹. Das wollte ich *auf keinen Fall.*

Unsere Blicke kreuzten sich, und in meiner Angst und meinem Schuldbewußtsein wußte ich genau, was er dachte: *Es ist deine Schuld. Wenn du so anziehend gewesen wärest wie meine Denise, wär dein Mann wahrscheinlich bei dir geblieben und ich wäre nach wie vor glücklich verheiratet. Aber nein, du abstoßende dicke Kuh mußtest natürlich alles verderben.*

Schön, dachte ich. *Das kann ich auch.*

Ich sah ihn unverwandt an und schickte ihm seine Gedankenbotschaft zurück. *Hättest du kein männermordendes, Ehen zerstörendes Flittchen geheiratet, sondern eine nette, anständige junge Frau, wäre die ganze Schweinerei nicht passiert, und uns allen ginge es besser.*

Wahrscheinlich tat ich dem armen Mann damit ziemlich unrecht. Ohne ein Wort zu sagen, sah er mich traurig und vorwurfsvoll an.

Ich umarmte Judy zum Abschied. Beide weinten wir. Meine Kleine weinte ausnahmsweise nicht.

»Heathrow, Terminal eins«, sagte ich dem Taxifahrer mit tränenerstickter Stimme, und wir fuhren davon. Mr. Andrucetti sah uns trübsinnig nach.

Während ich mich durch den Mittelgang der Aer-Lingus-Maschine vorarbeitete, stieß ich mit meiner Reisetasche voller Babysachen mehrere Fluggäste an, die wütend darauf reagierten. Als ich schließlich meinen Platz gefunden hatte, stand ein Mann auf, um mir beim Verstauen meiner Taschen zu helfen. Während ich ihm dankbar zulächelte, fragte ich mich automatisch, ob ich ihm gefiele.

Schrecklich. Zu den wenigen Dingen, die mir am Verheiratetsein wirklich gefielen, gehörte, daß ich einige Jahre hindurch dem widerlichen Karussell entflohen war, auf dem es darum ging, den richtigen Mann kennenzulernen, festzustellen, daß er schon verheiratet war, mit einem anderen Mann zusammenlebte, von pathologischem Geiz war, Bücher von Jeffrey Archer las oder einen Orgasmus ausschließlich dann zustande brachte, wenn er die Frau, mit der er zusammen war, ›Mutter‹ nennen durfte. Oder irgendeinen der anderen tausend Charaktermängel hatte, die man nicht sofort erkennt, wenn man einem Menschen die Hand schüttelt, ihm lächelnd tief in die Augen sieht und ein warmes, kribbelndes Gefühl im Magen empfindet, das absolut nichts mit den rezeptfreien Mitteln zu tun hat, die man früher abends eingenommen hatte oder nicht, so daß man bei sich dachte: ›He, der könnte es sein.‹

Jetzt war ich wieder in der Lage, in der für eine Frau jeder Mann als Freund in Frage kommt. Ich befand mich wieder in einer Welt, in der achthundert ausnehmend schöne Frauen auf jeden normalen Mann kommen – die wirklich abscheulichen Männer noch nicht abgerechnet.

Ich musterte den hilfsbereiten Zeitgenossen aufmerksam. Er sah nicht einmal gut aus. Wahrscheinlich war er schwul. Oder er war, da es sich um einen Flug der irischen Luftfahrtgesellschaft handelte, mit noch größerer Wahrscheinlichkeit Priester.

Ich meinerseits war alles andere als ein Hauptgewinn: eine verlassene Ehefrau mit einem zwei Tage alten Säugling und dem Selbstwertgefühl einer Amöbe (tatsächlich soviel?), zwölf Kilo Übergewicht, einer Vagina, die zehnmal so groß war wie sonst, und kurz vor Eintritt der nachgeburtlichen Depression.

Das Flugzeug startete, und die Straßen und Häuser Londons entschwanden unter mir. Aus dem Fenster sah ich zu, wie sie immer kleiner wurden. Ich ließ sechs Jahre meines Lebens hinter mir.

Ob sich ein Flüchtling so fühlt? Irgendwo da unten war mein Mann. Irgendwo da unten war meine Wohnung, waren meine Freunde. Irgendwo da unten war mein Leben.

Ich war dort glücklich gewesen.

Dann schob sich eine Wolke dazwischen. Wieder diese aufgesetzte Symbolik! Ich bitte nochmals um Entschuldigung.

Ich lehnte mich in meinen Sitz zurück, meine Kleine auf dem Schoß. Wahrscheinlich hielten mich alle anderen Passagiere für eine normale Mutter. Aber ich war keine. Das wurde mir blitzartig klar. Ich war eine sitzengelassene Ehefrau, eine Stelle hinter dem Komma in der Statistik.

Im Laufe meines Lebens war ich alles mögliche gewesen: Claire, die brave Tochter, Claire, die kratzbürstige Tochter, Claire, die Studentin, Claire, die Hure (nur kurz. Wie schon gesagt, liefere ich Einzelheiten nach, falls wir Zeit haben), Claire, die Angestellte, und Claire, die Ehefrau. Und jetzt war ich Claire, die sitzengelassene Ehefrau. Diese Rolle paßte mir ganz und gar nicht, das kann ich Ihnen sagen.

Ich hatte (trotz meiner angeblichen Aufgeschlossenheit) stets angenommen, sitzengelassene Ehefrauen kämen in Sozialwohnungen vor, und ihre Männer machten sich mit einer Flasche Wodka, dem Haushaltsgeld und dem Geld vom Sparbuch der Kinder davon, nachdem sie ihrer Frau zum Abschied noch schnell ein blaues Auge geschlagen hatten. Die Frauen blieben dann weinend mit einem riesigen Berg unbezahlter Rechnungen und vier verhaltensgestörten Kindern unter sechs Jahren zurück, die eins wie das andere Spritztouren mit gestohlenen Autos machten, und dachten sich Geschichten aus, um ihr blaues Auge zu erklären – daß sie beispielsweise gegen eine Tür gerannt waren oder was in der Art.

Es war ernüchternd und erhellend zu sehen, wie sehr ich mich geirrt hatte. *Ich* war eine sitzengelassene Ehefrau. Ich, Claire aus der Mittelschicht.

Das wäre eine ernüchternde und erhellende Erfahrung gewesen, hätte sie mich nicht so verbittert und hätte ich mich nicht so wütend und verraten gefühlt. Was war ich? Eine Art tibetischer Mönch? Die verdammte Mutter Teresa?

Aber auf sonderbare Weise merkte ich durch das Selbstmitleid und die Selbstgerechtigkeit, daß ich eines Tages, wenn alles vorüber war, durch diese Erfahrung unter Umständen ein besserer Mensch sein könnte und daß sie mich unter Umständen stärker, weiser und einfühlsamer machen würde.

Aber jetzt war es wohl noch nicht soweit.

»Dein Vater ist ein Schwein«, flüsterte ich meinem Kind ins Ohr. Der hilfsbereite, schwule Priester zuckte zusammen. Er hatte mich wohl gehört.

Nach einer Stunde begann die Landung. Wir kreisten über den grünen Flächen im Norden Dublins, und obwohl ich wußte, daß die Kleine noch gar nicht richtig sehen konnte, hielt ich sie ans Fenster, damit sie einen Blick auf Irland erhaschte. Es sah ganz anders aus als das London, das wir gerade hinter uns gelassen hatten. Während ich auf das Blau der Irischen See und den grauen Dunst über den grünen Weideflächen sah, merkte ich, daß ich mich noch nie elender gefühlt hatte. Ich kam mir wie ein Versager vor.

Vor sechs Jahren hatte ich, gespannt auf die Zukunft, Irland verlassen. Ich würde eine großartige Stellung in London antreten, einen wunderbaren Mann kennenlernen und von da an glücklich leben. Und ich *hatte* eine großartige Stellung bekommen, *hatte* einen wunderbaren Mann kennengelernt und *hatte* von da an – nun, jedenfalls eine Weile – glücklich gelebt. Aber dann war alles irgendwie aus dem Gleis gelaufen, und ich war jetzt wieder in Dublin mit dem erniedrigenden Gefühl, das alles schon einmal erlebt zu haben.

Aber ein wesentlicher Punkt war anders. Ich hatte ein Kind. Ein vollkommenes, schönes, wunderbares Kind. Das hätte ich gegen nichts in der Welt eingetauscht.

Der hilfsbereite, schwule Priester neben mir machte ein sehr betretenes Gesicht, während ich hemmungslos heulte. *Nur zu,* dachte ich. *Laß es dir ruhig peinlich sein. Du bist ein Mann. Wahrscheinlich hast auch du zahllose Frauen so zum Weinen gebracht.*

Ich hatte schon Tage erlebt, an denen ich vernünftiger gewesen war.

Nachdem die Maschine ausgerollt war, hatte er es ziemlich eilig. Es war offensichtlich, daß er nicht schnell genug rauskommen konnte. Keinerlei Angebot, mir die Taschen herunterzuholen. Ich konnte ihm keinen Vorwurf machen.

3

Jetzt zur Gepäckausgabe. Für mich ist das jedesmal eine Tortur. Wissen Sie, was ich meine?

Die Bangigkeit beginnt in dem Augenblick, in dem ich die Ankunftshalle betrete und mich vor das Gepäck-Förderband stelle. Mit einem Mal bin ich überzeugt, daß sich all die freundlichen, angenehmen Menschen, mit denen ich gemeinsam geflogen bin, in abscheuliche Gepäckdiebe verwandelt haben. Jeder einzelne von ihnen hat nichts anderes im Sinn, als mein Gepäck zu stehlen.

Ich stehe da und verziehe das Gesicht vor Mißtrauen. Während ich ein Auge auf den Schlund gerichtet halte, der das Gepäck ausspeit, wandert das andere von einem zum anderen um mich herum und versucht, ihnen klarzumachen, daß ich ihre finsteren Absichten durchschaut habe und sie mit ihren üblen Tricks bei mir an die Falsche geraten sind.

Vermutlich würde es die Sache ein wenig erleichtern, wenn ich zu den planenden Menschen gehörte, denen es irgendwie gelingt, am Anfang des Bandes zu stehen. Aber ich lande immer am hinteren Ende, stelle mich auf die Zehen und spähe zu dem Schlund hinüber, um zu sehen, was gerade herauskommt. Wenn ich dann endlich mein Gepäck sehe, habe ich solche Angst, jemand könnte es stehlen, daß ich nicht geduldig stehenbleibe und warte, bis das Band es mir vor die Füße trägt. Statt dessen laufe ich durch die ganze Ankunftshalle, um es vom Band herunterzunehmen, bevor es jemand anders tut. Nur gelingt es mir gewöhnlich nicht, die dichte Reihe der Gepäckwagen um das Band herum zu durchbrechen. Also läuft mein Gepäck munter an mir vorüber und umrundet die Ankunftshalle mehrere Male, bevor ich es erwische.

Ein Alptraum!

Diesmal gelang mir zu meiner Überraschung, einen Platz ganz in der Nähe des Schlundes zu bekommen. Vielleicht war man freundlicher als sonst zu mir, weil ich ein Kleinkind dabei hatte. Ich hatte doch gewußt, daß es nützlich sein würde.

Also wartete ich am Gepäck-Förderband, mahnte mich zur Geduld, rempelte zurück, wenn mich die anderen Leute anstießen, die gerade aus dem Flugzeug gekommen waren, und ging jedesmal vor Schmerzen in die Knie, wenn mir ein Mitpassagier seinen Gepäckwagen in die Hacken stieß.

Ich nahm mit möglichst vielen Menschen Blickkontakt auf. Damit hoffte ich zu erreichen, daß sie mein Gepäck nicht stahlen. Raten Kriminologen uns das nicht? Sie wissen schon, wovon ich rede. Eine Geisel soll eine Beziehung zu den Geiselnehmern aufbauen, Blickkontakt herstellen, damit sie merken, daß man ein Mensch ist, dann bringen sie einen nicht so schnell um. Bestimmt wissen Sie, was ich meine.

Eine Ewigkeit passierte nichts. Aller Augen richteten sich auf die schwarze Öffnung, aus der unser Gepäck kommen mußte. Niemand sprach. Niemand wagte auch nur zu atmen. Dann ertönte mit einem Mal das Geräusch des Gepäck-Förderbandes, das sich in Gang setzte! Großartig!

Es war aber nicht unseres. Eine Ansage ertönte aus dem Lautsprecher. »Die Passagiere des Fluges EI 179 aus London werden gebeten, ihr Gepäck an Band vier abzuholen.« Und das, obwohl uns während der letzten zwanzig Minuten die Anzeige über Band zwei versichert hatte, unser Gepäck werde bald dort auftauchen.

Alle hetzten zum Förderband Nummer vier. Die Menschen drängten und stießen einander, als hinge ihr Leben davon ab. Diesmal schien sich niemand besonders um den Säugling in meinen Armen zu kümmern. Als Ergebnis stand ich am hintersten Ende des Förderbandes. Eine Weile ging es mir gut. Ich war sogar ganz ruhig. Ich versuchte, betont munter dreinzublicken, während die Menschen um mich herum einer nach dem anderen ihr Gepäck vom Band nahmen. Niemand, der bei klarem Verstand war, würde auf den Gedanken kommen, Taschen voller Säuglingskleidung und -fläschchen zu stehlen, sagte ich mir. Außerdem hatte ich volles Vertrauen zum Bodenpersonal des Flughafens Dublin – die würden mein Gepäck schon nicht auf eine nach Darwin oder zum Mars bestimmte Maschine umladen.

Als sich allerdings auf dem Förderband nur noch eine Golftasche befand, die schon vierzehnmal an mir vorbeigekommen war und den Anschein erweckte, als wäre sie seit Ende der siebziger Jahre da, und mir auffiel, daß nicht nur außer mir und meiner Kleinen niemand mehr da war, sondern der Wind auch schon verdorrtes Gras durch die Ankunftshalle wehte, war es Zeit, das Menetekel an der Wand zu lesen.

Ich hab' doch gewußt, daß sie mich eines Tages kriegen würden, dachte ich, und mir wurde ganz übel. *Es war nur eine Frage der Zeit. Bestimmt war es die alte Ziege mit dem Rosenkranz. Es sind immer die stillen Wasser.*

Mit der Kleinen auf dem Arm begann ich hektisch nach einem Zuständigen zu suchen. Schließlich fand ich ein kleines Büro mit zwei recht freundlich dreinblickenden Gepäckträgern.

»Immer rein in die gute Stube!« rief mir einer von ihnen zu, während ich unsicher vor der Tür stand. »Was können wir an diesem wunderbaren nassen irischen Nachmittag für Sie tun?«

Ich breitete die Geschichte mit meinem gestohlenen Gepäck samt meiner Säuglings-Trageschale vor ihnen aus. Fast wäre ich wieder in Tränen ausgebrochen. Ich kam mir richtig *hereingelegt* vor.

»Keine Sorge, junge Frau«, wurde ich beruhigt. »Niemand hat irgendwas gestohlen. Es ist nur verschwunden. Ich kümmere mich drum. Ich habe einen direkten Draht zum heiligen Antonius.«

Und tatsächlich kam er nach etwa fünf Minuten mit meinem gesamten Gepäck zurück. »Gehört das Ihnen, junge Frau?« fragte er. Ich bejahte.

»Und Sie fliegen nicht nach Boston?«

»Ich fliege nicht nach Boston«, bekräftigte ich, so gleichmütig ich konnte.

»Bestimmt nicht?« fragte er zweifelnd.

»Bestimmt nicht«, sagte ich.

»Irgend jemand schien aber dieser Ansicht zu sein. Jedenfalls haben Sie jetzt Ihr Gepäck«, lachte er.

Ich dankte den beiden und eilte auf den Gang mit dem grünen Schild zu, auf dem ›Nichts zu verzollen‹ stand.

Im Eilschritt schob ich meinen Wagen mit dem wiedergefundenen Gepäck hindurch, die Kleine auf dem Arm. Als mir einer der Zollbeamten in den Weg trat, sank mir das Herz.

»Immer mit der Ruhe«, sagte er. »Wo brennt's? Haben Sie etwas zu verzollen?«

»Nein.«

»Und was ist das?«

»Ein Säugling.«

»*Ihrer?*«

»Ja, meiner.« Mein Herzschlag stockte. Ich hatte James nicht gesagt, daß ich England verlassen würde. Hatte er etwa geahnt, daß ich zu meinen Eltern zurückkehren würde? Hatte er der Polizei weisgemacht, ich hätte unser Kind entführt? Wurden alle Häfen und Flughäfen überwacht? Würde man mir meine Kleine fortnehmen und mich des Landes verweisen?

Ich war wie versteinert.

»So, so«, fuhr der Zollbeamte fort. »Sie haben also nichts zu verzollen als Ihre Gene.« Er lachte laut und herzlich.

»Ja, sehr gut«, sagte ich kläglich.

»Ein Witzbold, unser Mr. Wilde«, sagte sein Kollege im Plauderton. »Ein Mann, der Hochachtung verdient.«

»Ganz und gar«, stimmte ich zu und fügte mit einem Lächeln hinzu: »Sie haben mir wirklich Angst eingejagt.«

Er baute sich vor mir auf wie ein Sheriff aus dem Wilden Westen und sagte augenzwinkernd: »Schon in Ordnung, Ma'am. Hab nur meine Pflicht getan.«

Schön, wieder daheim zu sein.

4

Ich stürmte in die Empfangshalle hinaus. Auf der anderen Seite der Absperrung sah ich meine wartenden Eltern. Sie wirkten kleiner und älter als bei meinem Besuch vor etwa einem halben Jahr. Ich hatte ein richtig schlechtes Gewissen. Beide waren Ende Fünfzig und hatten sich vom Tag meiner Geburt an Sorgen um mich gemacht. Eigentlich schon vorher, wenn ich ehrlich sein soll, denn ich war drei Wochen überfällig, und sie hatten schon darüber nachgedacht, mich durch ein Empfangskomitee abholen zu lassen. Ich habe schon gehört, daß manche Leute zu ihrem eigenen Begräbnis zu spät gekommen sind, aber es ist bestimmt etwas Besonderes, wenn sich jemand bei der eigenen Geburt verspätet.

Als nächstes hatten sie sich Sorgen um mich gemacht, als ich mit sechs Wochen eine Kolik bekommen hatte, und dann wieder, als ich mit zwei Jahren ein ganzes Jahr lang nichts anderes essen wollte als Dosenpfirsiche. Sie hatten sich Sorgen um mich gemacht, als ich mit sieben Jahren in der Schule wirklich schlecht war. Dann, als ich mit acht Jahren in der Schule wirklich gut war, aber keine Freundinnen hatte. Sie sorgten sich um mich, als ich mir mit zwölf Jahren den Knöchel gebrochen hatte und als mich einer meiner Lehrer mit fünfzehn stockbetrunken von einer Schul-Disco nach Hause bringen mußte, als ich mit achtzehn in meinem ersten Studienjahr nie eine Vorlesung besuchte und als ich mich auf das Abschlußexamen vorbereitete und keine Vorlesung ausließ. Sie hatten sich Sorgen um mich gemacht, als ich mich mit zwanzig von meiner ersten großen Liebe trennte und zwei Wochen lang in meinem verdunkelten Zimmer lag und heulte. Und sie hatten sich Sorgen um mich gemacht, als ich mit dreiundzwanzig meine Anstellung aufgab, um in London als Kellnerin zu arbeiten.

Jetzt war ich fast dreißig, verheiratet, hatte ein Kind, und immer noch mußten sie sich Sorgen um mich machen. Das war ja wohl nicht besonders anständig von mir, oder? Gerade als sie einen großen Seufzer der Erleichterung ausgestoßen und gedacht hatten, Gott sei Dank, sie hat sich einen tüchtigen Mann an Land gezogen, vielleicht kann der sich künftig um sie kümmern, damit wir uns weiter um ihre vier jüngeren Schwestern sorgen können, hatte ich die Stirn, wieder nach Hause zu kommen und zu sagen: »Tut mir leid, Leute, falscher Alarm, ich bin wieder da, und diesmal ist es schlimmer als je zuvor.« Kein Wunder, daß sie ein wenig grau und bedrückt wirkten.

»Gott sei Dank«, sagte meine Mutter, als sie mich sah. »Wir hatten schon gedacht, du hättest die Maschine verpaßt.«

»Tut mir leid«, sagte ich und brach erneut in Tränen aus. Wir alle umarmten einander, und beide weinten, als sie meine Kleine sahen, ihr erstes Enkelkind. Ich mußte ihr wirklich bald einen Namen geben.

Wir arbeiteten uns aus dem Labyrinth heraus, das sie am Dubliner Flughafen Parkplatz nennen. Dabei gab's eine leichte Verzögerung, weil Dad an der Ausfahrt merkte, daß er den Parkschein nicht bezahlt hatte, und alle Autos hinter ihm zurücksetzen mußten, damit er an den Rand fahren konnte, um die anderen durchzulassen. Wobei er und ein anderer Fahrer ein wenig die Beherrschung verloren, aber damit wollen wir uns nicht aufhalten.

Als wir den Parkplatz verlassen hatten, fuhren wir eine ganze Weile, ohne ein Wort zu sagen. Es war eine ganz komische Situation. Meine Mutter, die mit mir hinten saß, hielt die Kleine und wiegte sie sanft. Am liebsten wäre ich selbst auch ein kleines Kind gewesen, so daß mich Mum halten und mir ein Gefühl der Sicherheit geben konnte.

»Der unselige Jim hat sich also verdrückt?« sagte mein Vater unvermittelt.

»Ja, Dad«, antwortete ich unter Tränen.

Mein Vater hatte James nie wirklich gemocht. Als einziger Mann in einem Haus voller Frauen sehnte er sich nach männlicher Gesellschaft, nach jemandem, mit dem er über Fußball und andere Männersachen reden konnte. James spielte für seinen Geschmack nicht genug Rugby und verstand seiner Ansicht nach viel zuviel vom Kochen. Daß mein Vater die gesamte Hausarbeit in unserem Haus verrichtete, hatte damit nichts zu tun: Kochen war etwas anderes, Kochen war Frauensache, wie er sagte. Auf keinen Fall aber wollte er, daß ich unglücklich war.

»Jetzt sieh mal her, Claire«, sagte er. Der Klang seiner Stimme bedeutete soviel wie: *Ich werde jetzt über Gefühlssachen reden. Das bin ich nicht gewohnt, und ich fühl mich dabei unbehaglich, aber es muß sein, und deswegen ist es mir auch ernst.* Er fuhr fort: »Wir sind deine Eltern, wir lieben dich, und du bist uns jederzeit willkommen. Du kannst mit deinem Kind so lange bleiben, wie du willst. Und... äh... deine Mutter und ich wissen, wie unglücklich du bist, und wenn wir dir irgendwie helfen können, sag uns das bitte. A... äh... nun ja.« Damit gab er Gas, sichtlich erleichtert, daß er das hinter sich gebracht hatte.

»Danke, Dad«, sagte ich, erneut in Tränen ausbrechend. »Das weiß ich doch.« Ich war ungeheuer dankbar. Es tat so gut zu wissen, daß sie mich liebten. Nur war es kein Ersatz für den Verlust eines Mannes, der mein Seelenfreund gewesen war, mein Geliebter, das einzige, worauf ich mich in einer unzuverlässigen Welt verlassen konnte, mein bester Freund.

Schließlich erreichten wir das Haus meiner Eltern. Es sah genauso aus wie früher. Warum hätte es auch anders aussehen sollen? Schließlich geht das Leben weiter. Im Haus roch es auch noch genau wie früher. Alles war so vertraut, so beruhigend. Wir brachten das Gepäck und die Kunststoffschale, in der ich die Kleine trug, die Treppe hinauf ins Zimmer, das ich meine ganze Jugend mit meiner Schwester Margaret geteilt hatte, bevor ich nach London gezogen war. (Die inzwischen sechsundzwanzig Jahre alte sportliche, kontaktfreudige und tugendhafte Margaret arbeitete als Rechtsanwaltsgehilfin in Chicago und war mit dem einzigen Mann verheiratet, mit dem sie je zu tun gehabt hatte.) Das Zimmer sah wirklich speziell aus, weil schon so lange niemand darin gewohnt hatte. Ein Paar von Margarets Schuhen lag staubbedeckt auf dem Fußboden. Einige alte Kleider von ihr hingen noch im Schrank. Es war wie eine Art Schrein.

Ich schleuderte die Reisetasche auf den Boden, stellte die Trageschale hin, legte die Kleine hinein, stellte den Flaschenwärmer mit dem Bild der Kuh, die über den Mond springt, auf die Frisierkommode, setzte mich aufs Bett und streifte die Schuhe ab. Dann räumte ich meine Bücher ein und stellte meine überquellende offene Kosmetiktasche auf den Nachttisch. Sofort sah es im Zimmer aus wie in einem Schweinestall. Das war schon viel besser.

»Wer ist noch zu Hause?« fragte ich meine Mutter.

»Im Augenblick nur Dad und ich«, sagte sie. »Helen ist in der Uni, sie kommt im Laufe des Tages. Wo sich Anna herumtreibt, weiß Gott allein. Ich hab' sie seit Tagen nicht gesehen.«

Anna und Helen waren meine beiden jüngsten Schwestern und die einzigen, die noch nicht flügge waren.

Mum blieb bei mir sitzen, während ich die Kleine fütterte. Nachdem ich sie ihr Bäuerchen hatte machen lassen und sie wieder hingelegt hatte, saßen wir beide schweigend auf der Bettkante beieinander. Es hörte auf zu regnen, und die Sonne zeigte sich. Der Wind, der durch die Bäume strich, brachte den Geruch des Gartens durch das offene Fenster herein. Es war ein friedlicher Februarabend.

»Möchtest du was essen?« fragte meine Mutter schließlich. Ich schüttelte den Kopf.

»Aber du mußt essen, vor allem jetzt, wo du die Kleine hast. Du brauchst deine Kräfte. Soll ich dir etwas Suppe machen?« Unwillkürlich zuckte ich zusammen.

»Aus der Tüte?« fragte ich.

»Aus der Tüte«, bestätigte sie freundlich.

»Nein, wirklich, Mum, ich brauche nichts.«

Vielleicht sollte ich das erklären. Bekanntlich überspringt die Fähigkeit zu kochen jeweils eine Generation. Da ich kochen kann, würde meine Tochter, Gott steh ihr bei, nicht kochen können. Ein toller Start ins Leben. Auch meine Mutter konnte nicht kochen. Sie stand auf nicht besonders freundschaftlichem Fuß mit kulinarischen Genüssen. Der Ehrlichkeit halber muß ich sagen: Mum und kulinarische Genüsse grüßten sich, aber sie redeten nicht miteinander.

Alptraumhafte Erinnerungen an Abendessen im Kreise der Familie stiegen in mir auf. War ich verrückt? Warum um Gottes willen war ich nach Hause gekommen? Wollte ich wirklich *verhungern*?

Wer das nächste Mal möglichst schnell viel abnehmen muß (für einen zweiwöchigen Urlaub in der Sonne? Für die Hochzeit der Schwester? Für eine Verabredung mit dem gutaussehenden Burschen aus dem Büro?), braucht weder Weight Watchers noch Du-darfst-Produkte oder Abnehmpülverchen. Ein paar Wochen in unserem Hause, wenn meine Mutter kocht, genügen da völlig.

Im Ernst, wir haben viel Platz. Rachels Zimmer zum Beispiel steht leer. Wer diese Kur macht, ist nach den zwei Wochen nur noch Haut und Knochen, denn ganz gleich, wieviel Hunger man hat, keiner bringt etwas herunter, das meine Mutter auf den Tisch stellt. Ich verstehe nicht, wieso keine von uns je wegen Unterernährung ins Krankenhaus mußte, als wir jünger waren.

Meine Schwestern und ich wurden zum Abendessen gerufen. Wir setzten uns an den Tisch und starrten einige Augenblicke lang schweigend auf den Teller vor uns. Schließlich sagte eine: »Was meint ihr?«

»Könnte es Hühnchen sein?« fragte Margaret zweifelnd und stocherte vorsichtig mit der Gabel an dem herum, was auf dem Teller lag.

»Also ich hätte auf Blumenkohl getippt«, meinte Rachel (sie ist Vegetarierin) und schlurfte davon, weil es sie würgte.

»Was auch immer es ist, ich rühr es nicht an«, sagte Helen. »Wenigstens weiß man bei Cornflakes, was man hat.« Mit diesen Worten ging sie und holte sich eine Schüssel Cornflakes.

Bis sich Mum an den Tisch setzte und uns sagte, was es war: »Es ist Colcannon, ihr undankbaren Geschöpfe«, hatten wir alle bereits das Weite gesucht und bemühten uns, in der Küche etwas zu finden, das eher eßbar war als dieser Eintopf aus gestampftem Kohl und Kartoffeln.

»Margaret«, rief Mum, weil sie wußte, daß sie die gehorsamste von uns allen war, »willst du es nicht wenigstens probieren?«

Also führte das brave Mädchen ein wenig davon zum Munde.

»Nun?« fragte Mum und wagte kaum zu atmen.

»Das sollte man keinem Hund geben«, erklärte ihr Margaret, zu deren Tugenden neben Gehorsam und Unerschrockenheit auch Aufrichtigkeit gehörte.

Nach mehreren Jahren tränenreicher Abendessen und immer höherer Rechnungen für Frühstücksflocken beschloß meine Mutter zur allgemeinen Erleichterung, das Kochen aufzugeben. Wenn dann ihr Mann oder eine ihrer Töchter sagte, sie hätten Hunger, führte sie sie schweigend an der Hand in die Küche und sagte: »Der Gefrierschrank ist voll von Fertiggerichten.« Dann riß sie die Tür weit auf, um die zahlreichen Köstlichkeiten zur Geltung kommen zu lassen. Anschließend führte sie den Betreffenden auf die andere Seite der Küche und sagte: »Und hier ist die Mikrowelle. Freunde dich gut mit diesen beiden Geräten an. Es sind deine besten Verbündeten im Kampf gegen den Hunger in diesem Hause.«

Jetzt verstehen Sie hoffentlich, warum ich so zögerte, die mir von meiner Mutter angebotene Suppe anzunehmen.

Doch das Fantastische daran, daß Mum weder kochte noch Hausarbeit verrichtete, war, daß sie viel Zeit für die wahrhaft wichtigen Dinge im Leben hatte. Tagtäglich sah sie sich durchschnittlich sechs Seifenopern im Fernsehen an und las pro Woche rund vier Romane – was sie in den Stand versetzte, ihren Töchtern fachkundige Ratschläge zu geben, wenn deren Liebesbeziehungen in die Brüche gingen.

Liebestragödien waren ihr nicht fremd, schon gar nicht australische. Beispielsweise war sie dabei, als Skip (unehelicher Sohn von Brad und einer Krankenschwester, mit der er etwas hatte, als er in Vietnam war) Bronnie heiratete (Halbschwester von Wayne und Scott), diese schwanger wurde und Skip mit Crissie ein Verhältnis anfing. Natürlich kam Jeannie (Crissies Stieftochter) dahinter und erzählte Mrs. Goolagong davon (die mit niemandem verwandt war). Mrs. Goolagong stellte Skip bei ein paar Dosen Bier und Knabberzeug im Restaurant *Billy Can* zur Rede. Dabei zeigte sich, daß sich Skip durch die Schwangerschaft ausgeschlossen fühlte und Bronnie über nichts anderes reden konnte als über das Kind. Mrs. Goolagong beruhigte ihn. Skip machte mit Crissie Schluß, versöhnte sich mit Bronnie, Bronnie bekam ein wunderschönes Kind, das sie Shane nannte, und Crissie kehrte mit ihrem Hund Bruce in den Norden des Landes zurück. (Ich glaube, Mrs. Goolagong verlor anschließend ihren Job im *Billy Can* wegen der obengenannten Dosen Bier und des Knabberzeugs während der Arbeitszeit, aber das ist eine andere Geschichte).

Wir saßen in meinem Zimmer, in dem es allmählich dunkel wurde, und hörten zu, wie die Kleine zufrieden atmete.

»Sie ist wunderschön«, sagte Mum.

»Ja«, sagte ich und begann lautlos zu weinen.

»Was ist passiert?« fragte Mum.

»Ich weiß nicht«, sagte ich. »Ich dachte, alles wäre in Ordnung. Ich dachte, er freute sich ebenso auf das Kind wie ich. Natürlich war die Schwangerschaft auch für ihn nicht einfach. Mir war ständig übel, ich bin dick geworden, und wir sind kaum je miteinander ins Bett gegangen. Aber ich hatte gedacht, er würde das verstehen.«

Mum war wirklich lieb. Sie fing nicht an, mir all den Unsinn zu erzählen, daß Männer... nun ja... sie sind anders als wir, mein Kind. Sie haben... Bedürfnisse... mein Kind, wie die Tiere. Sie kränkte mich nicht mit dem Verdacht, James habe das Weite gesucht, weil wir während meiner Schwangerschaft nicht miteinander ins Bett gegangen waren.

»Was soll ich nur tun?« fragte ich, obwohl mir klar war, daß sie ebensowenig eine Antwort darauf wußte wie ich.

»Du mußt es irgendwie hinter dich bringen«, sagte sie. »Mehr kannst du nicht tun. Versuch nicht, einen Sinn darin zu sehen, damit machst du dich bloß verrückt. Der einzige Mensch, der dir sagen kann, warum er dich verlassen hat, ist er selbst, und wenn er nicht mit dir reden will, kannst du ihn nicht dazu zwingen. Vielleicht versteht er es selbst nicht. Aber seine Gefühle kannst du nicht ändern. Wenn er sagt, daß er nicht mehr dich liebt, sondern diese andere, mußt du das hinnehmen. Vielleicht kommt er wieder, vielleicht auch nicht, aber du mußt damit fertig werden, so oder so.«

»Aber es tut so weh«, sagte ich hilflos.

»Weiß ich«, sagte sie betrübt. »Und wenn ich dafür sorgen könnte, daß es weggeht, ich täte es, das weißt du.«

Ich sah auf meine kleine Tochter hinab, die so friedlich, so unschuldig, so sicher und so glücklich schlief, und spürte unsäglichen Kummer. Ich wollte, daß sie immer glücklich war. Ich wollte sie unaufhörlich an mich drücken und nie loslassen. Auf keinen Fall sollte sie je die Zurückweisung, die Einsamkeit und Erschütterung spüren, die ich in diesem Augenblick empfand. Ich wollte sie immer vor Schmerzen bewahren. Aber dazu würde ich nicht imstande sein. Das Leben würde für genug Kummer sorgen.

In dem Augenblick wurde die Tür geöffnet, was uns beide aus dem Elend riß, in dem wir versunken waren. Helen kam herein (meine achtzehnjährige, stets lachende jüngste Schwester Helen mit den schrägen Katzenaugen, den kleinen weißen, gleichmäßigen Zähnen und dem langen schwarzen Haar, die es mit Ach und Krach auf die Universität geschafft hatte, wo sie im ersten Jahr so unglaublich brauchbare Fächer wie Anthropologie, Kunstgeschichte und Altgriechisch studierte. Obwohl sie sich grauenhaft aufführte, waren die meisten Menschen von ihr hingerissen, vor allem die Männer, denen sie busladungsweise das Herz brach. Es hätte mich gar nicht gewundert, wenn es statt ›Frech wie Oskar‹ hieße ›Frech wie Helen‹).

»Du hier!« rief sie aus, als sie ins Zimmer platzte.

»Laß mich mal meine Nichte sehen«, kreischte sie. »Ist ja scharf! Jetzt bin ich also Tante. War es schlimm? Ist es wirklich so, als wenn man versucht, ein Sofa auszukacken? Erzähl, ich wollte immer schon wissen, warum sie das viele Wasser heiß machen und Bettlaken in Stücke reißen.«

Ohne eine Antwort abzuwarten, stieß sie mit ihrem Gesicht auf das arme Kind herunter, das prompt vor Schrecken zu schreien begann. Helen nahm es auf und klemmte es sich wie einen Rugbyball unter den Arm, als wollte sie den entscheidenden Punkt für Irland machen.

»Warum schreit sie?« wollte sie wissen.

Was hätte ich dazu sagen sollen?

»Wie heißt sie?« fragte sie.

»Claire hat sich noch nicht für einen Namen entschieden«, sagte meine Mutter.

»Doch«, sagte ich, entschlossen, zur allgemeinen Verwirrung beizutragen.

Ich sah Mum an. »Ich hab' beschlossen, sie nach deiner Mutter zu nennen.«

»Was!« kreischte Helen entsetzt auf. »Du kannst sie unmöglich Oma Maguire nennen. Das ist doch kein Name für einen Säugling.«

»Nein, Helen«, sagte ich müde. »Ich nenne sie Kate.«

Sie sah mich einen Augenblick lang an, und das hübsche Näschen kräuselte sich, während es ihr dämmerte.

»Ach *so*«, sagte sie und lachte. Dann murmelte sie, allerdings nicht besonders leise: »Das ist trotzdem kein Name für einen Säugling.«

Sie gab mir die Kleine zurück, ungefähr so, wie ein Bauer dem Gemüsehändler einen Sack Kartoffeln vom Wagen herunterreicht, dessen Wohlergehen ihm herzlich gleichgültig ist. Dann sagte sie zu meinem Entsetzen: »He, ist James da? Wo ist James?«

Offensichtlich war sie nicht im Bilde. Ich begann zu weinen.

»Gott«, sagte sie erschreckt.

»Warum weint *sie* jetzt?« fragte sie Mum. Die sah sie lediglich wortlos an und war außerstande, ihr zu antworten.

Sollte man es für möglich halten? Sie weinte ebenfalls.

Verwirrt und voll Abscheu sah Helen zu, wie drei Generationen Frauen aus dem Hause Walsh weinten.

»Was ist mit euch los? Was hab' ich denn gesagt? Mum, warum weinst du?« fragte sie verzweifelt.

Wir saßen aneinandergedrängt auf dem Bett und sahen sie lediglich an, während uns die Tränen über das Gesicht liefen und Kate mit ihrem nagelneuen Namen wie eine Lokomotive brüllte.

»Was wird hier eigentlich gespielt?« fragte Helen verständnislos.

Wir saßen nach wie vor da und sagten kein Wort.

»Ich geh runter und frag Dad«, drohte sie. Dann biß sie sich auf die Lippe und blieb eine Weile zögernd in der Nähe der Tür stehen, während sie darüber nachdachte. »Aber womöglich fängt der auch noch an zu heulen.«

Schließlich brachte meine Mutter heraus: »Nein, bleib hier, Liebes.« Sie hielt ihr die Hand hin. »Komm und setz dich. Du hast gar nichts getan.«

»Und warum heult ihr dann?« fragte Helen, während sie zögernd zum Bett der Tränen zurückkehrte.

»Ja, warum weinst *du*?« fragte ich Mum. Das wollte ich ebenso dringend erfahren wie Helen. Hatte ihr Mann sie etwa vor kurzem verlassen? Mußte ihre Windel gewechselt werden?

Keins von beiden traf zu – warum also die Tränen?

»Weil ich gerade an Oma denken mußte«, schniefte sie. »Und daß sie ihre erste Urenkelin nicht gesehen hat. Es ist lieb von dir, daß du das Kind nach ihr nennst. Es hätte sie gefreut. Es wäre ihr eine Ehre gewesen.«

Ich hatte ein schrecklich schlechtes Gewissen. Zumindest lebte *meine* Mutter noch. Die arme Mum. Meine Großmutter war erst letztes Jahr gestorben, und sie fehlte uns allen. Ich nahm Mum und die kleine Kate, die beide weinten, in die Arme.

»Es ist richtig schade«, sagte Helen wehmütig.

»Was?« fragte ich.

»Daß Oma keinen flotten Namen wie Tamsin, Isolde oder Jet hatte«, sagte sie.

Ich weiß nicht, warum ich sie nicht an Ort und Stelle umgebracht habe, aber aus irgendeinem Grund war es sehr schwer, wütend auf sie zu sein.

»Und warum heulst *du*?« wollte sie von mir wissen. »Ach Gott, ich weiß schon, vermutlich nachgeburtliche Depression. In der Zeitung stand was über eine Frau, die das hatte. Sie hat ihr Kind aus dem zwölften Stock geworfen und wollte nicht aufmachen, als die Polizei kam. Als sie dann die Wohnungstür aufgebrochen haben, hatte die Frau wochenlang den Müll nicht rausgebracht. Es muß entsetzlich ausgesehen haben. Dann wollte sie sich umbringen, und man mußte sie auf einen elektrischen Stuhl setzen oder so was.« Helen berichtete voll Begeisterung; sie gehörte nicht zu denen, die sich von lästigem Beiwerk, wie beispielsweise harten Fakten, stören lassen, eine gute blutrünstige Geschichte zu erzählen.

»Vielleicht hat man sie auch nur eingesperrt oder so«, fügte sie zögernd hinzu.

»Jetzt mal ehrlich, was fehlt dir?« kehrte sie zu ihrer ursprünglichen Frage zurück. »Nur gut, daß wir nicht im zwölften Stock wohnen, was, Mum? Sonst hätten wir unten auf dem Platz vor dem Haus überall Flecken von dem Säugling, und Michael würde wegen der Schweinerei toben.«

Michael war der unbeherrschte, arbeitsscheue, abergläubische Achtzigjährige, der etwa zweimal im Monat kam, um auf seine eigene hochwissenschaftliche Weise unseren handtuchgroßen Garten zu ›bearbeiten‹. Seine Wutanfälle waren ebenso furchterregend wie seine Gartenarbeit, jedenfalls bei den seltenen Gelegenheiten, da er wirklich etwas im Garten machte. Mein Vater hatte Angst, ihn zu entlassen. Offen gestanden lebte die ganze Familie in Furcht und Schrecken vor ihm – sogar Helen hielt sich in seiner Gegenwart zurück.

Ich erinnerte mich an den Nachmittag letzten Jahr, als meine arme Mutter frierend mit umgebundener Schürze im Garten stand (sie trug sie lediglich des Anscheins halber) und verzweifelt nickte, verkniffen lächelte und viel zuviel Angst hatte wegzugehen, während Michael, die Heckenschere in der Hand, mit unverständlichem Geknurre und weit ausholenden angsteinflößenden Gesten genau erklärte, warum die Gartenmauer umfallen würde, wenn man die Hecke schnitt. (»Verstehen Sie, sie braucht die Hecke als Stütze.«) Oder warum das Gras welken und absterben würde, wenn man den Rasen mähte. (»Die Keime kriechen durch die abgeschnittenen Stellen ins Gras, und dann stirbt es einfach ab.«)

Schließlich war meine Mutter in die Küche zurückgekehrt, wo sie, Tränen in den Augen, mit den Töpfen klapperte, während sie den Wasserkessel für Michaels Tee aufsetzte.

»Der faule alte Sack«, hatte sie mir und Helen vorgeschluchzt. »Er tut keinen Handstreich. Seinetwegen hab' ich jetzt die *Fliegenden Ärzte* versäumt. Und das Gras steht kniehoch. Ich schäme mich zu Tode deswegen. Unser Haus ist das einzige in der Nachbarschaft mit einem Garten wie ein Dschungel. Ich würde ihm am liebsten in den Tee spucken.«

Eine tränenvolle Pause, in der man bis drei zählen konnte.

»Gott vergib mir«, hatte sie mit zitternder Stimme gesagt. »Helen, laß die Finger von den Jaffa-Keksen! Die sind für Michael!«

»Wieso kriegt der zum Tee die tollen Jaffa-Kekse, obwohl du ihn nicht ausstehen kannst, und wir werden mit den einfachen Keksen abgespeist?« fragte Helen laut.

Sie hat recht, dachte ich.

»Pst«, machte meine Mutter. »Er kann dich hören.«

Inzwischen stand Michael in der Hintertür und zog seine Gummistiefel aus, die aussahen wie aus dem Laden. Man hätte von ihnen essen können.

»Ist doch wahr, uns magst du«, fuhr Helen quengelnd fort, »aber wir kriegen nie die Jaffa-Kekse. *Michael kannst du nicht ausstehen* (die letzten fünf Wörter hatte sie betont laut und in Richtung Hintertür gesagt), aber er kriegt die schönen Jaffa-Kekse. Ach hallo, Michael, kommen Sie rein. Hier ist ein Keks.« Sie lächelte ihm zuckersüß zu, während er in die Küche gehumpelt kam und sich betont den Rücken hielt, als schmerzte er ihn von der schweren Arbeit.

»'n Abend«, knurrte er und warf mir einen mißtrauischen Blick zu. Offensichtlich nahm er an, *ich* hätte über ihn geredet. Helen mit ihrem engelsgleichen unschuldigen Gesicht verdächtigte nie jemand.

»Möchten Sie etwas Tee?« fragte ihn meine Mutter unterwürfig.

Aber später am Abend hörte ich, wie meine Eltern in der Küche stritten. »Jack, du mußt mit ihm sprechen.«

»Laß gut sein, Mary, ich mäh den Rasen schon selbst.«

»Nein, Jack, wir bezahlen ihn dafür, also soll er es auch tun. Wie kommt er dazu, mir diesen Blödsinn über das Gras und die Keime zu erzählen! Er muß mich für eine richtige Idiotin halten.«

»Schon gut, schon gut, ich red mit ihm!«

»Vielleicht sollten wir einfach das Ganze zubetonieren. Dann könnten wir ihn entlassen.«

Aber Dad ›redete‹ nie mit Michael. Zufällig bekam ich mit, daß er an dem Tag, als Mum nach Limerick gefahren war, um Tante Kitty zu besuchen, den Rasen selbst mähte und sie später schamlos belog.

Von Zeit zu Zeit fragte Helen Mum, ob sie auch ihr die mit Schokolade überzogenen Jaffa-Kekse mit Orangenfüllung kaufen würde, die Michael bekam, wenn sie verspräche, nie den Rasen zu mähen.

Helen hatte recht. Falls der Platz vor dem Haus voller Säuglings-Flecken (entsetzliches Wort) wäre, würde Michael tatsächlich wegen der Schweinerei toben. Aber soweit würde es nicht kommen. Andererseits, wenn Kate nicht bald zu schreien aufhörte, würde ich es mir vielleicht doch noch anders überlegen.

»Nein, Helen«, erklärte ich meiner Schwester. »Ich leide nicht an nachgeburtlicher Depression. Vermutlich nicht. Jedenfalls *noch* nicht.«

Grundgütiger! Das hätte mir noch gefehlt. Aber bevor ich ihr sagen konnte, daß James mich verlassen hatte, kam Dad ins Zimmer. Wenn die Zahl der Besucher weiter so anwuchs, würden wir einen Teil der Möbel auf den Treppenabsatz räumen müssen.

»Hijack«, riefen Helen und ich wie aus einem Munde. Er nahm den Gruß mit einem Lächeln entgegen und neigte den Kopf. Er hieß nämlich mit Vornamen Jack. In den frühen Siebzigern, als Flugzeugentführungen die große Mode waren (inzwischen ist der Kindesmißbrauch an ihre Stelle getreten), hatte ihn ein Onkel aus Amerika mit den Worten »Hi Jack!« begrüßt, und wir Kinder mußten natürlich an Hijacker denken. Seither war das unser Gruß für ihn, der unfehlbar ein Lächeln auf seine Züge zauberte.

»Ich bin gekommen, um mein erstes Enkelkind zu sehen«, verkündete er. »Darf ich die Kleine mal halten?«

Ich gab ihm Kate, und er hielt sie, wie es sich gehört. Schlagartig hörte sie auf zu schreien, lag zufrieden in seinen Armen, ballte die Fäustchen und streckte ihre Finger aus wie kleine Seesterne.

Ganz die Mutter, dachte ich betrübt – *Wachs in den Händen eines Mannes*.

Das würde ich im Keim ersticken müssen. Ein bißchen Selbstachtung, kleine Kate! Du bist nicht auf einen Mann angewiesen, um glücklich zu sein! Andere Mütter mochten ihren kleinen Mädchen Geschichten von Lokomotiven vorlesen, die reden können, und von Wölfen, die ihre verdiente Strafe bekommen – ich würde meinem Kind feministische Kampfschriften vorlesen, beschloß ich. Statt der *Kleinen Meerjungfrau* war der *Weibliche Eunuch* angesagt.

»Wann gibst du ihr einen Namen?« fragte mein Vater.

»Hab' ich grade getan«, sagte ich. »Sie heißt nach Oma.«

Mein Vater strahlte.

»Hallo, kleine Nora«, sagte er mit einer Singsang-Kinderstimme zu dem kleinen rosa Bündel in seinen Armen. Helen, Mum und ich tauschten bestürzte Blicke. Es war die falsche Oma!

»Äh, Dad, nein«, sagte ich unbehaglich. »Ich hab' sie Kate genannt.«

»Aber so heißt meine Mutter nicht«, sagte er und sah verwirrt drein.

»Weiß ich, Dad«, sagte ich stockend. (Gott im Himmel, warum war das Leben so voller tückischer Fallen?) »Ich hab' sie nach Oma Maguire genannt, nicht nach Oma Walsh.«

»Ach so«, sagte er ein wenig frostig.

»Aber ich werde sie mit zweitem Namen Nora nennen«, versprach ich ein wenig kriecherisch.

»Kommt überhaupt nicht in Frage!« fiel mir Helen ins Wort. »Gib ihr einen schönen Namen. Ich weiß! Wie wär's mit Elena? Das ist griechisch und heißt Helen.«

»Halt dich da raus, Helen«, sagte Mum. »Es ist Claires Kind.«

»Du hast immer gesagt, wir sollen alles Spielzeug miteinander teilen«, schmollte Helen.

»Kate ist kein Spielzeug«, seufzte Mum.

Helen war wirklich anstrengend. Da sie aber die Aufmerksamkeitsspanne eines Kochtopfs hatte, also gar keine, wandte sie sich sogleich anderen Dingen zu.

»He, Dad, kannst du mich zu Linda bringen?«

»Helen, ich bin kein Chauffeur«, gab mein Vater knapp und ruhig zurück.

»Danach hab' ich nicht gefragt. Ich *weiß*, wovon du lebst. Ich wollte wissen, ob du mich irgendwo hinbringen kannst«, sagte Helen, die so tat, als könne sie durchaus vernünftig sein.

»Du kannst ohne Probleme zu Fuß gehen!« rief mein Vater. »Ich weiß wirklich nicht, was ihr jungen Leute habt. Ihr seid einfach faul. Als ich ...«

»Dad«, unterbrach ihn Helen scharf. »Erzähl mir *bitte* nicht wieder, wie du jeden Tag barfuß fünf Kilometer zur Schule laufen mußtest. Ich kann das nicht mehr hören. Fahr mich einfach.« Dann warf sie ihm unter ihrem langen schwarzen Pony ein kleines Katzenlächeln zu.

Verzweifelt sah er sie einen Augenblick lang an und brach in Lachen aus. »Na schön«, sagte er und klimperte mit den Autoschlüsseln. »Komm schon.«

Er gab mir Kate zurück, und zwar so, wie man ein Kind zurückgibt.

»Schlaf gut, Kate *Nora*«, sagte er, wobei er das ›Nora‹ vielleicht eine Spur zu stark betonte. Er hatte mir wohl noch nicht ganz verziehen. Dann ging er mit Helen hinaus.

Meine Mutter, Kate Nora und ich blieben auf dem Bett und genossen die Stille nach Helens Weggang.

»Das war deine erste Lektion, wie man einen Mann behandelt«, sagte ich streng zu Kate. »Du hast sie deiner Tante Helen zu verdanken. Hoffentlich hast du gut aufgepaßt. Behandle sie wie Sklaven, dann werden sie sich auch wie Sklaven benehmen.«

Sie sah mich mit weit aufgerissenen Augen an.

Meine Mutter lächelte geheimnisvoll. Es war das selbstzufriedene, undurchdringliche und wissende Lächeln einer Frau, deren Mann seit fünfzehn Jahren staubsaugte.

5

Und jetzt ins Bett. Es war ein ziemlich komisches Gefühl, wieder im selben Bett zu schlafen wie während meiner Jugendjahre. Ich hatte angenommen, daß diese Zeiten auf immer vorbei wären, und ich hätte auf dieses *déjà vu* ohne weiteres verzichten können. Es war auch merkwürdig, von meiner Mutter einen Gutenachtkuß zu bekommen, während mein eigenes Kind in seinem Bettchen neben mir lag. Ich war Mutter und merkte auch ohne Sigmund Freud, daß ich mich nach wie vor als Kind fühlte.

Kate sah mit offenen Augen an die Decke. Vermutlich stand sie noch unter dem Schock ihrer Begegnung mit Helen. Zwar war ich ein bißchen besorgt um sie, merkte aber zu meiner Überraschung, daß ich ziemlich müde war. Ich schlief bald ein. Dabei hatte ich gedacht, ich würde überhaupt nicht schlafen können. Nie wieder, meine ich. Gegen zwei Uhr nachts weckte Kate mich sanft, indem sie mit ungefähr einer Million Dezibel schrie. Ich fragte mich, ob sie überhaupt geschlafen hatte. Nachdem ich sie gefüttert hatte, legte ich mich wieder hin. Ich schlief wieder ein, fuhr aber wenige Stunden später entsetzt hoch. Das hatte nichts mit Laura Ashleys üppigen Blumenmustern auf der Tapete, den Vorhängen und dem Bettbezug zu tun, die mich umgaben und die ich in der Dunkelheit undeutlich wahrnehmen konnte. Sondern, daß ich in Dublin war und nicht in meiner Londoner Wohnung bei meinem geliebten James.

Ich sah auf die Uhr. Es war (richtig geraten) vier Uhr morgens. Es hätte mich trösten können, daß etwa ein Viertel aller Menschen, die nach Greenwich-Zeit leben, ebenfalls hochgefahren waren, jetzt im Bett lagen, schlecht gelaunt in die Dunkelheit starrten und sich allerlei Fragen stellten, angefangen von »Wird man mir kündigen?« über »Werde ich je einen Menschen kennenlernen, der mich wirklich liebt?« bis »Ob ich wohl schwanger bin?«

Aber das konnte mich nicht trösten, denn ich kam mir vor wie in der Hölle. Mir vorzustellen, in welcher Hölle andere leben, minderte die Qualen meiner eigenen nicht im geringsten. Tut mir leid, wenn der Vergleich blutrünstig klingt, aber wem man das Bein mit einer verrosteten Metallsäge amputiert, den tröstet es nicht, daß man seinen Zellennachbarn auf den Tisch nagelt.

Ich setzte mich im Dunkeln auf. Kate schlief in ihrem rosa Bettchen friedlich neben mir. Wie die Nachtwächter wachten wir in Schichten. Immer schien mindestens eine von uns beiden wach zu sein. Hier allerdings endete die Ähnlichkeit, denn ich konnte nicht sagen – jedenfalls nicht wirklich ehrlich –: »Vier Uhr. Keine besonderen Vorkommnisse.«

Mein Magen hob sich bei der Vorstellung, wie grauenhaft das alles war. Ich konnte nicht glauben, daß ich im Haus meiner Eltern in Dublin und nicht in meiner Londoner Wohnung bei meinem Mann war. Ich mußte verrückt gewesen sein, abzureisen und James einer anderen Frau zu überlassen. Ich hatte ihn verlassen!

Hatte ich den Verstand verloren? Ich mußte zurück, um ihn kämpfen! Ich mußte ihn zurückerobern!

Wie war ich bloß hierher gekommen? Ich war falsch abgebogen und in ein anderes Universum gelangt, wo zwar alles wie in meinem Leben aussah, aber böse, schlimm und falsch war.

Ich *konnte* nicht ohne James leben. Er war Teil meiner selbst.

Wäre mir der Arm abgefallen, hätte ich auch nicht gesagt: »Laß gut sein. Wenn er zurückkommen soll, tut er es auch. Es hat keinen Sinn, ihn zu drängen. Damit vertreibst du ihn vielleicht nur.« Schließlich war es mein Arm, und James war weit mehr ein Teil von mir als irgendein Arm.

Ich hatte James viel nötiger. Ich liebte ihn viel mehr. Ich konnte einfach nicht ohne ihn leben. Ich wollte ihn zurück. Ich wollte mein Leben mit ihm zurück. Ich war sicher, daß ich den Strom meines Lebens in sein gewohntes Bett zurückbekommen würde (und James auch). Entschuldigung, das war geschmacklos.

Panik überfiel mich. Und wenn ich nun damit zu lange gewartet hatte? Ich hätte nie abreisen dürfen. Ich hätte mich nicht unterkriegen lassen dürfen und ihm einfach sagen müssen, daß er und ich es schon schaffen würden. Hätte ihm sagen müssen, daß er unmöglich diese Denise lieben konnte. Daß er mich liebte. Daß ich viel zu sehr ein Teil von ihm war, als daß er mich nicht liebte.

Aber ich hatte mich geschlagen gegeben und ihn ohne Gegenwehr Denises Zellulitisarmen überlassen (doch, sie hatte Zellulitis). Ich mußte sofort mit ihm sprechen.

Es würde ihn nicht stören, daß ich ihn um vier Uhr morgens anrief. Schließlich ging es um ihn. Er war mein bester Freund. Was auch immer ich tat, es würde ihm nichts ausmachen. Er verstand mich. Er kannte mich.

Gleich am Vormittag würde ich mit Kate nach London zurückfliegen, und mein Leben wäre wieder in Ordnung. Die vergangene Woche würde ich aus meinem Gedächtnis streichen. Wir würden den Bruch in unserem Leben nahtlos reparieren. Die Narbe würde so verblassen, daß sie nur erkennen würde, wer ganz genau hinsah. Alles würde in Ordnung kommen. Alles käme wieder ins Lot. So wie es von Anfang an hätte sein sollen. Es war ein schrecklicher Fehler, ein entsetzliches Durcheinander, aber es war zu keinem dauerhaften Schaden gekommen. Ende gut, alles gut, stimmt doch? Ich weiß, was Sie jetzt denken. Wirklich, ich weiß es. Sie denken: ›Die hat den Verstand verloren.‹ – Na ja, vielleicht hatte ich tatsächlich vor Kummer den Verstand verloren. Bestimmt denken Sie jetzt: ›Hab' ein bißchen Selbstachtung, Claire.‹

Aber, mir war klargeworden, daß mir meine Ehe wichtiger war als meine Selbstachtung. Selbstachtung wärmt mich nachts nicht. Selbstachtung hört mir abends nicht zu. Selbstachtung sagt mir nicht, sie würde lieber mit mir als mit Cindy Crawford ins Bett gehen.

James hatte nicht einfach eine Klassenkameradin ins Konzert eingeladen. Hier ging es nicht um eine *Romanze*, sondern um Liebe und keineswegs darum, daß ein Schulmädchentraum zerplatzt wäre wie ein Luftballon.

Ich liebte James. Er war Teil von mir. Das war zu gut, das konnte ich nicht einfach aufgeben. Selbst wenn mich der Kapitän der Fußballmannschaft an seiner Statt ins Konzert eingeladen hätte, ich mein neues Kleid hätte anziehen, den Kopf hoch tragen und meinen Stolz hätte bewahren können, wäre das egal gewesen. Ich mußte James trotzdem zurückbekommen.

Ich quälte mich aus dem Bett und kämpfte mich durch den Hektar Stoff des Kunstfasernachthemdes, das mir meine Mutter aufgenötigt hatte. Bei meiner Flucht aus London hatte ich vergessen, ein Nachthemd einzupacken, und als meine Mutter das gemerkt hatte, hatte sie mir schroff mitgeteilt, unter ihrem Dach schlafe niemand nackt. »Wenn nun ein Feuer ausbricht?« und »Schon möglich, daß man das in London so macht, aber da bist du jetzt nicht.« Also hatte ich die Wahl, ob ich einen Schlafanzug mit Paisley-Muster von meinem Vater oder eins von Mums ungeheuer weiten und bodenlangen viktorianischen geblümten Nachthemden mit Stehkragen und Flauschfutter anziehen wollte. Mir ist unerfindlich, wie eine Frau, die so etwas trug, ihren Mann dazu gebracht hatte, sie auch nur ein einziges Mal zu schwängern, geschweige denn fünf Mal...

Ein solches Nachthemd würde sogar die Glut eines fünfzehnjährigen Sizilianers ersticken. Bis sich jemand Meter um Meter durch diesen Stoff gearbeitet hatte, um ein Stückchen Haut zu entdecken, wäre er für alles andere viel zu erschöpft gewesen.

Ich hatte mich gegen Dads Schlafanzug entschieden, weil er so niederschmetternd knapp saß, während mir die ungeheuren Stoffmengen des Nachthemds die Illusion schenkten, schlank, niedlich und ein kleines Mädchen zu sein.

Ich kapierte, daß alle Empfindungen relativ sind. Die Ansicht, ich sei zu dick, war falsch. Ich war nicht zu dick. Mit mir war alles in Ordnung. Die anderen waren zu dünn. Ich hatte keinen Anlaß, mich zu ändern. Ich brauchte lediglich die Welt um mich herum zu ändern. Es genügte, alles, was mich umgab, etwa fünfzehn Prozent zu vergrößern – Kleidungsstücke, Möbel, Menschen, Gebäude, Länder –, und mit einem Mal hätte ich wieder die richtige Größe! Na gut, sagen wir zwanzig Prozent. Dann konnte ich mich wahrhaft zierlich fühlen.

Alles, begriff ich rasch, war eine Frage der *Relation*. Alles war lediglich im Vergleich mit seiner Umgebung gut oder schlecht, dick oder dünn, groß oder klein.

Also behalten Sie Ihre klugen Bemerkungen darüber, daß ich Mums Nachthemd trug, für sich. Mein Wahnsinn (jedenfalls jener besondere Aspekt davon) hatte Methode. Ich wußte durchaus, was ich tat. Ich kam mir richtig abgemagert vor. Dünn, mädchenhaft und leichtfüßig wie eine Elfe.

Es kostete mich etwa zehn Minuten aufzustehen, und als ich schließlich auf dem Boden stand, hätte ich mich fast erwürgt, weil ich auf den hinteren Saum des Nachthemdes trat und damit den Kragen vorn so ruckartig hochzog, daß er sich mir wie ein Schraubstock um den Hals legte.

Ich keuchte und hustete ziemlich laut, und Kate begann in ihrem Bettchen unruhig zu werden. *Schlaf bitte weiter, Schätzchen,* dachte ich verzweifelt. *Schrei bloß nicht. Es gibt keinen Grund dazu. Alles kommt in Ordnung. Ich hol deinen Daddy wieder. Du wirst es sehen. Bis dahin hältst du hier die Stellung.*

Wunderbarerweise beruhigte sie sich, lag wieder still und wurde nicht wach. Auf Zehenspitzen schlich ich mich aus dem dunklen Zimmer und erreichte den Treppenabsatz. Das gewaltige Nachthemd schwang weiträumig um mich herum, während ich die unbeleuchtete Treppe hinabging. Das Telefon stand unten in der Diele. Das einzige Licht kam von der Straßenlaterne vor dem Haus. Es fiel durch die Milchglasscheiben der Haustür herein.

Ich begann, die Nummer meiner Wohnung in London zu wählen. Das Geräusch der Wählscheibe hallte in der Stille des schlafenden Hauses wider und klang wie Gewehrfeuer.

Großer Gott, dachte ich zitternd. *Bestimmt kommen gleich die McLoughlins drei Häuser weiter, um sich über den Lärm zu beschweren.*

Während sich das Telefon in Dublin mit dem in der leeren Wohnung in einer über sechshundert Kilometer entfernten Stadt in Verbindung setzte, knackte es einige Male.

Ich ließ es klingeln. Vielleicht hundertmal, vielleicht auch tausendmal.

Es klingelte und klingelte in einer kalten, dunklen, leeren Wohnung. Ich konnte mir richtig vorstellen, wie das Telefon neben dem Bett klingelte, auf dessen glattem Laken niemand schlief, neben dem Bett, über das vom Fenster her Schatten fielen, weil von der Straße Licht durch die Vorhänge hereinkam, die offen waren, weil niemand da war, der sie schließen konnte.

Ich ließ es immer weiter klingeln. Allmählich verließ mich die Hoffnung.

James nahm nicht ab. Weil er nicht da war. Er war in einer anderen Wohnung. In einem anderen Bett. Bei einer anderen Frau.

Meine Vorstellung, daß ich ihn zurückbekommen konnte, nur weil ich ihn zurückhaben wollte, war verrückt. Ich mußte verrückt sein, wenn ich glaubte, es genüge, einfach nicht zur Kenntnis zu nehmen, daß er mit einer anderen Frau lebte. Er hatte mich *verlassen*. Er hatte mir gesagt, er liebe eine andere.

Allmählich wurde ich wieder vernünftig.

Die Einstweilige Verrücktheit hatte an meine Tür geklopft, und ich hatte gerufen: »Komm ruhig rein, es ist offen.« Glücklicherweise war der Wirklichkeitssinn unerwartet nach Hause gekommen und hatte gesehen, wie die Einstweilige Verrücktheit ungehindert durch die Gänge meines Hirns streifte, Räume betrat, Schränke öffnete, meine Briefe las, in meiner Unterwäsche-Schublade herumstöberte und dergleichen. Er war losgelaufen und hatte die Vernunft geholt. Nach einem kurzen Streit war es den beiden gelungen, die Einstweilige Verrücktheit vor die Tür zu setzen und sie ihr vor der Nase zuzuschlagen. Jetzt lag sie keuchend auf dem Kies der Auffahrt meines Geistes und schrie wütend: »Sie hat mich reingebeten. Sie *wollte*, daß ich reinkomme.«

Wirklichkeitssinn und Vernunft beugten sich aus einem Fenster im Obergeschoß und schrien: »Verschwinde. Du bist hier unerwünscht. Wenn du nicht in fünf Minuten weg bist, rufen wir die Gefühlspolizei.«

Vermutlich hätte jeder Psychiater, der sein Geschäft verstand, gesagt, ich durchlaufe eine Ablehnungsphase. Der Schock, daß James mich Knall auf Fall verlassen hatte, sei so groß gewesen, daß ich ihn nicht akzeptieren oder verarbeiten könnte. Es sei für mich einfacher, so zu tun, als wäre nichts geschehen, und alles komme in Ordnung, wenn ich mir einbildete, alles lasse sich in Ordnung bringen.

Ich saß in der kalten, dunklen Diele auf dem Fußboden. Nach langem Warten legte ich auf.

Mein Herz, das wie wild gehämmert hatte, fand seinen normalen Rhythmus wieder. Meine Hände hörten auf zu zittern. In meinem Kopf klangen die Fantasien und Trugbilder ab.

Ich würde nicht im Laufe des Vormittags nach London zurückkehren. Der Mittelpunkt meines Lebens war zur Zeit hier. Wenigstens für eine Weile.

Ich fühlte mich elend.

Nach all der Begeisterung, die der Gedanke in mir ausgelöst hatte, ich könnte mit James reden und die Dinge mit Liebesschwüren ins Lot bringen, stürzte ich in die größte Trübsal, die tiefste Leere, die ich je empfunden hatte. Sie war so groß wie ein Kontinent, so tief wie der Atlantik und so leer wie Helens Hirn.

Allmählich fror es mich an den Füßen.

Obwohl ich so müde war, als wäre ich tausend Jahre alt, meinte ich nie wieder schlafen zu können.

Die Qual des Verlustes, die ich empfand, war zu groß, als daß sie mich hätte schlafen lassen. Dabei wollte ich um alles in der Welt schlafen. Alles, nur nicht dies Gefühl.

Wie sehr wünschte ich, daß wir eine neurotische Mutter hätten! Eine, die im Medizinschrank im Bad kistenweise Schlafmittel, Valium und Antidepressiva hortete.

In Wirklichkeit hatte sie sich immer aufgeführt, als wären wir Anwärter für die Betty-Ford-Suchtklinik, wenn wir wegen Halsschmerzen, Magenschmerzen, eines gebrochenen Beines oder eines durchgebrochenen Zwölffingerdarmgeschwürs zwei Schmerztabletten haben wollten. »Bringt es als Opfer dar«, pflegte sie zu sagen. »Denkt an unseren Herrn Jesus, wie er am Kreuz leiden mußte« oder »Was würdet ihr tun, wenn niemand die Schmerztabletten erfunden hätte?« Darauf bekam sie von uns in der Regel die Antwort: »Verglichen mit diesen Ohrenschmerzen wäre es das reinste Vergnügen, ans Kreuz geschlagen zu werden« oder »Du darfst mich jeden Tag an eine Säule binden und auspeitschen, wenn du mir nur meine Zahnschmerzen nimmst.«

Mit solch kessen Sprüchen hatten wir uns endgültig jegliche Aussicht verscherzt, von Mum Schmerzmittel zu bekommen. Gotteslästerung nahm auf ihrer Liste unverzeihlichen Handelns einen Spitzenplatz ein.

Wie sehr wünschte ich, daß meine Schwester Anna die Schmerzmittel ausgab. Was hätte ich in jenem Augenblick für ein Gelonida gegeben!

Wie die Dinge lagen, bestand kaum Aussicht, auch nur ein alkoholisches Getränk zu finden. Beide Eltern tranken nicht viel, und so hatten sie nur äußerst wenig Alkohol im Haus.

Das ist mein voller Ernst. Es hatte nichts mit Grundsatzentscheidungen zu tun, sondern war einfach so.

Sogar wenn sie Alkohol im Hause haben *wollten*, war das, dank mir und in jüngerer Zeit auch dank meiner Schwestern, stets nur sehr wenig.

Unser Wahlspruch schien zu sein: »Kein Alkoholgehalt ist zu hoch oder zu niedrig. Vor uns sind alle Getränke gleich.« Alles von hochprozentigem schwarz gebranntem Whiskey über Cherry Brandy bis Babycham und allem dazwischen war (wenn ich so sagen darf) Wasser auf unsere Mühle.

Als ich jünger war, in den glücklichen Tagen, bevor ich entdeckt hatte, was der Alkohol bei mir bewirkte, hatte es bei uns zu Hause einen wohlgefüllten Barschrank gegeben, auch wenn sein Inhalt nach merkwürdigen Gesichtspunkten ausgewählt zu sein schien.

Reinster polnischer Wodka stand da neben Literflaschen von Malibu, Slibowitz vom Balkan tat so, als hätte er das Recht, neben Southern Comfort zu stehen. Unsere Hausbar wußte nichts vom kalten Krieg.

Dad gewann fortwährend Schnaps oder Whisky beim Golf und Mum gelegentlich eine Flasche Sherry oder irgendeinen Damenlikör beim Bridge. Besucher kamen mit allerlei Getränken, die sie im Urlaub gekauft hatten, und unsere Nachbarn hatten uns einmal von Zypern eine Flasche Ouzo mitgebracht.

Der Slibowitz stammte von Dads Sekretärin, die eine Reise hinter den Eisernen Vorhang unternommen hatte (das war 1979, und meine Schwestern und ich hatten sie für unwahrscheinlich tapfer gehalten und nach ihrer Rückkehr nach Strich und Faden ausgefragt, ob sie irgendwelche Verletzungen der Menschenrechte durch die Ungarn miterlebt hatte. »Stimmt es tatsächlich, daß die da noch Schlaghosen und Plateausohlen tragen müssen?« hatten wir mit vor Entsetzen geweiteten Augen gefragt. Margaret hingegen, die schon immer sehr praktisch veranlagt war, wollte wissen, was man im Tausch gegen ein Päckchen Kaugummi bekam. »Wie viele Päckchen würde mich ein Haus kosten?« Mal ehrlich, das Mädchen hatte den vollen Durchblick). Anna hatte bei einer Verlosung in der Kirchengemeinde des Heiligen Vincent de Paul eine Flasche gelb schillernden Bananenschnaps gewonnen, und irgend jemand hatte Aprikosenlikör mitgebracht.

Nach und nach wuchs unsere Sammlung von Alkoholika an. Da meine Eltern nur wenig tranken und wir Kinder noch nicht angefangen hatten, quoll unsere Bar über. Doch diese glücklichen Tage waren dahin.

Bedauerlicherweise hatte ich mit etwa fünfzehn Jahren die Wonnen des Trinkens entdeckt. Rasch merkte ich, daß mein Taschengeld zur Befriedigung dieser neuen Leidenschaft nicht ausreichte, und so brachte ich manche Stunde damit zu, aus den verschiedenen Flaschen in der Wohnzimmerbar kleine Mengen abzuzapfen, wobei ich immer aufpassen mußte, daß keiner kam.

Für meine Mischung nahm ich eine leere Limonadenflasche. Da ich fürchtete, es könnte auffallen, wenn ich aus einer einzelnen Flasche zuviel herausnahm, zapfte ich aus mehreren Flaschen jeweils wenige Tropfen und mischte alles in der einen Limonadenflasche, ohne mir groß Sorgen um den Geschmack des Ergebnisses zu machen. Mir lag in erster Linie an einem Rausch. Wenn ich etwas trinken mußte, das abscheulich schmeckte, um dieses Ziel zu erreichen, war ich dazu bereit.

So verbrachte ich manch glücklich trunkene Stunde in irgendeiner Disco, deren Besuch ich den Eltern abgetrotzt oder bei ihnen erschlichen hatte, nachdem ich mir eine Mischung aus (sagen wir mal) Sherry, Wodka, Gin, Korn und Vermouth eingeflößt hatte (der Vermouth stammte von Tante Kitty, sie hatte ihn auf ihrer Romreise gekauft). Es waren herrliche, unwiederbringliche Tage.

Um peinlichen und unangenehmen Szenen mit meinen Eltern aus dem Weg zu gehen, ersetzte ich, was ich einer Flasche entnommen hatte, jeweils durch die entsprechende Menge Wasser. Nichts konnte reiner sein, nahm ich an.

Doch so, wie gewisse empfindliche Pflanzen eingehen, wenn man ihnen zuviel Wasser gibt, ist es bei einer Reihe von Getränken. Insbesondere eine Flasche Wodka wässerte ich zu stark.

Irgendwann kam der Tag der Abrechnung. Eines Samstags abends, ich war etwa siebzehn, hatten unsere Eltern die Kellys und die Smiths auf einen Drink eingeladen. Mum und Mrs. Kelly tranken gern Wodka, doch war dank meiner Bemühungen im Verlauf der letzten rund achtzehn Monate das, was einst Smirnoff gewesen war, inzwischen annähernd hundert Prozent reinstes, unverfälschtes Wasser ohne die geringste Spur von Alkohol.

So glaubten die beiden lediglich, in ihren Gläsern befinde sich Wodka, wohingegen die übrigen Teilnehmer an der Runde das Glück hatten, richtigen Alkohol zu erwischen.

Während Dad, Mr. Kelly und das Ehepaar Smith immer lauter, röter und lebhafter wurden und über Dinge lachten, die nicht im geringsten lustig waren, und Dad allen erklärte, daß er keineswegs alles, was er verdiente, der Steuer angab, und das Ehepaar Smith verriet, Mr. Smith habe im Vorjahr ein Verhältnis gehabt, so daß sie sich beinah getrennt hätten, sich inzwischen aber wieder gut vertrügen, saßen Mum und Mrs. Kelly als einzige steif und mit versteinertem Gesicht da und lächelten verkniffen.

Auch als Mrs. Smith ihr Glas Bacardi mit Cola auf dem guten Wohnzimmerteppich verschüttete (ich mochte Bacardi nicht, und daher hatte sein Alkoholgehalt noch fast den ursprünglichen Wert), fand meine Mutter das überhaupt nicht lustig, mein Vater hingegen lachte schallend darüber. Kurz gesagt machte die allgemeine Heiterkeit vor den Wodkatrinkerinnen halt.

Am nächsten Tag fiel bei Mum der Groschen. Sie ließ sich die Wodkaflasche bringen und unterzog sie verschiedenen Prüfungen. (Das ging in etwa so vor sich: »Hier, riech mal. Wonach riecht das deiner Ansicht nach?« »Nach nichts, Mum.« »*Genau*!«)

Die Untersuchungsergebnisse eines in der Küche eingerichteten forensischen Behelfslabors zeigten, daß sich jemand an der Wodkaflasche zu schaffen gemacht haben mußte, und zwar mehrfach.

Es kam zu einer tränenreichen Szene zwischen mir und meinen Eltern. Zumindest Mum weinte ausgiebig. Allerdings Tränen des Zorns und der Beschämung. »Diese Schande«, klagte sie. »Da lädt man Leute ein, bietet ihnen was zu trinken an – und was kriegen sie? Verdünntes Zeug! Ich könnte vor Scham im Boden versinken. Wie konntest du nur? Dabei hattest du versprochen, nicht zu trinken, bis du achtzehn wirst.«

Schmollend und mürrisch schwieg ich und ließ den Kopf hängen, um zu verbergen, wie sehr ich mich schämte und ärgerte, daß man mir auf die Schliche gekommen war.

Mein Vater war traurig und sagte nichts. Bei einer Aufräumaktion wurden alle Getränke ohne vorherige Verhandlung in einen abschließbaren Schrank gesperrt. Nur meine Mutter wußte, wo der Schlüssel war, und hätte, wie sie selbst sagte, lieber die Qualen der Verdammten erlitten, als das Versteck preiszugeben. Natürlich war es nur eine Frage der Zeit, bis eine ihrer Töchter herausbekam, wie man das Schloß auch ohne Schlüssel öffnen konnte.

Darauf folgte eine Art Guerillakrieg, in dessen Verlauf meine Mutter ständig nach neuen Verstecken für die rasch dahinschwindenden Alkoholvorräte suchte. Helen schwört, sie hätte gehört, wie Mum am Telefon Tante Julia, die Alkoholikerin ist, nach geeigneten Stellen gefragt hat. Aber das ist ein unbestätigtes Gerücht, und ich würde es nicht unbedingt für bare Münze nehmen.

Aber Mum war uns immer nur einen winzigen Schritt voraus. Kaum hatte sie ein neues Versteck gefunden, da hatte es eine von uns schon entdeckt. Ähnlich, wie man immer wieder andere Antibiotika erfinden muß, um neu aufgetretene Bakterienstämme zu bekämpfen und solche, die inzwischen gegen die bisherigen Mittel immun sind, mußte sich meine Mutter stets neue Verstecke ausdenken. Zu ihrem Unglück blieben sie nie lange neu.

Sie versuchte sogar, uns ins Gewissen zu reden. »Bitte trinkt nicht soviel, oder wenigstens nicht soviel von dem, was eurem Vater und mir gehört.«

Gewöhnlich bekam sie die, ich muß sagen, eher sorgenvolle als zornige Antwort: »Aber Mum, wir trinken gern. Wir sind arm. Wir haben keine Wahl. Glaubst du, wir gehen *gern* wie gemeine Diebe vor?«

Auch als Margaret, Rachel und ich aus dem Haus waren und wir uns unsere schlechten Gewohnheiten leisten konnten, ging der Kampf weiter, denn Helen und Anna lebten nach wie vor dort und waren ziemlich knapp bei Kasse.

Der einst stolze und edle Bestand alkoholischer Getränke aller Art war nunmehr auf einige wenige schäbige halbleere Flaschen zusammengeschrumpft, die wie Nomaden durchs Haus zogen und in Schränken, Kohleneimern und unter Betten ihre Zuflucht fanden. Längst dahin die vollen, leuchtenden Flaschen mit erkennbaren Etiketten. Nichts ist von ihnen geblieben als eine klebrige, mit Staub bedeckte Flasche Drambuie, eine andere, in der kubanischer Wodka einen Zentimeter hoch steht (ehrlich, so etwas gibt es. Offenbar genau das richtige Getränk für linientreue Genossen Fidel Castros), und die nahezu volle Flasche Bananenschnaps, von dem Helen wie Anna erklärt haben, daß sie eher verdursten als davon trinken würden.

Ich blieb auf dem kalten Fußboden in der dunklen Diele sitzen. Ich hatte wirklich das Gefühl, daß ich etwas zu trinken brauchte. Ich hätte sogar den Bananenschnaps getrunken, wenn ich gewußt hätte, wo er war. Ich fühlte mich so entsetzlich *einsam*. Ich spielte mit dem Gedanken, Mum zu wecken und sie zu bitten, mir den Schnaps zu geben, aber bei der Vorstellung bekam ich ein wirklich schlechtes Gewissen. Die arme Frau machte sich solche Sorgen um mich, und wenn es ihr gelungen war einzuschlafen, durfte ich sie wirklich nicht wecken.

Vielleicht konnte mir Helen helfen. Müde stieg ich die Treppe zu ihrem Zimmer hinauf, doch als ich mich hineingeschlichen hatte, fand ich ihr Bett leer. Entweder hatte sie die Nacht bei Linda verbracht, oder irgendein junger Mann hatte einen Volltreffer gelandet. In letzterem Fall würde man ihn wohl irgendwo tot finden, mit einem Abschiedsbrief neben sich, auf dem etwa folgendes stand: »Ich habe alles erreicht, was ich mir im Leben je erträumt habe. Ich werde nie wieder so glücklich sein. In diesem Zustand der Glückseligkeit möchte ich sterben. PS: Sie ist eine Göttin.«

Als hätte ich mich nicht schon schlimm genug gefühlt, packte mich mit einem Mal die panische Angst, Kate könnte etwas Entsetzliches zugestoßen sein. Der plötzliche Kindstod zum Beispiel. Sie konnte auch an Erbrochenem erstickt sein. *Was auch immer.*

Ich stürmte wieder in mein Zimmer und stellte erleichtert fest, daß sie noch atmete. Sie lag einfach da, ein wohlriechendes, zerknittertes rosa Bündel mit fest geschlossenen Augen.

Während ich darauf wartete, daß sich mein Atem wieder beruhigte und der Schweiß auf meiner Stirn trocknete, fragte ich mich, wie wohl andere Eltern mit ihrer Aufgabe fertig wurden. Wie konnten sie ihre Kinder aus dem Haus lassen und sie mit anderen Kindern spielen lassen? Packte sie nicht jedesmal unbeschreibliche Angst, wenn sie länger als fünf Minuten von ihrem Kind getrennt waren? Mir fiel es jetzt schon schwer genug. Wie zum Teufel sollte ich das erst schaffen, wenn sie in die Schule mußte? Niemand durfte von mir erwarten, daß ich sie einfach so im Stich ließ. Man würde mir schon erlauben müssen, hinten im Klassenzimmer zu sitzen.

Jetzt brauchte ich *wirklich* etwas zu trinken. Vielleicht war Anna zu Hause. Ich schleppte mich zu ihrem Zimmer hinüber und öffnete leise die Tür. Dunst stieg mir in die Nase, als ich sie knapp drei Zentimeter geöffnet hatte. Alkoholdunst.

Na bitte! *Gott sei Dank*, dachte ich. Offensichtlich war ich bei der richtigen Stelle gelandet.

Anna lag zusammengerollt im Bett, das lange schwarze Haar um sich herum ausgebreitet. Neben ihr auf dem Kissen lag etwas, das aussah wie eine Big-Mac-Schachtel.

»Anna«, flüsterte ich laut und schüttelte sie ein bißchen. Keine Reaktion.

»Anna«, flüsterte ich, diesmal deutlich lauter, und schüttelte sie heftig an der Schulter.

Ich schaltete ihre Nachttischlampe ein und leuchtete ihr damit im Gestapo-Stil ins Gesicht. Aufwachen! Sie öffnete die Augen und sah mich an.

»Claire?« krächzte sie ungläubig. Sie schien richtig Angst zu haben, als glaubte sie, sie halluziniere.

Bei Anna war das auch durchaus möglich. Ich meine, daß sie halluzinierte. Sie stand auf bewußtseinserweiternde Substanzen, wenn Sie verstehen, was ich meine.

Die Arme. Soweit sie wußte, war ich über sechshundert Kilometer entfernt in einer anderen Stadt und einem anderen Leben. Aber hier erschien ich ihr mitten in der Nacht in ihrem Schlafzimmer. Um sie anzuschnorren, was die Sache noch schlimmer machte.

»Anna, tut mir leid, dich zu stören, aber hast du was zu trinken?« fragte ich. Sie sah mich einfach nur an.

»Was willst du hier?« fragte sie mit verängstigter Stimme.

»Ich such was zu trinken«, sagte ich verzweifelt.

»Hast du eine Botschaft für mich?« fragte sie und sah mich nach wie vor mit großen Augen an. *Großer Gott*, dachte ich ärgerlich.

Anna war eine Anhängerin des Okkultismus. Nichts wäre ihr lieber gewesen, als vom Teufel besessen zu sein, in einem Spukhaus zu leben oder Katastrophen voraussagen zu können. Offenbar hoffte sie, daß ich irgendeine Art paranormaler Erscheinung war. Entweder das, oder sie war noch betrunkener als sonst.

Am liebsten hätte ich ihr etwas Schreckliches erzählt. Etwa so: »Anna, hüte dich! Es wird eine Mißernte geben« oder »Anna, hüte dich! (Das ›Hüte dich‹ ist sehr wichtig.) Dein Eimer leckt, und du wirst die Milch verlieren, die du zum Markt trägst« oder »Anna, hüte dich, die Zweige des Weißdorns abzuschneiden.«

Dabei spielte es nicht die geringste Rolle, daß Anna weder eine Ernte erwartete noch Milch in einem leckenden Eimer zum Markt zu tragen hatte. Auch wuchs im Umkreis von fünfzehn Kilometern kein Weißdorn – trotzdem wäre sie mit ihrer übernatürlichen Heimsuchung mehr als glücklich gewesen.

»Ja, Anna«, sagte ich, um ihr den Gefallen zu tun, wobei ich mir gleich ein wenig blöd vorkam, »sie haben mich geschickt. Wo ist der Alkohol? Ich soll ihn holen.«

»In meinem Rucksack«, sagte sie schwach. Er lag auf dem Boden, zusammen mit einem Schuh (was war mit dem anderen?), ihrem Mantel, einer Schachtel, in der sich noch ein paar Pommes und eine Dose Budweiser befanden. Ich hatte Schwierigkeiten, den Rucksack zu öffnen, weil an der Kordel zwei Helium-Ballons befestigt waren. Offensichtlich war Anna bei irgendeiner Party gewesen. Fast hätte ich vor Erleichterung geweint, als ich eine Flasche Weißwein entdeckte.

»Danke, Anna«, sagte ich. »Ich geb's dir morgen wieder.« Dann ging ich. Sie sah immer noch benommen und verängstigt drein und nickte verständnislos. »In Ordnung«, brachte sie heraus.

Ich sah nach Kate. Sie schlief nach wie vor friedlich. Ich hatte zwar fast damit gerechnet, daß sie mit verschränkten Armen in ihrem Bettchen sitzen und mich fragen würde, wo denn der Vater sei, den ich ihr versprochen hatte. Aber sie schlief. Wahrscheinlich kamen in ihren Säuglingsträumen rosa Wolken, warme Betten und weiche Menschen vor, die angenehm riechen, und außerdem Unmengen zu essen, viel Schlaf und viele Menschen, die einen liebhaben.

In dieser Welt mußte niemand vor dem Klo Schlange stehen.

Ich ging mit der Flasche Wein nach unten in die Küche und öffnete sie müde. Ich wußte, daß es mir bessergehen würde, sobald ich einen Schluck getrunken hatte. Gerade als ich mir ein Glas eingoß, erschien Anna in der Küchentür und rieb sich verwirrt und besorgt die Augen. Das lange schwarze Haar hing ihr um ihr weißes Gesicht.

»Ach, Claire, bist du das tatsächlich? Ich hab's mir also nicht eingebildet«, sagte sie, halb erleichtert, halb enttäuscht. »Ich dachte schon, das wäre das Delirium. Dann hab' ich mir überlegt, daß du eine Erscheinung sein könntest. Doch in dem Fall wärst du wohl in was Geschmackvollerem als Mums grauenvollem Nachthemd aufgekreuzt.«

»Ja, ich bin's wirklich«, ich lächelte ihr zu. »Tut mir leid, wenn ich dich erschreckt habe. Aber ich brauchte unbedingt was zu trinken.« Ich ging zu ihr und umarmte sie. Es war wirklich schön, sie zu sehen.

Anna ähnelte Helen sehr: kleines weißes Gesicht, schrägstehende Katzenaugen, Stupsnäschen. Damit aber endete die Ähnlichkeit. Erstens hatte ich nie das Bedürfnis verspürt, Anna etwa zwanzig Mal am Tag umzubringen. Sie war zu allen Menschen äußerst freundlich, sehr viel ruhiger als ihre Schwester und weit angenehmer im Umgang. Allerdings war sie unglücklicherweise sehr geistesabwesend und ätherisch. Mehr als einmal hatte ich ihren Namen in Sätzen gehört, in denen die Wendung ›jetzt spinnt sie wieder‹ vorkam.

Vielleicht ist es besser, wenn ich ohne Umschweife die Wahrheit sage. Es läßt sich nicht leugnen, daß Anna eine Art… nun ja, … eine Art Hippie war.

Sie hatte nie eine richtige Arbeit und schien beständig auf Rock-Konzerten zu sein. Ich konnte von London aus anrufen, wann ich wollte, wann immer ich nach Anna fragte, sagte Mum entweder: »Ach, Anna ist in Glastonbury« oder »Anna ist in Lisdoonvarna« oder »Anna hat 'ne Stelle in einer Bar in Santorini.«

Es gab auch – zugegebenermaßen schlimme – Tage, an denen Mum sagte: »Woher zum Teufel soll ich wissen, wo Anna ist? Ich bin schließlich bloß ihre blöde Mutter.«

Ab und zu hatte sie Arbeit. Gewöhnlich in vegetarischen Restaurants. Sie schien es aber nie lange auszuhalten, und aus irgendeinem sonderbaren Grund waren auch die Restaurants nie lange da. Sie lebte vom Arbeitslosengeld.

Ich habe schon erwähnt, daß sie mit Drogen gedealt hat. Aber nur kurz und auf die denkbar netteste Weise. Ehrlich. Nie hat sie vor Schulhöfen herumgehangen, um zu versuchen, Achtjährigen hochgradig reines Heroin anzudrehen.

Sie hat lediglich hier und da ein bißchen Haschisch an Freunde und Verwandte verkauft. Und dabei bestimmt Verlust gemacht.

Sie machte Schmuck und verkaufte von Zeit zu Zeit sogar etwas. Es war eine unsichere Existenz, was ihr aber nicht viel auszumachen schien.

Mein Vater hatte sie aufgegeben. Er nannte sie verantwortungslos. Natürlich wurde die Schuld für ihre Flatterhaftigkeit mir in die Schuhe geschoben. Dad hatte gesagt, ich hätte mich zu einer

Zeit nach London ›abgesetzt‹, als sie leicht zu beeindrucken war, und ihr damit vorgemacht, daß es völlig in Ordnung sei, eine gute Arbeitsstelle aufzugeben, um als Kellnerin zu arbeiten. Was für eine Art Vorbild das sei, hatte er von mir wissen wollen.

In seinem verzweifelten Versuch, aus Anna eine verantwortliche Steuerzahlerin zu machen, hatte er ihr eine Büroarbeit in einem Bauunternehmen verschafft. Offensichtlich schuldete ihm jemand einen Gefallen. Es muß ein ziemlich großer Gefallen gewesen sein.

Der Versuch, Anna zur Arbeit in einem Büro zu zwingen, war ein Fehler. Es war so, als wollte man einen runden Pflock in ein viereckiges Loch zwängen oder einen Schuh am falschen Fuß tragen. Es war unangenehm und mußte nahezu mit Sicherheit scheitern. Es war eine Katastrophe.

Anna war wie eine an das tropische Klima gewöhnte exotische Blume, die man von heute auf morgen in ein feuchtes, kaltes Land verpflanzt. Wie hätte sie da überleben können? Sie konnte nur dahinwelken, ihre wunderschönen leuchtenden Blütenblätter verdorrten und wurden braun, ihr zarter Duft war dahin.

Ihre Begabung lag nicht auf dem Gebiet der Büroarbeit. Sie war zu schöpferisch und voller Vorstellungskraft, als daß sie sich mit etwas so Langweiligem wie der Ablage hätte beschäftigen können. Außerdem war sie zu high.

Eines Montags morgens hatte ihr Mr. Sheridan, der Chef, einen Scheck auf den Tisch geknallt und gesagt: »Schicken Sie den mit einem freundlichen Begleittext an Bill Prescot.«

Glücklicherweise hatte er den von Anna verfaßten Brief abgefangen. Darin stand: »Lieber Mr. Prescot, obwohl ich Ihnen nie begegnet bin, glaube ich, daß Sie sehr umgänglich sind. Alle Bauarbeiter loben Sie in den höchsten Tönen.«

Matt erklärte Mr. Sheridan, daß sie in einem Begleitbrief, auch wenn er freundlich gemeint war, nicht einfach schreiben konnte, was ihr privat in den Sinn kam.

Während der Mittagspause vergaß sie die Zeit, weil sie am Kanal in der Nähe des Büros ein Schwanennest entdeckt hatte und den Vögeln stundenlang beim Brüten zusah. (Außerdem rollte sie sich mehrere Joints und rauchte sie, wenn man Gerüchten glauben darf.) Aber als sie eines Tages beschloß, die Personalakten der Bauarbeiter nicht mehr alphabetisch zu ordnen, sondern nach ihrem Tierkreiszeichen, hatte der Bürovorsteher, Mr. Ballard, endgültig genug. Anna mußte gehen, ganz gleich, ob der Geschäftsführer Jack Walsh einen Gefallen schuldete oder nicht.

Trotz ihres Einwandes, es habe sich lediglich um einen Scherz gehandelt (sie hatte lachend gesagt, womit sie die Dinge höchstwahrscheinlich nur noch verschlimmerte: »Mal ehrlich, wie könnten wir die Akten nach den Tierkreiszeichen sortieren, wenn wir nicht mal die Aszendenten der Leute kennen?«), bekam sie ihre Papiere. Wieder einmal war sie ohne Einkommen.

Mein Vater war wütend und wäre vor Scham am liebsten gestorben. »Was geht bloß in diesem dämlichen Kopf vor?« hatte er gebrüllt. »Ich würde fast schwören, daß sie Drogen nimmt.« Ehrlich gesagt war er für einen intelligenten Mann bisweilen von beunruhigender Begriffsstutzigkeit.

Ihre einzige andere Berührung mit einer einträglichen Tätigkeit hatte Anna als Schulmädchen gehabt, als die Beratungslehrerin für Berufskunde sie fragte, was sie später machen wollte. Anna erklärte ihr, sie wollte eins mit den Elementen sein, und konnte nicht verstehen, warum man sie zu einem zweiwöchigen Praktikum in eine Firma schickte, die Heizelemente für elektrische Wasserkocher herstellte.

Nachdem Anna begriffen hatte, daß ich keine übersinnliche Erscheinung war, beschloß sie trotz ihrer Enttäuschung, das Beste aus der Situation zu machen.

»Gieß mir auch ein Glas ein«, sagte sie und wies auf die Weinflasche. Das tat ich, und wir setzten uns beide an den Küchentisch.

Es war gegen fünf Uhr morgens. Die späte, oder besser gesagt frühe, Stunde schien sie nicht im geringsten zu stören.

»Prost«, sagte sie und erhob ihr Glas.

»Ja, prost«, gab ich mit Grabesstimme zurück. Ich leerte das Glas in einem Zug. Anna sah mich bewundernd an.

»Und was tust du hier?« fragte sie im Plauderton. »Ich wußte gar nicht, daß du kommst. Niemand hat mir gesagt ... – ich *glaube* jedenfalls, daß es mir niemand gesagt hat«, sagte sie zweifelnd. »Ich war fast 'ne ganze Woche nicht zu Hause.«

»Nun ja, es ist ein bißchen plötzlich gekommen«, sagte ich und seufzte, während ich mich auf eine lange und gewundene Erklärung der tragischen Umstände vorbereitete. Doch bevor ich zu Wort kam, unterbrach sie mich abrupt.

»Ach, mein Gott«, sagte sie mit einem Mal und schlug sich die Hand vor den Mund.

»Was?« fragte ich beunruhigt. Schwebte der Korkenzieher in der Luft, hatte sich das gespenstische Gesicht einer Totenfee am Fenster gezeigt?

»Du bist ja gar nicht mehr schwanger!« rief sie aus. Wider Willen mußte ich lächeln.

»Stimmt, Anna. Kannst du dir vorstellen, warum?«

»Hast du das Kind bekommen?« fragte sie gedehnt.

»Ja«, bestätigte ich, nach wie vor lächelnd.

»Grundgütiger!« kreischte sie. »Ist das nicht fantastisch!« Sie schlang ihre Arme um mich. »Ist es ein Mädchen?«

»Ja«, sagte ich.

»Ist sie hier? Kann ich sie sehen?« fragte sie ganz aufgeregt.

»Ja, in meinem Zimmer. Aber sie schläft. Wenn es dir nichts ausmacht, würde ich sie jetzt lieber nicht wecken. Jedenfalls nicht, bevor ich diese Flasche Wein ausgetrunken habe«, sagte ich mißmutig.

»Kann ich verstehen«, sagte Anna und schenkte mir ein weiteres Glas ein – von einer Alkohol-Liebhaberin zur anderen.

»Runter damit. Vermutlich hast du lange nichts trinken dürfen. Kein Wunder, daß du dich jetzt ranhältst.«

»Stimmt, ich habe lange nichts trinken können. Aber nicht deshalb will ich mir einen Rausch antrinken«, sagte ich.

»Ach, tatsächlich?« erwiderte sie mit spöttischem Unterton. Also berichtete ich ihr die Geschichte mit James.

Sie war so verständnisvoll und einfühlsam, unterließ jede Wertung und war auf ihre ganz eigene Weise so voller Mitgefühl, daß es mir allmählich besserging. Ich war nicht mehr ganz so unruhig, nicht ganz so abgespannt, fühlte mich nicht mehr ganz so hoffnungslos.

Man muß wohl auch den geringen, aber keineswegs unbedeutenden Anteil hervorheben, den die Flasche Wein daran hatte, daß sich meine Stimmung hob. In erster Linie aber gebührt die Anerkennung Anna.

Sie murmelte Dinge wie: »Was kommen muß, kommt« und »Für uns alle ist gesorgt, auch wenn man das nicht immer so merkt« und »Nichts geschieht ohne Grund.« Schön, es waren Hippiesprüche, aber mich trösteten sie sehr.

Gegen sechs Uhr, gerade als die Vögel anfingen zu zwitschern, verließen wir die Küche. Sollte sich mein Vater um die Gläser auf dem Tisch, die restlos leere Flasche, den Korken, den Korkenzieher, den überquellenden Aschenbecher und die Papierreste einer Rolle Kekse kümmern, die Anna gegessen hatte (die billigen Kekse – die mit Orangengelee gefüllten Jaffa-Kekse kaufte Mum nach wie vor nicht für uns).

Er würde in etwa einer Stunde aufstehen, um für sich und Mum Frühstück zu machen, und er hatte gern etwas zu tun. Er brauchte das Gefühl, daß man ihn brauchte.

Langsam gingen wir nach oben, eine den Arm um die andere gelegt, und ich fiel förmlich ins Bett, müde, entspannt und beruhigt, wie ich war. Anna sah einige Minuten lang staunend auf Kate und bestand darauf, die beiden Helium-Ballons zu holen (sie hatte sie ebenso wie die Flasche Wein auf der Party erbeutet), und band sie an Kates Bettchen fest. Dann gab sie mir einen Gutenachtkuß und schlich auf Zehenspitzen hinaus. Sofort versank ich in einen tiefen und traumlosen Schlaf.

Eine Viertelstunde später weckte mich Kate laut brüllend und verlangte nach ihrem Frühstück. Ich fütterte sie und torkelte dann wieder ins Bett.

Gerade als ich dabei war, wieder einzuschlafen, hörte ich, wie mein Vater aufstand. Wenige Minuten später polterte er die Treppe hinauf und rief laut: »Deine Töchter haben sich vollaufen lassen!« (Immer waren es Mums Töchter, die einen Arbeitsplatz verloren, nicht zur Messe gingen, spät in der Nacht heimkamen und sich unanständig kleideten. Seine Töchter bestanden Prüfungen, machten einen akademischen Abschluß, heirateten einen Steuerberater und kauften ein Haus.) »Die ganze Nacht trinken und den ganzen Tag faul im Bett rumlungern! Soll ich etwa den Schweinestall in der Küche aufräumen?« Offensichtlich hatte mein Vater die Überbleibsel unseres morgendlichen Zechgelages entdeckt.

Mum jammerte: »Ach nein, haben die das Versteck schon wieder gefunden. Ich hatte gedacht, sie würden es unter dem Öltank nie finden. Jetzt muß ich mir wieder eine neue Stelle ausdenken.«

Nach einer Weile hörte diese Unruhe auf. Gerade als ich gegen alle Vernunft eine oder zwei Stunden Schlaf zu finden hoffte, klingelte es an der Haustür. Natürlich war das beunruhigend, weil es erst halb acht war. Ich hörte, wie mein Vater öffnete und mit einem Mann redete. Ich bemühte mich mitzubekommen, worum es ging. Konnte es James sein? In mir stieg eine solche Welle der Hoffnung auf, daß es fast weh tat.

Dann hörte man meinen Vater erneut die Treppe hinaufrennen. Er rief meiner Mutter zu: »An der Tür ist ein Verrückter mit einem Schuh. Er will wissen, ob der uns gehört. Was soll ich tun?« Von Mum kam nur verwirrtes Schweigen.

»Mit all diesen Einlagen komm ich heute bestimmt zu spät zur Arbeit«, erklärte mein Vater kategorisch, als wäre es ihre Schuld.

Ich begann, vor Enttäuschung zu weinen. Ich wußte genau, wer an der Tür war. James war es nicht.

»Dad«, rief ich unter Tränen. »Daaad!«

Er steckte den Kopf durch die Tür. »Morgen, mein Kind. Ich bin gleich da. Ich mach dir Tee. Ich muß mich nur um den Verrückten da unten kümmern.«

»Er ist nicht verrückt, Dad«, sagte ich zu ihm. »Weck Anna. Ich wette, daß es ihr Schuh ist.«

»Ach, ist sie tatsächlich mal nach Hause gekommen?« rief Mum aus ihrem Zimmer.

Mein Vater knurrte: »Ich hätte mir denken können, daß sie damit zu tun hat«, ging zu Anna hinüber, und weckte sie etwas unsanft. Es stellte sich heraus, daß der Mann an der Tür der Taxifahrer war, der sie frühmorgens vor unserem Haus abgesetzt hatte. Er hatte am Ende seiner Schicht einen Schuh in seinem Wagen gefunden und fuhr jetzt wie der Prinz aus Aschenputtel von Haus zu Haus, um herauszubekommen, welcher der jungen Frauen, die er im Laufe der Nacht gefahren hatte, der Schuh paßte. Sein Aschenputtel hieß Anna.

Sie dankte ihm überschwenglich. Der Mann fuhr davon. Anna ging wieder ins Bett. Mein Vater ging zur Arbeit. Ich schloß die Augen. Kate begann zu weinen. Ich auch.

6

Es war naß und windig. Ich war unglücklich. In den ersten beiden Wochen nach meiner Heimkehr regnete es jeden Tag. Angeblich der nasseste Februar seit Menschengedenken.

Mitten in der Nacht wurde ich wach und hörte Regentropfen. Sie schlugen gegen die Scheiben und trommelten auf das Dach.

Das Wetter machte allen zu schaffen.

Da ich ohnehin schon zum Selbstmord neigte, hob das Wetter meine Stimmung eher ein wenig. Es kam mir vor, als gleiche das Schicksal damit mein unglückliches Dasein dem glücklichen Leben aller anderen Menschen ein wenig an.

Anna und Helen hingen trübselig im Haus herum, sahen sehnsuchtsvoll aus dem Fenster und fragten, ob es je aufhören werde zu regnen.

Meine Mutter sprach düster davon, daß wir eine Arche bauen müßten.

Mein Vater versuchte auf dem überfluteten Golfplatz zu spielen, obwohl er bis zu den Knien im Wasser stand.

Mir als einziger machte der unaufhörliche Regen nichts aus. Er paßte hervorragend zu meiner Gemütsverfassung.

Mir war es gleichgültig, ob ich das Haus verlassen konnte oder nicht.

Ich wäre selig gewesen, es nie wieder verlassen zu können.

Ich verbrachte Stunden damit, auf meinem Bett zu liegen und ins Leere zu starren, während Kate in ihrem Bettchen neben mir schlief, der Regen an die Scheiben prasselte und aus dem Garten ein Schlammloch machte.

Jeden Morgen kam Mum mit Schwung in mein Zimmer, riß die Vorhänge zurück, so daß das Fenster den Blick auf einen weiteren grauen, nassen Tag freigab, und fragte: »Na, was hast du heute vor?«

Mir war klar, daß sie mir durch ihre künstliche Munterkeit lediglich aus meinem Tief helfen wollte, und ich versuchte fröhlich zu sein. Wäre ich doch nur nicht ständig so entsetzlich müde gewesen!

Dann bot sie mir an, mein Frühstück zu machen. Sobald sie aus dem Zimmer war, schleppte ich mich ans Fenster und zog die Vorhänge wieder zu.

Kate allerdings habe ich nicht vernachlässigt, wirklich nicht.

Na ja, vielleicht doch.

Es gereicht mir zur ewigen Schande, daß Mum sie zum Kinderarzt fuhr und im Supermarkt Berge von Höschenwindeln, Säuglingsnahrung, Hautcreme, Talkumpuder, Flaschensterilisierer sowie alles andere holte, was Kate so brauchte.

Fairerweise muß ich sagen, daß ich Kate nicht vollständig vernachlässigte. Ich kümmerte mich in anderer Weise um sie. Ich fütterte, wickelte und badete sie, und ich sorgte mich um sie. Manchmal spielte ich sogar mit ihr. Dinge aber, für die ich das Haus hätte verlassen müssen, schien ich für sie nicht tun zu können. Nicht, weil ich Kate nicht geliebt hätte. Ich liebte sie mehr als alles auf der Welt. Es gibt nichts, was ich nicht für sie getan hätte (außer, wie schon gesagt, das Haus verlassen). Aber für mich selbst schien ich nicht die geringste Energie übrig zu haben.

Schon mich anzuziehen war eine so gewaltige Unternehmung, daß ich es nie fertigbrachte. Die wenigen Male, die ich wenigstens aus dem Bett kam, trug ich über Mums Nachthemd einen von Dads Golfpullovern und dazu ein Paar Wandersocken. Ich hatte *ernsthaft* vor, mich richtig anzuziehen. Später.

Sobald ich Kate gefüttert habe, sagte ich immer.

Danach aber war ich jedesmal so erschöpft, daß ich mich eine Weile hinlegen und ein bißchen in der Illustrierten *Hello* lesen mußte.

Es war ein Hinweis auf das Ausmaß meiner Erschöpfung, daß ich in einem Haus zu leben bereit war, in dem sich ein Exemplar dieses Blattes befand. Ich konnte mich kaum auf das Lesen konzentrieren. Ich sah mir die Fotos obskurer und entfernter Angehöriger der königlichen Familie an, die in ihren ›luxuriösen

Landsitzen‹ gemacht worden waren, und fragte mich, ob sie wohl glücklich waren, und was für ein Gefühl das sein mochte.

Dann überlegte ich träge, daß niemand glücklich sein konnte, der in einem Haus mit derart scheußlichen Barockstühlen, alten Wandbehängen und Gemälden lebte. Oder wer mit dem dicken und kahlköpfigen Prinzen Soundso verheiratet war, der nicht nur ein Gebiß trug, sondern auch mindestens zwölfmal so alt war wie die ehemalige ›exotische Tänzerin‹, die er zur Gemahlin erkoren hatte und der er nur bis zur Taille reichte.

Nachdem ich mich eine Weile hingelegt hatte, ging ich vielleicht zur Toilette. Der Versuch, genug Energie aufzubringen, um das Bad aufzusuchen, kostete mich eine weitere halbe Stunde. Es war, als wäre ich aus Blei.

Wenn ich es ins Badezimmer geschafft hatte, reichten meine Kräfte gerade aus, zurück ins Bett zu wanken.

Nur fünf Minuten hinlegen, nahm ich mir vor, dann zieh ich mich wirklich an.

Aber inzwischen war es wieder Zeit, Kate zu füttern.

Danach mußte ich mich noch mal hinlegen, nur für fünf Minuten …

Irgendwie brachte ich es nie fertig.

Wenn man mich nur immer weiter schlafen läßt, ist alles in Ordnung, dachte ich. Aber man belästigte mich unaufhörlich.

Ich lag eines Nachmittags im Bett (ich weiß nicht, warum ich eines Nachmittags sage, es ist keineswegs so, als wäre das nicht regelmäßig vorgekommen), als ein junger Mann, der wie ein Neandertaler aussah, mit einem Hammer in der Hand ins Zimmer kam.

Erst nahm ich an, ich sei zu lange eingesperrt gewesen und finge schon an zu halluzinieren.

Dann stürzte Mum atemlos und besorgt herein.

Es stellte sich heraus, daß der junge Mann da war, um zwischen meinem Zimmer und dem Wohnzimmer eine Gegensprechanlage mit Babyruf einzubauen, über die man jede Lebensäußerung Kates mitbekam. Unten hatte ihn meine Mutter nicht aus den Augen gelassen, aber als sie ans Telefon gehen mußte, war er ihr entwischt und hatte sich in mein Zimmer verirrt.

Mum zwang mich aufzustehen, als wäre es mitten in der Nacht und sie ein Kommando Geheimpolizisten, die mich wegbringen und foltern wollten. Ich habe immer noch ihre Fingerabdrücke auf den Armen. Mein Gott, ein elektrischer Viehtreiber wäre in ihren Händen eine tödliche Waffe.

Sie war überzeugt, der Handwerker würde auf unsittliche Gedanken kommen, wenn er in meiner unmittelbaren Nähe arbeiten mußte, solange ich noch das Nachthemd trug, also mußte ich so schnell wie möglich aus dem Weg geräumt werden.

Als ob dieses Aus-dem-Weg-Räumen wegen des Handwerkers nicht genügte, ließ mir Helen keinen Augenblick Ruhe. An den meisten Vormittagen stellte sie sich an meine Zimmertür, sah mich auf dem Bett liegen und brüllte: »Dein Frühstück ist fertig. Wer als letzte unten ankommt, ist ein dickes, stinkendes, verfressenes Schwein!«

Noch während ich ihr matt mitzuteilen versuchte, daß ich ohnehin dick sei und stank, weshalb mir die Herausforderung nichts bedeute, war sie schon wieder die Treppe zur Küche hinabgepoltert.

Davon, daß ich dick war, biß keine Maus den Faden ab. Ich sah aus wie eine Wassermelone. Jedenfalls war das bei meiner Ankunft in Dublin so gewesen. Jetzt war ich nicht sicher, weil ich seit dem Tag, da ich meine Londoner Wohnung verlassen hatte, weder in einen Spiegel gesehen noch irgendwelche Kleidungsstücke anprobiert hatte.

Auf jeden Fall stank ich. Meine Aussichten, den Mount Everest zu besteigen, waren ebenso groß wie die, daß ich mir die Haare wusch.

Zwar badete ich gelegentlich, aber nur, weil meine Mutter alles dafür Nötige in die Wege leitete. Es war eine Mischung aus Überredung und Druck.

Sie ließ kochendheißes Wasser in die Wanne laufen und goß duftende Zusätze hinein, damit ich anschließend nach Kiwi und Papaya roch. Außerdem hängte sie mir riesige weiche Handtücher auf den geheizten Handtuchhalter. Sie bot mir sogar ihre eigene Lavendel-Körperlotion an (äh, danke nein). Sie drohte, falls ich nicht badete, mich den Behörden als der Mutterschaft unwürdig zu denunzieren. Kate käme dann zu Pflegeeltern.

Also nahm ich nahezu täglich ein Bad. Widerwillig.

Ein verfressenes Schwein aber war ich wohl nicht. Ich konnte mich ehrlich gesagt nicht erinnern, wann ich zum letzten Mal etwas gegessen hatte. Ich hatte nie Hunger. Die bloße Vorstellung, etwas zu mir zu nehmen, jagte mir schon Angst ein. Ich wußte, daß ich nichts hinunterbringen würde. Ich war wie erstarrt. Als wäre meine Kehle zugeschnürt und ich würde nie wieder etwas schlucken können.

Ich konnte nicht glauben, daß mir das widerfuhr, denn ich hatte stets einen ausgesprochen gesunden und während der Schwangerschaft einen mehr als gesunden Appetit gehabt. Als junges Mädchen hatte ich den Himmel verzweifelt um das Geschenk der Magersucht angefleht. In meinen Augen waren magersüchtige Mädchen nicht bedauernswert, krank und unglücklich, sondern mit ihren vorstehenden Hüftknochen, dürren Schenkeln und dem sylphidenhaften Aussehen die reinsten Glückspilze.

Was auch immer geschah, nie hatte ich meinen Appetit verloren: weder vor Prüfungen, Vorstellungsgesprächen, noch an meinem Hochzeitstag oder bei einer Lebensmittelvergiftung. Höchstens der Tod hätte meiner Fähigkeit Einhalt gebieten können, bei einer Mahlzeit zuzulangen wie ein Scheunendrescher. Wann immer ich schlanken Menschen begegnete, die Dinge sagten wie: »Ach wie dumm von mir, ich vergesse einfach immer zu essen«, sah ich sie mit kaum verhohlenem Staunen und voll Bitterkeit an und kam mir in ihrer Gegenwart unansehnlich, unförmig und dick wie eine Kuh vor. *Haben die's gut*, dachte ich, *wie kann man vergessen, daß man essen muß*? Ich hatte immer Appetit – wie unfein, und wie schändlich!

Noch nach dem Jüngsten Gericht, wenn wir alle unsere sterblichen Hüllen abgestreift haben und im Himmel sind, wenn die Zeit aufgehört hat zu existieren, wir alle reine Seelen sind und unser ewiges Leben mit der Betrachtung des Allmächtigen verbringen, werde ich nach wie vor jeden Morgen um sieben meinen Schokoriegel brauchen.

Aber ich tröstete mich mit dem Gedanken, daß all diese spindeldürren Gestalten das Blaue vom Himmel herunterlogen. In Wirklichkeit stopften sie sich so voll, daß sie anschließend alles wieder erbrechen mußten, nahmen Amphetamine oder ließen sich jedes Wochenende das Fett absaugen.

Jetzt, zum ersten Mal im Leben, hatte ich nicht nur keinen Hunger, sondern war von der Vorstellung, etwas essen zu müssen, geradezu angewidert.

Mahlzeiten waren mir gleich. Sie bedeuteten mir überhaupt nichts. Wenn ich mit siebzehn Jahren so gewesen wäre, hätte ich geglaubt, zu den Auserwählten zu gehören.

Jetzt war ich zu erschöpft und zu unglücklich, als daß es mir irgend etwas bedeutet hätte.

Die Tage schleppten sich dahin. Manchmal stand ich auf und ging mit Kate nach unten, um mir mit Mum eine australische Seifenoper anzusehen. Ich trank mit ihr eine Tasse Tee und kehrte dann in mein Zimmer zurück.

Helen ging mir weiterhin auf die Nerven. Drei Tage nachdem die Gegensprechanlage eingebaut war, kam sie betont leise in mein Zimmer geschlichen. »Ist die eingeschaltet?« flüsterte sie verschwörerisch und wies auf die Anlage.

»Was?« fragte ich knurrig und hob den Blick von meiner Illustrierten. »Natürlich nicht. Warum zum Teufel sollte sie eingeschaltet sein? Kate und ich sind hier.«

»Schön«, sagte sie. »Schön, schön.« Dann platzte sie vor Lachen. Mit Tränen in den Augen setzte sie sich auf das Bett. Ich sah sie mit kaum unterdrücktem Abscheu an.

»'tschuldige«, sagte sie, wischte sich die Augen und versuchte, sich zusammenzunehmen. »Ähm, 'tschuldige, 'tschuldige.«

»Was hast du?« fragte ich, als sich Helen stocksteif hinsetzte.

»Wirst du gleich sehen«, versprach sie. »Aber du mußt mucksmäuschenstill sein.«

Sie ging zur Sprechanlage, schaltete sie ein und sagte mit hohler Stimme hinein: »Anna, doooooh, Aaaaanna.«

Fasziniert sah ich zu ihr hin. »Was zum Teufel treibst du da?« fragte ich.

»Ruhe«, zischte sie und schaltete das Gerät ab. »Ich verschaffe Anna ein paranormales Erlebnis, verstehst du?«

»Was soll das heißen?« fragte ich verständnislos.

»Die Weltraum-Adeptin Anna sitzt im Wohnzimmer und ahnt nichts von dieser Sprechanlage. Also glaubt sie, daß sie Stimmen hört«, erklärte Helen ungeduldig. »Halt jetzt bitte mal die Klappe.«

Erneut begann sie mit ihrem Singsang. Sie teilte Anna mit, sie sei ihre spirituelle Führerin, und Anna solle besonders nett zu ihrer Schwester Helen sein und ähnlichen Schwachsinn. Eine gute halbe Stunde kniete sie auf dem Fußboden, während sie in die Sprechanlage flüsterte und wimmerte.

Mehrere Tage hindurch kam Helen, kaum daß jemand allein im Wohnzimmer war, nach oben zu mir und verbrachte unendlich viel Zeit damit, den Betreffenden mitzuteilen, sie sei ihr Unterbewußtes, ihr Schutzengel oder was auch immer, und sie müßten besonders nett zu ihrer Schwester/Tochter/Freundin (Unzutreffendes streichen) Helen sein.

Das tat sie noch lange nachdem jeder wußte, wer hinter dieser körperlosen Stimme steckte, so daß niemand mehr groß darauf achtete.

Ich aber hatte keine Sekunde lang Ruhe. Als die arme Anna die Wahrheit erfuhr, hätte sie das beinahe umgebracht.

Draußen hörte es nicht auf zu schütten. Der Kanal trat über seine Ufer. Straßen waren unpassierbar. Leute ließen das Auto auf überfluteten Wegen stehen. All das hörte ich von anderen, denn ich verließ nie das Haus.

Währenddessen dachte ich immer an James. Ich träumte regelmäßig von ihm. Herrliche Träume, in denen wir noch zusammen waren. Wenn ich aufwachte, vergaß ich für einige Minuten, in ein herrliches warmes Glücksgefühl gehüllt, was vorgefallen war und wo ich mich befand. Wenn es mir dann wieder einfiel, war das wie ein Schlag in die Magengrube.

Ich hatte nichts von James gehört. Absolut nichts. Ich hatte wirklich gedacht, er werde sich nach etwa einer Woche bei mir melden. Einfach, um zu erfahren, wie es mir ging, oder zumindest, um sich nach Kate zu erkundigen. Ich konnte nicht glauben, daß sie ihn völlig gleichgültig ließ, unabhängig davon, wie er zu mir stand.

Am traurigsten von allem war, daß er nicht einmal wußte, daß sie Kate hieß.

Nach etwa fünf Tagen in Dublin rief ich Judy an. Ich fragte sie, ob James wisse, wo ich war. Mit angehaltenem Atem wartete ich auf ihre Antwort, weil ich hoffte, sie werde sagen, er wisse es nicht. Auf jeden Fall wäre das eine Erklärung dafür, warum er sich nicht gemeldet hatte. Aber betrübt sagte sie, er wisse es. Daraufhin fragte ich sie, obwohl es mich förmlich zerriß, ob er noch mit Denise zusammen sei. Wieder sagte sie ja.

Es kam mir vor, als blute mein Inneres, als müsse ich verbluten.

Ich dankte Judy, bat erneut um Entschuldigung, weil ich sie in eine so schwierige Situation gebracht hatte, und legte auf. Meine Hände zitterten, Schweiß stand mir auf der Stirn, ich war zu Tode betrübt.

Manchmal meinte ich, James werde früher oder später zurückkommen. Ich bildete mir ein, er liebe mich so sehr, daß er einfach nicht über Nacht damit aufhören könne. Ich hielt es einfach für eine Frage der Zeit, bis er von Gewissensbissen gequält und außer sich vor Schuldgefühlen bei uns in der Tür stünde, um Frau und Kind zurückzuholen, voll Furcht, zu spät zu kommen. Bei dieser Aussicht wäre es angebracht gewesen, zu Ehren seines unmittelbar bevorstehenden Eintreffens aufzustehen, mir die Haare zu waschen, mich zurechtzumachen und vernünftig anzuziehen. Dann aber fiel mir wieder ein, was für ein eigensinniger Halunke das Geschick ist. Je schrecklicher ich aussah, desto größer die Chancen, daß James aus heiterem Himmel käme.

Also behielt ich Nachthemd, Golfpullover und Wandersocken an. Ich hätte nicht gewußt, was ein Lippenstift ist, wenn er mir ins Gesicht gesprungen wäre und mich gebissen hätte.

Oft hatte ich das Bedürfnis, James anzurufen, und immer mitten in der Nacht. Mich packte dann eine entsetzliche Panik angesichts meines gewaltigen Verlustes. Aber ich hatte keine Vorstellung, wie ich ihn hätte erreichen können. Ich hatte es nicht über mich gebracht, mich soweit zu demütigen, Judy um die Telefonnummer der Wohnung zu bitten, die er mit Denise teilte. Ich hätte ihn tagsüber im Büro anrufen können, aber die große Angst und der Wunsch, mit ihm zu reden, meldeten sich nie tagsüber. Worüber ich wirklich froh war. Welchen Sinn hätte es, ihn anzurufen? Was hätte ich ihm sagen können?

»Liebst du mich noch? Liebst du Denise noch?« Darauf würde er antworten: »Frage eins – nein, Frage zwei – ja. Danke für den Anruf. Auf Wiedersehen.«

Die Zeit verging. Ganz allmählich verwandelten sich meine Empfindungen. Die Wüstenlandschaft ändert sich nach und nach in dem Maße, in dem der darüber hinwegstreichende Wind Sandkörner von einem Ort zum anderen trägt, manchmal nur einige Meter weit, manchmal viele Kilometer. Schließlich unterscheidet sich bei Sonnenuntergang das Gesicht der Wüste deutlich von dem am Morgen bei Sonnenaufgang. Auf ähnliche Weise änderten sich in mir winzige Kleinigkeiten.

Sie waren so unbedeutend, daß ich sie kaum wahrnahm, während sie vor sich gingen.

Das bleierne Gewicht der Hoffnungslosigkeit hatte sich zwar nicht von mir gehoben. Aber etwas anderes war geschehen. Meine Damen und Herren, heißen Sie die Demütigung mit einem kräftigen Applaus herzlich willkommen.

Ja, ich begann, mich gedemütigt zu fühlen.

Warum hat das so lange gedauert? höre ich Sie fragen.

Tut mir leid, Leute, aber ich hatte in meinem Posteingangskorb einen größeren Rückstand an unaufgearbeitetem Verlust und an Verlassenheit.

Zuerst ein kleiner Stich der Demütigung. Ein sonderbares Gefühl, als ich mich eines Tages fragte, wie lange Judy schon von der Beziehung zwischen James und Denise gewußt haben mochte. Es blähte sich auf wie ein Ballon, bis ich nahezu nur noch Demütigung empfand. Sie schmerzte mich so, daß meine Seele davon wund war.

Wer mochte gewußt haben, daß James ein Verhältnis hatte? fragte ich mich.

Hatten es alle meine Bekannten gewußt und miteinander darüber geredet, aber nicht gewagt, es mir zu sagen?

Hatten sie Dinge gesagt wie: »Jetzt können wir es ihr nicht sagen, sie ist doch schwanger«?

Hatten sie mich voll Mitleid betrachtet? Hatten sie Gott gedankt, daß wenigstens sie ihrem jeweiligen Mann oder Freund trauen konnten?

Hatten sie zu sich selbst gesagt: »Auf keinen Fall würde Dave/Frank/William so etwas tun. Gut, er drückt sich vor der Hausarbeit/gibt mir nicht genug Haushaltsgeld/weicht der Diskussion von Problemen grundsätzlich aus, aber wenigstens wäre er mir nicht untreu?«

Hatten sie mich angesehen, einen lauten Seufzer der Erleichterung ausgestoßen und mit schlechtem Gewissen gesagt: »Wie gut, daß es sie und nicht mich getroffen hat?«

Ich war ungeheuer wütend. Ich wollte der ganzen Welt zuschreien: »Ihr habt unrecht! Ich dachte, ich könnte meinem Mann trauen! Ich dachte, er wäre viel zu *träge*, um ein Verhältnis anzufangen. Aber er hat es getan. Genauso kann es euch mit Dave/Frank/William gehen. Vielleicht haben die auch schon ein Verhältnis. Oder sie hatten eins. Vielleicht war euer Mann, als er zum Rugbyspiel nach Frankreich gefahren ist, da mit einer anderen im Bett. Ihr wißt es nicht. Alles ist möglich. Fragt nicht, wem die Stunde schlägt, denn ich sage euch hier und jetzt: sie schlägt euch.«

Der bloße Gedanke an Denise ließ mich zusammenzucken. Wenn ich daran dachte, daß ich mit ihr Belanglosigkeiten über das Wetter ausgetauscht und sie zu ihrem guten Aussehen beglückwünscht, ihr gesagt hatte, wie weit es mit meiner Schwangerschaft war! Ich hatte sie für freundlich und nett gehalten, während sie in Wirklichkeit meinen Mann in ihre Fallstricke gelockt hatte und mit ihm schlief. Ich wollte eine Zeitreise unternehmen, mich am Kragen packen, laut protestierend von dem Gespräch mit Denise wegschleppen und mich auffordern: ›Sprich nicht mit der

Schlampe‹, so wie eine Mutter einem unartigen Kind etwas verbietet.

Dann wollte ich mir Denise vorknöpfen und sie nach Strich und Faden verprügeln.

Die Vorstellung, daß alle Welt über die Sache mit James und Denise Bescheid wußte und ich als einzige nichts davon ahnte, war mir mehr als peinlich.

Ich wollte nicht als Opfer angesehen werden und kam mir erbärmlich und maßlos blöd vor. Außerdem fühlte ich mich zutiefst gedemütigt.

Allmählich wurde ich richtig wütend auf James.

Die Demütigung kam mir nach und nach zu Bewußtsein. Sie schlich sich eines Tages herein, und als ich mich umwandte, war sie mit einem Mal da und grinste mich an. »Hallo«, sagte sie herablassend, so, als stünden wir auf vertrautem Fuß miteinander. »Kennst du mich noch? Bestimmt brauche ich dir meine Freundin Eifersucht nicht vorzustellen.«

Ich kann nicht glauben, daß es mich drei volle Wochen gekostet hat, bis ich Eifersucht empfand. Ich hatte immer angenommen, ich würde sofort wahnsinnig eifersüchtig reagieren, wenn ein Mann, den ich liebte, mit einer anderen ins Bett ginge. Aber in diesem Fall kam das erst sehr spät, lange nach den Gefühlen von Verlust, Einsamkeit, Hoffnungslosigkeit und Demütigung.

Mehr als daran, daß James mit Denise zusammen war, hatte ich daran gedacht, daß er nicht bei mir war. Ich hatte mehr an meinen Verlust gedacht als an ihren Gewinn. Das änderte sich über Nacht.

Eines Nachmittags saß ich bei meiner Mutter, die sich etwas ansah, was angeblich ein Liebesfilm war, in Wirklichkeit aber ein Vorwand für Pornographie. Ganz in das Video vertieft, mißbilligte sie scharf, was sie da sah. Ich versuchte, der Handlung zu folgen, während ich Kate fütterte, und verlor den Faden. »Mit wem treibt er es jetzt? Mit der Frau aus dem Aufzug?«

»Natürlich nicht«, sagte Mum. »Es ist die *Tochter* der Frau aus dem Aufzug.«

»Aber ich dachte, man hätte ihn mit der Frau aus dem Aufzug im Bett erwischt?« sagte ich verwirrt.

»Sicher«, erklärte Mum geduldig, »aber er betrügt sie jetzt mit ihrer Tochter.«

»Die arme Frau aus dem Aufzug«, sagte ich traurig.

Mum warf mir einen scharfen Blick zu. Ich merkte, wie sie beunruhigt dachte: *O Gott, nein.* Würde ich anfangen zu weinen? Ich wette, sie bedauerte, daß sie nichts Harmloses wie *Amityville Horror* oder *Blutgericht in Texas* herausgesucht hatte.

Ich sah zu, wie sich die beiden auf dem Bildschirm auf Kosten der Frau aus dem Aufzug vergnügten. Mit einem Mal stellte ich mir James und Denise im Bett vor.

So machen sie das, sagte mir eine innere Stimme.

Sie gehen miteinander ins Bett. Sie verlieren sich in ihrer Leidenschaft. Sie berührt ihn. Sie schläft neben seinem wunderbaren Körper ein, an seine herrliche Haut geschmiegt. Sie kann aufwachen und ihn und sein seidenweiches schwarzes Haar ansehen, während er schläft, wobei ihm die seidigen langen Wimpern kleine Schatten auf das Gesicht werfen.

Wie sie wohl miteinander umgehen, überlegte ich unwillkürlich. Wie behandelt er sie? Wie ist er in ihrer Gegenwart?

Fährt er ihr frühmorgens mit dem kratzigen Stoppelkinn sacht übers Gesicht, wie er es mit mir gemacht hat, um dann über meinen empörten Aufschrei zu lachen, wobei seine gleichmäßigen weißen Zähne in seinem gutaussehenden Gesicht strahlten?

Schläft er mit ihrem Kopf auf seiner muskulösen Brust ein, wobei ihr Arm auf seinem Bauch ruht und sein Arm um ihren Hals liegt, atmet sie, wie einst ich, den kaum wahrnehmbaren Piniengeruch seines Rasierwassers ein, der von seiner gebräunten Haut aufsteigt?

Weckt er sie morgens, indem er ihr, wie früher mir, die Innenseite der Oberschenkel streichelt, und erregt er sie damit von einer Sekunde auf die andere, wie mich?

Beißt er sie sacht in Nacken und Schulter, so daß ihr lustvolle Schauer über den ganzen Körper laufen, so wie er es mit mir gemacht hat?

Ist ihr erster Gedanke beim Aufwachen: »Großer Gott, er ist schön, und er liegt bei mir im Bett?« – Das hatte ich immer gedacht.

Ich war verrückt vor Eifersucht.

Oder tun sie es anders, fragte ich mich. Ist sie im Bett anders als ich? Besser? Wie sieht ihr Körper aus? Hat sie einen kleineren Hintern, einen größeren Busen, einen flacheren Bauch, längere Beine? Liebt sie das Abenteuer und macht ihn wahnsinnig vor Leidenschaft?

All das fragte ich mich, obwohl ich Denise kannte und die Antwort auf die meisten dieser Fragen wußte. (Kleinerer Hintern – nein, größerer Busen – ja, flacherer Bauch – eher nicht, längere Beine, schwer zu sagen. Vermutlich liegen wir Kopf an Kopf.) Sie führte sich nie auf wie ein Betthäschen. Ich hatte sie immer nett und... durchschnittlich gefunden, aber jetzt stellte ich sie mir als die schöne Helena, Sharon Stone oder Madonna vor.

Die Eifersucht riß mich in Stücke. Es war, als säße mir eine brennende stachelige Kugel in der Brust, die grüne, giftige Strahlen durch meinen ganzen Körper schickte und mich zu ersticken drohte, so daß ich kaum atmen konnte.

Mein Kopf war voll mit Bildern davon, wie ich mir die beiden im Bett vorstellte.

Ich konnte den Gedanken nicht ertragen, daß er sie begehrte. Es erfüllte mich mit ohnmächtiger Wut. Ich tobte. Ich schwankte zwischen dem Wunsch, die beiden umzubringen, und dem Bedürfnis, hysterisch zu schluchzen. Ich hatte den Eindruck, daß mich die Eifersucht entstellte, als wäre mein Gesicht davon verzerrt und grün.

Eine so häßliche Empfindung, und noch dazu völlig sinnlos. Sie kennt kein Ziel.

Wer einen Menschen oder etwas verliert, empfindet den Verlust und füllt die Leere in seinem Leben nach einer Weile. Allmählich nimmt das Gefühl des Verlustes ab, bis man ihn schließlich nicht mehr spürt. Der Schmerz hat ein Ziel, einen Grund und eine Richtung.

Aber von meiner Eifersucht hatte ich nichts. Sie kam ausschließlich aus mir selbst, meine eigenen Vorstellungen bereiteten mir Qualen.

Es war auf der Gefühlsebene etwa so, als hätte ich mir mit einem scharfen Messer den Arm, den Unterleib oder das Bein aufgeschnitten. Eifersucht ist Selbstverstümmelung und ebenso schmerzhaft und sinnlos wie diese.

Ich spürte den Schmerz, nicht weil mit mir etwas geschehen war, sondern weil mit mir etwas nicht geschehen war. Warum konnte mir so große Qualen bereiten, was zwischen zwei Menschen vor sich ging, ohne daß ich daran beteiligt war? Der Teufel sollte mich holen, wenn ich das wüßte. Es war einfach so.

7

Bei uns zu Hause heißt die Zeit, die nun folgte, bis auf den heutigen Tag die Zeit des Großen Terrors. Noch immer sagt Helen, wenn sie darauf zu sprechen kommt, Dinge wie: »Weißt du noch, wie du angefangen hast, dich wie Adolf Hitler aufzuführen, und wir alle dich haßten und wünschten, du würdest nach London zurückgehen?«

Mit mir ging eine schlimme Veränderung vor. Es war, als hätte jemand einen Schalter umgelegt. Wo ich mich zuvor traurig, einsam und unglücklich gefühlt hatte, war ich jetzt wütend, eifersüchtig und darauf bedacht, mich an Denise und James zu rächen. Ich malte mir entsetzliche Katastrophen aus, die sie heimsuchten.

Während der Phase, in der ich ständig auf dem Bett gelegen und kaum Kraft hatte zu sprechen, weil mich der Kummer so überwältigte, hatte ich niemandem etwas zuleide getan. Vermutlich war ich ein wenig langweilig und wohl auch nicht besonders hilfsbereit gewesen, wenn es um Staubsaugen und andere Hausarbeit ging, aber einen darüber hinausgehenden Vorwurf konnte mir niemand machen.

Jetzt aber war ich wie ein tobsüchtiger Berserker. Ich hatte so viel Wut und Haß gegen James in mir aufgestaut. Da er nicht in Reichweite war, brüllte ich statt ihn meine Angehörigen an, unschuldige Zuschauer, die mir eigentlich helfen wollten, und knallte ihnen die Tür ins Gesicht.

Nach meiner Rückkehr aus London hatte mein Leiden Würde gehabt. Ich war mir ein wenig wie eine von der Liebe enttäuschte viktorianische Romanheldin vorgekommen, der keine Wahl blieb, als ihr Gesicht der Wand zuzukehren und, von Riechsalzen umgeben, in Schönheit an ihrem Kummer zu sterben. Wie Michelle Pfeiffer in *Gefährliche Liebschaften*.

Inzwischen ähnelte ich eher Christopher Walken in *Die durch die Hölle gehen* und hatte Wahnanfälle. Ich war eine Gefahr für mich selbst und andere und zog mit wahnsinnigem Funkeln in den Augen durchs Haus. Gespräche verstummten, wenn ich ins Zimmer kam. Ängstlich verfolgten meine Eltern jede meiner Bewegungen. Anna und Helen verließen umgehend jeden Raum, den ich betrat.

Dabei trug ich weder einen Tarnanzug, noch hatte ich einen Patronengurt um die Brust geschlungen. Auch schleppte ich keine furchterregend wirkenden automatischen Feuerwaffen mit mir herum, hatte keine Handgranate in der Tasche und mir auch keinen Dreck ins Gesicht geschmiert. (Vielleicht doch, denn in jener schrecklichen Zeit fiel das Baden vollständig aus.) Doch ich fühlte mich so mächtig und wurde von den anderen so angstvoll betrachtet, als träte ich mit all diesem kriegerischen Zubehör auf.

Die Zeit des Großen Terrors begann an dem Tag, an dem ich mir mit meiner Mutter das bewußte Video ansah. (Ich will jetzt nicht in Einzelheiten berichten, was darauf folgte. Dazu schäme ich mich zu sehr. Immerhin erklärte sich der Inhaber des Videoverleihs bereit, keine Anzeige zu erstatten. Es stimmte schon, was er sagte: er war nur Mittelsmann; die Videos hatten nichts mit seinen persönlichen Überzeugungen oder Moralvorstellungen zu tun. Ich war damals einfach ein bißchen überreizt.)

Der mehrere Tage dauernde Große Terror lief praktisch auf einen Kriegszustand hinaus. Der geringste Anlaß konnte einen Wutanfall in mir auslösen, insbesondere Liebesszenen im Fernsehen. In meinem Kopf lief unaufhörlich ein Video, das James und Denise miteinander im Bett zeigte. Sobald ich im Fernsehen ein Liebespaar sah, drehte ich durch.

Glücklicherweise begegnete ich im wirklichen Leben keinen Liebespaaren – für die Folgen hätte ich nicht garantieren können. Meine Eltern jedenfalls benahmen sich nicht wie ein Liebespaar. Das Romantischste, was Dad so über die Wochen zu Mum sagte, war: »Wollen wir Donnerstag abend mal in den Elektro-Großmarkt gehen und uns ein neues Gefriergerät aussuchen?«

Durch unser Haus zog ein unaufhörlicher Strom von Helens Verehrern, deren hündische Hingabe sie ihnen mit grausamem Spott vergalt. Das gefiel mir auf eine grimmige, kalte Weise. Was Anna betrifft…, nun, das ist eine andere Geschichte, die ein andermal erzählt werden soll.

In jener Zeit weinte ich unmäßig viel. Außerdem fluchte ich und warf mit Gegenständen um mich.

Wie gesagt regte mich das Fernsehen gewöhnlich auf. Ich brauchte nur zu sehen, wie sich ein Mann über eine Frau beugte und sie küßte, schon zerfraß mich das grüne Feuer der Eifersucht und erfüllte mich mit furchtbarer Energie.

Sogleich dachte ich an James, meinen James, der mit einer anderen zusammen war. Eine Sekunde lang war das nichts als ein abstrakter Gedanke, als wäre er noch bei mir und ich malte mir lediglich die schlimmstmögliche Situation aus. Dann fiel mir ein, daß es geschehen war, daß er sich *tatsächlich* bei einer anderen befand. Der Schmerz, den dieses Wissen hervorrief, ließ nie nach. Er war beim zehnten Mal ebenso entsetzlich, erschreckend und widerwärtig wie beim ersten Mal.

Bei solchen Gelegenheiten warf ich ein Buch nach dem Fernseher, Schuhe an die Wand oder Kates Flasche in Richtung Fenster – kurz, was gerade zur Hand war, flog gegen eine in der Nähe befindliche Fläche. Dann fluchte und tobte ich wie ein Marktweib und verließ den Raum, wobei ich die Tür so nachdrücklich ins Schloß schmetterte, daß dabei Ziegel vom Dach gefallen sein dürften. Das wurde so schlimm, daß Anna oder Helen oder wer auch immer im Wohnzimmer war, bei meinem Auftauchen augenblicklich per Fernbedienung ein unverfängliches Programm einschaltete, wie beispielsweise einen Fernkurs in angewandter Physik, einen Lehrfilm über das Funktionieren von Kühlschränken oder ein Quiz, dessen Teilnehmer alle miteinander gehirnamputiert zu sein schienen. (Ein Beispiel dafür: Was ist ein Offizierskorps? »Äh, ist das nicht eine Art Gesangsverein beim Militär?«)

»Was gibt's zu sehen?« knurrte ich sie an.

»Na ja… das da«, antworteten sie nervös und wiesen mit zitternder Hand auf den Fernseher.

Wir saßen dann schweigend da und taten so, als interessiere uns das Programm, das über den Bildschirm flimmerte. Die Wellen von Aggression, die von mir ausgegangen sind, waren förmlich zu greifen. Weder meine Schwestern noch meine Eltern rührten sich. Da sie nicht zu reden oder umzuschalten wagten, warteten sie eine angemessene Zeit, standen dann auf und gingen in Mums Zimmer, wo sie auf dem kleinen Fernseher das Programm zu Ende sahen, das sie ursprünglich eingestellt hatten.

Wenn es soweit war und sie sich zur Tür schlichen, fragte ich: »Wohin wollt ihr? Ihr haltet es wohl nicht in einem Zimmer mit mir aus? Als ob es nicht schon schlimm genug ist, daß mich mein Mann verlassen hat, muß mich auch noch meine eigene Familie so behandeln.«

Dann standen die armen Opfer betreten da und fühlten sich zum Bleiben verpflichtet, wozu sie allerdings nicht die geringste Lust hatten. Kein Wunder, daß sie mich haßten.

»Geht schon«, fuhr ich voll Boshaftigkeit fort. »Haut ab!«

Weil ich so furchteinflößend war, brachte niemand den Mut auf, mir zu sagen, daß ich ungeheuer rücksichtslos sei und mich richtig zickig aufführte – nicht mal Helen. Mit meinen unvorhersehbaren Ausbrüchen und launischen Einfällen setzte ich die ganze Familie regelrecht unter Druck.

Kate war der einzige Mensch, den ich mit einer gewissen Achtung behandelte, aber auch das nur von Zeit zu Zeit.

Einmal brüllte ich sie an, als sie zu weinen anfing: »Halt die Klappe!«

Sie hörte schlagartig auf, es war unglaublich. Die Stille, die darauf folgte, klang fast betäubend. Trotz aller Versuche ist mir dieser Ton seither nicht wieder gelungen. Ich habe verschiedene Abwandlungen wie beispielsweise »Halt die *Klappe*« oder »*Halt* die Klappe« oder »Halt *die* Klappe« ausprobiert – alles umsonst. Kate brüllt einfach weiter. Bestimmt denkt sie: »Ha! Einmal hast du mich etwa eine Nanosekunde lang ins Bockshorn gejagt, aber du kannst Gift darauf nehmen, daß du das nicht noch mal schaffst.«

Ich verfügte über unvorstellbare Kräfte. Mein Körper war nicht groß genug, all die Energie in sich aufzunehmen, die mich durchströmte. Nachdem ich anfangs völlig kraftlos gewesen war, quoll ich jetzt von Energie über und wußte nicht, wohin damit. Es kam mir vor, als müsse ich platzen oder verrückt werden. Ich war innerlich zerrissen, weil ich zwar das Haus nicht verlassen wollte, gleichzeitig aber den Eindruck hatte, über hundert Kilometer am Stück rennen zu können. Ich glaubte, verrückt zu werden, wenn ich es nicht täte. Ich hatte die Kraft von zehn Männern. Während dieser grauenvollen Wochen hätte ich in jeder beliebigen Disziplin olympisches Gold gewinnen können.

Es kam mir vor, als könne ich schneller laufen, höher springen, weiter werfen, schwerer heben und kräftiger zuschlagen als jedes andere lebende Wesen.

Am ersten Abend, an dem sich meine Eifersucht so nachdrücklich meldete, leerte ich eine halbe Flasche Wodka. Durch Drohungen hatte ich Anna dazu gebracht, mir fünfzehn Pfund dafür zu leihen, und Helen, ihn mir zu holen.

Anna war durchaus bereit, selbst zu gehen und ihn zu holen. Fragt sich nur, wann. Möglicherweise wäre sie nach einer Woche wieder aufgetaucht, mit irgendeiner unklaren Geschichte darüber, wie sie unterwegs ein paar Leute kennengelernt hatte, die mit einem Kleinbus auf dem Weg nach Stonehenge waren, wobei ihr der Einfall gekommen war, es könnte schön sein, mitzufahren. Oder wie sie ein ungewöhnliches Erlebnis der Körperlosigkeit gehabt und dabei eine Woche verloren habe.

Ich hätte ihr sagen können, daß daran nichts ungewöhnlich war. Es war normalerweise die Folge davon, wenn sie zur Wohnung ihres Freundes Shane hinüberging und einen Haufen Drogen nahm. Ich hätte ihr auch sagen können, daß der richtige Ausdruck für dieses Erlebnis nicht Körperlosigkeit, sondern Hirnlosigkeit ist.

Was aber keineswegs heißen soll, daß der Kampf gegen Helen leicht gewesen wäre. »Wenn ich aus dem Haus geh, ersauf ich bestimmt«, knurrte sie. Das Wetter war nach wie vor recht unfreundlich.

»Ach was«, winkte ich grimmig und mit zusammengebissenen Zähnen ab; dem Klang meiner Stimme war dabei zu entnehmen: »Es ließe sich ohne weiteres einrichten.«

»Das wird nicht billig«, sagte sie, indem sie die Taktik wechselte.

»Wieviel?«

»'nen Fünfer.«

»Gib ihr noch 'nen Fünfer«, befahl ich Anna. Geld wechselte den Besitzer.

»Das macht dann zwanzig Pfund«, sagte Anna besorgt.

»Hab' ich je meine Schulden nicht bezahlt?« fragte ich kalt.

»Äh, nein«, sagte das arme Mädchen. Sie hätte nie gewagt, mich daran zu erinnern, daß ich ihr nach wie vor nichts für die Flasche Wein gegeben hatte, die ich mir in der ersten Nacht nach meiner Heimkehr von ihr ›geliehen‹ hatte.

»Und wohin gehst du jetzt?« fragte ich Helen gebieterisch.

»Nach oben, mir meine Siebenmeilenstiefel anziehen.«

Als sie sehr viel später durchweicht und tropfnaß zurückkam, jammerte sie laut und gab mir eine triefende Tüte mit der Literflasche Wodka. Nach dem Wechselgeld von den fünfzehn Pfund fragte ich sie nicht. Sie bot es allerdings auch nicht an.

Bis ich merkte, daß die Flasche offen war und ein Viertel fehlte, war Helen längst über alle Berge. Als ob das ihre Aussichten steigern könnte, ihren neunzehnten Geburtstag zu erleben! Wenn sie mir in die Hände fiele, würde meine Rache fürchterlich sein. Mit mir war nicht zu spaßen.

Trotz des Wodkas konnte ich nicht schlafen. Spät in der Nacht strich ich, während die anderen schliefen, durch das ganze Haus, die Flasche und ein Glas in der Hand, auf der Suche nach einem Ort, an dem ich mich sicher fühlte. Ich hoffte, eine Stelle zu finden, an der mir diese Bilder nicht durch den Kopf gingen. Aber Eifersucht und Haß ließen mich nicht schlafen. Trotz aller Mühe kam ich nicht zur Ruhe. Ich fand keinen Frieden.

Verzweifelt überlegte ich, daß ich probieren könnte, in einem anderen Bett oder einem anderen Zimmer zu schlafen. Also ging ich in das frühere Zimmer von Rachel. (Sie wissen schon, das, in dem man sich einquartieren muß, wenn man für eine Hungerkur zu uns kommt.) Ich machte Licht.

Der Raum machte den gleichen geisterhaften Eindruck, den ich nach meiner Rückkehr aus London in meinem und Margarets Zimmer empfunden hatte. So, als hätte lange niemand dort geschlafen. Dabei hingen noch Kleidungsstücke im Schrank, Plakate an der Wand, und unter dem Bett stand noch ein Teller.

Ich kam an dem Zimmerfahrrad und dem Rudergerät vorbei, die mein Vater vor knapp zehn Jahren in einem begeisterten, wenn auch kurzlebigen Anfall von Bemühen um Körperertüchtigung angeschafft hatte.

Da standen sie auf dem Fußboden von Rachels Zimmer, staubbedeckt und voller Spinnweben. Sie sahen altmodisch und klapprig aus, kein Vergleich mit den heutigen Heimtrainern und Ruder-Ergometern, die über Computerprogramme und eine Digitalanzeige mit elektronischer Kalorienangabe und wer weiß was alles verfügen.

Als mein Blick auf die prähistorischen Überbleibsel fiel, schlugen die Erinnerungen wie Wellen über mir zusammen. Die Aufregung am Tag, da sie ins Haus gekommen waren! Mein Vater, meine Schwestern und ich waren vor Begeisterung aus dem Häuschen gewesen.

Mum hatte als einzige unsere Begeisterung nicht geteilt und gesagt, sie könne nicht verstehen, was das Affentheater sollte. Sie hätte es nicht nötig, sich zu quälen und zu leiden, hatte sie erklärt. Davon hätte sie in ihrem Leben schon genug gehabt, schließlich sei sie mit Dad verheiratet und Mutter von uns fünf.

Wir anderen bewunderten mit vielen Ohs und Ahs die verchromten Geräte, als sie ausgeladen und im Wintergarten aufgestellt wurden.

Wir setzten große Hoffnungen auf sie. Da wir annahmen, man würde schon bei der geringsten Betätigung einen Körper wie Jamie Lee Curtis bekommen (sie war damals wirklich ein *Vorbild*), war die Nachfrage naturgemäß groß.

Auch Dad sagte, er wolle einen Körper wie Jamie Lee Curtis haben. Als Mum das hörte, sprach sie eine Woche lang nicht mit ihm.

Anfangs prügelten wir uns richtig um die Geräte. Ständig warteten Schlangen davor. Wie eine Munitionsfabrik im Krieg waren sie vierundzwanzig Stunden täglich in Betrieb.

Ganz offen gesagt, hielten sich nicht immer alle an die Reihenfolge, und es kam zu allerlei undurchsichtigen Manövern. Bei dem Handgemenge, das über der Frage ausbrach, wer als nächste dran war, wurde mehr als eine Träne vergossen und mehr als ein hartes Wort gesprochen.

Vor allem das Fahrrad hatte es uns angetan. Margaret, Rachel und ich waren von der Größe unseres Hinterteils und unserer Oberschenkel geradezu besessen.

Das Rudergerät blieb eher links liegen, denn in unserer Jugend hatten wir noch gar nicht gemerkt, daß man auch an den Oberarmen Speck ansetzen kann.

Margaret, Rachel und ich hatten den größten Teil unserer Jugendjahre damit zugebracht, daß wir uns mit dem Rücken vor den Ganzkörperspiegel stellten und unseren Kopf soweit drehten, ohne den Körper zu bewegen, daß wir unseren Hintern von hinten begutachten konnten – wobei wir uns fast den Hals gebrochen hätten. Besorgt hatten wir uns gegenseitig gefragt: »Wie sieht mein Hintern aus? Richtig dick oder nur mitteldick?«

Wir vergeudeten viel Zeit damit, daß wir uns kasteiten und uns Sorgen um die Größe unseres Hinterteils machten. Wenn wir Jeans kauften oder anprobierten, wurden sie daraufhin begutachtet, wie gnädig sie es kaschierten. Jedes Hemd, jeder Pullover und jede Jacke wurde einer ähnliche Probe unterzogen, weil wir wissen wollten, wie weit sie ihn verschwinden ließen.

Die Intensität der Zwangsvorstellung, unser Hintern sei zu groß, ließ sich nur noch mit jener Zwangsvorstellung vergleichen, unser Busen sei zu klein. Es war wirklich traurig, denn in Wirklichkeit waren wir schön. Wir hatten eine wunderbare Figur. Und ahnten nichts davon.

Rachel sagte oft, daß sie gern in früheren Zeiten gelebt hätte. Genau gesagt zur Zeit der großen Hungersnot. Einmal sagte sie sehnsüchtig zu mir: »Stell dir vor, wie dünn wir wären, wenn wi ein paar Monate lang von Steinen und Gras leben müßten.«

Ich hätte viel darum gegeben, wenn ich noch den Körper gehabt hätte, den ich in jenen Jahren hatte.

Dann kam mir der beunruhigende Gedanke: »Großer Gott, werde ich vielleicht eines Tages im Rückblick auf meinen heutigen Körper denken, daß ich froh wäre, ihn zu haben?«

Vielleicht hätte ich anfangen sollen, mich über mein Aussehen zu freuen, obwohl ich mir so schrecklich vorkam, denn eines Tages würde ich mir wünschen, wieder so auszusehen. Andererseits fiel mir die Vorstellung schwer, es könnte mir je so dreckig gehen, daß ich mir das wünschte.

Natürlich war der Reiz des Neuen beim Zimmerfahrrad und Rudergerät sehr rasch verflogen. Dafür sorgte eine Mischung aus Zwischenfällen und enttäuschten Erwartungen.

Obwohl Helen erst neun Jahre alt war, glaubte sie als einzige zu wissen, wie das Rudergerät funktionierte. Sie rief uns alle zu einer Vorführung zusammen. Um uns zu beeindrucken, stellte sie den Widerstand viel zu hoch ein und versuchte dann, ohne sich vorher aufgewärmt zu haben, dagegen anzurudern. Prompt zerrte sie sich einen Brustmuskel. Das Ergebnis war ein gewaltiges Spektakel. Die armen Geschöpfe, die unter der spanischen Inquisition leiden mußten, haben sich vermutlich nicht annähernd so aufgeführt wie Helen. Sie behauptete, auf einer Seite völlig gelähmt zu sein, und das einzige, was ihr Leiden ein wenig lindern könne, seien Unmengen Schokolade und ununterbrochene Fürsorge. Helen war schon in jungen Jahren ganz sie selbst.

Sie behauptete, ihr Schmerz sei unerträglich, und bat Dr. Blenheim, sie von ihrem Leiden zu erlösen. Auch uns war ihr Schmerz unerträglich, und wir waren einverstanden, daß er ihr den Wunsch erfüllte.

Er aber verschanzte sich hinter der Ausrede, es gebe eine Art Gesetz dagegen. Ich glaube, er nannte es Mord oder vorsätzliche Tötung oder so was. Mein Vater erklärte ihm, daß wir es als Gnadentod ansehen würden. Was er damit meinte, war: eine Gnade übrige Familie. Obwohl er Dr. Blenheim versicherte, er werde niemandem etwas davon sagen, ließ sich dieser nicht erweichen.

Da trotz all unserer Anstrengungen am Ende keine von uns auch nur annähernd wie Jamie Lee Curtis aussah, fühlten wir uns ziemlich enttäuscht und beschlossen, uns an dem Zimmerfahrrad zu rächen, indem wir es nicht mehr zur Kenntnis nahmen.

Nach einer Weile tat nicht einmal mehr mein Vater so, als benutze er die Geräte. Er murmelte, er hätte in einem Artikel in *Cosmopolitan* gelesen, ein Übermaß an Bewegung sei ebenso schädlich wie gar keine.

Ich hatte den Artikel gleichfalls gelesen. Darin ging es um Leute mit einem zwanghaften Fitneßkomplex, kranke Menschen, die in ihrem Verhalten meinem Vater nicht mal entfernt ähnelten. Aber er hatte jetzt eine hieb- und stichfeste Ausrede, Fahrrad und Rudergerät nicht mehr zu benutzen.

Wenn Mum wieder davon anfing, wie teuer die Geräte gewesen seien und daß sie schon dagegen gewesen sei und vorausgesagt habe, wie es ausgehen würde, hielt Dad den Artikel aus *Cosmopolitan* sozusagen wie einen Schutzschild vor sich.

So fielen die beiden Geräte der Vergessenheit anheim, und der Staub lagerte sich auf ihnen ab. Damit teilten sie das Schicksal der rosa Leggings und der rosa-blauen Stirnbänder, die wir gekauft hatten, weil wir fanden, daß sie gut aussahen.

Tatsächlich hatten Margaret und ich unserem Vater ein Paar rosa Leggings und ein solches Stirnband gekauft. Er hat beides einmal getragen, um uns eine Freude zu machen. Ich glaube, es existiert irgendwo sogar noch ein Foto, auf dem er so ausstaffiert ist.

Als ich in Rachels Zimmer fast über das Fahrrad und das Rudergerät gestolpert wäre, war ich also sehr überrascht. Ich hatte beides seit Jahren nicht gesehen und angenommen, sie wären schon längst zusammen mit dem Hüpfball, den Pogo-Sticks, den Rollschuhen, den Skateboards, dem Trivial Pursuit, dem Softball-Spiel, den Squash-Schlägern, den Klick-Klack-Kugeln, den Mountainbikes, den Tonkassetten ›Spanisch leicht gemacht‹, dem

Mini-Bridge und dem Glasfaserkanu nach Sibirien verbannt worden. Also in unsere Garage, wo sich ausrangiertes Gerümpel in äußerster Finsternis den Platz mit dem Kohlenvorrat, dem Rasenmäher, den Schraubenziehern und den Tausenden anderer Spiele und Gegenstände teilte, die bei uns eine kurze, aber heftige Woge der Begeisterung – ganz zu schweigen von zahllosen Auseinandersetzungen im Kreis der Familie – ausgelöst hatten, bis sich die von ihnen ausgehende Verlockung legte und unsere Freude daran nachließ.

Ich freute mich sehr, sie zu sehen, und war, wie gesagt, ein wenig überrascht. Wie bei alten Bekannten, denen man nach Jahren irgendwo völlig unerwartet begegnet.

Hinterher ist man immer klüger: heute ist mir klar, daß ich damals in Wirklichkeit einen von der Decke hängenden Sandsack gebraucht hätte, so einen, mit dem Boxer trainieren, um mir die sagenhafte Wut auf James und Denise aus dem Leibe zu schlagen.

Doch wenn schon kein Sandsack, und weil auch die Gesetze mir verboten, statt dessen Helens Kopf zu benutzen, war die Entdeckung des Fahrrades und des Rudergeräts ein wahres Geschenk des Himmels.

Irgendwie begriff ich, daß mich Bewegung daran hindern würde, den Kopf vollständig zu verlieren und vor Eifersucht und Groll zu platzen. Entweder Bewegung oder Ströme von Alkohol.

Also stellte ich die Wodkaflasche mitsamt dem Glas auf Rachels Frisierkommode, setzte mich auf das Rad und schob das Nachthemd unter mich. Ja, nach wie vor eins von Mums Nachthemden. Allerdings nicht das, das ich am Abend meiner Ankunft angezogen hatte. So tief war ich noch nicht gesunken. Aber es war ein Nachthemd vom gleichen Zuschnitt.

Selbst wenn ich mir ein bißchen blöd vorkam (aber nicht übermäßig blöd, schließlich hatte ich eine halbe Flasche Wodka intus), begann ich in die Pedale zu treten. Während alle anderen Bewohner des Hauses schliefen, strampelte ich und schwitzte. Danach ruderte ich eine Weile und schwitzte. Dann setzte ich mich wieder auf das Fahrrad, trat erneut in die Pedale und schwitzte noch ein bißchen. Während James irgendwo friedlich in London schlummerte, den Arm schützend über Denise gelegt, trat ich in einem Zimmer, in dem immer noch Don-Johnson-Plakate an der Wand hingen, wie verrückt in die Pedale, wobei mir heiße Tränen der Wut über das gerötete Gesicht liefen.

Ich tat mir ausgesprochen leid, und jedesmal, wenn ich mir die beiden miteinander im Bett vorstellte, steigerte ich das Tempo, als könnte ich dadurch einen Abstand zwischen mich und den Schmerz legen, den ich empfand.

Wenn ich mir vorstellte, wie sie seinen wunderbaren nackten Körper berührte, stieg eine neue Welle so leidenschaftlicher Energie in mir empor, daß sie mir Übelkeit verursachte, und ich quälte mich noch mehr.

Ich fürchtete, ich würde jemanden umbringen, wenn ich aufhörte, in die Pedale zu treten.

Seit Monaten hatte ich keinerlei Bewegung gehabt, mich seit ewigen Zeiten nicht angestrengt (von der Geburt mal abgesehen), aber ich wurde nicht müde und geriet nicht einmal außer Atem. Je mehr ich mich quälte, desto leichter wurde es.

Es kam mir vor, als wären meine Oberschenkelmuskeln aus Stahl (das aber waren sie mit Sicherheit nicht, das können Sie mir glauben).

Die Pedale sausten so schnell herum, daß man sie nicht mehr sah. Meine Beine bewegten sich so leicht, als wären sie geölt. Es war, als hätte man mir die Gelenke geschmiert.

Immer rascher trat ich, bis sich endlich der harte Knoten in meiner Brust löste und mich ein Gefühl der Gelassenheit überkam. Ich konnte fast normal atmen.

Als ich schließlich abstieg, waren die Lenkergriffe getränkt von meinem Schweiß, und das Nachthemd klebte mir am Leibe. Ich aber empfand fast so etwas wie Hochgefühl. Ich ging wieder in mein Zimmer und legte mich hin.

Kate warf einen Blick auf mein hochrotes Gesicht und das Nachthemd, das mir am Leibe klebte, schien aber an meiner Situation keinen besonderen Anteil zu nehmen. Ich legte das brennend heiße Gesicht auf das kühle Kissen und wußte, daß ich jetzt würde schlafen können.

Am nächsten Morgen wurde ich sehr früh wach, noch vor Kate. Tatsächlich weckte ich sie mit meinem Weinen – in einer hübschen Umkehrung der Rollen.

Jetzt siehst du mal, wie das ist, dachte ich, während ich schluchzte. *Fängt man so einen Tag an?*

Die Gespenster Eifersucht und Wut kehrten zurück. Sie hatten während des Schlafs neben mir gestanden und auf mich heruntergeschaut. »Wollen wir sie wecken?« hatten sie einander gefragt.

»Von mir aus«, hatte die Eifersucht gesagt. »Willst du?«

»Aber nein, warum nicht du?« hatte ihr die Wut höflich den Vortritt gelassen.

»Mit größtem Vergnügen«, hatte die Eifersucht freundlich erwidert. Dann hatte sie mich grob an der Schulter gepackt und wachgerüttelt.

Das erste, was ich vor meinem inneren Auge sah, war das entsetzliche Bild, wie James mit Denise im Bett lag. Die erbitterte Wut war wieder da und floß wie Gift durch meine Adern. Also leerte ich die Wodkaflasche, während ich Kate fütterte und kehrte dann in Rachels Zimmer zurück, um weiter auf dem Zimmerfahrrad zu strampeln.

Wenn es Gerechtigkeit auf der Welt gäbe, hätte ich nach meinen Anstrengungen der vorigen Nacht steif wie ein Brett sein müssen. Aber das hatte ich im Verlauf des vergangenen Monats gelernt: Gerechtigkeit gibt es auf der Welt nicht. Also war ich auch nicht steif wie ein Brett.

In der darauffolgenden Woche verzehrten mich Wut und Eifersucht. Ich haßte James und Denise. Ich terrorisierte Eltern und Geschwister, ohne es zu merken. Immer, wenn es mir zuviel wurde, setzte ich mich auf das Rad und versuchte, mir einen Teil meiner erstickenden Wut aus dem Leibe zu strampeln. Außerdem trank ich viel zuviel.

Ich schuldete Anna ein Vermögen. Helen verlangte exorbitante Beträge dafür, daß sie den Alkohol heranschaffte. Das Gesetz von Angebot und Nachfrage ließ mir keine Wahl – ich mußte zahlen. Ich war eine Käuferin auf einem Verkäufermarkt. Helen hatte mich sozusagen an der Gurgel: ich stand vor der Wahl, zu zahlen oder mir den Schnaps selbst zu holen.

Da ich noch nicht fähig war, mich dem Leben außerhalb des Hauses zu stellen, zahlte ich. Genauer gesagt zahlte Anna, denn ich hatte kein eigenes Geld.

Ich wollte es ihr durchaus zurückgeben, aber erst, wenn ich selbst wieder Geld hatte. Wie sich meine Bedürfnisse auf Annas Finanzlage auswirkten, darüber zerbrach ich mir nicht den Kopf. Das hätte ich aber tun sollen, denn immerhin mußte sie von ihrem Arbeitslosengeld, ihrer einzigen Einkommensquelle, eine mittlere bis schwere Trinkerin unterhalten.

Doch ich dachte nur an mich. Meist war ich halb betrunken. Meine Absicht war es, die Qual und die Wut zu betäuben, indem ich mich betrank. Es nützte aber nicht wirklich etwas. Ich fühlte mich einfach verloren und benommen. Wenn ich dann wieder nüchtern war, fühlte ich mich in den wenigen Minuten, die es dauerte, bis ich erneut trank und die Wirkung spürte, grauenvoll deprimiert. Es war wirklich schlimm.

Ich hätte nie geglaubt, daß ich so etwas sage, aber Trinken ist keine Lösung. Dann schon eher Drogen. Aber Trinken nicht.

Erst als ich zufällig mitbekam, wie sich Mum, Helen und Anna über mich unterhielten, merkte ich, wie widerwärtig ich mich aufführte.

Ich wollte gerade in die Küche gehen, als ich mit dem Ärmel meines (besser gesagt, *Dads*) Pullis am Türknauf des Dielenschranks hängenblieb.

Während ich mich befreite, hörte ich Helen in der Küche reden: »Sie ist ein richtiges Rabenaas«, klagte sie. »Keiner traut sich, im Fernsehen 'ne Sendung anzusehen, in der sich Leute küssen oder was, weil sie durchdrehen könnte.«

Über wen die wohl reden, fragte ich mich, bereit, mich an der Demontage des betreffenden Unglückseligen zu beteiligen, ganz gleich, wer es auch sein mochte. So gemein und verbittert war ich.

»Ja«, stimmte Anna zu. »Als wir gestern beim Fernsehen saßen, hat sie die Vase an die Tür geworfen, die ich dir zu Weihnachten gemacht hab', bloß weil Sheila zu Scott gesagt hat, daß sie ihn liebt.«

»Tatsächlich?« fragte meine Mutter. Es klang entrüstet.

Ich merkte mit Schrecken, daß sie über mich sprachen, denn ich hatte jenes gräßliche Ding an die Tür geworfen. Wie konnten sie es wagen!

Ohne einen Laut von mir zu geben, blieb ich an der Tür stehen und lauschte weiter, ganz das Scheusal, das ich geworden war.

»Ich kann es einfach nicht glauben«, fuhr meine Mutter fort, ihrer Stimme nach zu urteilen bis ins tiefste Mark erschüttert. »Und was hat Scott dazu gesagt?«

»Ach, Mum, kannst du nicht mal fünf Minuten lang das alberne Programm vergessen?« fragte Helen. Es klang, als ob sie im nächsten Augenblick in Tränen ausbrechen würde. »Es ist ziemlich schlimm. Claire führt sich auf wie ein Ungeheuer.«

Schon möglich, meine Liebe, dachte ich bissig, *aber alles, was ich auf dem Gebiet gelernt hab', verdanke ich dir.*

»Es ist fast, als wäre sie besessen!« fuhr Helen fort.

»Haltet ihr das für möglich?« fragte Anna ganz aufgeregt, offensichtlich im Begriff, den Namen eines guten Exorzisten aus ihrem Notizbuch herauszusuchen. (›Er soll großartig sein. Alle meine Bekannten gehen zu ihm‹.)

»Versteht doch«, sagte meine Mutter beschwichtigend. »Sie hat ziemlich viel durchgemacht.«

Kann man wohl sagen, stimmte ich stumm zu, während ich stocksteif an der Tür stand.

»Habt also ein bißchen Verständnis für sie. Versucht ein wenig Geduld aufzubringen. Ihr könnt euch nicht vorstellen, wie schrecklich sie sich fühlen muß.«

Nein, das könnt ihr wohl wirklich nicht, pflichtete ich ihr stumm bei.

Schweigen trat ein.

Gut, dachte ich. *Sie hat sie beschämt.*

»Gestern abend hat sie deinen teuren Aschenbecher kaputtgemacht«, murmelte Helen.

»Was hat sie getan?!« fragte meine Mutter scharf.

»Es stimmt«, bestätigte Anna.

Alte Verräterin! dachte ich.

»Das reicht«, sagte meine Mutter entschlossen. »Jetzt ist es genug.«

»Ha!« sagte Helen mit Triumph in der Stimme, offensichtlich zu Anna. »Ich hab' dir gleich gesagt, daß Mum die beschissene Vase nicht ausstehen kann, die du ihr gemacht hast. Sie hat immer nur so getan, als ob sie ihr gefiele. Sonst hätte sie doch reagiert, als Claire sie an die Tür gefeuert hat? Bei ihrem Aschenbecher hat sie sich aufgeregt!«

Es wird Zeit, daß ich verschwinde, dachte ich. Lautlos und zutiefst erschüttert ging ich wieder nach oben. Eine sonderbare Empfindung hatte sich in mir geregt.

Ich habe später in meinem Nachschlagewerk der Gefühle nachgesehen und gefunden, was es war. Kein Zweifel. Es war Scham.

Im Verlauf des Abends kam Dad zu mir, während ich auf dem Bett lag. Ich hatte damit gerechnet.

So war das früher immer gewesen, wenn ich mich als junges Mädchen danebenbenommen hatte. Mum hatte meinen Fehltritt entdeckt, meine Missetat, mein Vergehen oder was auch immer sonst. Daraufhin setzte sie die Kanonenboote in Marsch, indem sie es Dad weitersagte.

Leise klopfte er an und steckte verlegen den Kopf zur Tür herein.

Es war lange her, daß er es zum letzten Mal hatte tun müssen. Zweifellos stand Mum mit einem elektrischen Viehtreiber hinter ihm auf dem Treppenabsatz und zischte ihm zu: »Geh rein und sag's ihr. Auf dich hört sie, auf mich nicht.«

»Hallo, Claire, kann ich reinkommen?« fragte er.

»Setz dich, Dad«, sagte ich, wies aufs Bett und ließ eilig die halb geleerte Flasche mit extrastarkem Apfelwein im Nachttisch verschwinden.

»Hallo, Lieblingsenkelin«, sagte er zu Kate. Ich verstand nicht, was sie antwortete.

»Soso«, sagte er und bemühte sich, einen munteren Klang in seine Stimme zu legen.

»Soso«, echote ich trocken. Ich dachte nicht im Traum daran, ihm seine Aufgabe leichtzumachen. In mir herrschte ein schreckliches Durcheinander von Gefühlen. Es setzte sich zum Teil aus Scham und Verlegenheit über mein kindisches Verhalten zusammen, aus Trotz darüber, daß man mich tadeln wollte, aus Groll und Ärger, weil man mich wie ein Kind behandelte, und aus der Erkenntnis, daß es höchste Zeit war, mich nicht weiter wie ein selbstsüchtiges Ungeheuer aufzuführen.

Als sich mein Vater schwerfällig aufs Bett setzte, zerdrückte er eine leere Bierdose, die in den Falten der Steppdecke begraben war. Er holte sie hervor und hielt sie mir betrübt vor das Gesicht.

»Was ist das?« fragte er.

»Wonach sieht es denn aus?« war ich versucht zu fragen. Ich hatte ein schlechtes Gewissen und kam mir vor, als wäre ich wieder fünfzehn.

»Eine Bierdose, Dad«, murmelte ich.

»Überleg doch nur, was du deiner Mutter antust«, sagte er, indem er geschickt auf der Klaviatur meiner Schuldkomplexe spielte. »Du liegst den ganzen Tag im Bett herum und trinkst Bier.«

Das ist noch gar nichts, dachte ich beunruhigt und hoffte, er werde sich nicht plötzlich auf den Boden werfen und die beiden leeren Wodkaflaschen unter dem Bett entdecken. Panik und Scham bemächtigten sich meiner. Ich konnte es kaum erwarten, daß er ging. Der arme Mann wußte nicht die Hälfte. Ich mußte die beiden Flaschen loswerden, bevor er am Freitag staubsaugte, sonst würde er sie garantiert finden.

Möglicherweise aber auch nicht. Beim Staubsaugen schien für ihn die Würze in der Kürze zu liegen. Er gab sich nicht die Mühe, Möbelstücke, wie beispielsweise Stühle, beiseite zu rücken, um darunter zu saugen. Nicht mal kleine Gegenstände wie Bücher oder Schuhe verrückte er, wenn ich die Wahrheit sagen soll. Ganz offen gestanden, nicht mal Papiertaschentücher oder Sicherheitsnadeln. Sein Wahlspruch schien zu sein: ›Warum darunter saubermachen, wenn man drum herum saubermachen kann?‹ Aus Dads Augen, aus Dads Sinn. Was das Auge nicht sah, kümmerte den Staubsauger sozusagen nicht.

Vielleicht also konnten die leeren Wodkaflaschen weiterhin friedlich unter dem Bett schlummern und jahrzehntelang unentdeckt und ungestört bleiben. Trotzdem beschloß ich, sie auf jeden Fall fortzuwerfen. Ich schämte mich wegen meines Verhaltens. Es war egoistisch und verantwortungslos.

»Du verhältst dich egoistisch und verantwortungslos«, sagte mein Vater.

»Ich weiß«, brummelte ich. Mein Schuldgefühl war so stark, daß mir schlecht davon wurde.

Und was für eine Mutter war ich für Kate?

»Und was für eine Mutter bist du für Kate?« fragte er.

»Eine beschissene«, brummelte ich.

Das arme Kind, dachte ich. *Schlimm genug, daß sein Vater es verlassen hat.*

»Das arme Kind«, sagte Dad. »Schlimm genug, daß sein Vater es verlassen hat.«

Wenn er doch nur mit seinen Echos auf meine Gedanken aufhören würde.

»Niemand kann seine Sorgen im Alkohol ertränken«, seufzte mein Vater. »Man bringt ihnen auf diese Weise höchstens das Schwimmen bei.«

Der Leser könnte jetzt glauben, er habe damit eine sehr tiefe und wahre Weisheit ausgesprochen. Ich glaubte es auch. Bei den ersten achthundert Mal, als ich das gehört habe.

Jetzt aber weiß ich, daß es die erste Zeile, der Eröffnungssatz, in Dads Vortrag ›Das Übel der Trunksucht‹ ist. In jungen Jahren hatte ich ihn so oft gehört, daß ich ihn praktisch auswendig hersagen konnte.

Nur Dummköpfe trinken, dachte ich.

»Nur Dummköpfe trinken«, sagte mein Vater betrübt.

Gott behüte, daß du wie Tante Julia endest.

»Gott behüte, daß du wie Tante Julia endest«, sagte mein Vater matt.

Armer Dad, Tante Julia war seine jüngste Schwester, und er mußte schon seit langem die Hauptlast ihrer vom Alkohol ausgelösten Lebenskrisen tragen.

Wenn sie ihre Stelle verlor, weil sie betrunken zur Arbeit erschienen war, rief sie als erstes ihn an.

Wenn sie von einem Fahrrad überfahren wurde, weil sie mitten in der Nacht betrunken auf der Fahrbahn gegangen war, wen rief die Polizei an? Richtig. Meinen Vater.

Es ist zum Fenster rausgeschmissenes Geld, dachte ich.

»Und es ist zum Fenster rausgeschmissenes Geld«, sagte er mit Nachdruck.

Geld, das ich nicht habe.

»Geld, das du nicht hast«, fuhr er fort.

Und es richtet meine Gesundheit zugrunde.

»Und es richtet deine Gesundheit zugrunde«, gab er zu bedenken.

Und mein gutes Aussehen.

»Es löst keine Probleme«, schloß er. Falsch! Er hatte vergessen, mir zu sagen, daß es mein Aussehen zugrunde richtete. Ich mußte ihn daran erinnern.

»Und es richtet mein Aussehen zugrunde«, erinnerte ich ihn freundlich.

»Ach ja«, sagte er. »Und es richtet dein Aussehen zugrunde.«

»Dad, es tut mir schrecklich leid«, erwiderte ich. »Ich weiß, daß ich mich euch allen gegenüber abscheulich aufgeführt und euch große Sorgen gemacht habe, aber damit ist jetzt Schluß. Das verspreche ich.«

»Braves Mädchen.« Er lächelte mir zu. Ich kam mir vor, als wäre ich wieder dreieinhalb.

»Es ist bestimmt nicht einfach für dich«, sagte er.

»Kein Grund, mich wie ein Monster aufzuführen«, gab ich zurück.

Schweigend saßen wir einige Minuten lang da. Man hörte nur Kates glückliches Schnarchen und mein unterdrücktes Schniefen. Vielleicht war sie genauso froh wie alle anderen, daß man mir endlich die Leviten gelesen hatte.

»Wirst du zukünftig die anderen fernsehen lassen, was sie wollen?« fragte mein Vater.

»Selbstverständlich.« Ich heulte los.

»Und wirst du uns nicht mehr anbrüllen?« fuhr er fort.

»Nein«, sagte ich und ließ den Kopf hängen.

»Und wirst du aufhören, mit Gegenständen zu werfen?«

»Ja.«

»Du bist ein braves Mädchen«, sagte er mit schiefem Lächeln. »Ganz gleich, was deine Mutter und deine Schwestern sagen.«

8

Nach dieser Standpauke gab mir Dad – ungeschickt, aber immerhin – einen Kuß und sagte, er habe mich lieb. Dabei konnte er mir nicht in die Augen sehen. Dann faßte er sacht Kate an einem ihrer weichen rosa Füßchen, schüttelte es ein wenig und ging hinaus.

Lange lag ich auf meinem Bett und dachte über seine Worte nach – wie auch über das, was ich zufällig davor aus dem Mund meiner Mutter und meiner Schwestern gehört hatte.

Irgendeine Veränderung stellte sich ein. Irgendeine Art Frieden legte sich auf meine Seele. Das Leben geht weiter. Sogar meines.

Ich hatte die letzten Monate damit verbracht, mich aus der Verpflichtung gegenüber dem Leben zu lösen. Ich hatte im Übermaß geschlafen, getrunken, mir Bewegung verschafft, mich nicht gewaschen. Mit all dem hatte ich mir das Leben vom Leibe gehalten. Ohne James zu leben und die damit verbundene Zurückweisung zu ertragen, war einfach zu schrecklich.

Ich wollte mein Leben nicht. Jedenfalls nicht diese Art von Leben. Also hatte ich beschlossen, ganz ohne es auszukommen.

Aber das Leben läßt sich nicht unterdrücken, und ganz gleich, wieviel Mühe ich mir gab, so zu tun, als wäre es nicht da, steckte es den Kopf durch alle möglichen Löcher in meinen Schutzwall und wollte mit mir spielen.

»Ach, *da* bist du«, sagte es und hüpfte übermütig wie ein Gummiball, während ich allein auf meinem Bett lag, Wodka mit Orangensaft trank und die unvermeidliche Illustrierte neben mir liegen hatte. »Ich hab' dich überall gesucht. He, das sieht aber nicht sehr lustig aus. Komm mit, wir gehen zu ein paar Leuten. Wir wollen uns amüsieren und ein bißchen lachen.«

»Hau ab und laß mich zufrieden«, gab ich zur Antwort. »Mir geht es auch so ganz gut. Ich will mit keinem reden. Aber wo ich gerade schon mit dir rede – du könntest mir 'ne Flasche Smirnoff mitbringen, wenn du an 'nem Schnapsladen vorbeikommst.«

Doch nachdem Dad mit mir gesprochen hatte, beschloß ich, weiterzuleben. Außerdem mußte ich aufhören, nur an mich zu denken. Unbedingt. Was ich auch schaffen würde.

Nach wie vor liebte ich James sehr. Ich wollte ihn nach wie vor. Ich war immer noch todunglücklich. Er fehlte mir wie eins meiner eigenen Glieder. Wahrscheinlich würde ich mich auch noch das nächste Jahrhundert hindurch jeden Abend in den Schlaf weinen.

Aber mein Verlust lähmte mich nicht mehr. James hatte mich mit dem Kricketschläger seiner Untreue und seines Verrats an den Knöcheln getroffen, so daß ich gestürzt war. Dort lag ich, keuchte vor Schmerz und war unfähig aufzustehen. Aber meine Wunden waren nur Abschürfungen, wenn auch schlimme. Nichts war gebrochen, wie ich zuerst angenommen hatte. Also versuchte ich mühsam, auf die Beine zu kommen, um zu sehen, ob ich noch gehen konnte. Obwohl ich stark humpelte, entdeckte ich zu meiner Freude, daß es ging.

Ich sage nicht, daß ich nicht eifersüchtig oder wütend war. Das war ich durchaus. Aber es war nicht so schlimm. Das Gefühl war nicht so bedeutend. Nicht so mächtig. Nicht so entsetzlich. Sagen wir mal so: ich hätte nach wie vor gern eine Gelegenheit gehabt, Denise eins in die Magengrube zu geben oder James ein blaues Auge zu schlagen, aber ich schlich mich in meinen Fantasien nicht heimlich in ihr Liebesnest und goß, während sie schliefen, ein riesiges Faß siedendes Öl über sie. Sie können mir glauben, das war ein Fortschritt.

Also beschloß ich, mich unauffällig wieder der Welt zuzuwenden, verletzt und gebeugt zwar, aber nicht gebrochen.

Während des Einschlafens überlegte ich mir, daß ich es eigentlich recht gut hatte. Was eine grundlegende Abkehr von der Haltung war, die ich während des vergangenen Monats an den Tag gelegt hatte.

Ich hatte eine schöne Tochter. Ich hatte eine Familie, die mich liebte. Zumindest würde sie mich gewiß wieder lieben, wenn ich erst mal aufhörte, mich wie der Antichrist aufzuführen. Ich war noch ziemlich jung. Ich hatte eine Stelle, die ich in fünf Monaten wieder antreten konnte. Ich war gesund (sonderbar – ich hätte nie geglaubt, daß ich das sagen würde, bevor ich neunzig war). Und vor allem, obwohl ich keine Ahnung hatte, woher, hatte ich Hoffnung.

Ich schlief wie ein Kleinkind. Eigentlich stimmte das nicht. Wurde ich etwa alle zwei Stunden wach und brüllte wie ein Löwe, weil ich gefüttert werden wollte oder mir die Windeln vollgemacht hatte? Nein. Aber ich schlief friedlich. Das war schon eine ganze Menge.

Gern würde ich berichten, daß am nächsten Morgen, als ich wach wurde, der Regen aufgehört hatte, die Wolken fort waren und die Sonne an einem neuen Tag am blauen Himmel stand.

Der Sonnenschein hätte sozusagen die Sonne in meinem Herzen widerspiegeln können, und die schwarzen Regenwolken wären ebenso verschwunden wie meine tiefe Verzweiflung.

Ich glaube, es gibt sogar ein Lied darüber. Aber so ist das wirkliche Leben nicht. Es nieselte nach wie vor. Was soll's?

Ich erwachte wie gewöhnlich bei Morgengrauen und fütterte Kate. Sacht sondierte ich meine Empfindungen, so wie man mit der Zunge um einen schmerzenden Zahn herum über das Zahnfleisch fährt. Zu meiner großen Freude entdeckte ich, daß sich meine Stimmung gegenüber dem Vorabend nicht geändert hatte. Ich fühlte mich immer noch lebendig und voller Hoffnung. Es war einfach überwältigend.

Ich schlief wieder ein und erwachte erneut gegen elf. Im Bad ging es hoch her. Offensichtlich hatte Helen in ihrer Brust einen Knoten entdeckt und schrie Zeter und Mordio. Mum kam die Treppe heraufgerannt, und ich hörte, wie sie Helen nach einer kurzen Besichtigung wütend anbrüllte: »Helen, das ist kein Knoten in deiner Brust, das ist deine *Brust.*«

Während meine Mutter die Treppe wieder hinabpolterte, brummelte sie vor sich hin: »Einen Menschen so zu Tode erschrecken, daß man fast einen Herzschlag kriegt ... Ich bring sie noch um.«

Helen zog sich an und ging in die Uni. Dann duschte ich. Ich wusch mir sogar die Haare. Danach räumte ich mein Zimmer auf.

Ich holte die beiden leeren Wodkaflaschen unter dem Bett hervor, nahm die leeren Apfelweindosen, die Orangensafttüten und steckte alles in einen Müllsack.

Als nächstes suchte ich alle Gläser zusammen, die ich im Verlauf der vergangenen Wochen benutzt hatte, und stellte sie in Reih und Glied auf, um sie nach unten zu bringen und in die Spülmaschine zu stellen. Ich sammelte die Scherben des Glases ein, das ich an einem besonders schlimmen Abend betrunken gegen die Wand geschleudert hatte, und wickelte sie in eine alte Zeitung.

Die wichtigste symbolische Handlung aber war, daß ich alle Exemplare von *Hello* wegwarf. Mehrere hundert ›luxuriöser Landsitze‹ landeten mit einem Schlag im Müll.

Ich fühlte mich sauber und geläutert. Ich wollte keine beschissenen Illustrierten mehr lesen. Ab sofort würde ich mir eine Diät aus den wichtigsten Wirtschaftsblättern und dem Nachrichtenmagazin *Time* verordnen.

Ganz selten nur würde ich einen Blick in *Marie Claire* werfen, die Dad jeden Monat kaufte, angeblich für Helen und Anna, in Wirklichkeit aber für sich selbst.

Er liebte es nachgerade. Obwohl er es als Weiberkram abtat. Oft überraschten wir ihn, wie er sie heimlich las. Wobei er seine Haushaltspflichten vernachlässigte.

Oft vertiefte er sich in Artikel, in denen es um die Beschneidung junger Mädchen, zwanghaftes Sexualverhalten oder die besten Möglichkeiten der Beinenthaarung ging, während die Teppiche ungesaugt blieben.

Nachdem ich mir das Problem über einen Monat hatte durch den Kopf gehen lassen, beschloß ich, mich anzuziehen. Und soll man es glauben: als ich James' Jeans anprobierte, die ich auf dem Flug von London getragen hatte, paßte sie mir nicht mehr!

Ich meine, sie war viel zu *weit*. Das ist der Vorteil, wenn man einen Monat von Wodka und Orangensaft lebt. (Probieren Sie das lieber nicht zu Hause aus.)

Also ging ich in Helens Zimmer, um ihren Kleiderschrank zu plündern. Sie war mir bei Gott etwas schuldig. Sie hatte mich während der letzten vierzehn Tage mit ihren erpresserischen Forderungen für die Botengänge zum Schnapsladen ganz schön bluten lassen.

So gern ich Anna hatte, ich wollte keins ihrer langen Schlabberkleider tragen, die aus Glocken, Spiegeln und Troddeln bestanden.

In Helens Zimmer fand ich auf dem Stuhl neben einem riesigen Stapel unberührter, neuer, kostspieliger Fachbücher ein herrliches Paar Leggings. Sie waren sehr schmeichelhaft und ließen meine Beine lang und schlank erscheinen. Was heißt schmeichelhaft? Es war geradezu ein Wunder.

Sofern es zur Diskussion stand, daß der Mann, der sie entworfen hatte, heiliggesprochen werden wollte, würde ich seine Chancen als sehr günstig ansehen.

In ihrem Kleiderschrank fand ich eine wunderschöne blaue Seidenbluse. Und sollte man es für möglich halten: sie war ebenfalls sehr schmeichelhaft, ließ meine Haut sehr klar und meine Augen sehr blau erscheinen. Ich sah mich im Spiegel und erschrak. *He, die kenn ich doch*, dachte ich. *Das bin ich. Ich bin wieder da.*

Zum ersten Mal seit Monaten sah mein Spiegelbild normal aus. Ich sah nicht mehr aus wie eine Wassermelone auf Beinen. Ich war nicht mehr von der Schwangerschaft aufgequollen und auch sonst nicht mehr dick. Ich sah auch nicht aus wie einer Irrenanstalt entsprungen, ungekämmt, verwirrt und in einem unförmigen Nachthemd. Ich war einfach so, wie ich mich in Erinnerung hatte.

Ich überschüttete mich förmlich mit Helens *Obsession*, obwohl ich das Parfüm haßte. Und nachdem ich mich vergewissert hatte, daß ich sonst nichts aus ihren Beständen brauchen konnte, kehrte ich in mein Zimmer zurück.

Ich machte mich sogar zurecht. Nur ein bißchen, denn ich wollte nicht, daß meine Mutter die Polizei anrief, um zu berichten, sie hätte eine fremde Frau in ihrem Haus.

Dann beugte ich mich über Kates Bettchen und stellte ihr mein neues (oder besser gesagt altes) Ich vor.

»Hallo, mein Schatz«, sagte ich liebevoll. »Sag deiner Mami guten Tag.«

Bevor ich mich bei ihr dafür entschuldigen konnte, daß ich in ihrem ersten Lebensmonat so grauenhaft ausgesehen hatte, begann sie lauthals zu weinen. Offensichtlich hatte sie keine Vorstellung, wer ich war.

Ich sah nicht annähernd so aus wie der Mensch, an den sie gewöhnt war, und ich roch auch nicht so.

Ich beruhigte sie und erklärte ihr, das sei mein richtiges Ich, und die andere Frau, die sich im vergangenen Monat um sie gekümmert hatte, habe sich lediglich als ihre Mutter ausgegeben. Sie schien diese Erklärung durchaus vernünftig zu finden.

Dann ging ich nach unten zu meiner Mutter, die vor dem Fernseher saß. Mit den Worten »Hallo, Mum« trat ich ins Wohnzimmer.

»Hallo, mein Kind«, sagte sie und hob den Blick von ihrer Illustrierten. Dann wandte sie sich so blitzschnell um, daß sie fast umgekippt wäre. »Claire!« rief sie. »Du bist ja auf! Du bist angezogen! Du siehst wunderbar aus! Großartig!« Sie stand vom Sofa auf, kam zu mir und drückte mich fest an sich. Sie sah richtig glücklich aus.

Ich nahm sie in die Arme, und wir beiden standen mit Tränen in den Augen da und grinsten wie die Blöden.

»Ich glaube, ich komm langsam drüber weg«, sagte ich unsicher. »Zumindest hab' ich das Gefühl, daß es allmählich was wird. Es tut mir leid, daß ich mich so abscheulich aufgeführt und euch solche Sorgen gemacht hab.«

»Du brauchst dich nicht zu entschuldigen«, sagte sie liebevoll, hielt mich immer noch bei den Armen und lächelte mich an. »Wir wissen, daß es schrecklich für dich war, und wir wollen, daß du glücklich bist.«

»Danke, Mum«, flüsterte ich.

»Und was wirst du heute tun?« fragte sie munter.

»Mal sehen. Vielleicht setz ich mich zu dir und seh mir das da zu Ende an«, sagte ich und wies auf den Fernseher. »Danach mach ich für uns alle Abendessen.«

»Schön«, sagte meine Mutter mit Zweifel in der Stimme. »Aber wir kommen mit der Mikrowelle gut zurecht.«

»Nein, nein«, protestierte ich lachend. »Ich meine, ich möchte richtig kochen. Weißt du, im Supermarkt frische Zutaten kaufen und selbst was für uns alle daraus machen.«

»Tatsächlich?« fragte sie, und ihr Blick wurde etwas abwesend. »Es ist lange her, daß in unserer Küche eine richtige Mahlzeit zubereitet worden ist.«

Sie sagte das etwa in der Art, wie in einem Märchen eine weise alte Frau sagt: »Es ist schon manch langes und glückloses Jahr her, daß ein hochgewachsener, starker, junger Mann aus dem Clan der McQuilty unter demselben Dach das Brot gebrochen hat wie ein junger Mann aus dem Clan der McBrandawn und daß wir nicht das Klirren von Stahl gehört haben und das Blut tapferer junger Krieger nicht durch die Straßen lief.«

Mir lag auf der Zunge zu sagen, daß in ihrer Küche noch *nie* eine richtige Mahlzeit gekocht worden war, zumindest nicht, solange sich unser Haus im Besitz der Familie Walsh befand und meine Mutter das Ruder in der Hand hatte, aber ich verkniff es mir rechtzeitig.

»Ich mach nichts Besonderes, Mum«, sagte ich. »Einfach Spaghetti oder so.«

»Spaghetti«, sagte sie atemlos, nach wie vor den abwesenden Blick in den Augen, als erinnere sie sich an ein früheres Leben, eine frühere Zeit, eine frühere Welt. »Ja«, nickte sie, während sie langsam begriff. »Ja, Spaghetti kenne ich von früher.« (Sie sagte das mit einer Stimme, als hätte sie eigentlich sagen wollen: ›Ich kenne Spaghetti aus grauen Vorzeiten.‹)

Großer Gott, dachte ich beunruhigt. *Haben ihre Erlebnisse in der Küche sie in der Vergangenheit so sehr erschüttert, daß dieser Vorschlag sie aus dem Gleichgewicht bringt?*

»Darf ich mit deinem Auto zum Einkaufszentrum fahren, um Verschiedenes zu besorgen?« fragte ich sie. Ich war ein wenig nervös.

»Wenn es sein muß«, sagte sie schwach und resigniert. »Wenn es sein muß.«

»Und kannst du mir auch etwas Geld leihen? Ich hab' nur englisches«, sagte ich.

»Die nehmen da auch Kreditkarten«, gab sie rasch zur Antwort. In welchem Zwischenreich auch immer sie während der letzten Minuten verweilt haben mochte, das Wort ›Geld‹ hatte sie mit einem Schlag in die Wirklichkeit zurückgeholt.

Nicht als ob sie geizig wäre, überhaupt nicht. Doch wer jahrelang dafür sorgen mußte, mit einem nicht besonders üppigen Einkommen fünf Kinder und zwei Erwachsene satt zu bekommen, lernt zwangsläufig, sein Geld zuammenzuhalten. Wer sich Sparsamkeit einmal angewöhnt hat, kommt schlecht wieder davon los. Jedenfalls wußte ich das vom Hörensagen. Eigene Erfahrung hatte ich damit nicht.

Sie gab mir die Autoschlüssel, und wir stellten Kate in ihrer Trageschale auf den Rücksitz. Mum winkte mir von der Haustür aus nach, als führe ich für immer davon, statt nur die Straße hinunter zum Supermarkt.

Es war durchaus ein Abenteuer. Ich hatte das Haus seit Wochen nicht verlassen. Ein Hinweis darauf, daß es mir besserging.

»Viel Spaß«, sagte sie. »Und denk dran, falls du es dir mit dem Abendessen anders überlegen solltest, ist das nicht weiter schlimm. Wir können es machen wie immer. Niemandem macht das was aus.«

Wieso habe ich das Gefühl, es sei ihr nicht recht, daß ich koche? fragte ich mich, während ich davonfuhr.

Es war wirklich schön im Supermarkt, wo ich, Kate in einem Tragetuch, meinen Einkaufswagen durch die Gänge schob. Ich kaufte für sie und mich ein und spielte glückliche Familie, auch wenn es nur eine glückliche Ein-Eltern-Familie war.

Ich kaufte weitere zwanzig Tonnen Höschenwindeln für Kate. Während mich Kummer oder Alkohol aufs Lager gestreckt hatten, waren meine Eltern so lieb gewesen, alles zu besorgen, was die Kleine brauchte. Jetzt aber war es Zeit, daß ich die Verantwortung selbst übernahm. Ab sofort würde ich mich um Kate kümmern.

Ich packte allerlei exotische Luxus-Lebensmittel in meinen

Wagen. Honigmelonen? Ja, zwei. Eine Schachtel frischer handgemachter Pralinen? Warum nicht. Eine Tüte viel zu teurer wunderschöner Salatköpfe? Nur zu. Ich genoß es. *Geld spielte keine Rolle.* Ich würde mit meiner Kreditkarte zahlen.

Und wohin wurden die Kreditkarten-Rechnungen geschickt? Richtig. An meine Londoner Wohnung. Wer also würde dafür geradestehen müssen? Wieder richtig. James.

Ich lächelte anderen jungen und nicht ganz so jungen Müttern zu, die ebenfalls ihre Einkäufe erledigten.

Ich muß wohl wie eine von ihnen ausgesehen haben. Eine junge Frau mit einem Neugeborenen, deren einzige Sorge darin bestehen könnte, daß sie in den nächsten zehn Jahren vielleicht nachts nicht durchschlafen kann. Nichts ließ vermuten, daß mich mein Mann verlassen hatte. Ich trug meine Demütigung nicht mehr wie eine Waffe mit mir herum. Ich mißgönnte auch anderen nicht mehr das vollkommene Leben, das sie führen mochten. Ich haßte nicht mehr jede Frau auf der Welt, deren Mann sie nicht verlassen hatte.

Woher wollte ich wissen, ob die Frau, mit der ich bei den Avocados ein Lächeln des Einverständnisses tauschte, wunschlos glücklich war?

Woher wollte ich wissen, ob die Frau, die ich leicht anstieß, während ich eine Flasche mit Honig gesüßte Senfsoße aus dem Regal nahm, ein Leben bar aller Sorgen führte?

Jeder hat seinen eigenen Kummer. Niemand ist vollkommen glücklich. Die Götter hatten nicht eigens mich dazu auserwählt, vom Elend heimgesucht zu werden. Ich war einfach eine gewöhnliche Frau mit gewöhnlichen Problemen, die unter anderen gewöhnlichen Frauen ihren Einkäufen nachging.

Als ich an der Abteilung mit alkoholischen Getränken vorbeikam, fiel mein Blick auf ganze Regalreihen blitzender und blinkender Wodkaflaschen, in deren Etiketten sich das Licht silbern spiegelte. Es war mir, als könnte ich hören, wie sie alle miteinander riefen: »Hierher, Claire! Nimm uns mit, nimm uns mit! Können wir mit dir nach Hause kommen?« Instinktiv lenkte ich meinen Einkaufswagen auf sie zu.

Dann aber drehte ich ihn wieder weg. Denk an Tante Julia, mahnte ich mich streng. Dad hat recht. Betrunken im Bett herumzulungern ist kein Leben. Damit löst man keine Schwierigkeiten.

Schlagartig begriff ich, daß ich möglicherweise erwachsen geworden war. Ich stimmte dem Vortrag meines Vater über ›Das Übel der Trunksucht‹ zu, statt mich kichernd darüber lustig zu machen.

Natürlich war ich gewarnt worden, daß es eines Tages dazu kommen könnte, aber ich war nach wie vor nicht darauf vorbereitet.

Wenn ich nicht gut aufpaßte, würde ich als nächstes bei der Hit-Parade mit einem Blick auf den Bildschirm fragen: »Ist das ein Mann oder eine Frau?« Oder: »Das ist doch keine Musik, sondern Krach.«

Leicht erschüttert zog ich durch den Gang mit den tiefgefrorenen Nachspeisen.

Während meiner Schwangerschaft hatte ich mir angewöhnt, lastwagenweise *Mousse au chocolat* zu essen, was James wirklich geärgert hatte.

Ich überlegte, daß ich zur Erinnerung an alte Zeiten und auch als Symbol des Trotzes eine Packung voll mitnehmen könnte.

Ich hielt Kate hoch und zeigte ihr die vielen Reihen, gefüllt mit *Mousse-au-chocolat-Packungen.* »Sieh sie dir gut an«, sagte ich.

Ich nahm eine heraus und hielt sie ihr so hin, daß sie sie sehen konnte. »Schau«, sagte ich. »Ohne das wärst du wohl nicht hier.« Sie sah sie mit ihren runden blauen Augen an und streckte ihr dickes Ärmchen aus, um in die Kondenswassertropfen auf dem Deckel zu patschen. Etwas in ihrem Blut, das so alt war wie die Menschheit, wußte, was ihrer Mutter in schwierigen Zeiten beigestanden hatte, und schien sie selbst zur *Mousse au chocolat* zu ziehen.

Ich ging zur Kasse und freute mich königlich über den astronomischen Betrag, den man James berechnen würde. Dann fuhren wir nach Hause.

Auf dem Heimweg hielt ich an einer Bank und tauschte meine englischen Pfund in irische. Sobald Anna nach Hause kam, würde ich ihr alles zurückgeben, was ich ihr schuldete. Zumindest konnte sie dann ihren Dealer bezahlen und sich auf diese Weise weiterhin zweier intakter Kniescheiben erfreuen.

9

Als wir zurückkamen, mußte ich klingeln, weil ich keinen Schlüssel mitgenommen hatte. Meine Mutter öffnete die Tür.

»Ich bin wieder da«, sagte ich. »Es hat uns großartig gefallen, nicht wahr, Katie?«

Mum sah mir zu, wie ich eine Plastiktüte nach der anderen in die Küche schleppte. Sie umkreiste mich mißtrauisch, während ich die Einkäufe auf den Küchentisch packte.

»Hast du alles bekommen, was du brauchst?« fragte sie mit vor Erregung zitternder Stimme.

»Alles!« bestätigte ich begeistert.

»Das heißt, du willst ihnen nach wie vor ein richtiges Abendessen machen?« fragte sie. Es klang, als wäre sie den Tränen nahe.

»Ja, Mum«, gab ich zur Antwort. »Warum regt dich das so auf?«

»Es wäre mir wirklich lieber, wenn nicht«, sagte sie bekümmert. »Damit bringst du sie nur auf dumme Gedanken. Sie werden dann in Zukunft jeden Abend ein richtiges Essen wollen. Und wer soll das machen? Du bestimmt nicht, denn bis dahin bist du längst wieder in London. *Ich* muß mich dann mit dem Gemecker und Gejammer rumschlagen.«

Arme Mum, dachte ich. Vielleicht war es nicht besonders einfühlsam von mir, in ihrer Küche mit meinen Kochkünsten zu prahlen.

Während ich ein Paket frische Nudeln auf das Küchenregal legte, schwieg sie. »Hörst du mir überhaupt zu?« Sie hob die Stimme, weil die Kühlschranktür zwischen uns war.

»Die sind mit dem Zeug aus der Mikrowelle vollkommen zufrieden«, fuhr sie fort. »Du kennst doch hoffentlich den Spruch ›Was nicht kaputt ist, muß man auch nicht reparieren‹?«

Sie tippte auf ein Zellophantütchen mit frischen Basilikumblättern, das sie mißtrauisch herumdrehte: »Was ist das?«

»Basilikum, Mum«, sagte ich und eilte an ihr vorbei, um Pinienkerne im Schrank zu verstauen.

»Und wozu sind die gut?« fragte sie mit einem Blick, als wären die Blätter radioaktiv.

»Es ist ein Gewürz«, antwortete ich geduldig. Arme Mum. Ich konnte verstehen, wie unsicher und bedroht sie sich fühlte.

»Besonders weit kann es mit dem Würzen ja nicht her sein, wenn die das nicht mal in ein Glas tun können«, folgerte sie triumphierend.

Und wenn sie sich zehnmal unsicher und bedroht fühlt, sie sollte keine so dicke Lippe riskieren, dachte ich erzürnt.

Sofort tat mir das wieder leid. Zum Teufel, ich war fast glücklich, doch war das kein Grund, auf den anderen herumzuhacken oder ihnen feindselig gegenüberzutreten.

»Mach dir keine Sorgen, Mum«, sagte ich in sanfterem Ton. »Ich mach nichts Besonderes. Es würde mich gar nicht wundern, wenn die den Unterschied zu dem tiefgefrorenen Zeug nicht mal merken.«

»Vielleicht machst du es heute mal nicht so großartig wie sonst«, sagte sie schmeichelnd.

»Mal sehen«, erwiderte ich freundlich. Ich öffnete und schloß Schränke, um zusammenzusuchen, was ich für die Basilikumsauce brauchte.

Bald zeigte sich, daß unsere Küche, von Kühlschrank, Gefrierschrank und Mikrowellenherd abgesehen, in jeder Hinsicht den Anschluß an die Gegenwart verpaßt hatte.

Es war, als wäre ich wie Alice im Wunderland durch einen schmuddeligen Spiegel geschritten oder als hätte mich eine Flutwelle in ein abgelegenes Tal gespült, das nicht die geringste Beziehung zur Außenwelt hatte.

Einer der Schränke enthielt einen riesigen, schweren, beigefarbenen Keramik-Mörser, auf dem über zwei Zentimeter dick der Staub lag. Er sah völlig unbenutzt aus. Ich schätzte, daß ihn meine Mutter vor fast dreißig Jahren als Hochzeitsgeschenk bekommen hatte.

Außerdem fand sich da ein bezaubernder Schneebesen – aus der Bronzezeit, wenn er nicht noch älter war. Angesichts seines ehrwürdigen Alters war er in ausgezeichnetem Zustand.

Sogar ein Kochbuch von 1952 fand sich, in dessen Rezepten noch Eipulver auftauchte und auf dessen verblaßten sepiafarbenen Abbildungen sich viktorianische Sandwiches in allen Variationen darboten. Absolut prähistorisch.

Es hätte mich nicht im geringsten gewundert, wenn ein paar Dinosaurier durch die Küchentür gestapft gekommen wären, im Stehen ein Butterbrot und ein Glas Milch verzehrt, Teller und Glas in die Spülmaschine gestellt, mir freundlich zugenickt hätten und wieder hinausgestapft wären.

Schmerz durchzuckte mich beim Gedanken an meine nach dem neuesten Stand der Technik ausgestattete Londoner Küche. Mein Schnellmix, der alles konnte, außer lustige Geschichten erzählen, mein Entsafter, der nicht einfach eine elektrische Zitruspresse war, sondern wirklich aus jedem Obst Saft machte. So etwas hätte ich jetzt gut brauchen können.

»Hast du denn überhaupt nichts zum Zerkleinern?« fragte ich meine Mutter verzweifelt.

»Wie wäre es damit?« fragte sie unsicher. Mit diesen Worten hielt sie mir einen Eierschneider hin, der noch originalverpackt war.

»Danke, Mum, das nicht«, seufzte ich. »Womit soll ich das Basilikum hacken?«

»Ich hab' das hier früher immer ganz nützlich gefunden«, sagte sie mit leicht sarkastischem Unterton; offensichtlich hatte sie von meinem hochgestochenen Getue allmählich genug. »Man nennt es ein Messer. Wenn wir lange genug herumtelefonieren, finden wir bestimmt einen Laden in Dublin, der so was führt.«

Zerknirscht nahm ich es entgegen und begann das Basilikum feinzuhacken.

»Und was machst du damit?« fragte meine Mutter, die sich hingesetzt hatte, um mir halb vorwurfsvoll, halb fasziniert zuzusehen, als könne sie nicht glauben, daß in ihrer Küche etwas so Ausgefallenes wie Kochen vor sich gehe.

»Eine Basilikumsauce zu den Spaghetti«, sagte ich, während ich weiterhackte. »Man nennt sie auch Pesto.«

Sie saß schweigend da und sah mir bei der Arbeit zu. Nach einer Weile fragte sie, offensichtlich gegen ihre eigentliche Absicht: »Und was kommt da rein?«

»Basilikum, Olivenöl, Pinienkerne, Parmesan und Knoblauch«, antwortete ich gelassen und nüchtern. Ich wollte sie nicht beunruhigen.

»Aha«, murmelte sie und nickte wissend, als hätte sie täglich mit diesen Zutaten zu tun.

»Als erstes wird das Basilikum sehr fein gehackt«, erklärte ich ihr, ungefähr so, wie ein Chirurg seinem Patienten erklärt, wie er sich die dreifache Bypass-Operation vorzustellen habe. Freundlich, gründlich, ohne jede Geheimnistuerei.

(»Als erstes durchtrenne ich Ihr Brustbein.«)

»Dann gebe ich das Olivenöl zu«, fuhr ich fort.

(»Dann öffne ich Ihren Brustkorb.«)

»Dann zerkleinere ich die Pinienkerne hier aus der Tüte«, sagte ich und raschelte mit den Kernen.

(»Als nächstes entnehme ich Ihrem Bein einige Venen – sehen Sie es sich einmal auf der Abbildung an.«)

»Schließlich füge ich den zerstoßenen Knoblauch und den Parmesan hinzu«, endete ich. »Ganz einfach!«

(»Zum Schluß nähen wir wieder alles zusammen, und in einem Monat können Sie jeden Tag drei Kilometer gehen!«)

Meine Mutter schien all diese Erklärungen recht gelassen aufzunehmen. Ich war stolz auf sie.

»Nimm nicht zuviel Knoblauch«, sagte sie. »Es ist auch so schon schwer genug, daß Anna nach Hause kommt. Wir wollen dem armen kleinen Vampir nicht den Eindruck vermitteln, daß wir es auf sie abgesehen haben.«

»Anna ist kein Vampir«. Ich lachte.

»Woher willst du das wissen?« fragte meine Mutter. »Jedenfalls sieht sie oft ganz so aus, mit ihren langen Haaren, den scheußlichen langen lila Kleidern und dem grauenhaften Make-up. Kannst du nicht mal mit ihr reden, damit sie sich ein bißchen netter herrichtet?«

»Aber sie sieht doch aus, wie sie ist«, antwortete ich, während ich das Basilikum in eine Schüssel gab. »Wenn sie anders aussähe, wäre sie nicht Anna.«

»Ich weiß«, seufzte meine Mutter. »Aber wie sie rumläuft. Bestimmt glauben die Nachbarn, daß wir dem Kind nichts zum Anziehen kaufen. Sie sieht aus wie eine Landstreicherin. Und diese Schuhe! Am liebsten würde ich sie wegwerfen.«

»Tu das bloß nicht, Mum«, sagte ich besorgt, denn ich war überzeugt, daß es Anna das Herz brechen würde, wenn sie ihre Doc Martens nicht mehr hätte, die sie so liebevoll mit Sonnenaufgängen und Blumen bemalt hatte.

Ich machte mir außerdem Gedanken, was Anna anziehen würde, wenn man ihre Stiefel fortwarf. Ich fürchtete um meine Schuhe.

»Mal sehen«, drohte meine Mutter finster. »Und was machst du jetzt?«

»Ich gebe das Olivenöl hinzu«, erklärte ich.

»Wieso hast du Öl gekauft?« wollte sie wissen. Offensichtlich war sie überzeugt, daß ihre Töchter allesamt Idioten waren. »Die Ausgabe hättest du dir sparen können. Ich hab' 'ne Flasche Öl, die ich für Pommes nehme.«

»Äh ..., danke. Beim nächsten Mal weiß ich Bescheid«, sagte ich.

Es war völlig sinnlos, ihr den Unterschied zwischen kaltgepreßtem Olivenöl extra vergine aus der Toskana und schon zehnmal verwendetem billigem Sonnenblumenöl zu erklären, in dem verkohlte Kartoffelstückchen schwammen.

Vielleicht bin ich zu anspruchsvoll, wenn es ums Essen geht, aber zum Teufel, man kann auch in der anderen Richtung übertreiben.

»Gut!« sagte ich. »Jetzt das nächste Kunststück. Ich werde ohne Netz und doppelten Boden den Parmesan reiben.«

Ich nahm das große Stück Käse aus dem Kühlschrank, wo er so ziemlich alles andere in Angst und Schrecken versetzt hatte. Beim Anblick dieses exotischen Neuankömmlings hatten sich die Scheibletten-Packungen ängstlich an die Rückwand des Kühlschranks gedrängt.

Den Käse zu reiben war leichter gesagt, als getan. Ich durchsuchte die ganze Küche, fand aber keine Reibe. Schließlich fand ich etwas, das einer Reibe ähnelte, auch wenn man es kaum zu dieser Familie zählen durfte. Es war nicht einmal eine halbrunde, die zumindest von selbst stehen kann, und schon gar keine elektrische. Es war einfach ein Stück Metall mit scharfen Kanten daran.

Wer den großen Käseklotz auf diesem vorsintflutlichen Gerät reiben wollte, mußte geschicktere Hände haben als ich. Immer wieder rutschte ich ab und rieb einen beträchtlichen Teil meiner Knöchel zusammen mit dem Käse.

Während ich fluchte, gab meine Mutter mißbilligende Laute von sich. Als schließlich der typische Duft des Parmesans die Küche zu füllen begann, schnaufte sie beunruhigt.

Aus der Diele ertönten Stimmen und Gelächter. Meine Mutter sah auf die Küchenuhr, deren Zeiger seit Weihnachten vor zwei Jahren unverrückbar auf zehn vor vier standen.

»Sie sind da«, sagte sie.

Obwohl es meinen Vater einen Umweg von etwa fünfzehn Kilometern kostete, holte er Helen fast jeden Abend an der Universität ab, so daß sie gemeinsam zu Hause eintrafen.

Helen stürmte durch die Küchentür. Sie sah einfach wunderschön aus, noch schöner als sonst, wenn das überhaupt möglich war. Ein Strahlen umgab sie. Zwar trug sie nur Jeans und Pullover, sah aber entzückend aus. Ihr langes seidiges Haar, ihre leuchtende Haut, ihre glänzenden Augen, ihr vollkommener kleiner Mund, auf dem ein bezauberndes Lächeln lag.

»Hallo, wir sind da«, kündigte sie an. »He, was riecht denn hier so grauenhaft? Pfui Teufel! Hat jemand kotzen müssen?«

Aus der Diele drangen Männerstimmen zu uns herüber. Mein Vater und noch jemand. Wir hatten wohl Besuch.

Unwillkürlich hüpfte mein Herz ein wenig. Ich hatte die Hoffnung immer noch nicht aufgegeben, daß James unverhofft kommen könnte. Doch gehörte die Männerstimme wohl eher einem von Helens Freunden. Allerdings entspräche es eher der Wahrheit, wenn man diese Männer Helens Sklaven nannte.

Obwohl ich wußte, wie albern es von mir war zu glauben, James könne aus heiterem Himmel erscheinen, spürte ich die Enttäuschung, als Helen sagte: »Ach ja, ich hab' 'nen Freund mitgebracht. Dad zeigt ihm, wo er seinen Mantel aufhängen kann.«

Dann sah sie mich an. »He!« rief sie. »Wieso trägst du meine Sachen? Zieh das sofort wieder aus.«

»Entschuldige, Helen«, stotterte ich. »Aber ich hatte sonst nichts. Ich kauf mir neue, die kannst du dir dann alle leihen.«

»Darauf kannst du Gift nehmen«, versprach sie finster. Dabei ließ sie es für den Augenblick bewenden. Gott sei Dank! Das konnte nur bedeuten, daß sie gut gelaunt war.

»Wen hast du da mitgebracht?« fragte meine Mutter.

»Er heißt Adam«, sagte Helen. »Du mußt nett zu ihm sein, er soll nämlich mein Referat schreiben.«

Auf das Gesicht meiner Mutter wie auf meins trat der Ausdruck von Willkommen und Mitgefühl. Wieder hatte sich ein armer Jüngling in Helens Fallstricken verfangen. Er hatte nach menschlichem Ermessen sein Leben verwirkt. Seine Zukunft war vorüber, zugrunde gerichtet. Vor ihm lag ein Leben in Elend und Verzweiflung, das er damit zubringen würde, sich nach der schönen Helen zu verzehren.

Mum und ich tauschten einen Blick miteinander. *Wie ein Lamm zur Schlachtbank*, dachten wir beide.

Ich machte mich wieder daran, den Käse und meine Knöchel zu reiben.

»Das ist meine Mum«, hörte ich Helens Stimme. Offensichtlich stellte sie ihr den zum Untergang verurteilten Adam vor.

(Mich drängte es, ihm zuzurufen: »Flieh! Flieh, wenn dir dein Leben lieb ist! Rette dich, Adam, solange du noch kannst.«)

»Und das da hinten ist Claire«, fuhr Helen fort. »Ich hab' dir ja von ihr erzählt. Sie hat das Kind.«

Danke, Helen, alte Ziege, dachte ich. Danke, daß du mein Leben so hinstellst, als wäre es eine Art Wohnküchendrama im Dickicht der Städte.

Ich wandte mich um und war bereit, Adam ein freundliches

Lächeln zu schenken, und streckte ihm meine nach Parmesan riechende Hand mit den aufgeriebenen Knöcheln hin.

Und war ziemlich erstaunt. Das war nicht einer von den üblichen unreifen Knaben, die Helen sonst anschleppte, sondern ein richtiger Mann. Zwar jung, das gebe ich zu, aber unbezweifelbar ein Mann.

Über eins achtzig und äußerst erotisch. Lange Beine. Muskulöse Arme. Blaue Augen. Markantes Kinn. Breites Lächeln.

Hätte in unserer Küche ein Testosteron-Meßgerät gehangen, wäre die Quecksilbersäule bestimmt durch die Decke gegangen.

Ich kam gerade recht, um zu sehen, wie er Mum den festesten Händedruck ihres Lebens gab.

Dann wandte er sich um. Aus dem Augenwinkel sah ich, wie meine Mutter ihre gequetschte Hand ausschüttelte und unauffällig auf ihren Ehering schielte, ob ihn der feste Griff verbogen hatte.

»Äh, hallo«, sagte ich verwirrt und aufgeregt. Es war lange her, daß ich solch einer geballten Konzentration von Männlichkeit begegnet war.

»Angenehm«, lächelte er, während er meine verstümmelte Hand in seiner Pranke hielt.

Mein Gott, dachte ich ziemlich überwältigt, *daß man alt wird, merkt man daran, wie jung all die großartig aussehenden Männer mit einem Mal sind.*

Zwar konnte ich Helens Stimme hören, sie schien aber aus weiter Ferne zu kommen. Übertönt wurde sie vom Dröhnen des Blutes in meinem Körper, das sich in mein Gesicht drängte, daß ich so rot wurde wie seit fünfzehn nicht mehr.

»Ernsthaft«, sagte sie. »Hier riecht es richtig nach Kotze.«

»So redet man nicht«, sagte meine Mutter und fügte kenntnisreich hinzu, »außerdem ist das der Palmerstown-Käse. Du weißt schon, für die Basilikasauce.«

10

Das Abendessen verlief etwas sonderbar, weil wir alle aus dem Staunen über Adam nicht herauskamen.

Schon immer hatte Helen ganze Scharen von Männern (besser gesagt halbwüchsigen Jungen) angeschleppt, die in sie verknallt waren. Kein Tag verging, ohne daß das Telefon klingelte und sich irgendein stammelnder Jüngling am anderen Ende der Leitung nach seinen Aussichten erkundigte, Helen ausführen zu dürfen.

Ein unaufhörlicher Strom männlicher Besucher, die Helen zum Tee eingeladen hatte, ergoß sich in unser Haus. Das hing gewöhnlich damit zusammen, daß ihre Stereoanlage nicht funktionierte, sie ihr Zimmer tapeziert haben wollte oder, wie in diesem Fall, jemanden brauchte, der ihr ein Referat schrieb, eben Dinge, die sie auf keinen Fall selbst machen wollte.

Nur selten bekam der hilfreiche Kandidat nach getaner Arbeit den versprochenen Tee.

Wie Adam aber war bisher keiner gewesen. Gewöhnlich waren sie eher wie Jim gewesen, mit vollem Namen Der Arme Jim.

Er war schlaksig, dürr und ging immer und überall schwarz gekleidet. Mitten im Hochsommer trug er einen langen schwarzen Mantel, der ihm Stunden zu weit war, und hohe schwarze Stiefel. Er färbte sein volles Haar schwarz und sah mir nie in die Augen. Er redete nicht viel, wenn er aber doch etwas sagte, sprach er gewöhnlich über Möglichkeiten, sich umzubringen. Oder über die Sänger unbekannter Gruppen, die sich umgebracht hatten.

Einmal sagte er mir guten Tag und schenkte mir eine Art freundliches Lächeln, und ich dachte schon, ich hätte ihn falsch eingeschätzt – bis ich merkte, daß er stockbetrunken war.

Wo er ging und stand, trug er im zerfetzten Futter seines schwarzen Mantels ein zerfleddertes Exemplar von *Angst und Ab-*

scheu in Las Vegas oder *Die Amerikanische Psychose* mit sich herum. Er wollte in einer Gruppe mitspielen und sich umbringen, wenn er achtzehn war.

Allerdings glaube ich, daß er den Selbstmordtermin hinausgeschoben hat, denn er ist im vorigen Jahr zu Weihnachten achtzehn geworden, und ich habe nicht gehört, daß er tot wäre. Das wüßte ich bestimmt. Helen konnte ihn nicht ausstehen.

Immer wieder rief er an, und jedesmal ging unsere Mutter ans Telefon und log das Blaue vom Himmel herunter, wo Helen war. Beispielsweise sagte sie: »Nein, wir haben keine Ahnung, wo sie ist, vermutlich hängt sie irgendwo betrunken rum«, während Helen in der Diele stand, Mum ansah, heftig mit den Armen wedelte und ihr zuflüsterte: »Sag ihm, daß ich tot bin.«

Nachdem Mum aufgelegt hatte, brüllte sie Helen an: »Ich denk nicht dran, für dich weiterzulügen. Ich bringe damit meine unsterbliche Seele in Gefahr. Warum redest du nicht selbst mit ihm? Er ist ein netter Junge.«

»Eine Arschgeige ist er«, gab Helen zur Antwort.

»Er ist ein bißchen schüchtern«, nahm ihn Mum in Schutz.

»Ach was, eine Arschgeige«, beharrte Helen, diesmal lauter.

Am Valentinstag oder zu Helens Geburtstag kam von ihm auf jeden Fall ein Strauß schwarzer Rosen. Die Post brachte handgemachte Grußkarten mit sehr anschaulichen Bildern. Entweder lief Blut aus zerbrochenen Herzen, oder auf der Karte war eine einzige rote Träne. Schrecklich symbolisch.

Manchmal konnte man nicht in unsere Küche gehen, ohne daß Jim in seinem unvermeidlichen langen schwarzen Mantel dasaß und mit Mum redete. Sie war seine beste Freundin geworden, seine einzige Verbündete bei seinem Bemühen, Helens Herz zu gewinnen.

Die meisten der Jünglinge, die gern Helens Freund gewesen wären, verbrachten weit mehr Zeit mit meiner Mutter als mit ihrer Angebeteten.

Mein Vater haßte sie alle. Womöglich war sein Haß noch stärker als Helens.

Ich glaube, Jim hatte ihn enttäuscht.

So sehr sehnte sich mein Vater nach männlicher Gesellschaft, daß er gehofft hatte, sich ein bißchen an Jim anschließen zu können, wo dieser ohnehin schon eine Art mehr oder weniger ständiger Einrichtungsgegenstand in unserer Küche war, ungefähr so wie die Waschmaschine oder der Brotkasten.

Eines Abends kam Dad von der Arbeit nach Hause und fand ihn wie gewohnt bei Mum in der Küche sitzen. Als Helen hörte, daß Jim im Hause war, ging sie sofort auf ihr Zimmer. Mein Vater setzte sich an den Küchentisch und versuchte mit ihm ins Gespräch zu kommen.

Er sagte: »Mann, haben die gespielt! Hast du das Spiel auch gesehen?«

Jim sah Dad völlig entgeistert an. Seiner Vorstellung nach konnte man, was gespielt wurde, auf keinen Fall sehen, sondern höchstens hören. Damit war die Sache beendet. Jetzt hielt auch mein Vater Jim für einen hoffnungslosen Fall. Er sagte, Jim sollte gefälligst mit seinem ständigen Gerede von Selbstmord aufhören und es endlich tun.

Meine Mutter behauptete, Jim sei ein richtig netter Kerl, wenn man ihn erst einmal näher kennen würde, und es sei eine Sünde, einen Menschen in seinem Vorsatz zu bestärken, sich das Leben zu nehmen.

Mir kam es so vor, als wäre Jim immer da. Ganz gleich, wann ich von London zu Besuch kam, immer schien er an unserem Küchentisch zu sitzen. Über seinem Kopf schwebte eine kleine schwarze Wolke. Er trug seine Tragödie mit sich herum wie eine Aktentasche.

Trotzdem sagte ich jedesmal: »Hallo, Jim.« Zumindest war ich höflich. Sogar, wenn er mich überhaupt nicht zur Kenntnis nahm.

Dann kam ich dahinter, warum er mich nie zur Kenntnis genommen hatte.

Am zweiten Tag nach meiner Rückkehr aus London klingelte es an der Tür. Ich ging hin und sah einen Haarschopf mit einem langen schwarzen Mantel.

Ich war nicht sicher, ob er gekommen war, um Helen oder Mum zu besuchen, aber weil meine Mutter nicht zu Hause war, rief ich meine Schwester.

»He, Helen, Jim ist an der Tür.«

Völlig verwirrt kam sie die Treppe herab.

»Oh, hallo, Conor«, sagte sie zu dem düsteren Jüngling auf der Schwelle.

Sie wandte sich mir zu. »Wo ist Jim?« fragte sie.

»Na ja ... da ..., oder etwa nicht?« antwortete ich ein wenig unsicher und wies auf den jungen Mann in dem langen schwarzen Mantel.

»Das ist Conor. Jim hab' ich schon fast ein Jahr lang nicht gesehen. Komm doch rein, Conor«, sagte sie mißmutig. »Ach ja, das ist übrigens meine Schwester Claire. Sie ist aus London zurückgekommen, weil ihr Mann sie sitzenlassen hat.«

»Volltreffer, Claire«, zischte sie mir wütend zu, als sie Conor ins Wohnzimmer schob. »Ich geh ihm schon seit einem Monat aus dem Weg.«

Zweifellos wird sie in der Hölle schmoren.

Zumindest ist jetzt klar, warum mich Jim nie zur Kenntnis nahm, wenn ich »Hallo, Jim« sagte. Er war es gar nicht. Aber er sah genauso aus.

Von da an sagte ich jedesmal »Hallo, Conor«, wenn ich Jim sah. Offensichtlich irrte ich mich immer noch. Er hieß William. Aber er sah Jim und Conor zum Verwechseln ähnlich.

Mit Adam allerdings lag der Fall ganz anders als bei Jim und seinen Klonen. Er sah gut aus, war (in Maßen) intelligent und vorzeigbar ..., also *normal*! Er hatte gewisse Umgangsformen, sah nicht aus, als würde er zu Staub zerfallen, wenn ihn ein Sonnenstrahl traf, und er konnte mehr, als nur mit starrem Blick Helen anschmachten.

Nachdem er uns allen die Hand geschüttelt hatte, fragte er meine Mutter höflich: »Kann ich Ihnen beim Tischdecken helfen?« Was sie wirklich erschütterte. Nicht nur die angebotene Hilfe, die an und für sich schon überaus bemerkenswert war, sondern die bloße Vorstellung, daß man den Tisch decken sollte.

In unserem Haus ist sich nämlich bei den Mahlzeiten jeder selbst der nächste und setzt sich mit seinem Teller nicht an den

Küchentisch, sondern vor den Fernseher, um sich eine der Serien anzusehen.

Daher sagte sie: »Äh, danke, nicht nötig, Adam. Ich erledige das schon.« Und genau das tat sie mit leicht verwundertem Gesicht.

»Heute abend bekommen Sie etwas ganz Besonderes«, sagte sie wie ein junges Mädchen zu Adam. Es war richtig peinlich – eine erwachsene Frau, die sich aufführte wie eine Halbwüchsige. »Claire hat für uns gekocht.«

»Ja, ich hab' schon Wunderdinge von ihrer Kochkunst gehört«, sagte er mit einem Lächeln, das mich in eine durchaus angenehme Verwirrung stürzte. *Er sollte nicht so lächeln, während ich die Spaghetti durchseihe*, dachte ich und kümmerte mich um meine verbrühte Hand.

Wer mochte ihm gesagt haben, daß ich gut kochen kann? – Helen bestimmt nicht. Vielleicht war es nur ein Kompliment. Was wäre daran verwerflich?

»Und nun, meine Damen und Herren, nehmen Sie bitte Ihre Plätze für die Vorstellung des heutigen Abends ein« – mein lautes Signal, daß das Essen fertig war.

Adam lachte. Ich freute mich darüber wie ein Kind.

Unter allgemeinem Füßescharren und Stühlerücken nahmen alle Platz.

Wie Adam so am Tisch saß, fiel er einem richtig ins Auge. Der Stuhl war viel zu klein für ihn, und er sah mit seinen maskulinen Kinnbacken in geradezu absurder Weise gut aus. Es war ungefähr so, als säße Superman in unserer Küche oder als wäre Mel Gibson auf eine Tasse Tee vorbeigekommen.

Innerlich zog ich vor Helen den Hut. Diesmal hatte sie wirklich einen guten Griff getan. Adams wohltuend gutes Aussehen war eine willkommene Abwechslung, wenn man an das schlaksige Elend von Jim/Conor/William dachte. Noch ein paar Jahre, und er würde Verheerungen unter den Frauen anrichten.

Ich stellte die Salatschüssel mitten auf den Tisch, tat Spaghetti und Soße auf die Teller und stellte sie vor die Esser.

Meine Eltern und Helen wußten nicht recht, wie sie sich verhalten sollten. Dad und Helen standen selbstgekochtem Essen grundsätzlich mißtrauisch gegenüber. Nicht ohne Grund.

Was sie in der Vergangenheit hatten leiden müssen, gab ihnen weiß Gott das Recht, mißtrauisch zu sein. Vermutlich erinnerte sie, was jetzt vor ihnen stand, an alle kulinarischen Katastrophen, die Mum angerichtet hatte.

Selbstverständlich war meine Mutter nur allzu gern bereit, Öl ins Feuer zu gießen. Sofern sie die beiden dazu veranlassen konnte, daß sie sich einfach weigerten, meine Mahlzeit zu essen, würde das bedeuten, daß ich in Zukunft nicht mehr kochte, womit die alte Ordnung wiederhergestellt und Mum aus dem Schneider wäre.

Als ich den Teller vor Helen stellte, gab sie Geräusche von sich, als müsse sie sich übergeben. »Öööõh«, machte sie und sah den Teller angewidert an. »Was zum *Teufel* ist das?«

»Spaghetti und Soße«, sagte ich, die Ruhe in Person.

»Das soll *Soße* sein?« kreischte sie. »Die ist ja *grün*.«

»Richtig«, bestätigte ich, ohne ihre Beobachtung auch nur eine Sekunde zu bestreiten. »Soßen können durchaus grün sein.«

Adam rettete die Situation, indem er mit großem Appetit aß.

Vermutlich war er einer jener mittellosen Studenten, die mitunter monatelang nichts Richtiges in den Magen bekommen und bereit sind, alles zu vertilgen, was man vor sie hinstellt.

Jedenfalls tat er, als schmecke es ihm. Mir genügte das.

»Einfach köstlich«, sagte er, ohne weiter auf Helens Theater zu achten. »Du solltest es wirklich probieren, Helen.«

Sie sah ihn mit wildem Blick an. »Ich denke nicht daran. Es sieht widerlich aus.«

Mit angehaltenem Atem und vor Entsetzen erstarrtem Gesicht sahen Dad, Mum und Helen auf Adam, während dieser einen Mundvoll Nudeln mit Soße schluckte. Offensichtlich warteten sie darauf, daß er tot umfiele.

Als er sich auch nach etwa fünf Minuten noch nicht wie ein Opfer der Borgias schreiend auf dem Boden wälzte und flehte, man möge ihn von seinem Leiden erlösen, steckte auch mein Vater zögernd eine Gabel voll Spaghetti in den Mund.

Ich würde ja jetzt gern sagen, daß es mir gelang, einen nach dem anderen von der Unrichtigkeit ihres Vorurteils zu überzeugen, und wir einander als Ergebnis meiner Kochkunst umarmt und sie ihren Irrtum mit schuldbewußtem Lächeln und verständnislosem Kopfschütteln eingestanden hätten. Etwa so wie in einer amerikanischen Komödie.

Aber das kann ich leider nicht. Obwohl der schöne Adam das von mir zubereitete Mahl ausdrücklich gebilligt hatte, weigerte sich Helen mit verzerrtem Gesicht und unter wildem Zucken ihres Körpers lautstark, es auch nur zu berühren. Statt dessen machte sie sich ein paar Scheiben Toast. Déjà vu oder so.

Dad aß einen Happen und erklärte, daß es zweifellos großartig sei, er aber mit seinem einfachen Geschmack eine derart raffinierte exotische Küche unmöglich schätzen könne. Wörtlich: »Ich bin ein unkomplizierter Mensch und hab' mit fünfunddreißig mein erstes Zitronenbaiser probiert.«

Auch meine Mutter kostete ein bißchen und machte dabei ein gequältes Gesicht. Sie ließ keinen Zweifel daran, daß es eine Sünde sei, gutes Essen zu vergeuden. Auch schlechtes Essen.

Nur deshalb aß sie es. Ihre Haltung schien zu sein, daß wir auf Erden leiden sollen und man ihr diese Abendmahlzeit als eine Art Buße auferlegt hatte, sie aber, wenn sie die Wahl hätte, ob sie mit einem gebrochenen Bein auf den Croagh Patrick klettern oder ihren Teller Spaghetti leeren sollte, lieber jederzeit ihre Bergschuhe schnüren würde.

Gleichzeitig aber fiel es ihr sehr schwer, ihre hämische Freude darüber zu unterdrücken, daß sich Dad und Helen weigerten, meine Spaghetti zu essen.

Immer, wenn unsere Blicke sich trafen, kostete es sie offenbar eine gewisse Mühe, ein gleichmütiges Gesicht zu machen. Auch wenn sie eher gestorben wäre, als es zuzugeben – sie war sehr zufrieden.

Dann kam Anna in die Küche. Offenbar war sie gerade nach Hause gekommen. Mit all den Tüchern, dem langen durchsichtigen Häkelrock und ihrem bunten Schmuck sah sie auf eine ethnische, ätherische Weise sehr hübsch aus. Offenbar kannte sie Adam schon.

»Hallo, Adam«, sagte sie munter und erkennbar entzückt, wobei sie vor Freude rot anlief. *Werden eigentlich alle Frauen rot, denen er begegnet*? fragte ich mich. Oder galt das nur für die Frauen unserer Familie?

Irgendwie vermutete ich, daß das nicht der Fall war.

Welche Hoffnung für das spätere Leben gab es bei einem so jungen Mann, wenn er derart stark auf Frauen wirkte? Er konnte nur noch ein totaler Mistkerl werden, der es für ganz natürlich hielt, daß Frauen so selbstverständlich in Ohnmacht fielen, weinten, kreischten und sich in ihn verliebten, wie sie atmen.

Es konnte nicht in seinem Interesse sein, so gut auszusehen. Eine oder zwei leichte Entstellungen waren da durchaus am Platze. Wenn das Schicksal mit Pickeln sparte, würde es den Mann ins Unglück treiben.

»Hallo, Anna.« Er lächelte ihr zu. »Nett, dich mal wieder zu sehen.«

»Äh, ja«, murmelte sie und errötete noch mehr. Dabei stieß sie eine Tasse um. Wahrscheinlich waren inzwischen sogar schon die Innenseiten ihrer Lider rot.

Ich verstand sie. Vermutlich war in meinem Gesicht kein einziges Blutgefäß mehr heil, nachdem ich vor einer Weile unter Adams Blick rot geworden war. Bestimmt war jede Kapillare in meinen Wangen geplatzt, wie die Blasen, die in einem Champagnerglas an die Oberfläche steigen.

Das Tischgespräch war nicht gerade brillant. Helen, die noch nie mit irgendwelchen beispielhaften Gastgeberinnen-Tugenden hervorgetreten war (es sei denn, man betrachtet ihre Ruppigkeit als beispielhaft), las in einer Illustrierten (ein Exemplar von *Hello*. Wie mochte das der Aufräumaktion entronnen sein, überlegte ich), während wir aßen.

»Helen, tu das weg«, forderte mein Vater sie mit Nachdruck auf. Ihr Verhalten war ihm sichtlich peinlich.

»Hör doch auf, Dad«, gab sie gleichmütig zurück, ohne auch nur den Blick zu heben.

Ab und zu allerdings sah sie zu Adam hin und schenkte ihm ein kleines Hexenlächeln. Er sah sie dann vollständig hingerissen an und lächelte zurück, nachdem er ihrem Blick eine Weile standgehalten hatte.

Man hätte die sexuelle Spannung mit einem Brotmesser schneiden können.

Anna, die nicht einmal unter den günstigsten Umständen als Kandidatin für ein Fernsehquiz in Frage gekommen wäre, stand so unter Adams Bann, daß sie in seiner Anwesenheit die Sprache vollständig verloren zu haben schien.

Sobald er eine Frage an sie richtete, kicherte sie haltlos, ließ den Kopf hängen und verhielt sich wie eine Art Dorftrottel.

Es konnte einen wirklich aufregen.

Schließlich war er nur ein Mann, noch dazu ein sehr junger, und nicht irgendeine Art Gottheit.

Mum und Dad schoben ihre Spaghetti nervös auf dem Teller herum. Auch sie sagten nicht viel.

Dad unternahm einen kurzen Versuch, mit Adam zu sprechen.

»Rugby?« fragte er ihn so leise, als wäre er Mitglied in einer Geheimgesellschaft und wollte feststellen, ob Adam ihr ebenfalls angehörte.

»Wie bitte?« fragte Adam und warf meinem Vater einen verständnislosen Blick zu. Es war klar, daß er gern begriffen hätte, was ihm Dad mitteilen wollte.

»Rugby? Vielleicht Mittelstürmer?«

»Äh, hm, ich verstehe nicht, was Sie meinen.«

»Ob Sie Rugby spielen?« Mein Vater beschloß, seine Karten auf den Tisch zu legen.

»Nein.«

»Oh«, seufzte Dad wie ein Ballon, dem die Luft entwich.

»Aber ich seh es mir gern an«, sagte Adam tapfer.

»Ach was!« sagte mein Vater, wandte ihm praktisch den Rücken zu und machte seiner Enttäuschung mit einer wegwerfenden Armbewegung Luft.

Das dürfte das Ende dieses zarten Freundschaftspflänzchens gewesen sein.

Aus irgendeinem Grund hielt ich es für meine Pflicht, mit unserem Besucher Konversation zu machen. Vielleicht hatte es damit zu tun, daß ich mich daran gewöhnt hatte, mich in zivilisierten Kreisen zu bewegen, in denen man Gäste als Gäste behandelt und nicht wie Leute, die man zum Abendessen einlädt, mit einem Haufen wildfremder Menschen zusammensteckt, ohne sich dann weiter um sie zu kümmern.

Falls ich es einmal gesagt habe, muß ich es tausendmal gesagt haben, aber ich verstehe nicht, wie Helen mit ihrem Verhalten durchkam.

»Du bist also im selben Studienjahr wie Helen?« fragte ich ihn mit falscher Munterkeit, darauf bedacht, irgendeine Art von Unterhaltung in Gang zu bringen.

»Ja«, gab er zur Antwort. »Wir sind im selben Anthropologie-Seminar.«

Damit schien das Thema abgehandelt zu sein.

Er aß weiter. Er lebte weiter. Dad staunte weiter.

Es machte aber auch Vergnügen, Adam beim Essen zuzusehen. Er wirkte so gesund. Er hatte einen unglaublichen Appetit und wußte zu schätzen, was er aß. »Das ist wirklich köstlich«, sagte er und lächelte mir zu. »Ob es davon noch mehr gibt?«

»Selbstverständlich«, sagte meine Mutter kokett und hätte fast ihren Stuhl umgeworfen, so eilig hatte sie es, ihm den Gefallen zu tun. »Ich hol es Ihnen schon. Möchten Sie auch noch ein Glas Milch?«

»Vielen Dank, Mrs. Walsh«, sagte er höflich.

Er war richtig nett. Das sage ich nicht nur, weil er als einziger aß, was ich gekocht hatte. Er war in so männlicher Weise jungenhaft. Oder vielleicht war er auch in jungenhafter Weise männlich. Wie auch immer, er war sehr attraktiv.

Obwohl er geradezu beunruhigend gut aussah, fühlte ich mich in seiner Gegenwart durchaus entspannt, da ich wußte, daß er erst achtzehn oder so war. Allerdings machte er einen weit reiferen Eindruck und verhielt sich auch so, als ob er einige Jahre älter wäre.

Ehrlich gesagt, war ich ein wenig eifersüchtig auf Helen, die sich einen solchen Prachtkerl geangelt hatte.

Ich erinnerte mich undeutlich daran, wie es gewesen war, als ich jung und verliebt war.

Dann mahnte ich mich, nicht so albern zu sein. Ich würde die Sache mit James wieder ins Lot bringen oder einen anderen kennenlernen, der ebenso nett war wie James.

(*Nett*??!! dachte ich beunruhigt. *Hab' ich ihn als nett bezeichnet? Das ist in diesem Augenblick wohl kaum das richtige Wort, um James zu beschreiben.*)

Adam, der Held, rettete das Gespräch. Meine Mutter fragte ihn, wo er wohne.

Das ist eine der beiden Fragen, die sie jedem jungen Mann stellte, der in unser Haus kam. Bei der zweiten Frage ging es darum, aus ihm herauszubekommen, womit sein Vater seinen Lebensunterhalt verdiente.

Daraus ließ sich annähernd auf das Vermögen der Familie schließen, für den Fall, daß Helen in sie einheiratete. Damit hatte meine Mutter eine ungefähre Vorstellung davon, was sie als Brautmutter für ihr Kleid würde ausgeben müssen.

Da Adam aber nun anfing, lustige Geschichten aus seinem Leben zu erzählen, kam er meiner Mutter zuvor und konnte sich so vor der Verpflichtung drücken, ihr eine Einkommensbescheinigung seines Vaters aus den letzten Monaten vorlegen zu müssen.

Es stellte sich heraus, daß er aus Amerika stammte. Da seine Eltern kürzlich nach New York zurückgekehrt waren, hatte er sich eine Wohnung in Rathmines gesucht.

Er sah amerikanisch aus, obwohl beide Eltern Iren waren und er seit seinem zwölften Lebensjahr in Irland lebte.

Es muß damit zusammenhängen, was sie in Amerika in die Luft tun, dachte ich. *Fluor oder etwas in der Richtung läßt sie so groß und breitschultrig werden.*

Die Lehrmeinung, derzufolge die Vererbung bei den Eigenschaften eines Menschen wichtiger sei als die Umwelt, war erkennbar falsch.

Hätte er die ersten zwölf Jahre seines Lebens in Dublin statt in New York verbracht, wäre er nicht eins sechsundachtzig, sondern nur eins achtundsechzig geworden. Seine Haut wäre weiß und sommersprossig und nicht leicht olivfarben. Anstelle des schwarzen Haares hätte er dünnes mausgraues, und einen unscheinbaren Unterkiefer statt eines kantigen, aus Granit gehauenen.

Offensichtlich ging all das auf eine Lebensweise zurück, bei der man Pastrami und Roggenbrot, Bagels mit fettem Käse und Lachs aß, Soda und Bier trank, sich Baseball-Spiele ansah, sechs Meter lange Autos fuhr, die Schule nicht übermäßig ernst nahm und sich in erster Linie bemühte, das Leben zu genießen.

Adam unterhielt uns mit seinen Geschichten über die Unterschiede, an die er sich gewöhnen mußte, als er von New York nach Dublin gezogen war. Die irischen Kinder hatten ihn bei seiner Ankunft als ›faschistischen, imperialistischen Yankee‹ beschimpft und so getan, als wäre er persönlich für den Vietnamkrieg verantwortlich gewesen. Außerdem hatten sie ihn windelweich geprügelt, weil er bestimmte Wörter nicht so aussprach wie sie und seine Mutter ›Mom‹ statt ›Mammy‹ rief.

Auch über seine amerikanischen Ausdrücke hatten sie gespottet. »Dabei war mir gar nicht klar, daß ich so vieles anders sagte als sie, was angeblich falsch war«, erklärte der arme Adam.

Früh hatte er sich daran gewöhnen müssen, daß man ihn bei allen möglichen Gelegenheiten hemmungslos auslachte. Setzte er sich aber zur Wehr und verprügelte einen der kleinen Iren, nannte man ihn einen Schläger und Rabauken, weil er so viel größer und stärker war als die anderen Jungen.

Wir alle nickten mitfühlend, während wir, mit den Ellbogen auf dem Küchentisch, dasaßen und Adam ansahen. Unser Herz schmolz dahin, als wir an den armen, einsamen zwölfjährigen Jungen dachten, der es niemandem recht machen konnte. Man hätte eine Stecknadel fallen hören können. Mit einem Mal herrschte statt der vorherigen Munterkeit eine düstere Stimmung.

Selbst mein Vater sah aus, als kämen ihm demnächst die Tränen. Sicher dachte er: *Auch mit einem Jungen, der nicht Rugby spielt, darf man so nicht umspringen.*

Dann wandte Adam seine ganze Aufmerksamkeit mir zu. Er drehte sich auf seinem Stuhl und sah mich durchdringend an.

In ganz merkwürdiger Weise hatte ich dabei das Gefühl, als wäre ich der einzige Mensch im Zimmer.

Bei allem, was er tat, wirkte er eifrig und begeistert. Wie ein kleiner Welpe. Na ja, wie ein riesiger Welpe.

Zynismus schien ihm fremd zu sein.

So also ist das, wenn man jung ist, dachte ich.

»Claire, erzähl doch von deiner Arbeit«, sagte er. »Helen hat mir gesagt, daß du in einer Wohltätigkeitsorganisation eine ganz wichtige Stelle hast.«

Angesichts des Interesses, das er an mir zeigte, blühte ich auf wie eine Blume in der Sonne.

Bevor ich zu Wort kam, sagte Helen mißmutig: »Von wichtig hab' ich nichts gesagt, sondern nur, daß sie eine Stelle hat. Außerdem mußte sie die aufgeben, wie sie die Kleine gekriegt hat.«

»Ach ja, die Kleine«, sagte er. »Kann ich die mal sehen?«

»Natürlich«, sagte ich entzückt und fragte mich zugleich, warum sich Helen so biestig aufführte. Noch biestiger als sonst, meine ich damit.

»Kate schläft zwar gerade, aber in etwa einer halben Stunde wacht sie auf, dann kannst du sie sehen.«

»Toll«, sagte er und sah mich an.

Wirklich, er war wunderbar. Seine Augen waren meerblau, und er hatte einen unvorstellbar schönen Körper.

All diese Beobachtungen waren natürlich ausschließlich objektiv, ungefähr so: Er ist der Freund meiner Schwester, und deswegen darf ich seine Schönheit unter rein ästhetischen Gesichtspunkten beurteilen.

Ich kam mir ein wenig vor wie eine weise alte Frau, die gutaussehende Männer bewundert, zur Kenntnis nimmt, wie großartig sie sind, und sich zugleich eingesteht, daß für sie die Zeit, da sie mit solchen Männern herumtändelte, längst vorüber war.

Er war so groß und sah so erotisch aus, obwohl er nur ausgeblichene Jeans und ein graues Sweatshirt trug.

Die *Mousse au chocolat*, die ich als Nachtisch servierte, wurde mit weit mehr Begeisterung aufgenommen als der Hauptgang. Man mußte sich richtig schämen, wie sich Anna, Helen und Dad um die größte Portion stritten, noch dazu, wo wir Besuch hatten. Aber Adam lachte nur gutmütig.

Nach einer Weile ging ich mit ihm nach oben. Wir betraten Kates Zimmer auf Zehenspitzen.

»Darf ich sie mal halten?« fragte er ehrfurchtsvoll.

»Natürlich«, lächelte ich, ganz gerührt.

Ich glaubte, nie etwas so Reizendes gehört zu haben. Ein so großer, starker Mann wollte meine Kleine sehen.

Etwa so, wie ein tapsiger breitschultriger Fernfahrer weint, wenn er Country- und Westernmusik hört. Es paßt nicht recht zusammen und ist herzergreifend.

Ich gab ihm vorsichtig Kate, und er nahm sie und hielt sie achtsam. Sie wachte nicht mal auf. Wie dumm von ihr!

Was für eine Tochter zog ich da eigentlich auf? Da wurde sie zum ersten Mal von einem schönen Mann gehalten und verschlief es.

Ein wunderbares Bild. Der hünenhafte junge Mann, der das vollkommene kleine Mädchen in den Händen hielt.

»Was für eine Farbe haben ihre Augen?« fragte er.

»Sie sind blau«, sagte ich. »Alle Kinder haben zuerst blaue Augen, später ändert sich normalerweise die Farbe.«

Er sah sie weiterhin staunend an.

»Wenn du und ich ein Kind bekämen, hätte es bestimmt blaue Augen«, sagte er versonnen vor sich hin, als spräche er mit sich selbst.

Ich zuckte zusammen. Ich traute meinen Ohren kaum! Wollte er etwa mit mir flirten?

Ich spürte eine Welle der Wut in mir aufsteigen. Da hatte ich ihn für so unschuldig und nett gehalten. Einen reizenden jungen Mann.

Eine *Unverschämtheit* war das! Nicht nur war ich alt genug, seine Mutter zu sein, jedenfalls fast – er war auch mit meiner *Schwester* hier und erweckte in sehr glaubhafter Weise den Eindruck, ihr Freund zu sein.

Wußte er nicht, was sich gehörte? Hatte er keinen Sinn für Anstand?

Aber ich hatte mich wohl geirrt. Ich sah ihn an, und unsere Blicke trafen sich für einen Moment. Es war ihm ganz entsetzlich peinlich.

Offenbar wußte er, daß er ins Fettnäpfchen getreten war. Er sah ganz knabenhaft und furchtsam drein. Wie ein ungezogener kleiner Junge.

Die Anspannung und Betretenheit im Raum ließ sich mit Händen greifen.

»Ich geh wohl besser runter zu Helen und ihrem Referat«, sagte er rasch und schleuderte Kate praktisch in Richtung ihres Bettchens. Dann stürmte er aus dem Zimmer, ohne sich umzusehen.

Ich setzte mich aufs Bett und fühlte mich ziemlich sonderbar. Kam ich mir blöd vor, weil ich zu stark reagiert hatte? Betrübte mich mein Zynismus, mit dem ich einen übereilten Schluß gezogen hatte? War ich … Gott behüte! … etwa *enttäuscht*?

Nein, entschied ich. Enttäuscht bestimmt nicht. Aber sicherlich ein bißchen blöd.

Du hast zu lange nichts mit Männern zu tun gehabt, sagte ich mir streng. Du solltest dich da wieder einklinken, damit du beim nächsten Mal, wenn dir ein anziehender Mann über den Weg läuft, keine lächerlichen Schlüsse ziehst.

Gleichzeitig aber muß ich zugeben, ich war ein bißchen gekränkt wegen der Art, wie er darauf reagiert hatte, daß wir ein Kind haben könnten. Es gab keinen Grund, so entsetzt dreinzuschauen.

Mein Verhalten war typisch. Nach dem klassischen Muster hatte ich binnen dreißig Sekunden alle Gefühle durchlaufen: von Wut über die Möglichkeit, daß er etwas von mir wollte, zu Wut darüber, daß er nichts von mir wollte. Rationales Verhalten war noch nie meine Stärke.

Schon möglich, daß ich eine ›ältere Dame‹ war, aber ich war auch nicht gerade Draculas Braut. Ich hätte ihm gern klargemacht, daß mich viele Männer anziehend fanden.

Es mußte doch irgendwo welche geben! Unter den drei Milliarden Menschen auf unserem Planeten würde ich sicher ein paar Unglückliche auftreiben, die mich gern ansahen.

Was für eine Frechheit von diesem Burschen! Bloß weil er zufällig blendend aussah, hatte er noch lange nicht das Recht, so zu tun, als wäre ich eine Schreckschraube. Auch wenn ich nicht ganz so schön war wie Helen.

In Wahrheit war ich nicht annähernd so schön wie Helen. Aber zu meinen Eigenschaften gehörte Güte.

Allerdings hat noch nie jemand einen anderen haben wollen, weil Güte zu seinen Eigenschaften gehörte. Andernfalls müßte sich Mutter Teresa ihre Verehrer mit Knüppeln vom Leibe halten. Nun ja.

Ich fütterte Kate und legte sie wieder ins Bett. Dann ging ich nach unten zu Mum.

Dabei kam ich an Helens fest verschlossener Zimmertür vorbei. Offensichtlich hatten es sich die beiden gemütlich gemacht. Von wegen Helens Referat schreiben! Mum und Dad mochten die Ausrede glauben, aber ich hatte sie selbst viel zu oft verwendet, als daß ich nicht wüßte, was Sache war.

Andererseits, wenn sie es wirklich miteinander trieben, taten sie das sehr leise.

Natürlich habe ich nicht etwa an der Tür gelauscht oder so was. Außerdem hatte es nicht das geringste mit mir zu tun.

Helen konnte bumsen, mit wem sie wollte. Adam auch. Das hatte, wie schon gesagt, mit mir nicht das geringste zu tun.

Ich setzte mich zu meiner Mutter vor den Fernseher.

Sehr viel später hörten wir Helen und Adam in der Küche. Dann hörten wir, wie sie ihm auf Wiedersehen sagte.

Er steckte noch einmal den Kopf durch die Tür, dankte für das wunderbare Abendessen und sagte, er hoffe, uns bald wiederzusehen.

Meine Mutter und ich lächelten ihm zum Abschied zu.

»Ein netter, höflicher junger Mann«, sagte sie mit zufriedener Stimme.

Ich gab ihr darauf keine Antwort. Für jemanden, der gerade gebumst hat, sah er meiner Ansicht nach wirklich nicht übermäßig zerzaust aus. Ich fragte mich, warum ich mir darüber den Kopf zerbrach.

11

Nachdem Helen Adam in die nasse, wilde Märznacht hinausgeschickt hatte, damit er sich auf den Heimweg nach Rathmines machte, schloß sie die Haustür hinter ihm. Dann kam sie ins Wohnzimmer und setzte sich zu Mum und mir vor den Fernseher.

»Netter Junge«, sagte Mum befriedigt.

»Findest du?« fragte Helen distanziert.

»Wirklich *nett*«, sagte Mum mit Nachdruck.

»Nun fang doch nicht schon wieder damit an«, blaffte Helen ärgerlich.

Eine kurze, unbehagliche Pause trat ein. Dann meldete ich mich zu Wort.

»Wie alt ist Adam eigentlich?« fragte ich Helen beiläufig.

»Warum?« fragte sie, ohne den Blick vom Fernseher zu lösen. »Bist du scharf auf ihn?«

»Aber nein«, protestierte ich. Dabei stieg mir das Blut heiß in den Kopf.

»Bist du sicher?« fragte sie. »Alle anderen sind scharf auf ihn. Die anderen Studentinnen, und auch Mum.«

Unsere Mutter wirkte ein wenig bestürzt, und einen Augenblick lang sah es so aus, als wollte sie sich heftig verteidigen. Bevor sie allerdings dazu kam, hatte sich Helen wieder an mich gewandt.

»Zumindest hat es ganz danach ausgesehen. Du hast gekichert und ihm zugelächelt. Du bist schlimmer als Anna. Es war mir ja so peinlich.«

»Das war reine Höflichkeit«, erklärte ich.

Ich ärgerte mich richtig. Außerdem war es mir unangenehm.

»Das hat mit Höflichkeit nichts zu tun«, sagte sie tonlos und sah nach wie vor auf den Bildschirm. »Du bist scharf auf ihn.«

»Wäre es dir lieber gewesen, ich hätte ihn übersehen und nicht mit ihm geredet?« fragte ich sie wütend.

»Nein«, sagte sie kalt. »Aber du hättest nicht so deutlich zu zeigen brauchen, daß du auf ihn scharf bist.«

»Helen, ich bin verheiratet«, sagte ich mit erhobener Stimme. »Da ist überhaupt nichts. Außerdem ist er viel jünger als ich.«

»Ha!« schrie sie zurück. »Da ist also doch was. Du hast nur Angst, daß er zu jung sein könnte. Mach dir keine Sorgen, auch unsere Professorin Staunton ist verheiratet, und sie ist in ihn verknallt. Sie hat sich einen angetrunken, in der Bar rumgeheult und gesagt, sie würde ihren Mann verlassen und alles mögliche. Wir haben uns alle vor Lachen gewälzt. Und sie ist *uralt*. Sogar noch älter als du!«

Mit diesen Worten sprang Helen auf, rannte aus dem Zimmer und schlug dabei die Tür so nachdrücklich hinter sich zu, daß dabei bestimmt die letzten Dachziegel heruntergefallen sind.

»Ach Gott«, seufzte Mum gequält. »Hier geht es zu wie bei einem Stafettenlauf. Kaum hört die eine auf, sich wie der Antichrist aufzuführen, fängt die andere an. Woher habt ihr eigentlich alle so heißes Blut? Ihr seid die reinsten Südländer.«

»Was hat Helen denn auf einmal?« fragte ich meine Mutter. »Sie ist doch sonst nicht so empfindlich, wenn es um einen von ihren Verehrern geht?«

»Was weiß ich. Vielleicht liebt sie diesen Adam«, sagte sie unsicher. »Oder sie glaubt es wenigstens.«

»Was?!« fragte ich entsetzt. »Helen verliebt? Ist das dein Ernst? Der einzige Mensch, den Helen liebt, ist sie selbst.«

»So etwas Garstiges solltest du wirklich nicht über deine Schwester sagen«, mahnte meine Mutter und sah mich nachdenklich an.

»Ich meine es ja nicht so«, beeilte ich mich zu erklären. »Ich will nur sagen, daß alle Kerle in sie verliebt sind. Umgekehrt war es noch nie.«

»Dann wird es eben Zeit«, sagte Mum weise.

Wir saßen schweigend beieinander. Nach einer Weile brach meine Mutter das Schweigen.

»Auf jeden Fall hat sie recht.«

»Womit?« fragte ich und überlegte, was sie meinte.

»Du bist *doch* scharf auf ihn.«

»Bin ich *nicht*«, sagte ich aufgebracht.

Mit hochgezogenen Brauen und wissendem Blick wandte sich meine Mutter mir zu.

»Sei nicht albern«, sagte sie verächtlich. »Er war *wundervoll*! Mir hat er auch gefallen. Wenn ich zwanzig Jahre jünger wäre, würde ich mich ranhalten.«

Ich sagte nichts. Ich war baff.

»Außerdem hast du ihm auch gefallen. Kein Wunder, daß Helen wütend ist.«

»Das ist doch Unsinn«, protestierte ich laut.

»Absolut nicht«, sagte meine Mutter gelassen. »Das war mit Händen zu greifen. Allerdings hatte ich den Eindruck«, fuhr sie zweifelnd fort«, daß auch ich ihm gefallen habe. Vielleicht ist er einer von den Männern, die jeder Frau das Gefühl geben, sie sei schön.«

Jetzt wußte ich endgültig nicht mehr, woran ich war. »Aber Mum«, versuchte ich zu erklären, »ich bin mit James verheiratet, ich liebe ihn, und ich möchte meine Ehe wieder kitten.«

»Weiß ich doch«, sagte sie. »Aber vielleicht ist ein kleines Abenteuer genau das, was du brauchst. Damit du dein Selbstvertrauen zurückgewinnst und deine Empfindungen für James im richtigen Licht siehst.«

Ich sah sie entgeistert an. Wovon redete sie nur?

Wie kam meine *Mutter* dazu, mich, eine verheiratete Frau zu einem Seitensprung zu ermutigen? Noch dazu mit dem Freund meiner jüngeren Schwester!

»Reiß dich zusammen, Mum!« sagte ich. »Du machst mir richtig angst. Ich bin schließlich nicht mehr achtzehn. Ich glaube nicht mehr, daß die beste Möglichkeit, sich über einen Mann hinwegzutrösten, die ist, unter einen anderen zu kommen!«

Zu spät. Ich merkte, was ich gesagt hatte. Ich hätte mir die Zunge abbeißen können.

Meine Mutter sah mich mit zusammengezogenen Brauen an.

»Ich weiß wirklich nicht, woher du diese ordinäre Ausdrucksweise hast«, zischte sie. »In deinem Elternhaus hast du das nicht gelernt. Redet man in London so?«

»Tut mir leid, Mum«, murmelte ich, zutiefst beschämt und peinlich berührt, aber zumindest wieder auf vertrautem Gelände.

Ich saß auf dem Sofa neben ihr und fühlte mich grauenvoll. Wie hatte ich nur so etwas Hartes sagen können? Besser gesagt, wie hatte ich etwas so Hartes in Hörweite meiner Mutter sagen können? Das war wirklich dumm von mir.

»Ich schlage vor, daß wir nicht mehr über das sprechen, was du gerade gesagt hast«, sagte sie nach einer Weile in versöhnlichem Ton.

»In Ordnung«, sagte ich erleichtert.

Gott sei Dank! Ich hatte gerade meine Sachen packen wollen, um nach London zurückzukehren.

»Übrigens«, sagte sie. »Er ist vierundzwanzig.«

»Woher weißt du das?« fragte ich sie verblüfft.

»Tja«, zwinkerte sie mir zu. »Ich habe so meine Quellen.«

»Willst du sagen, daß du ihn gefragt hast?« sagte ich. Schließlich kannte ich meine Mutter schon lange.

»Möglich«, sagte sie neckisch, ohne etwas zu verraten.

»Also ist er keineswegs zu jung für dich«, fuhr sie fort.

»*Mum*«, stieß ich gequält hervor. »Was soll das? Immerhin bin ich fast dreißig. Auch mit vierundzwanzig ist er immer noch viel zu jung für mich.«

»Papperlapapp«, sagte meine Mutter munter. »Sie treiben es doch alle. Sieh dir diese Britt Ekland an, die wird immer wieder mit einem Kerl fotografiert, der ihr Enkel sein könnte. Vielleicht ist er es ja auch. Dann das andere Flittchen, die nackt rumläuft. Wie heißt die noch?«

»Madonna?« tastete ich mich heran.

»Nein, die nicht. Du weißt, wen ich meine. Die mit dem tätowierten Hintern.«

»Ach, du meinst Cher«, sagte ich.

»Ja, die«, sagte meine Mutter. »Die ist bestimmt mindestens so alt wie ich, und sieh sie dir an! Keiner von ihren Kerlen ist auch nur einen Tag älter als sechzehn. Von allen Männern, mit denen sie zusammen war, war Ike wohl der letzte, der älter war als sie.«

»Ike?« fragte ich leicht benommen.

»Ja, ihr Mann«, sagte meine Mutter ungeduldig.

»Nein, Mum, ich glaube nicht, daß Cher mit Ike verheiratet war. Sie war mit Sonny verheiratet, und Ike mit Tina«, setzte ich sie ins Bild.

»Wer ist Tina?« fragte sie. Es klang verwirrt.

»Tina Turner«, erklärte ich geduldig.

»Was hat denn die damit zu tun?« fragte meine Mutter ärgerlich und sah mich an, als hätte ich den Verstand verloren.

»Überhaupt nichts«, versuchte ich zu erklären. Ich hatte den Eindruck, daß mir das Gespräch entglitt. »Es ist nur, weil du gesagt hast, daß Cher und Ike … ach was soll's. Laß gut sein.«

Mürrisch brummelte meine Mutter vor sich hin, daß es keinen Grund gäbe, es gut sein zu lassen, denn schließlich hätte ich Tina Turner aufs Tapet gebracht.

»Sei doch nicht böse, Mum«, bat ich sie. »Ich verstehe, was du sagen willst. Adam ist nicht zu jung für mich.«

Kaum hatte ich das gesagt, sah ich nervös zur Tür, weil ich mehr oder weniger damit rechnete, daß Helen hereinplatzte und brüllte: »Ich hab' doch gleich gewußt, daß du scharf auf ihn bist, du widerliche Oma.« Woraufhin sie versuchen würde, mich zu erwürgen.

Sie kam nicht. Aber die Furcht blieb.

»Sehen wir mal ganz von der Altersfrage ab«, fuhr ich fort. »Vergißt du da nicht ein paar andere wichtige Punkte, wie beispielsweise die unbedeutende Tatsache, daß Adam Helens Freund ist?«

»Aha«, sagte sie, wobei sie den Zeigefinger hob und mich betrachtete wie eine weise Frau, die im Begriff stand, mir eine Lehre zu erteilen. Ich sah sie richtig mit einem schwarzen Tuch auf dem Kopf mir zuzwinkern. »Ist er das?«

»Warum wäre er sonst hiergewesen?« fragte ich, wie ich meinte, durchaus vernünftig.

»Um ihr bei einem Referat zu helfen«, sagte meine Mutter.

»Und warum sollte er das tun, wenn er nicht ihr Freund wäre? Oder zumindest nicht so täte, als ob er es wäre?« fuhr ich fort. Wieder, wie ich glaubte, vernünftig.

»Weil er nett ist?« antwortete meine Mutter. Das klang ein bißchen unsicher.

»Auf jeden Fall konnte man deutlich sehen«, sagte ich, »daß er scharf auf sie ist.«

»Konnte man das?« fragte sie. Es klang ehrlich überrascht.

»Ja«, sagte ich mit Nachdruck.

»Aber selbst, wenn er ihr Freund sein sollte, wird er es nicht lange bleiben«, sagte meine Mutter voraus.

»Wieso?« fragte ich und überlegte, was sie dem schönen Adam noch aus der Nase gezogen hatte.

»Weil ich sehe, wie sich Helen aufführt«, sagte meine Mutter.

»Ach so«, sagte ich enttäuscht. Sie hatte also keine weiteren Perlen der Weisheit über Adam gesammelt.

»Sie will ihn nur erobern. Dann wird sie ihn eine Weile quälen und anschließend fallenlassen«, sagte meine Mutter. »So war sie schon als ganz kleines Mädchen. Vor Weihnachten hat sie monatelang gequengelt, weil sie eine Puppe und ein Fahrrad haben mußte, und noch bevor der Puter gegessen war, hatte sie alles kaputtgemacht, was ihr der Weihnachtsmann gebracht hatte. Sie gab erst Ruhe, wenn alles in Stücken war und überall halsbrecherisch Puppenköpfe und -beine, Fahrradketten und Sättel herumlagen.«

»So solltest du nicht über Helen sprechen«, sagte ich und wiederholte damit sinngemäß, was Mum vorher zu mir gesagt hatte.

»Möglich«, sagte sie seufzend. »Aber es ist die Wahrheit. Ich liebe sie, und sie ist eigentlich ein braves Mädchen. Sie muß nur noch ein bißchen erwachsen werden. Na ja, ziemlich erwachsen.«

»Aber du hast gesagt, daß sie in Adam verliebt sein könnte.«

»Ich habe gesagt, daß man das *annehmen* könnte. Das ist was völlig anderes«, sagte sie.

»Selbst wenn es stimmen sollte, obwohl sie meiner Meinung viel zu unreif dafür ist«, fuhr meine Mutter fort, »würde es ihr gar nichts schaden, vom Leben mal eins auf die Nase zu kriegen. Ihr ist immer alles in den Schoß gefallen. Ein bißchen Kummer kann ganz nützlich sein. Sieh doch nur, wie gut es dir getan hat. Man lernt Demut.«

»Du möchtest also, daß ich mich auf ein Abenteuer mit Helens Freund einlasse, damit ich mein Selbstvertrauen zurückgewinne und Helen etwas Demut lernt«, sagte ich. Endlich glaubte ich verstanden zu haben, worauf sie hinauswollte.

»Gott bewahre«, sagte meine Mutter ärgerlich. »Wenn man dich so hört, könnte man glauben, ich bin wie eine von denen aus dem *Denver-Clan* oder *Dallas*. Als wollte ich im Leben anderer Menschen den lieben Gott spielen oder so was. Wenn du das so sagst, klingt es sehr kaltblütig.« Sie fuhr fort: »Ich hab' nicht gesagt, ich möchte, daß was passiert. Ich hatte nur das Gefühl, daß Adam von dir angezogen war. Und wenn das stimmt und dabei was herauskommen sollte und du anschließend Helens Mordanschläge lebend überstehst – Gott, sind das viele ›Wenns‹ –, solltest du einfach geschehen lassen, was geschieht.«

»Ach, Mum«, seufzte ich. »Du hast mich ganz durcheinandergebracht.«

»Tut mir leid, mein Kind«, sagte sie. »Möglicherweise hab' ich auch alles falsch verstanden. Vielleicht ist er gar nicht scharf auf dich.«

Natürlich wird es Sie nicht überraschen zu erfahren, daß ich das auch nicht von ihr hören wollte.

Ich hab' genug, dachte ich.

»Ich geh ins Bett«, sagte ich.

»Träum schön«, sagte meine Mutter und drückte mir die Hand. »Ich komm noch vorbei und geb Kate 'nen Gutenachtkuß.«

Ich ging nach oben und zog mich aus. Offensichtlich grollte mir mein Nachthemd. Es war ihm nicht recht, daß ich es vernachlässigt hatte und mit Helens Bluse und Leggings zum Supermarkt gefahren war. Es machte mir einen Haufen Vorwürfe.

Ich war dir ein wahrer Freund, erklärte es mir. Ich hab' dir über die schweren Zeiten hinweggeholfen, erinnerte es mich. Du bist unbeständig. So verhält sich eine wahre Freundin nicht. Kaum sehen die Dinge etwas besser aus oder du fühlst dich ein bißchen normal, pfefferst du mich in die Ecke und brauchst mich nicht mehr.

Hör bloß auf, dachte ich, *sonst zieh ich dich nie wieder an. Dann hast du wirklich Grund, dich zu beklagen.*

Ich hatte an Wichtigeres zu denken als an entrüstete Nachthemden und deren Sorgen.

Als ich mich hinlegte, fiel mir auf, daß ich etwa drei Stunden lang nicht an James gedacht hatte.

Ein richtiges Wunder.

Alles in allem – ein äußerst ungewöhnlicher Tag.

12

Der neue Morgen dämmerte, und es war kalt und windig. Ich wurde im Morgengrauen wach. Es war ein typischer Märztag. Endlich hatte der Regen aufgehört. Allerdings hat das keinerlei symbolische Bedeutung. Irgendwann mußte der verdammte Regen einfach aufhören.

Nachdem ich Kate ihr Fläschchen gegeben hatte, wartete ich neben ihr auf dem Bett, bis sie ihr Bäuerchen machte. Zwar steckte ich nicht mehr im Sumpf des Elends, doch wurde mir rasch klar, daß diese Befreiung eine gewisse Verantwortung mit sich brachte.

Der gestrige Tag war sehr schön gewesen. Er hatte wirklich Spaß gemacht.

Aber im Leben geht es um mehr als Spaß, kam mir ein Gedanke in die Quere.

Der kleine Mann in meinem Kopf, auf dessen großem Schild normalerweise steht: ›Das Ende ist nahe‹, verkündete heute: ›Im Leben geht es um mehr als Spaß.‹ Er arbeitet für meine Gewissensabteilung. Ich kann den verdammten Hund nicht ausstehen.

Immer taucht er mit seinem Schild auf und verdirbt mir alles – vor allem beim Einkaufen –, indem er gewichtige Argumente vorbringt wie: ›Du hast doch schon vier Paar Stiefel‹ oder ›Wie kannst du es rechtfertigen, für einen Lippenstift zwölf Pfund auszugeben?‹

Er verdarb mir den Spaß am Einkaufen vollkommen. Entweder unterließ ich den beabsichtigten Kauf (»Ich denk noch mal drüber nach«, stammelte ich in solchen Fällen, während die Verkäuferin die Stiefel in den Karton zurücklegte und mich mit Blicken durchbohrte), oder ich kaufte, was ich haben wollte, und hatte anschließend ein so schlechtes Gewissen, daß alle Freude daran dahin war.

Jedenfalls erinnerte mich der miese alte Spielverderber jetzt daran, daß es in meinem Leben sehr viel mehr zu tun gab, als in einem Supermarkt herumzuziehen und Kate mit tiefgefrorener *Mousse au chocolat* bekannt zu machen. Was für ein Wertesystem vermittelte ich ihr da eigentlich?

Oder für meine Familie Abendessen zu machen. Oder mich in den Freund meiner Schwester zu verknallen.

Ich ging mit Kate auf dem Arm ans Fenster. Von dort sahen wir auf den Garten hinunter, den Michael mit soviel Hingabe vernachlässigte.

Ich fühlte mich ungefähr so, wie jemand, der im nächsten Augenblick vor ein Erschießungskommando treten muß. Ziemlich schwermütig.

Es war Zeit, daß ich der Wirklichkeit ins Auge blickte. Zeit, erwachsen und verantwortungsbewußt zu werden.

Auf dem Gebiet war ich nie besonders hervorgetreten. Sobald es in meinem Leben den kleinsten Hinweis auf Schwierigkeiten gibt, schließt sich das Verantwortungsgefühl im Badezimmer meines Gehirns ein und weigert sich, herauszukommen, ganz gleich, wie gut ihm das Pflichtgefühl zuredet. Reglos bleibt es hinter der verriegelten Tür auf dem Fußboden sitzen, bis alles Angsteinflößende und Bedrohliche vorüber ist.

Ich mußte mich mehreren Fragen stellen. Entsetzlichen. Darin ging es um Geld, um das Sorgerecht für unser Kind und um die eheliche Wohnung.

Ich schwöre, es war qualvoll. Bei jedem einzelnen Punkt zuckte mein Gehirn zusammen.

Zum ersten Mal, seit ich James' Rücken beim Verlassen der Wöchnerinnenstation gesehen hatte, stellte ich mich den praktischen Fragen, die sich aus unserer Trennung ergaben.

Beispielsweise, ob wir unsere gemeinsame Wohnung verkaufen sollten. Ob wir unser Eigentum zu gleichen Teilen zwischen uns aufteilen sollten. Das könnte äußerst unterhaltsam werden.

Würden wir beispielsweise unsere Polstergarnitur in die Mitte des Wohnzimmers zerren, das Sofa durchsägen und jeder eine

Hälfte samt herausquellender Schaumstoff-Füllung nehmen sowie einen passenden Sessel dazu?

Ungefähr in der Art.

Ich wußte wirklich nicht, wie wir das meiste unseres Eigentums hätten aufteilen können, denn es gehörte weder mir noch James. Es gehörte jenem schwer zu fassenden Dritten, der ›Wir‹ hieß.

Es war die Person oder Kraft oder wie auch immer man es nennen will, die aus unser beider Verbindung entstanden und weit mehr als die Summe ihrer Teile war.

Könnte ich doch das fehlende ›Wir‹ finden! Könnte ich ihm nur nachspüren und es damit zurücklocken, indem ich ihm all diese herrlichen Besitztümer anbot. Wie ein gräßlicher drittklassiger Quiz-Moderator.

Hier dieser herrliche Fernseher. Er gehört dir. Bleibst du jetzt? Dann die schöne Einbauküche. Ist sie nicht großartig? Du kannst sie haben, wenn du nur zurückkommst.

Allerdings nehme ich nicht an, daß man bei einem drittklassigen Quiz so etwas wie eine Einbauküche bekommt. Wahrscheinlich kann man da von Glück sagen, wenn es einen Busfahrschein für die Heimfahrt gibt.

Aber es wäre mir wirklich sehr lieb gewesen, so ohne weiteres das ›Wir‹ zurückbekommen zu können, das aus James und Claire bestand.

Wie schön, wenn es genügt hätte, in den Abendnachrichten einen Reiseruf loszulassen, in dem es etwa hieß: »Das ›Wir‹ von James und Claire, das zuletzt(sagen wir mal) im Gebiet von Kerry unterwegs war, wird gebeten, sich in einer dringenden Familienangelegenheit mit der Polizei in Dublin in Verbindung zu setzen.«

Aber es sah ganz so aus, als wäre das ›Wir‹ nicht einfach verschwunden, sondern tot. James hatte es auf dem Gewissen. Und es hatte kein Testament hinterlassen.

Theoretisch verfällt alles, das einem ›Wir‹ gehört, bei dessen Tod dem Staat. In der Praxis würde etwas so Surrealistisches und Lächerliches natürlich nicht passieren. Also her mit der Säge.

Sie sehen, ich war fest überzeugt, daß es nur eine Möglichkeit gab, mit unangenehmen Situationen fertig zu werden – und wenn meine gegenwärtige Lage nicht unangenehm war, was war sie dann? Die einzige Lösung bestand darin, tief durchzuatmen, sich den Dingen zu stellen, ihnen unverwandt ins Auge zu blicken und ihnen zu zeigen, wer der Herr im Haus ist.

Man mußte den Stier bei den Hörnern packen. Oder man schluckte die bittere Pille.

Falls mich jemand um Rat fragte, wie man mit einer bedrohlichen Situation fertig wird, würde ich ihm genau das sagen.

Ich war fest von der Richtigkeit dieser Haltung überzeugt. Vielleicht würde ich sogar eines Tages meinen eigenen Rat befolgen und so handeln.

Ich hatte nämlich trotz meiner Überzeugung, daß es keine bessere Möglichkeit gibt, mit unangenehmen Dingen fertig zu werden, nie den Mut aufgebracht, das auch in die Tat umzusetzen.

Meine Fähigkeit, unangenehmen Dingen auszuweichen, war außerordentlich entwickelt. Ich hätte sie im Namen Irlands vor mir herschieben können.

Obervorsichherschieberin Hauptmann Claire Webster, geborene Walsh, meldet sich zum Dienst!

Mein Wahlspruch hieß: ›Was du heute sollst besorgen, das verschieb getrost auf morgen – oder am besten gleich auf nächste Woche.‹

Dieser hübsche, markige Wahlspruch enthielt meiner Ansicht nach eine ganze Portion Lebensweisheit.

Um meine Haltung zusammenzufassen: ich habe wohl noch nie im Leben nach einer Abendessen-Einladung abgespült.

Immer wieder hatte ich mir das vorgenommen, denn es war ein zu übler Gedanke, am nächsten Morgen mit einem Kater aufzuwachen und nicht nur schmutzige Teller, sondern obendrein eine Küche vorzufinden, die wie ein Schlachtfeld aussah.

Aber Sie wissen ja, wie das ist.

Das Ende des Abends ist gekommen, auf dem Tisch türmen sich halbleere Teller mit vor sich hinschmelzendem Häagen-Dasz-Eis, das ich eigentlich gar nicht mehr kaufe.

Nun muß ich zu meiner Entschuldigung sagen, daß ich bis zu diesem Zeitpunkt gewöhnlich eine vorbildliche Gastgeberin bin, die ihren Gästen buchstäblich jeden Wunsch von den Augen abliest, Teller, Schüsseln und Besteck zwischen Küche und Eßzimmer hin und her trägt, als wäre sie ein lebendes Förderband.

Allerdings nimmt mein Pflichtbewußtsein als Gastgeberin direkt proportional zur Zahl der Gläser Wein ab, die ich getrunken habe.

Bis Nachtisch und Kaffee auf den Tisch kommen, bin ich gewöhnlich so entspannt (na schön, so betrunken, wenn Sie die Dinge unbedingt beim Namen nennen wollen), daß ich kein Bedürfnis mehr habe, den Tisch abzuräumen.

Wäre der Tisch vor mir unter der Last des nicht abgeräumten Geschirrs zusammengebrochen, hätte ich einfach gelacht.

Sofern meine Gäste einen abgeräumten Tisch haben wollten, hätten sie es selbst tun müssen. Schließlich wußten sie ja, wo die Küche war.

Warteten sie etwa auf eine schriftliche Einladung, um abzuräumen?

Hinten auf dem Tisch stand stets eine vollständig unberührte Schale mit Obst. Was ist damit nicht in Ordnung? Obst ist gesund.

Immer kaufte ich Obst, und keiner aß je davon. Judy pflegte es Protestanten-Nachtisch zu nennen. Meine Freunde sagten, daß es schlimm genug sei, sie damit zu kränken, daß ich ihnen etwas wie eine Banane oder Orange als Nachtisch anbot. Sie stellten sich unter einem ordentlichen Nachtisch oder *überhaupt* unter einem Nachtisch etwas vor, das von gesättigten Fettsäuren, Zuckerraffinade, Crème fraîche, Alkohol, Eigelb und Cholesterin nur so strotzte.

Die Art von Nachtisch, bei dessen bloßem Anblick sich die Arterien schon um ein paar Zentimeter zusammenziehen.

Sicher hing diese Haltung damit zusammen, daß meine Gäste eine entbehrungsreiche Kindheit durchgemacht hatten.

Vermutlich hatten sie etwa zwanzig Jahre lang nach jedem Abendessen Götterspeise mit Vanillesoße essen müssen.

Gott weiß, daß ich Verständnis für sie hatte, denn auch ich war durch diese Götterspeise-Hölle gegangen.

Aber hätte ich erwartet, daß sie besagtes Obst mit Messer und Gabel aßen, wäre das gleichbedeutend damit gewesen, daß ich sie aus meinem Haus vertrieb und ihnen dabei sagte, sie brauchten nie wiederzukommen.

Also blieb es dabei: stets kaufte ich Obst, und meine Gäste aßen es nie. Können Sie mir folgen?

Den Blick auf den Tisch verstellten stets etwa tausend Gläser, von denen mehrere umgekippt waren und deren Inhalt, ob Reiswein, Gin Tonic, Kaffee mit Whiskey oder Baileys, sich rasch auf der Tischdecke ausbreitete, miteinander vermischte und anfreundete, wobei sich kleine Seen um die Inseln aus Salz bildeten, die irgendein gewissenhafter armer Kerl (gewöhnlich James) darauf gestreut hatte, um der Verwüstung Einhalt zu gebieten, die von den vorrückenden Horden verschütteten Rotweins ausging.

Ich hielt mich an meinem zweiundzwanzigsten Sambuca fest und kippelte auf den Hinterbeinen meines Stuhles, oder ich saß auf James' Knien und erzählte jedem, der es hören wollte, wie sehr ich ihn liebte.

Schamgefühl kannte ich nicht.

Gewiß, zur Ausübung des Richteramtes hätte der Grad meiner Nüchternheit nicht ausgereicht, aber ich war eins mit der Welt. Irgendwie kam ich gewöhnlich zu dem Ergebnis, daß ich viel zu entspannt und angeheitert war, als daß mir das Aufräumen Sorgen bereitet hätte.

»Gar kein Problem«, lehnte ich mit großer Geste und schwerer Zunge die von betrunkenen Gästen gemachten Hilfsangebote ab, wobei die Asche meiner Zigarette in die Sahneschüssel oder auf James' weißes Hemd fiel (gewöhnlich begann ich in diesem Stadium zu rauchen, obwohl ich damit eigentlich Schluß gemacht hatte). »Morgen früh kostet mich das höchstens zehn Minuten.«

Das Betrüblichste an der Sache war, daß ich das in dem Augenblick beinahe selbst glaubte.

Und ich war so dumm, daß ich nie die Hoffnung aufgab, die Heinzelmännchen würden mitten in der Nacht kommen, alles erledigen und dabei auch den Küchenfußboden nicht vergessen.

Am Morgen nach einer solchen Abendeinladung schleppte ich mich jedesmal in die Küche und stellte mir vor, wie alles blinkte und blitzte, wenn ich die Tür öffnete, wie sich die Sonnenstrahlen in den polierten Flächen brachen und alle Tassen, Teller, Schüsseln, Töpfe und Pfannen geputzt und eingeräumt wären (und zwar im richtigen Schrank. Meine Heinzelmännchen sollten nicht nur schuften, sondern auch wissen, was sie tun).

Die Wirklichkeit sah anders aus. Während ich mir zögernd einen Weg durch den Schutthaufen bahnte, konnte ich kaum ein heiles Glas für meine dringend benötigten Kopfschmerztabletten finden, von einem sauberen ganz zu schweigen.

Wo wir gerade bei Abendeinladungen sind, wüßte ich gern die Antworten auf ein paar Fragen.

Warum popelt eigentlich bei solchen Gelegenheiten immer jemand die Etiketten von allen Weinflaschen ab, so daß am nächsten Morgen der Tisch mit klebrigen Papierfetzchen bedeckt ist?

Warum benutze ich grundsätzlich die Butterschale als Aschenbecher?

Warum sagt immer zumindest einer – gewöhnlich, wenn der Abend schon weit fortgeschritten ist –: »Wie wohl Dubonnet und Guinness zusammen schmecken?« oder »Was würde passieren, wenn ich ein Streichholz an mein Glas mit Jack Daniels halte?«

Als nächstes wird es dann ausprobiert.

Um das gleich klarzustellen: das Guinness läßt den Dubonnet in äußerst ekelhafter Weise gerinnen, und aus dem Glas mit Jack Daniels schießt eine Stichflamme hoch wie bei einer Ölquelle in Kuwait, die nicht mal Red Adair löschen könnte, bevor die Farbe an der Eßzimmerdecke Blasen geworfen hat.

Sie wissen jetzt also Bescheid. Ich würde wirklich nicht dazu raten.

Falls Sie das aber unbedingt selbst ausprobieren möchten, warne ich dringend davor, es in den eigenen vier Wänden zu tun.

Sorgen Sie dafür, daß irgendein anderer armer Trottel seine Möbel abdecken und Leiter, Farbroller und Pinsel herausholen muß.

Um James Gerechtigkeit widerfahren zu lassen – andererseits, welchen Grund hätte ich dazu, der Mistkerl –, er hat sich nie vor der Hausarbeit gedrückt, vor allem dann nicht, wenn es nach den besagten Abendgesellschaften ans Aufräumen ging. Er hat sich nie so sehr betrunken wie ich, so daß er wenigstens imstande war, die schlimmsten Spuren des Gemetzels zu beseitigen, und so befand sich am nächsten Morgen zumindest das Eßzimmer in vorzeigbarem Zustand. Natürlich abgesehen von den verbrannten Stellen an der Decke, die auf das Jack-Daniels-Experiment zurückgingen. Die konnte ich immer wieder mal übermalen. Ein Rest Deckenfarbe war noch von der vorigen Einladung übrig.

Außerdem fand sich am Morgen danach gewöhnlich auf der Wohnzimmercouch das unvermeidbare Paar verkaterter und unrasierter Gäste in zerdrückten Kleidern. Sie zum Aufbruch zu bewegen war ehrlich gesagt viel aufwendiger, als die besagten Brandflecken an der Decke oder die Zigarettenlöcher im Teppich zu beseitigen.

Sie lagen den halben Tag herum, stöhnten, wollten Tee und Kopfschmerztabletten und sagten, sie müßten sich bei der kleinsten Bewegung übergeben.

Trotzdem machte ich es wieder. Ich meine, alles vor mir herschieben.

Ich tat alles, nur um nicht tun zu müssen, was ich hätte tun sollen.

Der Versuch, mich zu zwingen, an die praktischen Konsequenzen zu denken, die sich aus der Trennung von James ergaben, war so ähnlich, wie an einem richtig hellen Tag mitten in die Sonne zu sehen. Beides war sehr schwer, und beides trieb mir Tränen in die Augen.

Vermutlich müßte ich über die Frage des Sorgerechts für Kate nachdenken. Aber gab es da überhaupt Hindernisse? James hatte nicht das geringste Interesse an ihr gezeigt, und außerdem war er der Ehebrecher. Da die Schuld bei ihm lag, schätzte ich, daß man das Sorgerecht automatisch mir zusprechen würde.

Doch statt darüber zu triumphieren, empfand ich nicht einmal Erleichterung. Das war kein Sieg.

James sollte sich um mein Kind kümmern. Ich wollte, daß es einen Vater hatte. Es wäre mir viel lieber gewesen, wenn er mich vor Gericht gezerrt und mir dort üble Schlammschlachten geliefert hätte, mich als Lesbierin oder als Frau mit unterentwickelten moralischen Grundsätzen oder was auch immer verleumdet hätte (letzteres wäre allerdings keine Verleumdung, fürchte ich). Wenigstens hätte er damit, daß er sich um das Sorgerecht für Kate bemühte oder mich herabsetzte, gezeigt, daß ihm an ihr lag.

Ich drückte Kate fest an mich. Ich hatte ein so schlechtes Gewissen. Irgend etwas hatte ich falsch gemacht, ohne es zu merken, und deshalb mußte die arme Kleine, die unverschuldet Zuschauerin des Dramas geworden war, ohne ihren Vater auskommen.

Ich verstand James einfach nicht. War er denn nicht wenigstens neugierig auf Kate? Es war mir unbegreiflich. Hatte es damit zu tun, daß sie ein Mädchen war? Hätte er versucht, die Sache mit mir gemeinsam ins Lot zu bringen, wenn das Kind ein Junge gewesen wäre? Wer konnte das wissen?

Ich versuchte, eine Situation zu verstehen, an der es nichts zu verstehen gab.

Und was war mit unserer Wohnung? Wir hatten sie gemeinsam gekauft, und sie lief auf unser beider Namen. Was sollten wir tun? Sie verkaufen und uns den Erlös teilen? Sollte ich seinen Anteil übernehmen und mit Kate darin wohnen?

Sollte ich James meinen Anteil verkaufen und ihn mit Denise dort wohnen lassen? Nein, das auf keinen Fall!

Was auch immer, ich würde nicht zulassen, daß er eine andere Frau in die Wohnung schleppte, die ich eigenhändig eingerichtet und renoviert hatte. Eher hätte ich das Ganze bis auf die Grundmauern niedergebrannt.

Na ja, vielleicht nicht bis auf die Grundmauern. Ich hatte mit den Leuten, die in den beiden Stockwerken unter uns wohnten, keine Rechnung offen. Warum sollten also sie ihre Wohnung verlieren, nur weil mein Mann mit seiner Tussi, seiner neuen Eroberung, in unsere Wohnung zog?

Aber die Wohnung würde ich auf jeden Fall niederbrennen. Gillian und Ken, die unmittelbar unter uns wohnten, würden sich damit abfinden müssen, daß an ihrer Decke eine oder zwei Flammen züngelten.

Nur über meine Leiche. Immer, wenn ich früher diesen Ausdruck gehört hatte, war ich der Ansicht gewesen, wer so etwas voll Leidenschaft sagte, reagiere übertrieben, müsse ein heißblütiger Mensch aus einem der Mittelmeerländer sein oder gebe vor laufender Kamera dem Affen Zucker.

Ich selbst hatte es schon Tausende von Malen gesagt, aber bis zu diesem Augenblick noch nie so gemeint. Jetzt aber war es mein heiliger Ernst. Nur über meine Leiche würde er Denise in meine Wohnung bringen.

Und was war mit dem Geld? Wie sollte ich Kate und mich von meinem Gehalt durchbringen? Ich wußte kaum, wieviel ich verdiente. Ich wußte lediglich, daß es verdammt wenig war, verglichen mit dem, was James nach Hause brachte.

Er hatte uns seit unserer Hochzeit mit seinem Gehalt über Wasser gehalten. Von jetzt an würde ich also arm sein.

Ich kam mir vor wie jemand, der auf einen Balkon hinaustritt und zu seinem Entsetzen plötzlich merkt, daß er keinen Boden unter den Füßen hat, sondern nichts als endlosen leeren Raum.

Der Gedanke, ohne Geld leben zu müssen, war furchteinflößend. Ich kam mir vor wie ein Niemand, eine gesichtslose Frau, die in einem riesigen, ihr feindlich gesonnenen All umhertreibt, wo es nichts zum Festhalten gibt.

So ungern ich das zugebe, aber ohne meinen Mann und sein üppiges Gehalt fühlte ich mich wie ein halber Mensch.

Ich haßte mich, weil ich so unsicher und so abhängig war. Ich hätte die starke, durchsetzungsfähige, unabhängige Frau der Neunziger herauskehren müssen. Die Art Frau, die fest umrissene Vorstellungen hat, ohne Begleitung ins Kino geht, sich um die Umwelt kümmert, eine Sicherung auswechseln kann, Aromatherapie macht, einen Kräutergarten hat und fließend Italienisch spricht, einmal die Woche zu einer Session in den Think Tank geht und keinen Mann braucht, der ihr unterentwickeltes Selbstwertgefühl stärkt. Aber so war ich nun mal nicht.

Allerdings wäre ich gern so gewesen. Vielleicht würde ich ja noch so. Es sah ganz so aus, als bliebe mir keine Wahl. Ich sah mich vollendeten Tatsachen gegenüber und konnte nicht aus.

Aber damals war ich mehr die Frau aus den fünfziger Jahren, die Hausfrau und Mutter, die sich nur allzu gern um das gemütliche Heim kümmert, während der Göttergatte im feindlichen Leben das Geld heranschafft.

Sollte dieser Mann noch dazu bereit sein, sich außerdem an der Hausarbeit zu beteiligen, um so besser. Ich wollte alles auf einmal.

Wie sollten James und ich das Geld auf unserem gemeinsamen Konto aufteilen? Das wäre ebenso unmöglich wie der Versuch, siamesische Zwillinge zu trennen, die an den lebenswichtigen Organen – Herz, Lunge und Leber – zusammengewachsen sind.

Fast hätte ich jeden Rechtsanspruch auf das gemeinsame Geld aufgegeben, das auf unserem Konto lag, um mir die unvermeidlichen und unerquicklichen Auseinandersetzungen zu ersparen. Das einzige, was mich davon abhielt, war der Gedanke, James könnte es für Denise ausgeben, ihr davon Blumen, Theaterkarten und Reizwäsche kaufen. Ich konnte nicht zulassen, daß derlei von meinem Geld finanziert wurde. Ich war grundsätzlich dagegen. Es gehörte sich aus moralischen Gründen nicht. Außerdem hatte ich am Vortag in dem Einkaufszentrum ein wirklich hübsches Paar Schuhe gesehen, das ich gern gehabt hätte.

Ich kann das Gefühl sofortiger Vertrautheit überhaupt nicht beschreiben, das sich zwischen uns einstellte. Kaum war mein Blick auf die Schuhe gefallen, kam es mir vor, als gehörten sie mir schon. Wir kannten einander wahrscheinlich aus einem früheren Leben, sie hatten mir gehört, als ich im England des Mittelalters Dienstmädchen oder im alten Ägypten Prinzessin war. Vielleicht waren sie das Dienstmädchen oder die Prinzessin und ich die Schuhe gewesen. Wer kann das schon wissen? Jedenfalls war mir klar, daß wir zueinander gehörten.

Da mir keine flüssigen Mittel zur Verfügung standen, mußte ich Anspruch auf mein Geld in England erheben, so unangenehm und niedrig das sein mochte.

Bei all dem schwirrte mir der Kopf – wie am Vorabend, als meine Mutter die Unterhaltung begonnen hatte, die sich dann Cher und Ike zuwandte.

Ich hätte mir an dem warmen Apriltag vor drei Jahren, an dem ich James geheiratet hatte, nicht träumen lassen, daß unsere Verbindung auf diese Weise enden würde, daß etwas, das so heiter, so voll Hoffnung und Erregung begonnen hatte, mit Kummer und Leid enden könnte. Daß ich über Geld und irdische Güter streiten und zur Wahrung meiner Interessen Anwälte hinzuziehen müßte. Daß ich so viele Klischees bemühen müßte.

Immer war ich überzeugt gewesen, James und ich wären anders. Schön, wir waren verheiratet – das war aber noch lange kein Grund, sich aufzuführen wie ein Ehepaar, zum Kuckuck!

Das Wichtigste für uns würden stets Spaß, Liebe und Leidenschaft sein.

Ich wollte es nie dahin kommen lassen, daß ich eines Tages ins Zimmer käme und zu James sagte, ohne ihn auch nur anzusehen: »Im Bad fallen die Kacheln von der Wand. Du solltest dich besser drum kümmern.« Oder mit einem flüchtigen Blick auf ihn: »Hoffentlich hast du nicht die Absicht, *den* Pullover zum Abendessen bei den Reynolds anzuziehen.«

Ebenso hatte ich mir vorgenommen, nie zu der Sorte Frau zu gehören, die sich um den ganzen Tisch herum aß und schließlich auch noch die Reste vom Abendessen der Kinder aufaß.

Oder die Sorte Frau, die ihren eigenen Mann ›Vater‹ nennt, und zwar nicht in Zusammenhängen wie »Nein, Liebling, laß den Rasierer liegen, der gehört Dad« (obwohl mir auch das nicht besonders gefällt), sondern in »Wollen wir jetzt das Eis servieren, Vater?« – so, als hätten er und man selbst aufgehört, einander etwas zu bedeuten, als besäße man keine eigene Existenz mehr, sondern wäre nur noch Vater und Mutter der Kinder. Der Geliebte war nicht mehr der Geliebte, sondern lediglich der andere Elternteil.

Ich hatte mir geschworen, daß ich nie ausschließlich jemandes Mutter werden würde, so großartige Frauen diese Mütter unzweifelhaft sind.

Verblüfft stellte ich fest, wie überheblich und weltfremd ich gewesen war. Was um Himmels willen hatte mich veranlaßt zu glauben, ich sei anders als die anderen?

War mir nicht klar gewesen, daß sich schon vor mir Tausende von Frauen vorgenommen hatten, dafür zu sorgen, daß der Zauber in ihrer Ehe nie verflog?

So, wie sie nie ihre grauen Haare zeigen, nie einen Hängebusen oder Falten bekommen wollten. Trotzdem passierte es.

Ihr Wille war nicht stark genug, gegen das Unvermeidliche anzukämpfen, den Strom der Jahre umzukehren. Das galt auch für meinen Willen.

Ich legte Kate wieder in ihr Bettchen, um zu duschen. Stolz dachte ich, daß ich mein Leben allem Anschein nach tatsächlich noch in den Griff bekam.

»Sauberkeit ist so wichtig wie Gottesfurcht«, sagte ich zu Kate. Dabei kam ich mir sehr rechtschaffen vor und fühlte mich als wirklich gute Mutter. »Was Gottesfurcht ist, erkläre ich dir, wenn du ein bißchen älter bist.«

Unter der Dusche mußte ich immer wieder an James denken. Keineswegs bitter oder gehässig, auch wenn er mich auf eine Weise verletzt hatte, die ich nie für möglich gehalten hätte. Trotzdem konnte ich einfach nicht vergessen, wie schön es mit ihm gewesen war.

Wenn wir am Anfang mit Freunden ausgegangen waren, hatte ich immer zu ihm hingesehen, wie er mit anderen sprach. Jedesmal war mir dabei aufgefallen, wie gut und wie anziehend er aussah – ganz besonders dann, wenn er sich so ernsthaft und steuerberaterhaft gab. Dabei hatte ich immer lächeln müssen, denn er sah so aus, als könnte man mit ihm keinen Spaß haben. Aber ich kann Ihnen sagen, ich wußte es besser.

Der Gedanke, daß er nach der Party oder wo wir waren, mit mir nach Hause gehen würde, verursachte bei mir einen richtigen Nervenkitzel. So, hatte ich mir gewünscht, sollte es immer sein.

Ich hatte genug verheiratete Frauen gesehen, die sich gehenließen, dick und unansehnlich wurden und mit ihrem Mann sprachen, als wäre er ihr Handlanger. So etwas machte mich immer sehr traurig.

Welchen Sinn hat es zu heiraten, wenn eines Tages der ganze Zauber dahin ist? Wenn es zwischen den Eheleuten keine anderen Berührungspunkte mehr gibt als die Renovierungsbedürftigkeit der Wohnung oder die Leistung der Kinder in der Schule?

Da kann man ebensogut mit einer Schlagbohrmaschine oder mit einem Buch über Kinderpsychologie verheiratet sein.

Trotzdem verstand ich die Sache immer noch nicht. Ich liebte ihn. Ich hatte den festen Willen, dafür zu sorgen, daß nichts schiefging. Und ich hatte mir große Mühe gegeben, Schönheit in unser Leben zu bringen.

Eigentlich stimmte das nicht. Es hatte mich keine Mühe gekostet, Schönheit in unser Leben zu bringen, denn alles war ohne die geringste Mühe von selbst schön. Jedenfalls meiner Ansicht nach.

Ich hatte gedacht, daß die Suche nach dem richtigen Partner für uns beide vorüber war. Ich war einem Mann begegnet, der mich bedingungslos liebte. Diese Liebe war noch besser als die bedingungslose Liebe meiner Mutter, weil damit unglücklicherweise gewisse Bedingungen verknüpft waren.

Er hatte mich auf die gleiche Weise zum Lachen gebracht wie früher meine Schwestern oder meine Freundinnen. Aber es war noch besser, weil ich gewöhnlich nicht im selben Bett aufwachte wie diese.

Infolgedessen gab es weit mehr Möglichkeiten, gemeinsam mit James zu lachen, und das an weit angenehmeren Orten.

Ich hatte immer vermutet, sofern einer von uns beiden ein Verhältnis haben würde, wäre ich das. Was allerdings nicht etwa heißt, ich hätte angenommen, *sicher* eins zu haben.

Aber gewöhnlich verhielt ich mich auffällig, war laut und galt als lustig, während die allgemeine Meinung in James den vernünftigeren und zuverlässigeren von uns beiden sah. Er galt als still, in sich ruhend, unerschütterlich wie ein Felsen.

Das ist der Haken bei Männern, die Anzüge tragen, andere mit aufrichtigem Blick durch die Lesebrille mustern und Sachen sagen wie: »In einer Zeit niedriger Inflation ist eine Festzins-Hypothek am ehesten zu empfehlen« oder: »Ich an Ihrer Stelle würde die kurzfristigen Anlagen abstoßen und in Pfandbriefe investieren« oder etwas in der Richtung.

Solche Männer gelten als stinklangweilig, dafür aber als absolut zuverlässig. Bei James war ich vermutlich selbst ein bißchen auf dieses Klischee hereingefallen. Es war, als würde er zu allem, was ich tat, ja und amen sagen. Ich amüsierte ihn. Nein, das ist nicht das richtige Wort. Das klingt herablassend und verächtlich. Aber bestimmt fand er mich unterhaltsam. Er fand mich großartig.

Ich meinerseits fühlte mich bei ihm ausgesprochen geborgen und sicher. Das bloße Wissen, daß ich mich zum Narren machen konnte und er mich trotzdem lieben würde, sorgte dafür, daß ich mich *nicht* zum Narren machte. Ich betrank mich nicht mehr so oft wie früher.

Doch selbst, wenn ich das tat und am nächsten Morgen mit fürchterlichen Kopfschmerzen aufwachte und beim bloßen Gedanken an das wenige zusammenzuckte, was ich noch vom Vorabend wußte, war er ganz rührend zu mir.

Während ich wie eine Leiche im Bett lag, lachte er freundlich, holte mir Wasser, beugte sich über mich und küßte mich auf die Stirn, in der es hämmerte. Dabei sagte er beruhigende Dinge wie »Nein, mein Schatz, du warst überhaupt nicht unausstehlich. Du warst wirklich lustig« und »Ach was, Liebling, du warst nicht hochnäsig. Wir haben uns alle schiefgelacht« und »Deine Handtasche wird sich schon wieder finden. Wahrscheinlich hast du sie nicht gefunden, weil sie in Lisas Wohnung unter ein paar Mänteln gelegen hat. Ich ruf gleich mal da an« und »*Natürlich* kannst du den Leuten in die Augen sehen. Schließlich hatten *alle* einen sitzen. Du warst überhaupt nicht am betrunkensten.«

Und bei einer ganz besonders schrecklichen Gelegenheit, meinem, soweit ich mich erinnere, schlimmsten ›Tag danach‹ – an jenem Morgen lag die Luft voller Versprechungen, nie wieder zu trinken, das kann ich Ihnen sagen –, sagte er: »Beeil dich, Liebling, deine Verhandlung ist um halb zehn. Du darfst auf keinen Fall zu spät kommen, denn dein Anwalt hat gesagt, daß der Richter ein ziemlich harter Knochen ist.«

Kleinen Augenblick, das muß ich erklären. Hören Sie mich bitte zu Ende an. Ja, man hatte mich eines Abends festgenommen, aber nicht etwa, weil ich gegen die Gesetze verstoßen hätte. Ich war einfach zur falschen Zeit am falschen Ort. Zufällig war ich in einen Klub geraten, der keine Schanklizenz für alkoholische Getränke besaß. Ich hatte nicht die blasseste Ahnung, daß sich die Leute, die den Klub betrieben, gesetzwidrig verhielten – wenn man von den Jacketts ihrer Rausschmeißer absieht und dem Wucherpreis, den sie für ihren Wein verlangten. Allein wegen der Jacketts hätten sie zehn Jahre Einzelhaft verdient.

Ich weiß nicht mal, wie ich dahingeraten war. Das einzige, was ich weiß, ist, daß wir tranken und eine Bombenstimmung herrschte.

Als die Polizisten hereinkamen und alle Gäste ihre Gläser unter dem Tisch zu verstecken versuchten, fanden Judy, Laura und ich das sehr lustig. »Wie zur Zeit der Prohibition«, lachten wir.

Ich beschloß, einem der Polizisten meinen Lieblingswitz zu erzählen. Er geht so: wie viele Polizisten braucht man, um eine Glühbirne kaputtzumachen? Natürlich heißt die Antwort: keinen. Sie ist von selbst die Treppe runtergefallen.

Einer von ihnen fand das überhaupt nicht witzig und erklärte mir, er müsse mich festnehmen, wenn ich mich nicht mäßigte.

»Tun Sie das«, sagte ich mit breitem Lächeln und hielt ihm beide Handgelenke hin, damit er mir Handschellen anlegen konnte. Offensichtlich hatte ich nicht begriffen, daß es echte Polizisten und nicht irgendwelche verkleideten Witzbolde waren. Als er mir den Gefallen tat, fiel ich aus allen Wolken.

Natürlich war mir klar, daß der Mann lediglich seine Pflicht tat. Ich nahm es ihm nicht übel und habe es ihm auch nicht nachgetragen. Schweinehund, elender.

Ich war zutiefst erschüttert. Ich versuchte ihm zu erklären, daß ich eine junge Frau aus der Mittelschicht sei, die in einem Londoner Vorort lebte und sogar einen Steuerberater dazu bekommen hätte, mich zu heiraten. All das erklärte ich ihm, um ihm klarzumachen, daß ich auf seiner Seite stand, auf der des Rechts, und wie er gegen das Unrecht kämpfte und so weiter.

Außerdem versuchte ich ihm klarzumachen, daß er die bürgerliche Wertetabelle völlig durcheinanderbrächte, wenn er mich wegen Trunkenheit und Störung der öffentlichen Ordnung festnähme.

Als man mich in der grünen Minna fortbrachte, durch deren Fenster ich Laura und Judy sehen konnte, bildete ich mit dem Mund lautlos die Worte: »Ruft James an«, während mir die Tränen über die Wangen liefen. Mir war klar, daß er wissen würde, was zu tun war. Und genauso war es. Er holte mich gegen Kaution heraus und besorgte mir einen Anwalt.

Ich glaube nicht, daß ich je im Leben solche Angst hatte wie damals. Ich war überzeugt, daß man ein Geständnis aus mir herausprügeln, mir mehrfach ›lebenslänglich‹ aufbrummen und ich James oder meine Freunde und Angehörigen nie wiedersehen würde – und den blauen Himmel höchstens vom Gefängnishof aus. Ich tat mir unendlich leid. Nie wieder würde ich mich hübsch anziehen können, sondern würde die grauenhaften sackartigen Gefängnissachen tragen müssen.

Und ich müßte Lesbierin werden. Ich würde mich mit der übelsten Krawalltüte anfreunden müssen, damit sie mich vor allen anderen Frauen und ihren Cola-Flaschen beschützte.

Daß ich einen akademischen Grad hatte, würde mir nichts nützen, und ich würde wieder anfangen zu rauchen. Obendrein war die Sträflingsrolle nichts für mich, weil ich den australischen Akzent nicht gut nachahmen konnte.

Ich war wie vernichtet.

Als daher James auf die Polizeiwache kam und mich befreite oder, wie er sagte, ›rauspaukte‹, konnte ich nicht fassen, daß vor der Tür keine Fernsehkameras und keine freudetrunkenen Menschenmassen mit Transparenten warteten.

Statt dessen kam mit kreischenden Bremsen ein weiterer Polizeiwagen zum Stehen. Etwa fünf Betrunkene torkelten heraus.

James brachte mich nach Hause. Er ließ sich von einem Bekannten einen Anwalt nennen und rief ihn an. Am nächsten Morgen weckte er mich, als ich wegen der schrecklichen Vorahnungen die Augen nicht aufbekam.

Er wischte mir den Lippenstift ab und erklärte mir, meine Aussichten stünden besser, wenn ich nicht wie ein billiges Flittchen aussähe.

Aus demselben Grund verlangte er, daß ich einen langen Rock und eine hochgeschlossene Bluse trug.

Im Gerichtssaal saß er neben mir und hielt meine Hand, während ich mit bleichem Gesicht darauf wartete, daß die Reihe an mich kam. Ich hatte das Gefühl, daß ich mich jeden Augenblick übergeben mußte. Das hing wohl mit dem Schreck und meinem Kater zusammen. Leise summte er mir Lieder ins Ohr, was mich sehr beruhigte – bis ich ein paar der Worte verstand.

In diesen Liedern ging es um Steineklopfen und Kettensträflinge. Ich sah ihn mit Tränen in den Augen an und wollte ihm sagen, daß er sich nach Hause verziehen sollte, wenn er meine miese Lage so lustig fand.

Dann aber sah ich seine Augen. Ich konnte nicht anders, ich mußte lachen. Er hatte recht. Die ganze Situation war so absurd, daß es falsch gewesen wäre, *nicht* zu lachen.

Wir beide kicherten wie Schulkinder.

Der Richter warf uns einen bösen Blick zu.

»Das kostet dich noch mal zehn Jahre«, stieß James hervor, und wieder krümmten wir uns vor Lachen. Ich kam mit einer Geldstrafe von fünfzig Pfund davon, die er lachend bezahlte.

»Beim nächsten Mal zahlst du selbst«, sagte er mit breitem Grinsen. Ich fand seine Haltung unglaublich. Wenn mich jemand um zwei Uhr nachts geweckt hätte, um mir mitzuteilen, daß man James festgenommen hatte, ich wäre entsetzt gewesen. Bestimmt hätte ich die Situation nicht lustig gefunden.

Ich hätte mich ganz ernsthaft gefragt, was für eine Art Mann ich geheiratet hatte.

Ich wäre weder so nachsichtig gewesen, noch hätte ich ihn rückhaltlos unterstützt und ihm verziehen, wie mir James verziehen hatte.

Eigentlich hatte er mir gar nicht verziehen, denn er hatte mir keine Sekunde das Gefühl gegeben, als hätte ich etwas Unrechtes getan.

Würde ich jetzt noch einmal festgenommen, gäbe es niemanden, der im Gerichtssaal meine Hand hielte und mich zum Lachen brächte. Ganz davon abgesehen, daß ich für die verdammte Geldstrafe selbst würde aufkommen müssen.

Manchmal war er wirklich süß. Wenn ich mitten in der Nacht wach wurde und mir Sorgen machte, war er großartig.

»Was fehlt dir, mein Schatz?« fragte er dann.

»Nichts«, gab ich zur Antwort, unfähig, die grauenvolle, namenlose Angst in Worte zu fassen, die mich erfüllte.

»Kannst du nicht schlafen?«

»Nein.«

»Soll ich dich ein bißchen langweilen, damit du einschläfst?«

»Ja bitte.«

Nachdem er mir mit seiner beruhigenden Stimme Steuererleichterungen für wohltätige Organisationen oder die neuen Mehrwertsteuer-Vorschriften der Europäischen Union erklärt hatte, fiel ich nach einer Weile in friedlichen Schlaf.

Ich drehte den Hahn der Dusche zu und rieb mich mit dem Handtuch trocken.

Ich müßte ihn anrufen, sagte ich mir.

Ich ging wieder in mein Zimmer und zog mich an.

»Ruf ihn an«, befahl ich mir streng.

»Erst muß ich Kate füttern«, gab ich ausweichend zur Antwort.

»Ruf ihn an!« forderte ich mich erneut auf.

»Soll die Kleine *verhungern*?« fragte ich und versuchte meiner Stimme einen empörten Klang zu geben. »Ich ruf ihn an, sobald sie getrunken hat.«

»Nein. Du rufst ihn jetzt GLEICH an!«

Wieder spielte ich das alte Spiel, schob alles vor mir her, wich der Verantwortung aus, lief vor unangenehmen Situationen davon.

Aber ich hatte auch Angst.

Ich machte mir keine Sekunde lang etwas vor, denn mir war völlig klar, daß ich mit James über Geld, die Wohnung und alles andere würde reden müssen. Aber mir war auch klar, daß diese Dinge in dem Augenblick Wirklichkeit würden, in dem ich mit ihm darüber sprach. Sobald sie wirklich waren, bedeutete das, daß meine Ehe am Ende war.

Das wollte ich nicht.

O Gott, seufzte ich. Ich sah auf Kate, die weich, mollig und wohlriechend in ihrem kleinen rosa Strampelanzug in ihrem Bettchen lag. Und ich begriff, daß ich James anrufen mußte.

Was mich selbst betraf, mochte ich so ängstlich, feige und kleinmütig sein, wie ich wollte, aber ich war es diesem meinem schönen Kind schuldig, mich um seine Zukunft zu kümmern.

»Schön«, sagte ich resigniert und sah sie an. »Du hast mich überredet. Ich ruf an.«

Ich ging in Mums Zimmer, um von dort zu telefonieren.

Als ich die Nummer von James' Büro in London zu wählen begann, wurde mir mit einem Mal schwindlig. Ich war zugleich erregt und hatte Angst. In wenigen Augenblicken würde ich seine Stimme hören. Ich konnte es nicht erwarten.

Ich zitterte vor Vorfreude; mich überlief es heiß. Ich würde mit ihm sprechen, meinem James, meinem besten Freund. Nur, daß er das nicht mehr war. Manchmal vergaß ich das. Aber nur einen Augenblick.

Es fiel mir sehr schwer zu atmen. Als fände die Luft den Weg in die Lunge nicht.

Am anderen Ende begann es zu klingeln. Ein Schauer überlief mich, und ich meinte mich übergeben zu müssen.

Die Telefonistin nahm ab.

»Äh, könnte ich bitte mit Mr. James Webster sprechen«, sagte ich mit unsicherer Stimme. Meine Lippen fühlten sich taub an, als hätte man mir eine Spritze gegeben.

Es knackte ein paarmal in der Leitung. Im nächsten Augenblick würde ich mit ihm sprechen.

Ich hielt den Atem an. Dabei kann man nicht sagen, daß ich bis dahin gut Luft bekommen hätte. Ein weiteres Knacken.

Dann war wieder die Telefonistin in der Leitung. »Es tut mir leid, Mr. Webster ist diese Woche nicht im Hause. Darf ich Sie mit einem der Mitarbeiter verbinden?«

Die Enttäuschung tat so weh, daß ich kaum stotternd herausbrachte: »Nein, schon in Ordnung, vielen Dank.« Ich legte auf.

Ich blieb auf Mums Bett sitzen. Ich wußte nicht, was tun.

Ihn anzurufen hatte mich eine solche Überwindung gekostet. Es war so schwer, und dann war ich auch noch wider Willen aufgeregt, weil ich bald mit ihm sprechen würde. Und er war nicht einmal da. Eine einzige Enttäuschung.

Literweise schoß mir das Adrenalin durch den Körper. Meine Stirn war mit Schweiß bedeckt, die Hände waren naß und zitterten. Ich war wie benommen und wußte einfach nicht, was ich tun sollte.

Dann der Gedanke: wo *ist* James?

Bitte sagen Sie mir bloß nicht, daß er Urlaub macht. *Urlaub*?

Wie konnte er, wenn seine Ehe in die Brüche ging, besser gesagt bereits in die Brüche gegangen war?

Vielleicht ist er bei einem Seminar, dachte ich verzweifelt.

Ich überlegte schon, ob ich noch einmal anrufen und fragen sollte, wo James war.

Aber ich ließ es bleiben. Ich wollte nicht das winzige bißchen Stolz aufgeben, das mir geblieben war.

Vielleicht ist er krank. Vielleicht ist er erkältet.

Vermutlich wäre mir die Mitteilung, daß er Krebs im Endstadium hatte, gerade recht gewesen. Mochte er haben, was er wollte, wenn er nur nicht Urlaub machte.

Die Vorstellung, daß er ein Leben ohne mich führte, die Vorstellung, daß er sein Leben *genoß*, bereitete mir Magenkrämpfe.

Andererseits war mir durchaus bewußt, daß er ein Leben ohne mich führte. Schließlich wies alles darauf hin. Er lebte mit einer anderen Frau zusammen, hatte sich nicht einmal bei mir gemeldet, um zu erfahren, wie es Kate ging. Aber ich hatte die Hoffnung nicht aufgegeben, daß er sich nach mir verzehrte, ich ihm schrecklich fehlte und er schließlich zurückkommen würde.

Wenn er allerdings Urlaub machte, war das mit Sicherheit nicht der Fall.

Er hat wohl keine Sorgen, überlegte ich, während meine Fantasie mit mir durchging. Vermutlich genießt er das Leben mit seiner Tussi Denise in irgendeinem exotischen Urlaubsparadies. Trinkt Piña Colada aus ihrem Schuh. Er inmitten knallender Champagnerkorken und Feuerwerk, Luftschlangen, Musik und glücklichen Menschen mit Party-Hütchen, die tanzen und vor Lebenslust jubeln.

Während ich im kalten Märzwetter fror, genoß James in irgendeinem sündhaft teuren karibischen Küstenort das Leben in vollen Zügen. Neben vierzehn persönlichen Bediensteten stand ihm ein privates Schwimmbad zur Verfügung, und der Duft von Frangipani-Blüten lag in der Luft. Ich hatte nicht den blassesten Schimmer, wie Frangipani-Blüten aussehen, wußte lediglich, daß sie in solchen Zusammenhängen immer wieder auftauchen.

Ach je, dachte ich und mußte schlucken. Mit diesem Gefühl hatte ich überhaupt nicht gerechnet. Was jetzt?

Meine Mutter kam mit einem großen Stapel frisch gebügelter Wäsche auf den Armen ins Zimmer.

Bei meinem Anblick blieb sie überrascht stehen. »Was fehlt dir?« fragte sie mit einen Blick auf mein klägliches, bleiches Gesicht.

»Ich hab' James angerufen«, sagte ich und brach in Tränen aus.

»Ach Gott«, sagte sie, legte den Kleiderstapel auf einen Stuhl und setzte sich neben mich.

»Was hat er gesagt?« fragte sie.

»Nichts«, schluchzte ich. »Er war nicht da. Ich möchte wetten, daß er mit der fetten Kuh Urlaub macht. Bestimmt sind sie erster Klasse geflogen und haben einen Whirlpool im Bad.«

Meine Mutter legte die Arme um mich. Schließlich hörte ich auf zu weinen.

»Soll ich dir helfen, die Sachen wegzuräumen?« fragte ich mit von Tränen erstickter Stimme.

Jetzt sah sie *wirklich* besorgt drein. »Fehlt dir wirklich nichts?« fragte sie.

»Nein«, sagte ich.

»Bestimmt nicht?« fragte sie, nach wie vor nicht überzeugt.

»Bestimmt nicht«, sagte ich ein wenig verärgert. Mir ging es gut.

Ich werde mich wohl an dieses Gefühl ständiger Niedergeschlagenheit gewöhnen müssen, überlegte ich. Das würde mir noch oft so gehen. Zumindest bis ich mich damit abgefunden hatte, daß es mit James und mir ganz und gar aus war.

Sicher, ich fühlte mich entsetzlich. Verletzt und gekränkt. Aber nach einer Weile würde der Schmerz vergehen. Es würde nicht mehr so schlimm sein.

Auf keinen Fall würde ich mich wieder eine Woche lang ins Bett legen. Ich würde mich zusammenreißen und mich der Wirklichkeit stellen. Und ihn am Montag noch einmal anrufen. Das wäre der richtige Zeitpunkt, mit ihm zu reden.

Am Montag würde er sich bestimmt ziemlich elend fühlen, weil er wieder zur Arbeit mußte, es ihm leid tat, daß der Urlaub vorbei war und er durch den Zeitunterschied auf dem Rückflug völlig aus dem Rhythmus war.

Ich versuchte mich aufzumuntern, indem ich so tat, als würde es mich freuen, ihn leiden zu sehen. Wenn ich nicht allzu intensiv daran dachte, würde das auch eine Weile gutgehen.

»Na schön, Mum«, sagte ich entschlossen. »Dann wollen wir mal die Sachen hier wegräumen.«

Entschlossen trat ich an den Stapel frisch gebügelter Wäsche auf dem Stuhl. Meine Mutter sah ein wenig verwirrt drein, während ich mich rasch daran machte, sie zu sortieren.

Ich nahm einen Arm voll und sagte: »Die tu ich in Annas Schublade.«

»Aber …«, begann sie.

»Kein Aber«, sagte ich beruhigend.

»Nein, Claire …«, sagte sie besorgt.

»Mum, mir geht es gut«, bekräftigte ich, von ihrer Besorgnis gerührt, aber entschlossen, mich durchzusetzen und meine töchterlichen Pflichten zu erfüllen.

Damit verließ ich den Raum, um hinauf in Annas Zimmer zu gehen.

Die Tür fiel hinter mir ins Schloß, daher klang Mums Stimme gedämpft, als sie mir nachrief: »Claire! Um Gottes willen! Wie soll ich deinem Vater erklären, daß seine Unterhosen in Annas Schublade liegen?«

Ich kniete vor Annas Kommode.

Ich überlegte. Ich war doch nicht etwa dabei, die Unterhosen meines Vater in Annas Schublade zu legen? – Doch.

Mir wurde klar, daß ich sie besser woanders hinbrachte, denn Anna würde nie merken, daß etwas nicht stimmte, wenn sie statt eines ihrer Slips mit einem Mal eine riesige baumwollene Herrenunterhose anzog.

Immer vorausgesetzt, daß sie das Bedürfnis hatte, ihre Unterwäsche zu wechseln. Es war nicht einmal sicher, ob sie überhaupt welche trug.

Ich meinte einmal von ihr gehört zu haben, Kleidung – vor allem Unterwäsche – zu tragen sei eine Art Faschismus. Verschwommene Äußerungen darüber, daß die Haut atmen muß und das Blut in den Adern nicht behindert werden darf, führten mich zu der Vermutung, daß auf Annas Prioritätenliste das Tragen von Unterwäsche unter Umständen keinen Spitzenplatz einnahm.

Mit einem gequälten Seufzer nahm ich den Unterhosenstapel wieder auf.

13

Für den Abend hatte ich mich mit Laura in einer Kneipe verabredet.

Hier sollte ich wohl ein paar Hintergrundinformationen nachliefern.

Seit unserem gemeinsamen Studium sind Laura, Judy und ich befreundet. Judy lebt in London und Laura in Dublin.

Ich hatte Laura nicht mehr gesehen, seit ich – ohne Mann, dafür mit Kind – aus London geflohen war, hatte aber des öfteren mit ihr telefoniert. Dabei sagte ich ihr, daß ich viel zu deprimiert sei, um mich mit ihr zu verabreden.

Als gute Freundin zeigte sie sich nicht gekränkt, sondern erklärte, ich solle mir keine Sorgen machen. Irgendwann würde es mir schon bessergehen, dann könnten wir uns treffen.

Worauf ich erwiderte, daß es mir nie bessergehen und ich sie nie wiedersehen würde, es aber wunderbar gewesen sei, sie zu kennen.

Ich hatte den Eindruck, daß sie im Verlauf des vergangenen Monats ein paarmal meine Mutter angerufen hatte, um sich unauffällig nach dem Zustand meines Herzens (bei der letzten Untersuchung nach wie vor gebrochen), meiner geistigen Gesundheit (immer noch äußerst labil) und meinem derzeitigen Beliebtheitsgrad (so miserabel wie noch nie) zu erkundigen.

Mich selbst hatte sie in Ruhe gelassen, wofür ich ihr wirklich dankbar war.

Da ich mich inzwischen sehr viel besser fühlte, rief ich sie an und schlug vor, uns in der Stadt auf einen Drink zu treffen. Dieser Vorschlag schien Laura zu entzücken.

»Wir werden uns einen antrinken«, sagte sie voll Begeisterung. Ich bin nicht sicher, ob das eine Anregung oder eine Vorhersage war. Auf jeden Fall war es beschlossene Sache.

»Könnte gut sein«, meinte ich – sofern unsere Begegnungen der letzten zehn Jahre als Maßstab dienen konnten.

Ich war ziemlich beunruhigt, denn ich hatte ganz vergessen, was für ein hemmungsloser Genußmensch Laura war. Selbst den römischen Kaisern hätte sie noch einiges beibringen können. Meine Mutter erklärte sich bereit, sich um Kate zu kümmern.

Nach dem Abendessen (tiefgefrorener Rindfleisch-Auflauf mit Kartoffelbrei aus der Mikrowelle, gar nicht mal schlecht) ging ich nach oben, um mich zurechtzumachen – seit mich mein Mann verlassen hatte, ging ich zum erstenmal wieder aus.

Immerhin ein bedeutender Anlaß. Ein bißchen wie der Verlust meiner Jungfräulichkeit, meine Erstkommunion oder meine Eheschließung. Etwas, das im Leben nur einmal passiert.

Ich hatte nichts, aber auch gar nichts anzuziehen. Allmählich tat es mir richtig leid, daß ich all meine wunderschönen Sachen in London zurückgelassen hatte. Wie dumm, wie märtyrerhaft! Wie ein zum Tode Verurteilter auf dem Weg zum Galgen hatte ich theatralisch geheult und beteuert, daß mein Leben vorüber sei und ich an meinem Bestimmungsort nie wieder etwas anzuziehen brauchte. Mein Bestimmungsort war aber lediglich Dublin, nicht das Jenseits.

Großer Gott, wie erbärmlich. Ich hätte wissen müssen, daß ich mich irgendwann wieder mehr oder weniger normal fühlen würde. Nicht unbedingt übermäßig oder auch nur annähernd glücklich, aber imstande, das Leben zu meistern.

Angesichts dessen, daß all meine schönen Sachen in einer anderen Stadt waren, blieb mir nur die Wahl, Helen ein paar zu entwenden. Sie würde toben, das war klar.

Aber offenbar war sie ohnehin schon wütend auf mich, weil ich ihrer Ansicht nach auf ihren Freund scharf war – was also hatte ich zu verlieren? Wenn schon, denn schon.

Wie außer mir durchwühlte ich Helens Kleiderschrank. Sie hatte wirklich tolle Sachen. Ich fühlte wieder Leben in mir. Ich liebte schöne Klamotten.

Ich war wie jemand, der in der Wüste kurz vor dem Verdursten zufällig über einen Kühlschrank voll mit eisgekühlten Flaschen 7-Up stolpert.

Ich hatte viel zuviel Zeit in Mums Nachthemd verbracht. Mein Blick fiel auf eine Art bordeauxfarbenes Schürzenkleid. *Genau das, was ich brauche*, dachte ich und zog es an. Als ich mich wieder in meinem Zimmer im Spiegel sah, überraschte und entzückte mich zum zweiten Mal in zwei Tagen, was ich sah. Ich wirkte ziemlich groß, ziemlich schlank und ziemlich jung. Nicht im entferntesten wie eine alleinerziehende Mutter oder eine sitzengelassene Ehefrau. Ganz gleich, wie man sich die vorzustellen hat.

Mit einer wollenen Strumpfhose und meinen Stiefeln sah ich erfreulich mädchenhaft aus (ha!) und unschuldig (zweifach ha!).

Und wenn das Kleid ein wenig kurz war und ein beunruhigend großes Stück Oberschenkel sehen ließ, da Helen deutlich kleiner ist als ich, um so besser. Auf Regen folgt Sonne.

Während ich mich zurechtmachte, steuerte meine Mutter Weiteres aus dem Bereich der Redensarten und Sprichwörter bei. Sie murmelte etwas vom Wolf im Schafspelz, was ich mit dem nicht besonders feinen Spruch konterte: »Schimpfen, schimpfen tut nicht weh, wer schimpft, hat Läus' und Flöh'!«

Das brachte sie so auf, daß sie etwas brummelte, das so klang wie »Vom Ochsen kann man kein Kalbfleisch erwarten.«

Ich versuchte, mit einem anderen Spruch dagegenzuhalten, doch mir fiel keiner ein.

»Verpiß dich«, sagte ich zu ihr. Ich hatte für einen Abend genug von Sprichwörtern. Jetzt war Klartext angesagt.

Danach legte ich mein Make-up auf. Ich hatte ganz vergessen, wieviel Spaß das macht, und ich war ganz aufgeregt.

Schließlich ging ich normalerweise gern aus. Normalerweise war ich ausgesprochen gesellig.

Bevor mich mein Mann verlassen hatte, war ich der Mittelpunkt jeder Party. Nie hatte ich eine Einladung ausgeschlagen. Pflücke die Rose, eh sie verblüht, pflegte ich immer zu sagen, denn tot sind wir noch lange genug. Im nächsten Leben bleibt uns reichlich Zeit, zu Hause zu bleiben und unsere Arbeitsklamotten für die kommende Woche zu bügeln.

Gewöhnlich war ich unter den ersten, die bei einer Party eintrafen, und unter den letzten, die gingen.

Ein ordentlicher Klecks Grundierung, die ich kräftig auf meinem Gesicht verteilte, ließ die Winterblässe verschwinden. Beim Make-up war mir Quantität ebenso wichtig wie Qualität.

Obwohl Sonnenbräune, das Statussymbol der Achtziger, in den Neunzigern mit ihrer Natürlichkeit und Schlichtheit völlig out ist, gebe ich zu, daß ich gern ein wenig braun gewesen wäre. Sicher, wer sich der Sonne im Übermaß aussetzt, bekommt Hautkrebs, und schlimmer noch, eine Lederhaut wie die Australier. Aber meiner Ansicht nach sieht ein glattes, braunes Gesicht außerordentlich gesund und anziehend aus. Welchen Sinn hat es, wenn wir uns vor dem Tod durch Hautkrebs schützen, die Sonne geradezu besessen meiden und herumlaufen wie eine Leiche auf Urlaub, wenn uns schon morgen ein Bus überfahren kann?

Ohnehin war ich nicht braun, sondern wünschte lediglich, es zu sein. Vermutlich ist das fast genauso schlimm.

Auch war ich schamloserweise dazu bereit, mit Hilfe von Make-up Sonnenbräune vorzutäuschen, damit mir niemand interessante Blässe vorwerfen konnte. Interessant wollte ich unter Umständen schon sein, aber auf keinen Fall blaß.

Zwei Streifen Rouge, einen auf jeden Wangenknochen. Das sah ein bißchen furchterregend aus, bis ich bessere Übergänge herstellte.

Ich war sicher, gehört zu haben, wie meine Mutter etwas murmelte wie »Coco, der Clown«, und wandte mich zu ihr um. Sie aber betrachtete lediglich mit völlig unbeteiligtem Gesicht ihre Fingernägel. Ich mußte es mir eingebildet haben.

Ein kräftiges Lippenrot, um sicher zu sein, daß man mich für nichts anderes hielt als eine Frau, auch wenn ich ein Jungmädchenkleid trug. Frau. – Das Wort gefiel mir. Ich war eine Frau.

Ich hätte es am liebsten laut gesagt, aber erstaunlicherweise war meine Mutter nicht aus dem Zimmer gestürmt, als ich das böse Wort mit ›V‹ gesagt hatte, sondern saß immer noch auf dem Bett, während ich mich zurechtmachte. Ich wußte, daß ich sie im Lauf des vergangenen Monats schon genug beunruhigt hatte.

Aber es war wirklich ein Wort, das vieles heraufbeschwor: Frau. So lustvoll und sinnenhaft. Oder meinte ich sinnlich? Die beiden verwechsle ich immer.

Zurück zu den Dingen des Lebens. Grauer Lidstrich und schwarze Wimperntusche ließen meine Augen richtig blau leuchten. Dazu mein frisch gewaschenes glänzendes Haar. Ich war mit der Gesamtwirkung außerordentlich zufrieden. Meine Mutter natürlich nicht.

»Ziehst du zu der Bluse eigentlich keinen Rock an?« fragte sie.

»Mum, du weißt doch genau, daß das ein Kleid und keine Bluse ist«, sagte ich kühl.

Sie mochte sagen oder tun, was sie wollte, nichts würde mich davon abhalten, mich rundum wohl zu fühlen.

»An Helen mag das durchaus ein Kleid sein«, meinte sie. »Aber dir ist es viel zu kurz, um mehr als eine Bluse zu sein.«

Ich achtete nicht auf sie.

»Hast du deine Schwester eigentlich gefragt, ob du es haben kannst?« fuhr sie fort, offensichtlich wild entschlossen, mir die gute Laune zu vermiesen. »An mir läßt Helen ihren Zorn aus, wenn sie dahinterkommt. Dir kann es ja egal sein. Du drückst dich mit deinen Rabaukenfreunden in der Stadt rum, läßt dir Malibu mit Limonade schmecken, oder was ihr da trinkt. Und mich schreit meine jüngste Tochter an wie einen Straßenköter. Im Augenblick sind wir, du und ich, bei Helen ohnehin nicht besonders gut angeschrieben.«

»Hör doch auf, Mum«, sagte ich. »Ich leg ihr 'nen Zettel hin, auf dem ich ihr erkläre, daß ich mir das Kleid geliehen habe. Wenn meine Sachen aus London kommen, kann sie sich davon auch was leihen.« Meine Mutter schwieg.

»Ist das in Ordnung?« fragte ich.

»Ja«. Sie lächelte.

»Und du siehst wirklich großartig aus«, fügte sie widerwillig hinzu.

Kurz bevor ich mein Zimmer verließ, um nach unten zu gehen, sah ich auf der Frisierkommode etwas blitzen: meinen Ehering. Ich hatte vergessen, ihn nach dem Duschen wieder an den Finger zu stecken. Er lag da und zwinkerte mir zu, offensichtlich darauf erpicht, für eine Weile aus dem Haus zu gehen.

Ich ging hinüber und hob ihn auf, steckte ihn aber nicht an den Finger. *Meine Ehe ist vorüber,* dachte ich, *und vielleicht fange ich an, es zu glauben, wenn ich meinen Ehering nicht mehr trage.* Ich legte ihn auf die Frisierkommode zurück.

Natürlich war er wütend – er konnte einfach nicht glauben, daß ich ihn nicht tragen wollte. Er ließ mich seinen Ärger deutlich spüren, aber ich gab nicht nach. Sentimentalitäten konnte ich mir nicht leisten, und so beschloß ich zu gehen, bevor es Vorwürfe hagelte. »Tut mir leid«, sagte ich kurz angebunden, kehrte ihm den Rücken zu, machte das Licht aus und ging.

Als ich ins Wohnzimmer kam, weil ich mir von meinem Vater die Autoschlüssel leihen wollte, saß er vor dem Fernseher und sah sich eine Partie Golf an.

Als es mir schließlich gelungen war, seine Aufmerksamkeit von den Männern in den Knickerbockerhosen abzulenken, habe ich ihm wohl einen ziemlichen Schreck eingejagt.

»Du siehst ja schick aus«, sagte er verblüfft. »Wohin soll es gehen?«

»In die Stadt. Ich treffe Laura«, erwiderte ich.

»Paß bloß auf, daß niemand das Auto demoliert«, sagte er besorgt. Er stammte aus einer Kleinstadt im Westen des Landes, und obwohl er seit dreiunddreißig Jahren in Dublin lebte, traute er den Bewohnern der Stadt nach wie vor nicht über den Weg. Er hielt sie alle miteinander für Kleinkriminelle und Schläger. Außerdem schien er der Ansicht zu sein, es gehe in der Stadtmitte von Dublin ebenso zu wie in Beirut, außer daß Beirut viel schöner war.

»Ich paß auf, Dad«, sagte ich. »Ich stell's auf 'nen bewachten Parkplatz.« Aber nicht einmal das beruhigte ihn.

»Dann sieh aber zu, daß du es vor Mitternacht abholst«, sagte er ganz aufgeregt. »Die bewachten Parkplätze schließen dann nämlich. Wenn du es nicht zurückbringst, muß ich morgen früh zu Fuß zur Arbeit gehen.«

Ich verkniff mir im letzten Augenblick den Hinweis, daß er nirgendwo zu Fuß hingehen müßte, falls ich den Wagen nicht auslösen konnte. Nichts auf der Welt konnte ihn daran hindern, sich Mums Wagen auszuleihen oder mit dem Bus zu fahren.

»Keine Sorge, Dad«, versicherte ich ihm. »Gib mir schon die Schlüssel.« Zögernd rückte er sie heraus.

»Und verstell mir das Radio nicht. Ich will morgen früh nicht von Popmusik taub werden und mir meinen Sender wieder suchen müssen.«

»Wenn ich es verstell, dreh ich es wieder zurück«, seufzte ich.

»Und wenn du den Sitz vorschiebst, dann achte darauf, daß du ihn hinterher wieder nach hinten schiebst. Ich will morgen früh nicht in Panik geraten, daß ich über Nacht einen Wahnsinnsbauch gekriegt hab'.«

»Keine Sorge, Dad«, wiederholte ich geduldig, während ich nach Mantel und Handtasche griff. »Bis später.« – Eher geht ein Kamel durch ein Nadelöhr, als daß mein Vater sein Auto verleiht.

Während ich die Wohnzimmertür hinter mir schloß, hörte ich, wie er mir nachrief: »Wohin willst du eigentlich ohne Rock?« Aber ich achtete nicht darauf.

Kate allein zu lassen, Kate zu verlassen, war schrecklich. Zum ersten Mal ging ich ohne sie aus und mußte mich richtig losreißen. Fast hätte ich sie mitgenommen, aber dann dachte ich, daß sie noch genug Zeit in lauten, verrauchten Kneipen verbringen würde, wenn sie älter wäre. Damit mußte sie nicht unbedingt jetzt schon anfangen.

»Siehst du bitte alle Viertelstunde nach ihr?« fragte ich meine Mutter mit Tränen in den Augen.

»Ja«, sagte sie.

»Unbedingt. Jede *Viertel*stunde«, betonte ich.

»Ja.«

»Und du vergißt es auch bestimmt nicht?« fragte ich besorgt.

»Nein«, sagte sie. Es klang ein wenig verärgert.

»Auch dann nicht, wenn du gerade was Interessantes im Fernsehen siehst und abgelenkt wirst?« hakte ich nach.

»Ich vergesse es schon nicht!« sagte sie. Jetzt schien sie endgültig verärgert zu sein. »Ich kenne mich mit Kindern aus. Schließlich hab' ich fünf davon großgezogen.«

»Ich weiß«, sagte ich. »Aber sie ist was Besonderes.«

»Claire!« schnaubte meine Mutter aufgebracht. »Warum verschwindest du nicht einfach?«

»Na schön«, sagte ich und prüfte rasch nach, ob die Gegensprechanlage eingeschaltet war. »Dann geh ich jetzt also.«

»Viel Spaß«, rief sie mir nach.

»Ich will's versuchen«, sagte ich. Dabei bebte meine Unterlippe ein wenig.

Die Fahrt in die Stadt war ein Alptraum. Wußten Sie schon, daß *alles* wie das Schreien eines Säuglings klingt, wenn man nur richtig hinhört? Der Wind in den Bäumen, der Regen auf dem Autodach, das Brummen des Motors. Ich war überzeugt, daß Kate nach mir schrie. Ich bekam es ganz schwach mit, es war kaum zu hören. Unerträglich. Fast hätte ich gewendet und wäre wieder nach Hause gefahren.

Hätte nicht der gesunde Menschenverstand in meinem Kopf eine Gastrolle übernommen, ich wäre wohl tatsächlich umgekehrt.

»Du bist albern«, sagte der gesunde Menschenverstand.

»Man merkt, daß du keine Mutter bist«, gab ich zurück.

»Stimmt«, gab er zu. »Bin ich nicht. Aber du mußt dir darüber klar sein, daß du nicht den Rest deines Lebens jeden Augenblick um sie sein kannst. Was ist, wenn du wieder arbeiten mußt und sie jemand gibst, der auf sie aufpaßt? Wie willst du das machen? Sieh das hier einfach als gute Übung an.«

»Du hast recht«, seufzte ich und beruhigte mich einen Augenblick. Dann überfiel mich erneut die Panik. Und wenn sie nun heute abend sterben würde?

Gerade in dem Augenblick sah ich eine Telefonzelle. Eine Oase in der Wüste. Ich fuhr an den Straßenrand, womit ich offenbar die Fahrer hinter mir ärgerte, denn die herzlosen Kerle drückten auf die Hupe und riefen mir allerlei hinterher.

»Mum«, sagte ich zitternd.

»Wer ist da?« fragte sie.

»*Ich* bin's«, sagte ich und hatte das Gefühl, jeden Augenblick in Tränen ausbrechen zu müssen.

»*Claire*?« fragte sie. Es klang empört. »Was zum Teufel willst du?«

»Ist Kate was passiert?« fragte ich atemlos.

»Claire! Schluß damit! Kate geht es glänzend.«

»Wirklich?« fragte ich. Ich wagte es kaum zu glauben.

»Wirklich«, sagte sie etwas freundlicher. »Warte nur, dann wirst du merken, daß es im Laufe der Zeit einfacher wird. Jetzt amüsier dich, und ich versprech dir, daß ich dich anruf, wenn was passiert.«

»Danke, Mum«, sagte ich. Es ging mir deutlich besser.

Ich stieg wieder ein, fuhr in die Stadt, stellte den Wagen ab (jawohl, auf einem bewachten Parkplatz) und ging in das Lokal, wo ich mich mit Laura verabredet hatte. Sie war schon da.

Es war großartig, sie zu sehen, das erste Mal seit Monaten. Ich sagte ihr, daß sie blendend aussehe, was auch stimmte. Sie meinte, daß auch ich blendend aussähe. Allerdings bin ich nicht sicher, ob das ihr Ernst war.

Wie eine alte Hexe sehe sie aus, sagte sie. Ich sagte, ich sähe aus wie ein Straßenköter, sie aber auf keinen Fall wie eine alte Hexe. Dem widersprach *sie* wiederum. Nachdem die Höflichkeiten ausgetauscht waren, holte ich uns etwas zu trinken.

In dem Lokal befanden sich Tausende von Leuten. Zumindest kam es mir so vor. Aber Laura und ich hatten Glück und fanden einen Platz.

Vermutlich wurde ich alt. Es hatte eine Zeit gegeben, da wäre ich mit größtem Vergnügen inmitten all jener Menschen stehengeblieben und hätte mich wie Tang im Meer hierhin und dorthin treiben lassen, das Glas in der Hand. Es hätte mir nichts ausgemacht, daß der Mensch, mit dem ich eigentlich redete, mehrere Meter entfernt stand und mir mein Bier zum größten Teil über das Handgelenk geflossen war.

Laura wollte alles über Kate wissen, und ich tat ihr den Gefallen nur allzu gern. Als ich jünger war, hatte ich mir vorgenommen, unter keinen Umständen eine von den Müttern zu werden, die andere Leute mit den Geschichten über ihr Kind anöden. Sie wissen schon – wie die Kleine heute zum ersten Mal gelächelt hat, wie schön sie ist und so weiter, während rund herum alle Leute vor Langeweile eingehen. Ich war ein wenig beunruhigt, als ich merkte, daß ich genau das tat, aber ich konnte es nicht ändern. Beim eigenen Kind ist es nicht dasselbe.

Das einzige, was ich zu meiner Verteidigung anführen kann, ist, daß jeder, der Kinder hat, weiß, was ich meine. Schon möglich, daß Laura tödlich gelangweilt war, aber zumindest gab sie sich große Mühe, Interesse an Kate zu heucheln.

»Ich würde sie rasend gern sehen«, sagte sie. *Furchtbar tapfer*, dachte ich.

»Komm doch am Wochenende zu uns«, schlug ich vor. »Wir verbringen den Nachmittag miteinander, und du kannst mit ihr spielen.«

Dann wollte sie wissen, wie es ist, wenn man ein Kind bekommt. Also sprachen wir eine Weile in allen blutigen Einzelheiten über die Geburt, bis ich merkte, daß Schweiß auf Lauras Stirn trat und sie ein wenig blaß um die Nasenspitze wurde.

Dann wandten wir uns selbstverständlich dem eigentlichen Zweck unseres Zusammentreffens und dem Hauptthema des Abends zu. Thema Nummer eins: James. James Webster, Der-sich-in-Nichts-auflösende-unglaubliche-Ehemann.

Laura war haarklein über alles informiert. Sie hatte es aus verschiedenen Quellen: von meiner Mutter, von Judy und vielen anderen Bekannten. Ich brauchte ihr also gar nicht zu erzählen, was sich abgespielt hatte. Sie wollte wissen, wie es mir jetzt ging und was ich für die Zukunft plante.

»Ich weiß nicht«, sagte ich. »Ich weiß nicht, ob ich nach London zurückgehen oder hierbleiben soll. Ich weiß nicht, was ich mit meiner Wohnung tun soll. Ich weiß überhaupt nicht, was ich tun soll.«

»Du mußt mit James reden«, fand sie.

»Als ob ich das nicht selbst wüßte«, sagte ich, nicht ganz ohne Bitterkeit, wie ich zugeben muß.

So sprachen wir eine Zeitlang über die Dinge, für die ich verantwortlich war, und malten uns aus, wie meine Zukunft aussehen könnte.

Nach einer Weile bedrückte es mich, über all das zu reden. Daher wechselte ich das Thema und fragte Laura, mit wem sie zur Zeit ins Bett ginge.

Das war weit unterhaltsamer, kann ich Ihnen sagen. Der gegenwärtige glückliche Empfänger ihrer sexuellen Gunst war ein neunzehnjähriger Kunststudent.

»Neunzehn!« kreischte ich so laut, daß in dem Lokal knapp einen Kilometer weiter mehreren verblüfften Gästen die Gläser in der Hand zersprungen sein dürften.

»Neunzehn! Ist das dein Ernst?«

»Ja«, lachte sie. »Aber eigentlich ist es eine Katastrophe. Er hat nie Geld, und so ist das einzige, was wir uns leisten können, miteinander ins Bett zu gehen.«

»Aber könntest denn du nicht für euch beide zahlen, wenn ihr ausgeht?« fragte ich.

»Sicher«, sagte sie. »Aber er sieht aus wie ein Landstreicher, und ich würde mich genieren, ihn irgendwohin mitzunehmen.«

»Heißt das, er ist immer mit Farbe beschmiert?« fragte ich.

»Das auch«, sagte sie. »Außerdem scheint er nur einen Pulli und keine Socken zu haben. Je weniger man über seine Unterwäsche sagt, um so besser.«

»Oje«, sagte ich. »Das klingt ja gut.«

»Ach, so schlimm ist es eigentlich nicht«, versicherte sie. »Er ist verrückt nach mir und findet mich fantastisch. Für mein Selbstwertgefühl genau das Richtige.«

»Ihr geht also nur zusammen ins Bett?« fragte ich beunruhigt. »Redet ihr überhaupt nicht miteinander und so?«

»Eigentlich nicht«, sagte sie. »Offen gestanden haben wir nichts gemeinsam. Er gehört einer ganz anderen Generation an. Er kommt rum. Wir gehen ins Bett und lachen über dies und jenes. Er sagt mir, daß ich die schönste Frau bin, die er je kennengelernt hat – wahrscheinlich auch die *einzige*. Wenn er morgens geht, nimmt er gewöhnlich ein Paar von meinen Sportsocken mit und bittet mich um Geld für die Busfahrkarte. Ganz entzückend!«

Gott im Himmel, dachte ich und sah Laura mit unverhüllter Bewunderung an.

»Du bist wahrhaftig die Frau der Neunziger«, sagte ich zu ihr. »Ganz cool.«

»Eigentlich nicht«, meinte sie. »Ich halte mich nur so über Wasser. In einem Sturm ist jeder Hafen recht, du weißt schon.«

»Und er ist also dein *Freund*?« fragte ich. »Würdest du mit ihm Händchen haltend über die Grafton Street gehen?«

»Um Gottes willen, nein!« sagte sie entsetzt. »Wie sähe das aus, wenn wir Bekannten begegneten? Nein, nein, der kleine Engel ist ein reiner Notbehelf. Er hält mir das Bett warm, bis der Richtige kommt. Ich versteh sowieso nicht, wieso der so lange braucht.«

Obwohl ich richtig froh war, Laura wiederzusehen, war mir durchaus bewußt, daß meine Begegnung mit ihr seit mehr als fünf Jahren mein erster gesellschaftlicher Kontakt als alleinstehende Frau war.

Und der erste ohne meinen Ehering. Ohne ihn fühlte ich mich außerordentlich verletzlich und nackt. Erst als ich ihn nicht trug, merkte ich, wie sicher ich mich mit ihm am Finger gefühlt hatte. Er klärte die Situation und sagte soviel wie: ›Ich bin nicht auf der Suche nach einem Mann, denn ich hab' schon einen. Wirklich. Seht doch meinen Ehering.‹

Laura hatte vor etwa einem Jahr mit ihrem Freund Frank Schluß gemacht. Trotz ihres halbwüchsigen Liebhabers waren wir also zwei alleinstehende Frauen, die an einem Donnerstag abend im März in einem gesteckt vollen Lokal in der Stadtmitte Wein tranken. Ich überlegte, ob die Männer unsere verzweifelte Lage würden riechen können, und fragte mich, ob es da etwas zu riechen gab.

Schenkte ich Laura meine ungeteilte Aufmerksamkeit? Oder suchte ein Teil meiner Aufmerksamkeit die Menschenmenge nach anziehenden Männern ab? Registrierte ich etwa, wie viele Männer mir seit meinem Eintreten bewundernde Blicke zugeworfen hatten?

Damit das klar ist, bis dahin keiner. Allerdings zählte ich natürlich die bewundernden Blicke nicht.

Ich lachte über etwas, das Laura gesagt hatte. Aber ich war nicht sicher, daß ich wirklich wegen ihr lachte. Vielleicht wollte ich einfach den Männern im Lokal zeigen, daß ich vollkommen glücklich und zufrieden war und mir ohne Mann keineswegs nur wie ein Viertelmensch vorkam.

Großer Gott, allmählich fühlte ich mich wirklich deprimiert. So, als hielte ich ein Schild über meinen Kopf, auf dem in blitzender rosa und lila Leuchtschrift ›Kürzlich sitzengelassen‹ und in Orange und Rot ›Ohne Mann wertlos‹ stand.

Mein ganzes Selbstvertrauen war dahin. Noch nie hatte ich mich so abgestempelt gefühlt.

Als James und ich glücklich beisammen waren, hatte ich mich häufig mit Freundinnen in Lokalen getroffen und nicht groß darüber nachgedacht.

Wieso war das mit einem Mal so ein Problem?

Laura merkte, daß ich mich hängenließ wie eine vor sich hin welkende Pflanze, und sie fragte, was man in solchen Fällen fragt. Unter Tränen versuchte ich ihr zu erklären, wie ich mich fühlte.

»Mach dir keine Sorgen«, sagte sie freundlich. »Als mich Frank wegen seiner Zweiundzwanzigjährigen sitzenließ, hab' ich mich furchtbar geschämt. Ich glaubte, es wäre meine Schuld, daß er mir durchgebrannt war. Ich hatte das Gefühl, daß ich ohne ihn weniger wert war als nichts. Aber das geht vorbei.«

»Meinst du wirklich?« fragte ich mit Tränen in den Augen.

»Ehrenwort«, versprach sie.

»Ich komm mir vor wie ein Stück Dreck«, versuchte ich zu erklären.

»Ich weiß, ich weiß«, sagte sie. »Und du hast das Gefühl, daß jeder es merkt.«

»*Genau*«, sagte ich, dankbar, daß ich nicht die einzige war, die das je empfunden hatte.

»So«, sagte ich und trocknete mir die Tränen. »Jetzt wird aber noch was getrunken.«

Ich drängte mich durch die glücklichen Massen zur Theke. Da stand ich, und während ich versuchte, die Aufmerksamkeit des Barmannes zu erheischen, wurde ich angestoßen, bekam Ellbogen ins Gesicht und Drinks ins Dekolleté. Gerade als ich beschlossen hatte, mein Kleid hochzuheben und dem Guten meinen Busen zu präsentieren, damit er mich endlich zur Kenntnis nahm, legte mir jemand die Hände auf die Taille und drückte.

Das hatte mir gerade noch gefehlt! Jemand versuchte die Lage einer alleinstehenden, nicht mehr taufrischen Frau auszunutzen! Empört wandte ich mich um, so rasch das unter den beengten Verhältnissen ging, um mir den sexuellen Belästiger vorzuknöpfen.

Erst mal sah ich nichts als seine Brust. Der schöne Adam! Adam, Helens Freund – oder auch nicht. Noch war das Urteil nicht gesprochen.

»Hallo«, sagte er mit einem bezaubernden Lächeln. »Ich hab' dich von dahinten gesehen. Brauchst du Hilfe?«

»Äh, hallo«, antwortete ich und rang etwas um Haltung. Ich merkte, daß ich entzückt war, ihn zu sehen. *Was für ein glückliche Hand Laura hatte, ausgerechnet in dieses Lokal zu gehen*, dachte ich.

»Und ob ich mich freue, dich zu sehen«, sagte ich. »Ich konnte noch nicht mal bestellen. Der Kerl da haßt mich.« Adam lachte. Ich stimmte ein. Ich hatte völlig vergessen, daß wir uns nach der kleinen Szene in meinem Zimmer, bei der er praktisch vorgeschlagen hatte, gemeinsam Kinder zu machen, eigentlich in Gegenwart des anderen betreten fühlen mußten.

Er sagte: »Ich bestell für dich.« Ich gab ihm das Geld und bat ihn, zwei Gläser Rotwein und etwas für sich zu bestellen.

Voll Stolz erinnerte ich mich daran, woher ich kam. Ich hatte meine Wurzeln nicht vergessen. Auch ich war einst eine mittellose Studentin gewesen. Ich wußte noch, wie ich Leuten zugesehen hatte, die sich ihre Zigaretten sozusagen mit Fünfpfundscheinen ansteckten und neidvoll gewünscht hatte, sie würden mir ein großes Carlsberg spendieren – ein einziges großes Glas.

Adam drängte sich zur Theke durch. Meine Wange lag praktisch auf seiner Brust. Undeutlich nahm ich seinen Geruch wahr. Er roch frisch und sauber, nach Seife.

Ich befahl mir, mich zusammenzunehmen. War ich Blanche du Bois oder die verrückte alte Alkoholikerin aus *Sunset Boulevard*, wie auch immer sie heißen mag? Oder eins der unzähligen alten

Weiber mit mehrfach geliftetem Gesicht, die in jeder Geschichte über Beverly Hills vorkommen und die von der Begierde nach weit jüngeren Männern aufgefressen werden. Traurig und beklagenswert. So wollte ich nicht sein.

Natürlich hatte Adam die Getränke in Null Komma nichts besorgt. Burschen wie er flößen Barmännern Respekt ein. Für Frauen wie mich haben die keine Zeit. Schon gar nicht für solche, denen der Mann davongelaufen ist. Wie jeder andere Mann im Universum wußte der hinter der Theke offenbar, daß ich eine Verliererin war.

Adam gab mir die beiden Weingläser und sagte: »Hier ist dein Wechselgeld.«

»Ich hab' keine Hand frei«, sagte ich und nickte zu den beiden Gläsern hin, die ich trug.

»Kein Problem«, sagte er und schob seine Hand in eine Tasche meines Kleides.

Einen kurzen Augenblick lang berührte sie meinen Hüftknochen. Ich spürte ihre Wärme durch das Gewebe. Ich hielt den Atem an. Ich glaube, er auch. Dann ließ er die Münzen los, und das Wechselgeld klirrte in der Tasche.

Was sollte ich tun? Ihm eine kleben, weil er sich das herausgenommen hatte? Immerhin mußte er mir mein Wechselgeld geben, und ich hatte keine Hand frei. Er hatte genau das Richtige gemacht.

Trotzdem dachte ich, daß Menschen wie er eine Art Waffenschein mit sich herumtragen müßten, weil sie so anziehend sind. Man müßte sie eine Art Prüfung machen lassen, in der sie beweisen, daß man ihnen trauen kann, wenn sie so hinreißend aussehen und in freier Wildbahn herumlaufen. Es war ja nicht nur sein unbestritten gutes Aussehen. Er war auch so groß und männlich. In seiner Gegenwart kam ich mir wie eine zerbrechliche kleine Frau vor. Wieder litt ich am Weiten-Nachthemd-Syndrom.

Er fragte: »Mit wem bist du hier?«

»Mit meiner Freundin Laura.«

»Darf ich mich an euren Tisch setzen?«

»Natürlich.«

Warum nicht, dachte ich. *Er ist unterhaltsam, angenehm im Umgang, und er wird Laura gefallen.*

Allerdings ist er für sie vielleicht ein bißchen alt.

Er schob mich durch die Menschenmenge. Ich muß sagen, daß sie mir weit mehr Achtung entgegenbrachte, als er dabei war.

Ich glaube nicht, daß ich auf dem Rückweg von der Theke mehr als einen Tropfen Alkohol abbekommen habe, während man mich auf dem Hinweg mit der Tagesportion einer ganzen Brauerei überschüttet hatte.

Natürlich war das ungerecht, aber so ist das Leben.

Wir kamen an Leuten vorbei, die ihn zu kennen schienen.

»Adam, wohin gehst du?« wollte eine der jungen Frauen aus der Gruppe wissen. Blond. Rosa Schmollmund. Sehr jung. Sehr hübsch.

»Ich hab' 'ne alte Freundin getroffen«, sagte er. »Ich trink 'nen Schluck mit ihr.«

Rasch ließ ich den Blick über die Menge gleiten, um festzustellen, ob Helen da war. Gott sei Dank konnte ich sie nicht erblicken. Wohl aber sah ich eine ältere Frau in der Gruppe, die Adam sehnsüchtig ansah, als er vorüberging. Ob das die arme liebeskranke Professorin Staunton war? Ich spürte mehrere feindselige Blicke. Alle von Frauen. Es war fast komisch. *Der Teufel soll sie holen*, dachte ich munter. *Wenn sie nur wüßten, daß sie von mir nichts zu fürchten haben.* Mein Mann hat mich sitzengelassen, wollte ich ihnen sagen, und er sieht nur durchschnittlich gut aus. Nicht wie Adam hier. Welches Interesse also könnte ein solcher Adonis an mir haben? Außerdem liebe ich meinen Mann nach wie vor. Trotz seiner Treulosigkeit.

Ich stellte Laura und Adam einander vor. Sie errötete. Also wirkte er auf alle Frauen so, nicht nur auf die in meiner Familie.

Irgendwie fand Adam eine Sitzgelegenheit. Er war die Art Mann.

»Du bist ein schrecklicher Flunkerer«, sagte ich mit einem Lächeln.

»Wieso?« fragte er. Dabei riß er seine blauen Augen weit auf und sah ganz unschuldig und jungenhaft aus.

»Hast du nicht dem armen Mädchen gesagt, ich sei eine alte Freundin?« fragte ich zurück.

»Bist du doch auch«, sagte er. »Ich meine, ›älter als ich‹, nicht richtig alt«, fügte er hastig hinzu, als er sah, wie sich meine Augen verengten. »Und das weiß ich auch nur, weil ich Helen nach deinem Alter gefragt habe. Ich hätte dich viel jünger geschätzt.«

Ich sah ihn an.

Das muß der Neid ihm lassen, dachte ich. *Er hat sich gut aus der Affäre gezogen.*

»Und obwohl wir uns erst einmal gesehen haben«, fügte er hinzu, »kommst du mir vor wie eine Freundin.«

Ja, dachte ich, *er hat sich* meisterhaft *aus der Affäre gezogen.*

Später sagte mir Laura, sie habe in dem Augenblick ihren Slip ausgezogen und ihren Rock gerafft. Aber davon hat keiner von uns beiden was gemerkt; ich glaube ihr keine Sekunde. Allerdings aber, daß ich verstehe, worauf sie hinauswollte.

Nach der Begegnung mit Adam nahm der Abend eine ganz andere Wendung. Ich fühlte mich um einiges glücklicher. Ich schäme mich, das zuzugeben, aber ich fühlte mich sehr viel wohler, weil jetzt ein Mann dabei war. Als ob mich das in gewisser Weise aufwertete.

Ehrlich gesagt, wußte ich, wie trübsinnig und kläglich ich war, und ich hatte wirklich vor, meine Haltung zu ändern. Aber es war großartig, in Adams Nähe zu sein. Abgesehen von allem anderen konnte man sich mit ihm gut unterhalten.

Laura fragte ihn, woher er mich kenne, und er sagte: »Helen ist eine Studienfreundin von mir.«

Laura warf mir einen vielsagenden Blick zu. Etwa in der Art *Großer Gott. Nein. Ein Student. Wir werden so tun müssen, als interessiere uns sein langweiliges Studium.* Aber Adam nahm ihr den Wind aus den Segeln. Das scheint eine Spezialität von ihm zu sein.

Lächelnd sagte er: »Du brauchst mich nicht zu fragen, was ich studiere.«

»Oh«, sagte Laura ein wenig betreten. »In dem Fall tu ich das auch nicht.«

Nach einer kurzen Pause sagte Laura: »Eigentlich bin ich jetzt neugierig.«

»Das war nicht meine Absicht«, sagte Adam lachend. »Aber wenn du so fragst, ich studiere im ersten Jahr Englisch, Psychologie und Anthropologie.«

»Ein Erstsemester?« fragte Laura mit gehobenen Brauen. Offensichtlich verglich sie das, was er sagte, mit seinem nicht besonders jungenhaften Auftreten.

»Ja«, sagte Adam. »Aber selbst bin ich schon ein sogenanntes reiferes Semester. Allerdings fühl ich mich kein bißchen reif, höchstens verglichen mit meinen Kommilitonen.«

»Sind die schlimm?« fragte ich und hoffte, er werde ja sagen.

»Eigentlich nicht«, sagte er. »Sie sind einfach jung. Was will man von Siebzehn- oder Achtzehnjährigen erwarten, die gerade die Schule hinter sich haben? Sie studieren nicht unbedingt, weil sie was lernen wollen oder ihr Studienfach sie begeistert, sondern weil sie sich noch ein paar Jahre lang vor der Verantwortung drücken wollen.«

Laura und ich brachten es fertig, ziemlich beschämt dreinzublicken, als er das sagte. Sie, Judy und ich waren während unseres Studiums Musterexemplare der faulen, herumlungernden, arbeitsscheuen, verzogenen Studenten gewesen, die er beschrieb.

»Wie schrecklich das für dich sein muß«, murmelte ich. Laura und ich grinsten einander an.

»Und wieso studierst du jetzt?« fragte ich.

»Als ich jünger war, hatte ich keine Lust dazu. Nach der Schule wußte ich nicht so recht, was ich wollte, und hab' alles mögliche Falsche gemacht«, sagte er geheimnisvoll. »Vor kurzem hab' ich mein Leben in den Griff gekriegt. Es war ein ziemliches Chaos«, fuhr er noch geheimnisvoller fort, »und jetzt bin ich soweit, daß ich studieren kann. Es macht mir großen Spaß.«

»Tatsächlich?« fragte ich und war von seiner Reife und Entschlossenheit beeindruckt.

»Ja«, sagte er.

Dann fuhr er zögernd fort: »Ich glaube, ich hatte Glück, daß ich bis jetzt gewartet habe. Jetzt weiß ich die Sache richtig zu schätzen. Ich denke, man müßte die jungen Leute erst mal ein paar Jahre richtig arbeiten lassen, bevor sie sich entscheiden dürfen, ob sie weiterlernen wollen.«

»Hast du das getan?« fragte ich ihn. »Ich meine, richtig gearbeitet?«

»In gewisser Hinsicht«, beschied er mich knapp. Offensichtlich wollte er nicht mehr sagen. Das wurde immer sonderbarer. Da hat also unser Saubermann Adam eine Vergangenheit. Jedenfalls klang, was er sagte, so.

Ich wette, er will nur geheimnisvoll tun und einen Mythos um sich herum aufbauen, dachte ich unfreundlich. *Vermutlich hat er die letzten sechs Jahre in einer Behörde gearbeitet. Sicher in der ödesten Abteilung, die sie da haben, beispielsweise* Lizenzvergabe für Großviehhaltung, *falls es so was gibt.*

Laura richtete die zweite Frage an Adam, die man Studenten grundsätzlich stellt (die erste ist: »Was studierst du?«).

»Was willst du nach deinem Studium machen?« fragte sie. Ich hielt den Atem an.

Bitte, lieber Gott, bitte, laß ihn nicht sagen, daß er Autor oder Journalist werden möchte, flehte ich stumm. Nicht eins dieser unerträglichen Klischees. Ich begann ihn zu mögen und zu achten, und bei einer solchen Antwort wären meine Empfindungen geradezu absurd geworden. Ich faltete die Hände zum Gebet und hob die Augen gen Himmel.

»Ich würde gern was mit Psychologie machen«, sagte er. (Ich war erleichtert.) »Mich interessiert, was in den Köpfen der Menschen vor sich geht. Ich könnte mir vorstellen, eine Art psychologischer Berater zu sein. Andererseits würde ich vielleicht auch gern in die Werbung gehen und meine Psychologiekenntnisse dort anwenden«, erklärte er. »Bis dahin ist aber noch viel Zeit.«

»Und was ist mit Englisch?« fragte ich ihn nervös. »Macht dir das keinen Spaß?«

»Natürlich«, sagte er. »Mein Lieblingsfach. Aber ich sehe nicht, wie ich damit meinen Lebensunterhalt verdienen könnte. Außer ich würde versuchen, Autor oder Journalist zu werden. Das will aber jeder zweite.«

Gott sei Dank! dachte ich. *Ich freue mich, daß es ihm gefällt. Ich könnte nur nicht ertragen, schon wieder von jemandem zu hören, daß er ein Buch schreiben will.*

So plauderten wir weiter. Laura ging zur Theke, um noch etwas zu trinken zu holen. Adam wandte sich mir zu und lächelte.

»Ich finde es großartig«, sagte er, »mich mit jemandem niveauvoll zu unterhalten.« Ich glühte.

Er schob sich ein bißchen näher an mich heran.

Auch wenn ich vielleicht nicht mehr den Körper einer Siebzehnjährigen habe, kann ich immer noch einen Mann unterhalten, dachte ich selbstgefällig.

Ich kam mir vor wie eine reife, starke Frau, die weiß, wohin sie gehört. Selbstsicher, eigenwillig, aber auch amüsant und unterhaltsam. Witzig und klug. Natürlich Unfug. Keine halbe Stunde war vergangen, seit ich geheult hatte, weil meiner Überzeugung nach jeder im Lokal wußte, daß ich das Letzte war. Alles eine Frage der Einstellung.

In dem Augenblick fühlte ich mich gut, und das war Adams Verdienst. Aber spielte es eine Rolle, wer dafür sorgte, daß ich mich gut fühlte? War es nicht besser, als sich schlecht zu fühlen?

»Adam, wir gehen jetzt. Kommst du mit?« Die hübsche Blondine war neben ihm aufgetaucht.

»Nein, Melissa, noch nicht. Aber wir seh'n uns morgen, in Ordnung?« fragte er.

Es war klar, daß es alles andere als in Ordnung war. Melissa verzog ärgerlich das Gesicht. »Aber … ich dachte … kommst du nicht mit zur Party?« Es klang, als könnte sie ihren Ohren nicht trauen.

»Ich glaub nicht«, sagte Adam, etwas entschlossener.

»Na schön!« sagte Melissa und ließ keinen Zweifel daran, daß es alles andere als schön war. »Hier sind deine Sachen.« Mit diesen Worten ließ sie eine riesige Sporttasche zu Boden plumpsen. Laura und mir warf sie einen giftigen Blick zu. Verwirrt, aber giftig. Offensichtlich konnte sie nicht verstehen, was Adam mit zwei alten Schachteln wie uns wollte, wo er doch freie Wahl unter all den knackigen Siebzehnjährigen im Lokal hatte.

Offen gesagt verstand ich es auch nicht. Melissa stolzierte davon, und Adam seufzte.

»Noch 'ne Studentenparty würde ich nicht aushalten«, erklärte er matt. »Warmes Dosenbier. Aufs Klo kannst du nicht, weil da drin gebumst wird. Wenn du deine Jacke auf dem Bett liegen läßt, kotzt jemand drauf. Jede knutscht mit jedem. Für so was bin ich zu alt.«

Mit einem Mal tat er mir richtig leid. Ich überlegte, daß es ihm wohl ernst damit gewesen war, daß er sich über ein niveauvolles Gespräch freute.

Für einen erwachsenen Menschen konnte es nicht leicht sein, von aufgeregt kichernden Achtzehnjährigen wie Helen und Melissa umgeben zu sein. Es konnte auch nicht leicht sein, daß sich so viele junge Mädchen in einen verliebten. Jedenfalls dann nicht, wenn man ein warmherziger Mensch war – und dafür hielt ich Adam – und sie nicht verletzen oder kränken wollte.

In manchen Fällen ist Schönheit nicht nur angenehm. (Auch wenn ich da nicht aus eigener Erfahrung sprechen kann.) Man muß seine Macht klug und verantwortungsbewußt nutzen.

Während der nächsten zehn Minuten zog ein unaufhörlicher Strom junger Mädchen an unserem Tisch vorbei, die sich von Adam verabschieden wollten. Offensichtlich ein Vorwand. Vermutlich hatte Melissa Bericht erstattet, und sie kamen, um zu sehen, wie häßlich und alt Laura und ich waren.

Wenn man den Spieß umgedreht hätte, wäre ich eine der ersten gewesen, die sich über Schuhe, Kleidung, Make-up und Frisur der Störenfriede mokiert hätte.

Allerdings sah Laura mit ihren rötlichen Locken und dem Alabasterteint richtig bezaubernd aus und nicht annähernd wie dreißig. Ich glaube auch, daß ich nicht besonders übel aussah. Wahrscheinlich hat das trotzdem keine davon abgehalten zu sagen, wie uralt wir schienen. Welche Rolle spielte das auch?

Jemand hielt mir eine Sammeldose unter die Nase und klapperte damit.

»Möchten Sie etwas für Kinder in Not spenden?« fragte ein Mann im nassen Mantel, mit sorgenzerfurchtem Gesicht.

»Klar«, sagte ich, durch den Alkohol etwas großzügiger als sonst, und steckte ein Pfund in den Schlitz.

»Sie?« fragte er mit Blick auf Laura. Adam hatte er nicht einmal seiner Frage gewürdigt. Offensichtlich erkannte er den mittellosen Studenten auf den ersten Blick.

»Ach, ich leiste meinen Beitrag unmittelbar«, erklärte sie.

»Tatsächlich?« fragte ich verwirrt. Ich hatte nicht gewußt, daß sich Laura um das Wohlergehen von Kindern kümmerte.

»Ja. Ich geh regelmäßig mit einem von ihnen ins Bett«, erklärte sie. »Wenn das kein unmittelbarer Beitrag ist, weiß ich wirklich nicht.« Der Mann machte ein entsetztes Gesicht und wandte sich schleunigst dem nächsten Tisch zu. Adam brüllte vor Lachen. »Mit Pädophilen hatte ich noch nie was zu tun«, sagte er.

»Ist nur ein Witz. Kleinen Kindern tu ich nichts«, sagte sie. »Das fragliche Kind ist neunzehn.«

Wir tranken aus, zogen unsere Mäntel an und brachen auf. Allmählich leerte sich das Lokal. Alle an den Tischen um uns herum schienen bester Laune zu sein – mit Ausnahme der Bedienungen; sie flehten die Leute praktisch an, das Lokal zu verlassen.

»Ich hab' jetzt dreizehn Abende am Stück gearbeitet«, hörte ich einen Kellner an einem Tisch mit besonders aufgedrehten Gästen sagen. »Ich bin total kaputt.« Offen gestanden sah er erschöpft aus, aber sein Appell an ihre Menschlichkeit war wohl Zeitverschwendung.

»Mir kommen die Tränen«, sagte ein ziemlich betrunkener junger Mann spürbar ironisch.

»Wenn Sie das Glas nicht austrinken, nehm ich es so mit«, drohte ein Kellner an einem anderen Tisch in der Nähe. Er fühlte sich in der Rolle des freundlichen Gastgebers erkennbar am wohlsten.

Also trank der Gast fast einen halben Liter unter anfeuernden Rufen wie »Gut gemacht! Keinen Tropfen vergeuden!« in einem Zug aus. Selbst Laura rief ihm zu: »Runter mit dem Zeug, alter Junge.«

Etwa fünf Minuten später kamen wir vor dem Lokal an ihm vorüber. Einige seiner Begleiter, die ebenso betrunken waren wie er, hielten ihn, während er sich übergab.

Wir merkten, daß es wieder regnete.

»Mein Wagen steht nicht weit von hier am anderen Ende der Straße«, sagte Laura. »Ich lauf schnell hin.« Wir umarmten einander zum Abschied.

»Ich komm am Sonntag, um mir Kate anzusehen«, sagte sie. »Es war nett, dich kennenzulernen, Adam.« Dann lief sie in die nasse Nacht und wäre beinahe mit dem sich übergebenden Mann zusammengestoßen.

»'tschuldigung«, rief sie.

Adam und ich blieben einen Augenblick stehen. Ich wußte nicht recht, was ich sagen sollte, und er schwieg.

»Kann ich dich nach Hause bringen?« fragte ich. Ich kam mir dabei etwas sonderbar vor, ungefähr wie eine mannstolle ältere Frau, die einen mittellosen, gutaussehenden jungen Mann kauft.

»Das wäre wirklich toll«, sagte er mit einem Lächeln. »Ich glaube, ich hab' den letzten Bus verpaßt.« Ich entspannte mich. Keine Rede davon, daß ich seine Situation ausnutzte – ich tat ihm einen Gefallen.

Wir gingen durch die nassen Straßen zum Parkplatz. Das hatte nichts, aber auch gar nichts Romantisches an sich. Ich hätte heulen können. Meine Wildlederstiefel waren total hinüber, und ich würde sie den Rest meines Lebens über einen dampfenden Wasserkessel halten müssen, damit sie wieder würden wie früher.

Wir stiegen in Dads Auto. Adam warf seine tropfnasse Tasche nach hinten und setzte sich auf den Beifahrersitz. Ich schwöre, daß er das Auto vorn praktisch allein ausfüllte.

Wir fuhren an. Er fing an, am Radio zu drehen.

»Bitte nicht«, sagte ich. »Mein Vater bringt mich um.«

Ich berichtete ihm von dem Gespräch, das ich vor meinem Aufbruch mit meinem Vater gehabt hatte, und er lachte aus vollem Halse.

»Du fährst gut«, sagte er nach einer Weile. Natürlich brachte mich das völlig durcheinander. Kaum hatte er das gesagt, würgte ich den Motor ab und hätte den Wagen fast an einen Lichtmast gefahren. Davon abgesehen, daß mir Adam den Weg zu seiner Wohnung in Rathmines erklärte, fuhren wir schweigend durch den

Regen. Es war eine angenehme Stille. Sie wurde lediglich vom Geräusch der Autoreifen auf der nassen Straße und dem Quietschen der Scheibenwischer unterbrochen.

Ich hielt vor seinem Haus an und lächelte ihm zum Abschied zu. Es war wirklich ein herrlicher Abend gewesen.

»Danke fürs Nachhausebringen«, sagte er.

»Nichts zu danken«, sagte ich lächelnd.

»Äh, hm … würdest du, ich meine … darf ich dir eine Tasse Tee anbieten?« fragte er unbeholfen.

»Wann … jetzt …?« fragte ich ebenso unbeholfen.

»Nein, eigentlich dachte ich, irgendwann im Dezember.« Er grinste.

Meine Ablehnung kam automatisch. Ich hatte sie auf der Zunge, bevor ich es selbst wußte.

Es gab dafür mehrere Gründe. Es war spät. Ich war durchnäßt bis auf die Haut. Es war mein erster Abend, an dem ich Kate einem anderen Menschen anvertraut hatte. Helen würde mich umbringen.

»Ja«, hörte ich mich zu meiner eigenen Überraschung sagen. »Warum nicht?«

Ich stellte den Wagen ab und ging mit ihm hinein.

Ich war voll böser Vorahnungen, und die waren begründet. Ich hatte genug Studentenwohnungen kennengelernt, um mit dem Schlimmsten zu rechnen.

Da gab es allerlei sonderbare Situationen. Beispielsweise schliefen sechs oder sieben Personen im Wohnzimmer, ein paar Leute wohnten in der Küche, wer ins Bad wollte, mußte durchs Schlafzimmer, wer ins Wohnzimmer wollte, durchs Bad. Manche Schlafzimmer wurden durch eine von der Decke hängende Wolldecke geteilt, damit es nach Privatsphäre aussah. Kleiderschränke standen auf der Diele, Kommoden in der Küche, Kochtöpfe und Eimer im Badezimmer und der Kühlschrank auf dem Treppenabsatz. Der Couchtisch im Wohnzimmer bestand aus vier Milchflaschenkisten aus blauem Plastik mit einer Spanplatte darauf. So in der Art.

Eine Küche, die aussah, als würde die ganze Evolution von vorn beginnen, wenn der Blitz einschlüge, krumm und schief hängende

Vorhänge, vor den Fenstern zerbrochene Jalousien, der Fußboden voller zertretener Bierdosen. Im Spülkasten braute jemand Bier. Glauben Sie mir, ich habe meinen Anteil an Studentenwohnungen dieser Welt kennengelernt. Daher war ich äußerst erleichtert, als mir Adam die Wohnungstür öffnete und ich Räume betrat, die normal, ja ich würde sogar sagen, ausgesprochen angenehm wirkten.

»Komm mit in die Küche«, sagte er und zog seine nasse Jacke aus.

Dort setzte er den Kessel auf und schaltete einen Ofen an. Es war nicht einer dieser scheußlichen orangefarbenen Elektroöfen mit zwei Heizstäben, die man in allen möblierten Zimmern findet, sondern ein normaler Gasofen, wie wir ihn in unserer Wohnung in London hatten. Der Wasserkessel war auch ein richtiger Kessel und nicht eine leere Konservendose auf einer Gasflamme.

»Sind deine Mitbewohner auch Studenten?« fragte ich mißtrauisch.

»Nein«, sagte er, während er meinen Mantel nahm und nahe der Heizung aufhängte. »Sie arbeiten beide.« Das erklärte eine ganze Menge.

»Bist du sehr naß?« fragte er fürsorglich. »Soll ich dir einen Pulli leihen?«

»Nein, es geht«, sagte ich tapfer. »Mein Mantel hat mich vor dem Schlimmsten bewahrt.«

Er lächelte. »Dann hol ich dir ein Handtuch, damit du dir die Haare trocknen kannst«, sagte er und ging hinaus.

Er war fast umgehend mit einem großen blauen Handtuch zurück, und ich freue mich, Sie beruhigen und Ihnen sagen zu können, daß er mir nicht die Haare getrocknet hat.

Halten Sie das hier etwa für ein Rührstück? Tut mir leid, aber falls Sie sich für so was interessieren, sollten Sie ein anderes Buch lesen.

Nein, er gab mir das Handtuch, und ich rubbelte mir die Haare ein paarmal halbherzig durch. Ich wollte nicht, daß sie wild durcheinanderstanden und strubbelig trockneten.

Offen gesagt hätte ich lieber Lungenentzündung bekommen.

Ich zog meine Stiefel aus und stellte sie vor den Ofen. Adam gab mir einen Becher Tee, und wir setzten uns in der angenehm warmen Küche an den Tisch. Er fand sogar eine Packung Kekse.

»Sie gehören Jenny«, erklärte er. »Ich sag ihr morgen früh, daß ich heute abend besonderen Besuch hatte. Sie wird das verstehen.«

Es ging ein richtiger Zauber von ihm aus. Er wirkte ganz natürlich und keinen Augenblick lang unaufrichtig und schmierig.

»Wie lange hast du das Kind schon?« fragte er und stellte den Zucker vor mich hin.

»Etwas über einen Monat«, sagte ich.

»Ich hoffe, es stört dich nicht«, sagte er verlegen. »Aber Helen hat mir gesagt, wie das mit dir und deinem Mann ist.«

»Und?« fragte ich. Es störte mich durchaus.

»Eigentlich nichts«, sagte er rasch. »Es geht mich ja auch nichts an, aber ich bin sicher, daß es für dich nicht einfach ist. Ich hab' so was Ähnliches mal selbst erlebt und weiß, wie entsetzlich das sein kann.«

»Tatsächlich?« fragte ich. Er hatte mich neugierig gemacht.

»Nun ja«, sagte er. »Aber ich will nicht meine Nase in deine Angelegenheiten stecken.«

Das darfst du gern, dachte ich, *wenn ich dafür meine Nase in deine Angelegenheiten stecken darf. Also erzähl schon.*

»Ich weiß, daß du viele Freunde in Dublin hast«, fuhr er fort, »aber falls du mal mit mir reden willst, kannst du das gern tun.«

»Du willst mich aber nicht als eine Art Versuchskaninchen für deinen Psychologiekurs benutzen?« fragte ich argwöhnisch.

»I wo!« lachte er. »Ich hab' dich einfach vom ersten Augenblick an gemocht und seit heute abend noch mehr. Ich fände es schön, wenn wir Freunde würden.«

»Warum?« sagte ich, noch immer voll Mißtrauen.

Es war ja wohl mein gutes Recht zu fragen, oder? So ganz verstand ich ihn nämlich nicht. Ich war ein durchaus normaler Mensch. Warum war Adam zu dem Ergebnis gekommen, ich sei etwas Besonderes und seine Freundschaft wert?

Hier ging es nicht darum, daß ich mich selbst herabsetzte. Ich wußte, daß ich viele gute Eigenschaften hatte, und war keine von denen, die sich ständig selbst herabsetzen. Aber gute Eigenschaften haben viele. An mir gab es nichts *Ungewöhnliches*. Adam hingegen hatte bestimmt Tausende lustiger, schöner, kluger, unterhaltsamer, sanfter, interessanter, erotischer und schutzbedürftiger Frauen kennengelernt. Wie er gerade auf mich komme, fragte ich ihn.

»Weil du nett bist«, antwortete er. Nett! Ich bitte Sie! Welche Frau will schon, daß ein schöner Mann wie Adam auf sie verfällt, weil sie nett ist?

»Außerdem bist du sehr lustig. Und klug. Und interessant«, sagte er. *Das kommt schon eher hin*, dachte ich. Ob er mich auch erotisch oder schön fand? Ich wäre sogar mit ›anziehend‹ zufrieden gewesen.

Aber nein: die Begriffe erotisch, schön oder anziehend kamen ihm nicht in den Sinn. Was für eine Rolle spielte das? Es tat gut, mit ihm zu reden. Ich unterhielt mich bestens. Außerdem war ich nicht scharf auf ihn. Unter anderen Umständen wahrscheinlich schon.

Er war jedenfalls nicht scharf auf mich. Wir waren einfach zwei Erwachsene, die sich einer in der Gegenwart des anderen wohl fühlten.

Ich war verheiratet. Am Montag würde ich James anrufen. Um Adam würde sich schon jemand kümmern. Wenn nicht meine Schwester Helen, dann eine andere Frau, kein Zweifel. Kein Grund, sich groß den Kopf zu zerbrechen.

»Was machst du morgen?« fragte er.

»Weiß ich noch nicht«, sagte ich. »Seit ich aus London zurück bin, hat sich bei mir noch kein richtiger Rhythmus eingespielt. So wie's aussieht kümmere ich mich einfach um Kate.«

»Genau deswegen wollte ich wissen, wie alt die Kleine ist. Hättest du Lust, mit mir ins Fitneß-Studio zu kommen?«

»ICH?« fragte ich entsetzt. »Wozu?«

»Nicht, weil glaube du hättest es nötig«, sagte er rasch. »Ich dachte nur, es würde dir vielleicht Spaß machen.«

Mit mir schlaffen und wabbligen alten Frau wollte dieser Adonis ins Fitneß-Studio gehen? Machte der sich über mich lustig? Auf der anderen Seite – mein Körper würde schlaff und wabblig bleiben, wenn ich nichts dagegen unternahm. Früher war ich immer gern ins Fitneß-Studio gegangen. Vielleicht war das der beste Vorschlag seit langem.

»Ich weiß nicht recht...«, sagte ich zögernd. »Ich bin nicht besonders gut in Form.«

»Irgendwann muß man anfangen«, sagte er rasch.

»Und wer kümmert sich um Kate?«

»Könnte das nicht deine Mutter machen? Es wären doch nur ein paar Stunden.«

»Möglich«, sagte ich zweifelnd. Das ging mir alles zu schnell. Zum Teufel, ich war doch nur ausgegangen, um mit Laura einen Schluck zu trinken, und jetzt ging es um ein Fitneß-Programm mit einem Mann, den ich erst seit gestern abend kannte.

»Komm doch einfach morgen vorbei. Es gefällt dir bestimmt. Was hast du zu verlieren?« fragte er.

Ich dachte darüber nach. Was hatte ich zu verlieren? Abgesehen von meinem Leben, falls Helen dahinterkam.

»Okay, ich komme mit.«

Obwohl ich es selbst kaum glauben konnte, verabredete ich mich mit ihm für den kommenden Tag um drei Uhr in der Stadt. Ich trank meinen Tee aus, und er begleitete mich nach draußen. Er schloß die Autotür hinter mir und blieb am Gartentor stehen, als ich davonfuhr – im Regen, nicht zu vergessen.

Meine Schuldgefühle setzten schon ein, bevor ich das Ende der Straße erreicht hatte.

Ich vernachlässigte Kate. Ich war allein beim Freund meiner jüngsten Schwester gewesen und würde morgen wieder allein mit ihm zusammensein, so unschuldig das auch alles war. Ich würde meine Zeit im Fitneß-Studio vergeuden, statt, was ich eigentlich hätte tun müssen, mit einem Anwalt zu reden, mich um meine Finanzen zu kümmern und so weiter.

Zu Hause rannte ich gleich die Treppe zu Kates Zimmer hoch. Voll Erleichterung sah ich, daß sie lebte und ihr nichts fehlte. Ich hatte ein so schlechtes Gewissen, daß ich überzeugt war, etwas Schreckliches müsse passiert sein. Sofort drückte ich sie so fest an mich, daß ich sie fast zerquetschte.

»Du hast mir gefehlt, mein kleiner Schatz«, sagte ich, während sie nach Luft rang. »Montag ruf ich deinen Daddy an und versuch die Dinge für uns in Ordnung zu bringen. Alles wird gut, das versprech ich dir.«

Der Abend war so schön gewesen. Ich begriff einfach nicht, warum ich so niedergeschlagen war.

14

Ich hatte Mr. Hasdell anrufen wollen, den Anwalt, den mir Laura empfohlen hatte, sobald er am nächsten Morgen um neun an seinem Schreibtisch saß. Aber ich brachte es einfach nicht fertig.

Ich fütterte Kate, spielte mit Kate. Ich zerbrach mir den Kopf darüber, was ich ins Fitneß-Studio anziehen sollte. Ich zerbrach mir den Kopf darüber, was geschehen würde, wenn Helen dahinterkam, daß ich mit Adam ins Fitneß-Studio ging. Ich zerbrach mir den Kopf darüber, ob ich Kate vernachlässigte. Ich zerbrach mir den Kopf darüber, ob sich meine Mutter weigern würde, Kate zu nehmen, weil sie sich bei meiner Verabredung mit Adam nicht zu meiner Mitwisserin machen wollte.

Über alles zerbrach ich mir den Kopf, nur nicht über das Entscheidende.

Ich wußte, daß ich meine Bank anrufen mußte. Ich hatte so gut wie kein Geld. Aber viel wichtiger war mir die Frage, wie mein Hintern in dem Gymnastikanzug und den Leggings aussehen würde, die ich in Rachels Zimmer gefunden hatte.

Mein Kind wuchs ohne Vater auf, aber statt mich ans Telefon zu hängen, einen Anwalt anzurufen und zu versuchen, Ordnung in mein Leben zu bringen, stand ich mit eingezogenem Bauch vor dem Spiegel, kontrollierte mein Profil und wandte den Kopf, um zu sehen, wie mein Hintern im Spiegel aussah, als wäre die Zeit rückwärts gelaufen und ich wieder fünfzehn.

Meine Mutter war ausgesprochen mißtrauisch, als ich sie bat, am Nachmittag nach Kate zu sehen.

»Schon wieder?« fragte sie.

»Nur für ein paar Stunden«, murmelte ich.

»Was hast du vor?« wollte sie wissen.

»Nichts, Mum. Ich möchte nur ins Fitneß-Studio gehen und mich wieder ein bißchen in Form bringen«, erklärte ich ihr. Ich wollte sie nicht belügen, brachte es aber auch nicht fertig, mit der ganzen Wahrheit herauszurücken.

»Aha, ins Fitneß-Studio«, sagte sie. Sie klang ganz zufrieden. »Das ist gut. Paß nur auf, daß du dir nichts zerrst... du weißt schon..., daß nichts passiert. Die Entbindung ist schließlich noch nicht so lange her.«

»Danke, Mum«, sagte ich, und machte mich über ihr Feingefühl lustig. »Aber ich glaub, daß mein Inneres in erstklassigem Zustand ist. Ich kann's kaum erwarten, wenn ich ehrlich sein soll.« Das hätte ich besser nicht gesagt. Jetzt war sie wieder voll Argwohn.

Zwar hatte sie mich selbst zu einem Abenteuer mit Adam ermutigt, aber wegen unserer zufälligen Begegnung vom Vortag hatte ich ein so schlechtes Gewissen, daß niemand etwas davon erfahren sollte.

Auf dem Weg in die Stadt war mir schlecht, vor lauter Schuldgefühlen und der Furcht, man könnte mir auf die Schliche kommen und Kate könnte etwas zustoßen. Etwa auf halbem Weg kam ich zu dem Ergebnis, daß ich nicht für ein Leben der Täuschung, Irreführung und Kindesvernachlässigung geschaffen war. Es war wohl besser, ich kehrte um und fuhr nach Hause.

Der Verkehr war sehr dicht, und bevor ich wenden konnte, meldete sich mein schlechtes Gewissen, diesmal Adam einfach zu versetzen. Also beschloß ich, weiterzufahren, ihm mitzuteilen, daß ich unsere Verabredung nicht einhalten könnte, und sofort wieder nach Hause zu fahren. Dann fand ich keinen Parkplatz. Ich mußte praktisch von da, wo ich geparkt hatte, einen Bus dorthin nehmen, wo ich mit Adam verabredet war. Das bedeutete, daß ich mich schrecklich verspäten würde.

Während ich die Straße entlanglief, sah ich ihn vor dem Laden stehen, wo wir uns verabredet hatten. Besorgt und ohne auf die bewundernden Blicke zu achten, die vorübergehende Frauen ihm zuwarfen, spähte er die Straße auf und ab.

Bei seinem Anblick durchfuhr es mich, wie jedesmal. Ich hatte ganz vergessen, wie gut er aussah. *Dieser hochgewachsene, schöne Mann mit den muskulösen, langen Beinen wartet auf mich*, dachte ich beeindruckt.

Warum nur!?

»Claire!« sagte er und schien entzückt, mich zu sehen. »Ich dachte schon, du kommst nicht.«

»Tu ich auch nicht«, murmelte ich.

»Heißt das, du hast ein Hologramm von dir geschickt, oder was?« fragte er mit einem Lächeln.

»Nein, ich meine ... nun ... ich weiß nicht, ob es klug ist«, stotterte ich. »Es ist doch so ...« Ich wußte nicht weiter.

»Was ist nicht klug?« fragte er freundlich, während er mich von den an uns vorüberströmenden Menschen fortschob.

»Mich mit dir zu verabreden ... Du weißt doch, daß ich verheiratet bin und all das«, sagte ich, wobei ich seinem Blick auswich. Dann sah ich ihn an und konnte nicht glauben, wie gekränkt er dreinsah.

»Ich weiß, daß du verheiratet bist«, sagte er leise und sah mir in die Augen. »Ich würde nicht wagen, mir etwas herauszunehmen. Ich möchte, daß wir Freunde sind.«

Ich war beschämt. Zutiefst beschämt. Fast wäre ich vor Verlegenheit gestorben. Natürlich wollte er nichts von mir. Wie schamlos von mir, so etwas zu vermuten. Warum war ich nur so zynisch? Oder so eingebildet? Warum um Himmels willen hatte ich das gesagt?

Schön, ich hatte ein schlechtes Gewissen, weil ich mich mit ihm traf. Aber ging das nicht nur mich etwas an? Welchen Grund gab es, ihm unlautere Motive zu unterstellen, nur weil ich selbst welche hatte? Hatte ich denn unlautere Motive? Großer Gott! Ich wußte es nicht.

»Weißt du was – du fährst besser wieder nach Hause«, sagte Adam. Gar nicht kalt oder wütend, eher so, als wollte er nicht, daß ich ihn anfaßte.

»Nein!« sagte ich. Gott im Himmel, warum konnte ich mich nicht entscheiden?

»Nein«, sagte ich mit weniger Nachdruck als beim ersten Mal. »Es tut mir leid. Ich hätte das nicht sagen sollen. Meine Reaktion war blöd und übertrieben.«

Inzwischen warfen uns die Leute, die den Laden betraten oder verließen, neugierige und aufmerksame Blicke zu.

»Toll«, sagte eine Frau schadenfroh im Vorübergehen zu ihrer Begleiterin. »Es gibt nichts Schöneres, als wenn Leute sich streiten. Da weiß man doch, daß man nicht der einzige auf der Welt ist, dem's dreckig geht.« Keine Sorge, bist du nicht.

Adam sah mich an und seufzte verzweifelt.

»Was willst du?«

»Nichts«, sagte ich. »Können wir das einfach vergessen und wie geplant ins Fitneß-Studio gehen?«

»Schön«, sagte er. Es klang allerdings nicht besonders freundlich.

»Sei schon nett zu ihr. Gib ihr 'nen Kuß«, rief ein abgerissener Alter, aus dessen Manteltasche mehrere geöffnete Guinness-Flaschen hervorlugten und der die Szene aufmerksam verfolgt hatte. »Es tut ihr leid. Stimmt doch, Schätzchen, oder?«

»Komm«, murmelte ich Adam zu.

Ich wollte keine Aufmerksamkeit erregen.

»Schmier ihr eine«, rief uns der Alte nach, der mit einem Mal gehässig geworden zu sein schien. »Die einzige Sprache, die sie verstehen!«

Wir eilten die Straße entlang, und als wir um eine Ecke bogen, konnten wir ihn nicht mehr hören.

»Gott sei Dank«, sagte ich erleichtert. Zwar lächelte Adam kurz, aber die Atmosphäre war immer noch unbehaglich.

Im Fitneß-Studio meldete er mich mürrisch an. Als ich aus der Damen-Umkleide herauskam, drückte ich mich in meinem Gymnastikanzug und meinen Leggings so gehemmt wie eine jungfräuliche Braut an die Wand, damit ja niemand mein breites Hinterteil sehen konnte. Aber das wäre nicht nötig gewesen. Er gönnte mir kaum einen Blick.

»Drüben stehen die Ergometer«, sagte er und wies mit dem Finger in eine Richtung. »Die Hanteln sind in diesem Raum, und die Kraftmaschinen in dem.« Dann überließ er mich mir selbst.

Großartig, dachte ich voll Zorn. *Ich könnte mir einen Muskelriß oder eine Sehnenzerrung holen; ihm wäre das völlig egal.* Einen Augenblick lang wartete ich, ob er zurückkäme und mir dies und jenes erklärte.

Offen gesagt hatte ich – wenn auch mit schlechtem Gewissen – allerlei Vorstellungen gehegt, wie er sich über mich beugte, während ich rücklings auf der Drückbank läge, um das Gewicht einzustellen und dergleichen. Dabei hätten wir dann plötzlich gemerkt, daß wir einander nahe genug waren, um uns zu küssen, und ähnlicher sentimentaler Kitsch. Da mich Adam nicht einmal ansah, beschloß ich zögernd, daß ich meine ausufernde Fantasie ein bißchen zügeln und mir etwas Bewegung verschaffen könnte. Also fing ich mit Aufwärm- und Dehnübungen an. In Null Komma nichts merkte ich, daß es mir Spaß machte.

Ich bin nicht wirklich glücklich, versicherte ich mir. Es ist nur der künstliche Kick, den körperliche Betätigung auslöst. Pheromone oder so. Oder sind es Endorphine? Großer Gott, ich wurde wie Helen.

Verstohlen sah ich zu Adam hinüber. (Oje! Das klingt aber schon sehr nach schwülstigem Liebesroman. Da wird immer ›verstohlen‹ geblickt.) Na schön, also nicht verstohlen. Ganz offen.

Allerdings kannte ich jemanden in einer Kneipe, der mir für einen anständigen Preis ein paar Schachteln Blicke abgekauft hätte, ohne groß Fragen zu stellen.

Ich sah also zu Adam hinüber, wenn er es nicht merkte. Er sah fantastisch aus, drückte und riß unglaubliche Gewichte. Er wirkte ausgesprochen entschlossen, ernsthaft und kräftig. Ein Mann, der seinen Körper ernst nahm. Mit gutem Grund.

Trotz Trainingshose und T-Shirt war er sehenswert. Großartige starke Arme, auf denen Schweißperlen glänzten. Und ein richtig knackiger Hintern. Tut mir leid, das hätte ich nicht sagen sollen. Aber es stimmte.

Nach etwa einer Stunde beschloß ich, daß ich genug hatte.

»In Ordnung«, sagte er lächelnd. »Nach dem Duschen treffen wir uns im Café.«

Als ich auftauchte, weil ich mich viel zu lange meinem Makeup gewidmet hatte, saß er bereits da. Sein Haar war naß und glänzte, und auf dem Tisch vor ihm standen zwei Dutzend Milchtüten.

»Endlich«, sagte er, als er mich sah. »Na, hat's Spaß gemacht?«

»Es war großartig«, sagte ich.

»Bist du jetzt froh, daß du gekommen bist?« fragte er mit ausdrucksloser Miene.

»Ja«, erwiderte ich und sah ihm in die Augen.

»Gut«, sagte er und lachte. Ich stimmte ein.

Gott sei Dank! Ich war so erleichtert, daß er nicht mehr sauer auf mich zu sein schien.

Ich holte mir eine Tasse Kaffee und setzte mich zu ihm. Wir waren die einzigen Besucher. Es war Freitag abend, und vermutlich hatten die meisten vernünftigen Leute Besseres zu tun. Beispielsweise in die Kneipe gehen und sich vollaufen lassen.

Mit einem Mal stimmte es zwischen Adam und mir wieder. Die Spannung war verschwunden. Wir sprachen über nichts Unangenehmes oder Vernünftiges. Ich fragte ihn nicht, ob Helen seine Freundin sei, und er fragte mich nicht nach James. Ich fragte ihn nicht nach seinen Vorlesungen, und er tat mir den Gefallen, mich nicht über meine Arbeit auszufragen. Statt dessen fragte er mich nach meinem Lieblingstier, ich ihn nach seinen frühesten Erinnerungen. Wir sprachen über unsere Disco-Besuche mit fünfzehn. Außerdem unterhielten wir uns darüber, welche Fähigkeiten wir gern hätten, wenn wir drei Wünsche frei hätten.

»Ich würde gern fliegen können«, sagte er.

»Und warum lernst du es dann nicht?« fragte ich.

»Nein, ich meine, ich möchte *selbst* gern fliegen können«, sagte er lachend. »Du weißt schon, ohne Flugzeug oder was. Und was würdest du gern können?«

»Manchmal wünsche ich mir, ich könnte in die Zukunft sehen«, sagte ich. »Nicht alles und auch nicht Jahre im voraus oder so was. Vielleicht ein paar Stunden im voraus.«

»Das wäre wunderbar«, sagte Adam. »Denk nur an das viele Geld, das du beim Pferderennen gewinnen könntest.« Ich lachte.

»Oder unsichtbar sein. Das wäre bestimmt lustig. Sicher kann man sehr viel mehr über einen Menschen erfahren, wenn der nicht ahnt, daß man in der Nähe ist.«

»Da hast du recht«, sagte er.

»Ich würde gern durch die Zeit reisen können«, sagte er nach einer Weile.

»Ja, das ist gut«, stimmte ich ganz begeistert zu. »Zum Beispiel könnte man in die Zukunft reisen. Oder zurück in wirklich spannende Zeiten wie das alte Ägypten. Allerdings, bei dem Pech, das ich immer habe, wäre ich dann bestimmt irgendein Gladiator.«

»Ich bin nicht sicher, ob es im alten Ägypten Gladiatoren gegeben hat«, sagte er sehr freundlich. Vermutlich war er es gewöhnt, Helen zu verbessern.

»Wie auch immer«, fuhr er fort. »Bestimmt wärest du eine Prinzessin. Vielleicht nicht Kleopatra. Dafür bist du zu hell«, sagte er und strich mir leicht über das Haar. »Aber bestimmt eine Prinzessin.«

»Tatsächlich?« murmelte ich. Geistreich und liebenswürdig, so bin ich nun mal. Witz und Schlagfertigkeit sind meine zweite Natur.

»Äh, in welche Zeit würdest du denn gern zurückreisen?« wollte ich wissen, besorgt, das Gespräch könnte in weniger intime Bezirke abgleiten und mein Atem sich wieder normalisieren.

»Manchmal wünsche ich mir, ich könnte in mein eigenes Leben zurückreisen«, sagte er. »In eine Zeit, in der ich wirklich glücklich war. Oder ich könnte Dinge ändern. Unrecht wiedergutmachen. Tun, was ich hätte tun sollen, aber nicht getan habe.«

Ich platzte vor Neugier. *Was* war in seinem Leben so Erschütterndes vorgefallen?

Bevor ich der Sache nachgehen konnte, fiel mir mit einem Mal auf, wie spät es war. Sieben Uhr vorbei.

»O Gott!« sagte ich und sprang ganz nervös auf. »Schon so spät. Ich dachte, es wäre eben fünf. Ich muß unbedingt gehen. Vielen Dank, daß du mich hierher mitgenommen hast. Tschüs.«

»Warte«, sagte er. »Ich bring dich zum Auto.«

»Nicht nötig«, sagte ich. Ich nahm meine Tasche und lief wie gehetzt davon. Wo war bloß die Zeit geblieben? Wie konnte ich Kate nur so vernachlässigen? Gott würde mich dafür strafen. Bestimmt war ihr etwas passiert. Ich konnte nicht fassen, daß die Zeit so rasch vergangen war. Ich raste zurück. Kein Stoßverkehr mehr, weil es schon so spät war.

Mit zusammengekniffenem Mund und mißtrauischer Miene fragte mich meine Mutter: »Weißt du, wie spät es ist?«

»Tut mir leid«, keuchte ich. »Ich hab' nicht auf die Zeit geachtet.«

»Ich hab' Kate gefüttert«, teilte sie mir mit.

(Gott sei Dank. Sie lebte also noch.)

»Danke, Mum.«

»Fünf Mal.«

»Danke, Mum.«

»Und sie neu gewindelt.«

»Danke, Mum.«

»Drei Mal.«

»Danke, Mum.«

»Ich hoffe, du weißt das zu schätzen.«

»Das tue ich, Mum.«

»Sie ist nicht mein Kind.«

»Ich weiß, Mum.«

»Ich hab' meine Kinder längst aufgezogen.«

»Ich weiß, Mum.«

Jetzt war sie erst recht mißtrauisch und wollte wissen, warum ich so zahm war.

Worauf ich mit lauter Stimme feststellte: »Sie ist auch dein Fleisch und Blut.« Es kam nicht besonders eindrucksvoll heraus. Ich konnte mich einfach nicht darauf konzentrieren, wütend zu werden. Zwar sagte ich mir: »Meine Güte, wie nervtötend sie ist«, aber immer, wenn die geringste Wut hochkam, glitten meine Gedanken wieder zu Adam, und ich fühlte mich glücklich. Na ja, mehr oder weniger.

Ich wußte nicht, wo mir der Kopf stand. Allerlei sonderbare Dinge gingen da vor. Ein ganzes Bataillon meiner Gedanken marschierte entschlossen auf das Ziel ›Wut‹ zu, doch wurde es von Adam abgelenkt und landete zu seiner Überraschung beim völlig anderen Ziel ›Träumerische Zufriedenheit‹.

Ich kann Ihnen sagen, das rief unendlichen Wirrwarr hervor. Ein Haufen mißgelaunter Gedanken standen in ihren wattierten Jacken herum und warteten auf ihren Vertrauensmann, in der Hoffnung, daß der etwas Licht in die Sache bringen könnte.

»Wozu stehen wir hier eigentlich rum?«, »Wer gibt die Richtung an?«, »Wo geht's jetzt lang?«, »Das gehört nicht zu unseren Aufgaben«, »Wer ist hier eigentlich zuständig?« und andere Äußerungen dieser Art ertönten.

Ich stürmte nach oben, um nach Kate zu sehen. Sie lag, gefüttert und gewindelt, in ihrem Bettchen und schlief. Alles war in bester Ordnung. Der kleine Engel. Zufrieden atmete sie im Schlaf und bewegte ihre dicken rosa Beinchen.

Mit einem Schlag wurde mir klar, wie gut es mir ging. Dies schöne winzige Menschlein war mein Kind. Ich hatte es geboren. Meine Tochter.

Zum ersten Mal begriff ich, begriff *wirklich*, daß meine Ehe kein Fehlschlag gewesen war. James und ich waren zwar nicht mehr zusammen, aber wir hatten diesen wunderbaren kleinen Menschen geschaffen. Dieses lebende Wunder. Ich stand unter keinem Fluch. Ich war nicht von Gott verlassen. Mir ging es wirklich über alle Maßen gut.

15

Den Freitag abend verbrachte ich mit meiner Mutter vor dem Fernseher. Ich hatte das Gefühl, mich in den letzten Tagen genug herumgetrieben zu haben. Außerdem war ich vollkommen erschöpft. Sich um einen Säugling zu kümmern ist aufreibend. Woher ich das wissen will, höre ich Sie fragen.

Okay, okay, ich gebe zu, daß mir meine Eltern sehr dabei geholfen hatten, trotzdem war ich völlig erledigt.

Wie sollte ich je wieder meine Arbeit bewältigen. Wie schaffen das andere nur? Ich kam mir richtig minderwertig vor. Vor allem, wenn ich an Frauen in anderen Ländern dachte. War es nicht China? Sie wissen schon, die graben da mit bloßen Händen die Felder um, sagen »Entschuldigen Sie mich einen Augenblick«, als gingen sie bei einem feinen Empfang auf die Toilette, heben dann den Rock, und ein neugeborenes Kind fällt auf einen Sack Saatgut in einer Ackerfurche oder was auch immer da liegt. »Jetzt ist es schon besser«, sagen sie vielleicht noch. Dann pflügen und eggen sie weiter und reißen, mit dem Säugling vor der Brust, mit einer Hand gewaltige Eichen aus. Bevor es Abend ist, sind sie schon wieder schwanger, das Neugeborene trägt Jacke und Hose und fährt einen Traktor.

Beim Fernsehen mit Mum kehrten meine Gedanken immer wieder zu Adam zurück. Ganz wie früher als Heranwachsende überlief es mich jedesmal, wenn ich an ihn dachte.

Es war so wunderschön mit ihm gewesen. Er war so nett. So erfrischend, so eifrig, so interessant und interessiert.

Ich mochte ihn wohl deshalb so, weil er so wenig zynisch war, überlegte ich. Er erinnerte mich daran, wie es war, wenn man den Dingen positiv gegenüberstand.

Sein fabelhaftes Aussehen machte seine unverhohlene Bewunderung mir gegenüber um so angenehmer. Es gibt kaum Schlimmeres als unverhohlene Bewunderung von Leuten, die selbst die reinsten Scheusale sind.

In einem solchen Fall könnte ich darauf verzichten. Aber entscheidend war nicht, daß Adam fabelhaft war. Nicht deshalb war ich gern mit ihm zusammen.

Hätte ich nicht James geliebt, ich hätte mich unter Umständen von Adam angezogen gefühlt. Was nicht heißen soll, daß ich von ihm *nicht* angezogen war. Ich meine, er war äußerst anziehend. Und ich hatte Augen im Kopf. Schließlich bin ich auch nur ein Mensch. Rein theoretisch kann man einen Mann lieben, in meinem Fall James, und für einen anderen schwärmen, in diesem Fall Adam. Schwärmen schadet nichts. Man ist deswegen noch lang nicht flatterhaft. Es tat mir gut. Und ich brauchte nichts zu tun.

Sogar falls ich, Gott behüte, etwas *in der Richtung unternehmen würde*, bedeutete das auch nicht das Ende der Welt, oder? Na ja, sollte Helen dahinterkommen, könnte es ohne weiteres das Ende der Welt bedeuten. Aber das würde voraussetzen, daß sich Adam zu mir hingezogen fühlte. Was ich auch annahm. War das nun schrecklich eingebildet von mir?

Vielleicht ging er bei allen Frauen mit diesem Trick vor. Sie wissen schon: man gibt sich ganz aufrichtig, verletzlich und bewundernd, damit die Frauen glauben, man wäre der netteste Mann, den sie je kennengelernt haben, tatsächlich anders als die anderen. Und bevor sie selbst es wüßte, läge sie in Adams Bett, ihr Slip würde in eine der vier Ecken des Zimmers fliegen, und Adam würde von ihr herunterklettern und sagen: »Als ich dir heute morgen gesagt hab', daß ich dich achte, hab' ich gelogen.«

Dann würde er genau zweiundsiebzig Stunden später anrufen, um zu sagen: »Übrigens, das Kondom ist geplatzt. Hattest du nicht gesagt, daß du gerade deinen Eisprung hattest?«

Ja, dachte ich wütend, *bestimmt ist er ein richtiger Dreckskerl und hat nichts anderes im Sinn, als arme verwitwete Frauen wie mich rumzukriegen. Schön, ich bin keine Witwe, aber gleichfalls in einer ausgesprochen ungeschützten Position.*

Wie kann er es wagen, so zu tun, als wäre ich schön und etwas Besonderes. Eine Unverfrorenheit! Wenn er glaubt, daß ich mit ihm ins Bett geh, habe ich sehr schlechte Nachrichten für ihn: Adam, Liebling, ich hab' es mir anders überlegt.

Ich brauchte einige Sekunden, bis ich begriff, daß ich mich durch eine ganze Affäre mit ihm fantasiert hatte, von dem Augenblick, da ich ihm verfallen war, über den Augenblick, da er mich hatte fallenlassen, bis hin zu dem Augenblick, in dem ich wütend auf ihn war.

He, dachte ich. *Da ist wieder deine verdammte sporadische Verrücktheit.*

Meine Mutter riß sich einen Augenblick von dem spannenden Krimi los und fragte: »Was hast du nur? Du machst ein richtig böses Gesicht.«

»Nichts, Mum«, sagte ich. Mir schwirrte der Kopf ein wenig. »Ich denk nur nach.«

»Man kann auch zuviel nachdenken«, sagte sie.

Diesmal gab ich ihr recht.

Aber bevor sie sich über die Nachteile eines Studiums und die Gefahren ergehen konnte, die damit verbunden sind, daß man seinen Horizont erweitert, klingelte das Telefon.

»Ich geh schon ran«, rief ich und lief hinaus, wobei ich ihr mitten im Satz das Wort abschnitt.

»Wozu sind Intellektuelle gut?« rief sie mir nach. »Ich möchte wetten, daß James Joyce keinen Stecker reparieren konnte.«

»Hallo«, sagte ich, als ich abnahm.

»Helen?« fragte eine Männerstimme.

»Nein, Helen ist nicht da«, sagte ich. »Wir haben sie schon eine ganze Weile nicht gesehen. Wahrscheinlich hängt sie irgendwo betrunken herum.« Die Stimme lachte.

»Adam?« sagte ich. Der Schock, den der Klang seiner Stimme auslöste, ließ für einen Moment den Boden unter meinen Füßen schwanken. Ich konnte kaum glauben, daß er den Nachmittag mit mir verbracht hatte und jetzt *meine Schwester Helen* anrief. War das nicht abartig? Uns gegeneinander auszuspielen? Ich hatte es doch gewußt. Er war ein Dreckskerl, wie alle anderen.

»Claire«, sagte er. »Ja, ich bin's.«

Was willst du, dachte ich kalt, *'nen Verdienstorden, weil du's bist*?

»Ja?« sagte ich eisig. »Ich sag rasch Helen Bescheid, daß du angerufen hast.«

»Nein, Augenblick«, sagte er. »Ich wollte mit dir sprechen.«

»Merkwürdig«, fuhr ich fort, ganz Dame. »Ich heiße nämlich gar nicht Helen, sondern Claire.«

»Ich weiß«, sagte er und klang ganz vernünftig. »Ich dachte nur, daß es vielleicht einen sonderbaren Eindruck machen würde, wenn ich anrufe, um mit dir zu sprechen, und Helen wäre ans Telefon gegangen und ich hätte sie nicht mit Namen angesprochen.«

Ich schwieg.

»Ich meine«, fuhr er fort, »Helen und ich sind ebenfalls Freunde. Ohne Helen hätte ich dich nie kennengelernt.«

Ich schwieg immer noch.

»Bist du jetzt sauer?« fragte er. »Hab' ich was falsch gemacht?«

Jetzt kam ich mir blöd vor. Hysterisch und typisch Frau.

»Nein«, sagte ich sehr viel freundlicher. »Natürlich bin ich nicht sauer.«

»Ja, gut dann ...«, sagte er. »Bist du sicher?«

»Bin ich.«

»Ich hoffe, es ist in Ordnung, daß ich dich anrufe«, sagte er. »Aber du bist so schnell davongelaufen, daß ich keine Möglichkeit hatte, dich zu fragen, ob du ... nun ja ... wenn es dir nichts ausmacht ... wenn wir uns noch mal sehen könnten. Ich meine, für den Fall, daß du Zeit hast.« Erleichterung und Glück durchströmten mich.

Wie es in einer bekannten Redensart heißt: die Dummen sterben nie aus.

»Ja«, sagte ich atemlos. »Sehr gern.«

»Es war so schön«, sagte er.

Ich glühte vor Glück und Stolz.

»Fand ich auch«, gab ich zurück.

»Was hast du morgen vor?« fragte er.

Morgen, dachte ich. *Mein Gott, hat der's eilig.*

»Morgen wollte ich in der Stadt was zum Anziehen kaufen«, sagte ich. Das war mir selber neu. Es war das erste, was ich davon hörte.

»Wir können uns zum Kaffee treffen, wenn du magst«, schlug ich ihm vor. »Aber ich muß Kate mitbringen.«

»Wunderbar«, sagte er und klang ganz begeistert. »Das wäre schön. Kate ist so ein süßes Geschöpf.«

»Bis dann«, sagte ich und war ein wenig erstaunt über seine Begeisterung.

Andererseits, ziemlich raffiniert von mir. Wenn er Kate so gern hat, könnte ich ihn vielleicht beim nächsten Mal als Babysitter engagieren, wenn ich mir mit Laura einen antrinken will. Aber ich mußte mir eingestehen, das Schönste bei meinem Kneipenbesuch mit Laura war Adam gewesen. Wir verabredeten uns also für den folgenden Tag in der Stadt.

Ich ging wieder zu meiner Mutter hinein.

»Wer war das?« fragte sie mit einem Blick auf mein gerötetes, glückliches Gesicht.

Ich machte den Mund auf, um es ihr zu sagen, muß aber zugeben, daß ich am letzten Hindernis verweigerte. Ich brachte es einfach nicht fertig. Ich wußte wirklich nicht, warum. Möglicherweise wußte ich es aber doch. Möglicherweise lag es daran, daß es nicht mehr unschuldig war. Möglicherweise war es das nie.

16

Am nächsten Tag kam es knüppeldick. Dabei war mir längst klar, welch einschneidende Veränderung Kates Geburt in meinem Leben verursacht hatte. Vor allem in einem der wichtigsten Bereiche: dem Einkaufen. Wie der Morgentau in der Mittagssonne war mein früheres Einkaufsleben auf immer verschwunden.

Nie wieder würde ich in einen Laden rennen, drei Dutzend Klamotten vom Ständer reißen und mich dann mindestens sechs Stunden in der Umkleidekabine bewundern. Damit war unwiderruflich Schluß.

Sie würden sich wundern, wenn Sie sähen, wie sich das ändert, kaum daß man ein Kind vor dem Bauch trägt. Zum einen schränkt das die Bewegungsfreiheit stark ein, und außerdem konnte jemand Kate anstoßen und verletzen – oder schlimmer noch, sie aufwecken.

Im Supermarkt war das nicht so schlimm. Den zivilisierten Müttern, die dort gemütlich durch die breiten Gänge gezogen waren, war zuzutrauen, daß sie Kate nicht anrempelten. Aber ein Samstag nachmittag in einem Bekleidungsgeschäft ist etwas völlig anderes. Bei den bösartigen jungen Frauen, die da einkauften, schien es sich eher um Söldnerinnen – zum Beispiel aus dem früheren Jugoslawien – zu handeln, denen man einen Nachmittag vom Blutvergießen und Schlachtgetümmel freigegeben hatte. Sie waren mordlustig, das kann ich Ihnen sagen. Es war unmöglich, sich in Ruhe nach etwas zum Anziehen umzusehen. Ich hatte solche Angst, daß eine dieser vor nichts zurückschreckenden einkaufenden Teufelinnen Kate einen Schlag auf den Kopf oder einen Stoß in die weichen kleinen Rippen versetzen würde, wenn sie an ein bestimmtes Kleid herankommen wollte.

Ich wußte kaum noch, wonach ich Ausschau hielt, so vollkommen stand ich neben mir.

Leicht benommen lehnte ich an der Tür eines Ladens, wich eintretenden Kundinnen aus und duckte mich vor ihnen, während ich mich fragte, ob ich mich für die jugendliche Kombination Jeans und Sweatshirt oder die Lösung für die reife Frau – knöchellanger Rock und Pullover – entscheiden sollte.

Ich meine, war ich noch ein junges Mädchen oder schon eine richtige Frau? Es war so lange her, daß ich mir etwas Vernünftiges zum Anziehen gekauft hatte. Mit ›vernünftig‹ meine ich: keine Latzhose oder Umstandskleider mit verstellbaren Klettbändern in der Taille, die aus mehreren Hektar Stoff bestanden. Tatsächlich trug ich erst seit einer Woche wieder normale Slips.

Das muß ich erklären.

Vielleicht wissen Sie das nicht, aber man kehrt nach der Niederkunft nicht von einer Minute zur anderen ins normale Leben zurück, und noch weniger zu normaler Kleidung. Nein!

Es dauert seine Zeit, bis bestimmte Vorgänge im Körper aufhören. Ich möchte hier keine unnötig blutrünstigen Beschreibungen liefern, nur, daß Lady Macbeth noch verschiedenes von mir hätte lernen können. *Mir* braucht niemand zu sagen, daß alles voll Blut ist! Deswegen mußte ich ja die komischen Einweg-Schlüpfer aus Vliespapier tragen. Sie waren scheußlich, und so riesig, daß sie mir bis unter die Achselhöhlen reichten. Zum Glück konnte ich seit einer Woche wieder normale Slips anziehen. Richtig, ich wiederhole: ich konnte wieder normale Slips tragen.

Und meine übrige Kleidung? Ich war nicht mehr schwanger, sondern einfach eine Frau. Ich hatte so wenig, an dem man das erkennen konnte. Was also sollte ich anziehen?

Arbeiten würde ich erst wieder in einer Ewigkeit, dafür brauchte ich also jetzt noch nichts zu kaufen. Nicht einmal da konnte ich Halt finden.

Infolgedessen kaufte ich einfach für mich selbst. Wer auch immer das war.

Ich nahm ein paar kurze Kleider von einem Ständer und drängte mich durch Horden von Kundinnen zur Umkleidekabine, wobei ich mich mehr oder weniger schützend über Kate beugte.

An der Umkleidekabine der nächste Schock. Wohin mit Kate? Sie war ja keine Tasche mit Gymnastiksachen, die man einfach auf den Fußboden wirft, ohne sich groß darum zu sorgen, wer drauftritt.

Rasch drehte ich mich um und kehrte an meinen Ausgangspunkt zurück, wobei ich mir mit gesenktem Kopf den Weg durch die Menge bahnte, etwa so wie ein Kampfstier.

Ich kaufte ein paar Sachen, obwohl ich nichts davon anprobiert hatte. Ich *mußte* einfach etwas kaufen. Schließlich hatte ich einen Ruf zu verlieren.

Es hatte eine Zeit gegeben, in der mein Name unter einkaufenden Frauen geradezu legendär war. Eine Zeit, in der es keine Frage war, ob ich mich zwischen dem schwarzen und dem grünen Paar entschied. Damals war ich nicht qualvoll dagestanden, hatte den Zeigefinger ins Gesicht gepreßt und wie ein kleines Mädchen die Brauen gerunzelt. Ich hatte einfach beide gekauft. Abgesehen davon, daß ich einen Ruf verteidigen mußte, wußte ich nicht, was ich anziehen sollte. Außerdem mußte ich einen Mann beeindrucken.

Ich zahlte für alles mit der Kreditkarte. James bezahlte.

Ich war ganz verblüfft, daß weder Alarmglocken schrillten noch Streifenwagenbesatzungen mit Schäferhunden in den Laden stürmten, um mich davonzuschleppen, als mir die Verkäuferin die Tüten über die Theke reichte.

Bestimmt hatte ich das Dispolimit weit überschritten.

Nach meinem halbherzigen, wenn auch verschwenderischen, Einkauf traf ich Adam, den eigentlichen Anlaß für meine Fahrt in die Stadt. Offen gesagt war der Einkauf nur vorgeschoben.

Ich kämpfte mich zur Straße durch, die Arme schützend um Kate gelegt. Welle um Welle brandeten Kundinnen gegen mich an.

Faß bloß mein Kind nicht an, sonst bring ich dich um, dachte ich voll Zorn und sah Vorüberkommende wild an, die in ihrer Unschuld äußerst erstaunt und verängstigt dreinschauten.

Neben der Sorge, daß Kate etwas geschehen könnte, meldete sich in meinem Bauch ein anderes sonderbares Gefühl. Eine Magenverstimmung.

Ich begriff entsetzt, daß ich Lampenfieber hatte.

Das mulmige Gefühl war ganz so, als ob Schmetterlinge in meiner Magengrube herumtanzten. Offensichtlich hatten sie Tische und Stühle beiseite geschoben und feierten dort, was das Zeug hielt. Untergehakt rissen sie die Beine hoch, juchzten, wechselten den Partner und amüsierten sich königlich.

Nein, dachte ich. Es ist also amtlich. Ich bin scharf auf Adam. Oder besser gesagt: ICH BIN SCHARF AUF ADAM!!!!!

Hätten jetzt die Fanfaren blasen müssen? Hätte ich mit einem Mal die Welt rosarot sehen müssen? Hätte ich das restliche Stück Weg in Zeitlupe gehen oder besser rennen müssen, um ihm dann langsam in die Arme sinken, wobei wir uns umeinander drehten und uns vor Freude wie irrsinnig zulächelten?

Aber nein, sofort mußte ich mir wieder Sorgen machen, typisch. Betont langsam ging ich weiter, während mir die Gedanken wie wild durch den Kopf schossen.

Warum war ich scharf auf ihn? Was für ein Mensch war ich?

Ich liebte James, und unsere Trennung lag erst sechs Wochen zurück, na gut, fast sieben. Mußte ich ihm da nicht noch treu sein? Ich kam mir richtig untreu vor. Warum eigentlich, zum Teufel? Wenn er sich amüsierte, warum dann ich nicht? Aber so einfach war das nicht. Es ist nie gut, mit jemandem ins Bett zu gehen, zu dem man keine innere Bindung hat. Andererseits, wer hatte was von ins Bett gehen gesagt? O Gott!

Ich war verzweifelt.

Ich verstand die verschiedenen Empfindungen nicht, die in mir tobten, und war völlig verwirrt. Ich fand Adam wirklich anziehend. Aber gleichzeitig hatte ich ein wahnsinnig schlechtes Gewissen, denn ich mußte wohl sehr oberflächlich sein, da ich doch verpflichtet war, James zu lieben. Aber liebte ich ihn noch?

Ich hatte Angst, diesem Gedanken nachzugehen. Er war zu furchteinflößend. Dann war ich wütend auf James. Warum konnte ich nicht mit Adam flirten und ein bißchen Spaß haben?

Erneut das schlechte Gewissen, weil Adam wirklich nett war und etwas Besseres verdiente, als von mir wie eine Art Balsam fürs Ego behandelt zu werden. Wie ein Gang zum Friseur. Oder eine Beinenthaarung.

Dann war ich wieder wütend, weil ich gar nicht so über Adam dachte. Mit ihm zu reden und mit ihm zusammenzusein gab mir wirklich etwas. Dabei kannte ich ihn erst seit ein paar Tagen.

Zurück zu der Frage, wie ich mich in jemanden verlieben konnte, den ich erst so kurze Zeit kannte, wo ich doch nach wie vor James liebte.

Ach, zum Teufel, dachte ich verwirrt.

Ich mußte mit diesen beunruhigenden Gedanken aufhören, jetzt konnte ich mich ihnen ohnehin nicht widmen. Gleich würde ich den Mann treffen, den ich mochte, und mußte mir über gänzlich andere Dinge Gedanken machen. Beispielsweise, ob ich gut aussah. Ob er mich wohl mochte. Wie ich es anstellte, ihn ins Bett zu kriegen. *Wichtige* Dinge. Ich straffte meine Schultern. Ich war bereit, Adam zu begegnen.

Ich sah ihn vor dem Café stehen, wo wir uns verabredet hatten. Wieder das mulmige Gefühl in der Magengrube. Er sah blendend aus.

»Du hast dich eine Viertelstunde verspätet. Das wird bei dir allmählich zur Gewohnheit.«

»Schon gut«, lächelte ich. »Tut mir leid.«

Es war so schön, mit ihm zusammenzusein.

»Hallo, mein Engel«, sagte er zu Kate und beugte sich über das Tragetuch.

Allerdings vermutete ich, daß ihm das nur als Vorwand diente, unauffällig meinen Busen zu mustern. Kate sagte nichts.

Dann gingen wir hinein und bahnten uns einen Weg durch aufgeregt durcheinanderquirlende Menschenmassen.

Es war Samstag nachmittag, und die Leute waren wie verrückt. Als litten sie an einer Art kollektivem Wahnsinn. Kaufsucht oder dergleichen.

Bestimmt gibt es dafür einen modischen medizinischen Begriff. Ich nehme an, daß es was Ähnliches wie der Mistral ist, der

– war es in Italien? – von Zeit zu Zeit über die Dörfer hinwegfegt. Alle Männer verprügeln ihre Frauen, die Hunde jaulen, die Hühner wollen nicht legen, und die Frauen brüllen und heulen (kein Wunder, schließlich werden sie von ihren Kerlen verprügelt) und weigern sich, die Hausarbeit zu machen. Etwa so, als litte das ganze Dorf am prämenstruellen Syndrom und als wäre die Heilöl- und Vitamin-B_6-Ernte in jenem Jahr verspätet.

Verglichen mit dem, was an jenem Samstag nachmittag in Dublin abging, dürfte aber der Mistral ein Kinderspiel sein. Irgendwo habe ich einmal gelesen, daß sich Einkaufen enorm auf den Adrenalinspiegel auswirkt. Der in die Höhe schnellende Blutdruck sorgt für eine Hyperventilierung samt Glubschaugen und allerlei anderem.

Mich wundert das überhaupt nicht – die ganze Aufregung. Die wiederum scheint den Blutzuckerspiegel zu beeinflussen. Deswegen brauchen alle nach oder sogar schon während ihrer Einkaufsorgie stark gesüßten Tee oder Kaffee und einen Schokoriegel (oder was in der Art). So ungefähr wie die Zigarette nach dem Beischlaf.

Als Ergebnis dieses Kaufrausches war die Stadt voller hyperventilierender, glubschäugiger und (wegen des hohen Blutdrucks) rotgesichtiger wahnsinniger Frauen, jede mit Hunderten von Einkaufstüten und Brieftaschen voller Kreditkarten, die nach ihrem unermüdlichen Einsatz förmlich summten und zischten.

Wem also der Sinn nach einer Tasse Kaffee steht, wie Adam, Kate und mir, sollte auf keinen Fall die Luft anhalten, während er auf eine freie Sitzgelegenheit wartet. Während mitleiderregende hohläugige Gestalten mit Tabletts voller Kaffeetassen und Gebäck an uns vorüberzogen, standen wir in der Mitte des überfüllten Cafés. Offensichtlich waren Leute schon seit mehreren Wochen da und hatten immer noch keinen Sitzplatz gefunden. Adam aber brachte es fertig, den einzigen Tisch zu finden, von dem in den letzten drei Wochen jemand aufgestanden war. Einer der vielen Vorzüge, von einem hochgewachsenen Mann begleitet zu werden.

Nachdem er sich vergewissert hatte, daß Kate und ich bequem saßen, ging er Kaffee holen. Was für ein Held! In Rekordzeit kam er mit einem Tablett zurück, das von Gebäck überquoll.

»Ich wußte nicht, was du magst«, erklärte er, »und deswegen hab' ich von jedem eins genommen.«

»Ach, Adam«, sagte ich, »das hättest du nicht tun sollen. Studenten haben doch kein Geld.«

Ich hätte vor Rührung heulen können. Wahrscheinlich hatte er das Stipendium für das ganze Sommersemester in Gebäck für mich investiert.

»So viel schaff ich im Leben nicht«, log ich.

»Laß dir darüber keine grauen Haare wachsen«, sagte er mit einem Lächeln, das ihn großartig aussehen ließ. »Was du nicht schaffst, putz ich schon weg.«

Dann setzte er sich und wandte sich mir zu.

»Wie fühlst du dich?« fragte er. Er brachte es fertig, das so klingen zu lassen, als interessiere es ihn tatsächlich.

»Prima«, sagte ich mit schüchternem Lächeln. Ich kam mir albern wie ein kleines Mädchen vor.

Was war bloß los?

Immer, wenn man merkt, daß man jemanden mag, verwandelt man sich in einen Volltrottel. Zumindest ich.

»Soll ich Kate eine Weile halten?« fragte er.

»Wenn du möchtest«, sagte ich, nahm sie aus dem Tragetuch und legte sie ihm zärtlich in die Arme. Hatte das Weib ein Glück.

Wie schade, daß sie noch nicht reden kann, dachte ich bedauernd. Sonst würde ich mir anschließend ausführlich berichten lassen, wie es ist, von Adams starken Armen gehalten zu werden.

Adam und ich saßen da und plauderten müßig miteinander, während uns die menschlichen Gezeiten mit ihrem schwankenden Blutzuckerspiegel in beständigem Auf und Ab umströmten. Wir waren eine Insel der Ruhe im Chaos von Dublin. So, als befänden wir drei uns in einer eigenen kleinen Welt.

Wir sprachen nicht besonders viel miteinander. Inmitten meiner Einkäufe saßen wir einfach entspannt und schweigend da, tranken Kaffee und aßen Gebäck.

Adam spielte mit Kate, bewunderte sie, untersuchte ihre winzigen Fingerchen und berührte ihr süßes Gesichtchen. In seinen

Zügen lag ein so intensiver Ausdruck des Staunens, fast der Sehnsucht, daß es mich ein wenig beunruhigte.

Jetzt vergiß mal Laura, dachte ich. *Ist Adam womöglich ein Kinderschänder*?

»Meinst du, daß jemand, der es nicht weiß, mich für Kates Vater halten würde?« richtete er nachdenklich das Wort an mich, ohne den Blick von der Kleinen zu wenden. »Du weißt schon, die typische Kernfamilie, wie es in meinen Anthropologie-Skripten heißt, die an einem Samstag nachmittag einkaufen geht.« Er hob den Blick und lächelte mir zu.

Obwohl ich fast genau das gleiche gedacht hatte, kam ich mir ein wenig, ich weiß nicht, nun, komisch vor und wurde traurig als Adam das sagte. Ich freute mich, daß er Kate so gut leiden konnte. Hatte aber gleichzeitig den Eindruck, untreu zu sein, denn er war nicht ihr Vater. Kates Vater war James, aber der war nicht da.

Alles war so sonderbar, so verworren, so merkwürdig und so traurig. Warum konnte nicht Adam ihr Vater sein? Oder warum konnte sich ihr Vater nicht um sie kümmern?

»Hättest du gern Kinder?« fragte ich Adam. »Ich meine, nicht jetzt, aber irgendwann mal?«

Er blieb etwa eine Minute lang reglos sitzen, dann wandte er sich mir zu und sah mich an. Auf seinem Gesicht lag ein sonderbar trauriger Ausdruck, fast verloren.

Bevor er antworten konnte, unterbrachen uns Frauenstimmen.

»He, sieh mal, das ist doch Adam«, »Super, wo?«, »Adam, wie geht's?«, »Hallo, Adam! Wo warst du gestern abend?«

Drei schöne junge Frauen, allem Anschein nach Mitstudentinnen, waren an unseren Tisch gekommen und bedrängten Adam. So wie Frauen das bei ihm zu tun pflegten.

Sie waren wie wunderbare exotische Vögel. Sehr bunt und sehr laut. Mit vielen Ahs und Ohs bewunderten sie Kate, verloren aber sehr bald jedes Interesse an ihr, als sie merkten, daß sie nicht Adams Kind war.

Wieso sollte sie das sein? fragte ich mich.

Adam stellte uns alle einander vor.

»Das ist Kate«, sagte er, nahm ihr rosa Händchen und winkte den jungen Frauen damit zu.

Meine Kleine und dieser schöne Mann waren ein so rührendes Bild, daß ich das Gefühl hatte, mir müßte das Herz brechen.

Warum kann das nicht James sein? Nicht einmal dann, wenn ich glücklich bin, ist die Trauer weit, dachte ich.

»Und das ist Claire«, fuhr er fort.

»Hallo«, lächelte ich tapfer die jungen Frauen mit ihrer schimmernden Haut und ihren gewagten Klamotten an, wobei ich mich bemühte, mir nicht wie ein altes Weib vorzukommen.

»Das sind …« Dann sagte er drei Namen. Es können Alethia, Koo und Freddie gewesen sein, möglicherweise aber auch Alexia, Sooz und Charlie. Oder aber Atlanta, Jools und Micki. Ungewöhnliche Namen. Starke Namen. Und, ich hätte schwören können, künstliche Namen. Namen mit vielen ›Ks‹, wo man eigentlich ›C‹ schriebe, und mit ›Z‹, wo ein ›S‹ hingehörte. Namen, von denen ich sicher war, daß sie nicht in der Geburtsurkunde standen.

Bestimmt hießen sie in Wirklichkeit Mairead, Dymphna und Mary, hübsche, gewöhnliche Namen. Vernünftige Namen. Aber auf die Gefahr hin, alle Maireads, Dymphnas und Marys zu kränken, nicht besonders glanzvolle Namen.

Diese schönen jungen Frauen, die sich um Adam herum gesammelt hatten, sahen aus, als brauchten sie glanzvolle Namen, die zu ihrer glanzvollen Erscheinung paßten. Alle drei sahen gleich aus. Alle drei hatten kurzes Haar. Sehr kurzes Haar. Sooz/Koo/Jools war fast vollständig kahl. Atlanta/Alexia/Alethia sah mit ihrem blonden Flaum auf dem Kopf aus wie ein äußerst unhäßliches Entlein. Ein bißchen wie Kate, ehrlich gesagt.

Und das heißt, dachte ich säuerlich, *daß der vermutlich pädophile Adam wahrscheinlich scharf auf sie ist.* Ich empfand einen Anflug von Eifersucht.

Die vier redeten jetzt über irgendeine Party vom Abend zuvor.

Es wäre mir wirklich recht gewesen, wenn die drei Grazien, die so offenkundig um Adams Aufmerksamkeit buhlten, gegangen wären, damit ich ihn wieder für mich und Kate allein haben konnte.

Es sah ganz so aus, als ob sich die drei auf längere Zeit einrichten wollten. Ich bemühte mich, ihnen erwachsen und reif gegenüberzutreten. Mein Gesicht schmerzte richtig von dem Versuch, so zu tun, als störe es mich nicht im geringsten, von ihnen übergangen zu werden, während sie mühelos und bezaubernd drauflosplapperten und lachten.

Mein Herz sank mir in die (neuen) Stiefel, als sie sich Stühle an unseren winzigen Tisch zogen und sich so dicht um Adam drängten, daß sie praktisch auf seinem Schoß saßen.

Sie hatten nicht eine einzige Tasse Tee bestellt. Aber ich will nicht werten, da ich aus Erfahrung weiß, wie es um die Finanzen von Studenten steht. Sie müssen ihr Geld für Bier und Drogen zusammenhalten. Natürlich hatte ich dafür Verständnis.

Doch als Freddie/Charlie/Micki begann, eins *meiner* Nußhörnchen zu essen, wäre ich fast in Tränen ausgebrochen. Am liebsten hätte ich mit dem Fuß aufgestampft und wie ein trotziges Kind geschrien: »Das gehört mir. Adam hat es für *mich* gekauft!« Ich schluckte. Ich war völlig überflüssig.

Es war Schwachsinn zu glauben, daß jemand wie ich im Leben von Adam einen Platz haben konnte. Er war jung, sah gut aus und lebte ein erfülltes und glückliches Leben. Ich fühlte mich müde, alt und wie ein Idiot.

Während Adam weiter munter mit den jungen Frauen plauderte, stand ich auf und legte mir das Tragetuch wieder um.

Dann beugte ich mich vor und nahm Kate ziemlich schroff aus Adams Armen (Gib mir mein Kind zurück!), womit ich eine lebhafte Unterhaltung über eine gewisse Olivia Burke unterbrach, die bei der gestrigen Party allem Anschein nach einem Malcolm Travis in aller Öffentlichkeit einen geblasen hatte.

Trotz meines Selbstmitleids und Elends hörte ich mit Freude, daß Adam Olivias Verhalten in keiner Weise verurteilte, wohl aber Malcolms, denn der schien eine feste Freundin namens Alison zu haben, von der Olivia nichts wußte.

»Der Kerl ist so was von fies«, sagte Adam. »So wie der sich aufführt, zieht er beide Frauen in den Dreck.« Recht so, Bruder!

Als ich Kate aus Adams Armen nahm, begann sie zu schreien. Ich konnte ihr das nicht übelnehmen. Er wandte sich um und sah mich überrascht an.

»Du willst doch nicht etwa schon gehen?« fragte er.

»Eigentlich ja«, sagte ich, bemüht, meine Worte beiläufig klingen zu lassen. »Kate ist müde und muß bald gewickelt werden.«

Ich wandte mich den atemberaubenden jungen Frauen zu. »Tschüs«, nickte ich. »Es war nett, euch kennenzulernen.«

Zumindest kann man mir keine Unhöflichkeit vorwerfen, dachte ich selbstgerecht.

»Tschüs«, riefen sie im Chor. »Tschüschen, Kate!«

Dann schämte ich mich. Es waren nette junge Frauen. Das Problem war ich. Ich war eifersüchtig und unsicher, kindisch, überempfindlich und verdorben.

Ich schleppte mich davon, beladen mit meinem Säugling, den Einkaufstüten und dem Gefühl, ungerecht behandelt worden zu sein. Während ich mich durch die Menge zu kämpfen versuchte, die weder wich noch wankte, bemühte ich mich um eine würdevolle und gleichgültige Miene.

Ich spürte, wie Adam mich ansah, wich seinem Blick aber aus. Bevor ich zwei Meter weit gekommen war, hatte er mich eingeholt. Wenn ich ganz ehrlich sein soll – was nicht immer ganz einfach ist –, hatte ich genau das von ihm erwartet.

»Claire«, sagte er überrascht. »Wohin gehst du?«

»Nach Hause«, murmelte ich.

Ich hoffte verzweifelt, daß er nicht gemerkt hatte, wie eifersüchtig ich war.

»Tut mir leid«, sagte er und sah mir in die Augen. »Sind sie dir auf die Nerven gegangen?«

»Nein«, beteuerte ich. »Die waren sehr nett.«

»Du brauchst nicht höflich zu sein«, sagte er besorgt. »Mir ist klar, daß sie in den Augen einer Frau dumme Gänse sein müssen.«

»Aber nein, Adam, ehrlich, die sind in Ordnung«, beharrte ich.

Ich kam mir *wirklich* scheußlich vor. Mir mißfiel die Anwesenheit von Alexandria, Zoo und Gerri oder wie sie auch heißen mochten, weil ich *eifersüchtig* war, nicht aber, weil ich so wahnsinnig reif und erhaben gewesen wäre. Adam unterstellte mir da allerlei edle Motive. Er hielt mich für intelligent, während ich in Wirklichkeit eine verzogene, unreife Göre war, die auf die denkbar kindischste Weise Aufmerksamkeit verlangt.

»Es sind reizende Mädchen«, sagte er, »aber ich wollte mit dir und Kate zusammensein. Doch ich konnte sie ja nicht gut daran hindern, sich zu uns zu setzen, ohne unhöflich zu erscheinen«, erklärte er.

»Es ist schon in Ordnung«, beteuerte ich. »Aber ich sollte wirklich besser gehen«, fuhr ich fort, als mich wieder jemand mit einem Tablett anrempelte und meckerte, weil ich mitten im Gang stand.

»Bist du sicher?« fragte er. Er stand dicht an mich gedrängt.

»Ganz sicher«, sagte ich, rührte mich aber nicht. Ich wollte bleiben, wo ich war, ganz in seiner Nähe. Nur einen kleinen Augenblick. Ich wollte, daß er mich küßte.

Allerdings war die Aussicht darauf, angesichts der mehreren tausend Leute, die sich um uns drängten, äußerst gering. Ganz davon zu schweigen, daß Kate wahrscheinlich in ihrem Tragetuch erstickt wäre, wenn mich Adam mit all seiner männlichen Kraft in die Arme gezogen hätte.

»Soll ich dich zum Wagen bringen?« fragte er.

»Nein, Adam, das ist wirklich nicht nötig.«

»Wir sehen uns bald wieder«, sagte er.

»Ja.« Ich schenkte ihm ein leichtes Lächeln. Ein ungeheucheltes freundliches Lächeln.

Er legte mir die Hände auf die Schultern und zog mich an sich (wobei er sehr vorsichtig war, daß Kate nichts passierte) und küßte mich ganz leicht auf die Stirn. Ich schloß die Augen und gab mich dem Augenblick hin.

Ich hielt den Atem an, weil ich es kaum glauben konnte. Er roch nach Seife und warmer, glatter Haut. Sein Mund fühlte sich warm und fest an.

Durch das Stimmengewirr im Café hörte ich jemanden sagen: »Guck, da sind die beiden wieder.«

Eine andere Stimme fragte: »Welche beiden?«

»Die sich gestern vor Switzer's Laden so gestritten haben.«

Es waren die beiden jungen Frauen, die gestern aus dem kurzen Dialog zwischen Adam und mir so großen Trost gezogen hatten. Mein Gott, war das wirklich erst gestern gewesen?

Sie fuhren fort, laut über uns zu reden.

»Ach die. Sieht ja ganz so aus, als würden sie sich wieder vertragen.«

»So ein Mist!«

Ich öffnete die Augen und sah Adam an. Wir mußten beide lachen.

»Fehlt nur noch der Guinness-Mann«, sagte er.

»Wenn der auftaucht, geh ich wirklich«, erklärte ich ihm.

Auf dem Weg nach draußen kam ich an den beiden jungen Frauen vorüber.

»Gestern hatte die aber kein Kind«, sagte die eine.

»Ob das von ihm ist?« wollte die andere wissen.

Ich ging weiter.

Erst hundert Meter vor dem Haus meiner Eltern hörte meine Stirn auf zu kribbeln.

Ja, ja, ich weiß. Ein Kuß auf die Stirn hat nicht unbedingt was mit Sex zu tun. Ich könnte Ihnen sogar einen schwedischen Film nennen, in dem es um einen Kuß auf die Stirn geht. Der Kuß war so zärtlich, so sehnsüchtig und auf seine eigene zurückhaltende Art so erotisch, daß er viel besser war als Sex. Nun, sagen wir, genauso gut.

17

Laura kam am Sonntag nachmittag. Wir saßen herum, tranken Tee, aßen Michaels schöne Jaffa-Kekse und spielten mit Kate. Das Spielen bestand hauptsächlich darin, daß man Kate fütterte, auf ihr Bäuerchen wartete und ihre Windeln wechselte.

Laura trug ein schmutziges T-Shirt mit Farbflecken, vermutlich eins von ihrem halbwüchsigen Geliebten. Sie sah jung, zufrieden und glücklich aus.

Dazu hatte sie auch allen Grund. Viermal hatte ihr junger Liebhaber sie in der vorigen Nacht bedient, und sie wollte in allen Einzelheiten darüber berichten – nur unterbrachen uns Mum und Dad immer wieder.

»Hast du was von James gehört?« Laura hatte jeden Versuch eines Gesprächs unter Frauen aufgegeben, nachdem Dad den Raum etwa zum zwanzigsten Mal verlassen hatte. Er kam wieder herein, nickte ihr zu, nahm Kissen vom Sofa, schob Sessel hin und her und murmelte, er habe die Sonntagszeitung noch nicht gelesen, und falls Helen sie genommen habe, werde er sie umbringen. Da er für die Zeitungen zahle, könne er nicht einsehen, daß ausgerechnet er immer derjenige sei, der sie nicht zu lesen bekam.

Etwa drei Minuten später war er wieder da, um nachzusehen, ob das Feuer im Kamin gut brannte, und fing eine ausführliche Unterhaltung über die Vorteile von Buchenholz an, wobei er hauptsächlich mit sich selbst redete. (»Das hat 'nen hohen Heizwert, auch wenn's mehr kostet.«)

Laura und ich waren auf das Sofa gekuschelt, Kate auf Lauras Schoß, und wir alle, sogar Kate, machten ein gelangweiltes Gesicht, während wir darauf warteten, daß mein Vater mit seiner Tirade zum Ende kam und verschwand. Kaum war er draußen, kam meine Mutter herein, augenscheinlich, um uns Tee anzubieten, in Wirklichkeit aber, um zu kontrollieren, ob ich die Jaffa-Kekse hatte verschwinden lassen.

Sie erkundigte sich nach Lauras Vater.

»Geoff Prendergast ist ein wirklich netter Mann«, erklärte sie ihr. »Ich weiß nicht, wie deine Eltern zu dir gekommen sind.«

Dann ging sie hinaus und nahm die Jaffa-Kekse mit.

»Hast du was von James gehört?« fragte Laura erneut, als sich die Wohnzimmertür wieder schloß.

»Er ist verreist«, sagte ich knapp. »Aber ich ruf ihn morgen an.«

Ich wollte nicht über James reden. Nicht jetzt. Es stand mir bis sonstwo, die Sache immer wieder durchzukauen, mich zu fragen, wie ich mich verhalten solle, zu versuchen, dem Ganzen einen Sinn abzugewinnen.

Wie die New Yorker sagen, bring's hinter dich, und wenn du das nicht kannst, hör auf, davon zu reden. Wie vernünftig.

Laura war schon eine gute Stunde da, bevor sie auf Adam zu sprechen kam.

Ich war erstaunt, daß sie dafür so lange gebraucht hatte.

»Und was ist jetzt mit dir und dem jungen Lochinvar?« fragte sie betont beiläufig, während sie Kate mit kreisförmigen Bewegungen den Rücken rieb.

»Wer soll das sein?« fragte ich, betont begriffsstutzig.

»Der wunderbare Adam«, sagte sie leicht gereizt.

»Was ist mit dem?« fragte ich.

»Erstens ist er verrückt nach dir, und zweitens sieht er spitzenmäßig aus. Wenn er fünf oder sechs Jahre jünger wäre, könnte sogar ich mich für ihn erwärmen.«

»Laura, er ist nicht verrückt nach mir«, protestierte ich.

Natürlich sagte ich das nur, damit sie die Möglichkeit hatte, darauf zu bestehen, er sei absolut verrückt nach mir, so daß ich in meinem Bauch erneut das wunderbar warme Prickeln spüren konnte.

»Natürlich ist er das«, sagte sie. »Das weißt du auch ganz genau.«

»Ja und?« fragte ich. »Selbst wenn das stimmen sollte – und wir haben keinen Beweis dafür –, was soll ich deiner Ansicht nach tun?«

»'ne Nummer mit ihm schieben«, sagte sie ohne eine Spur von Schamgefühl.

»Laura! Meine Güte, ich bin verheiratet«, rief ich aus.

»Ach ja?« fragte sie von oben herab. »Wo ist denn dein Mann?«

Ich schwieg.

»Claire«, sagte sie freundlich, nachdem wir fünf angespannte Minuten nichts gesagt hatten, »ich sag ja nur, daß er großartig ist, dich wirklich zu mögen scheint und du eine schwere Zeit hinter dir hast. Selbst wenn die Sache mit James schließlich in Ordnung kommen sollte, wäre es doch kein Fehler, wenn du dich zwischendurch mal ein bißchen amüsieren würdest.«

»Was ist hier bloß los? Alle wollen, daß ich mich Adam in die Arme werfe. Sogar meine eigene Mutter!«

»Deine Mutter hat gesagt, du sollst 'ne Nummer mit Adam schieben?« kreischte Laura.

»Nicht wortwörtlich«, sagte ich, »aber es läuft wohl darauf hinaus.«

»Und was hält dich zurück?« fragte Laura begeistert. »Du hast den Segen deiner Mutter. Ein wunderbares Vorzeichen.«

Ich dachte einen Moment nach.

»Ja«, seufzte ich. »Ich sollte es wohl tun.«

»Na hör mal!« knurrte Laura. »Ist das dein Ernst?«

»Was denn nun?« fragte ich mit erhobener Stimme. »Hast du mich nicht grade noch dazu angestachelt?«

Ich *wußte*, daß es dahin kommen würde. Ich *wußte* es. Immer bestärkt man einander darin, etwas zu tun, wovon man weiß, daß der andere es nicht tun wird. Wenn der es dann aber doch tut, ist es der Schock deines Lebens.

Ich weiß, wovon ich spreche. Jahrelang habe ich meinen Vater gedrängt, er solle sich Jeans kaufen.

»Ehrlich, Dad, das steht dir großartig«, habe ich oft gesagt.

Er sagte dann immer: »Hör bloß auf, dafür bin ich viel zu alt.«

»Ach was, Dad, bist du nicht.«

An dem Tag, an dem er tatsächlich schüchtern lächelnd und stolz mit brettsteifen marineblauen Wranglers ankam, die er unten dreißig Zentimeter hatte umschlagen müssen, hätte mich der Schreck fast umgebracht.

»Ja, ich weiß«, sagte Laura, ein bißchen bekümmert, wie es schien. »Es paßt so gar nicht zu dir. Du bist so anhänglich.«

»Laura, ich wäre James gegenüber kaum untreu, wenn ich mit Adam ins Bett ginge, oder?« sagte ich ganz ruhig. Ich konnte richtig sehen, wie sie das entsetzte.

Auch wenn ich nach außen hin wie jemand wirkte, mit dem man einen draufmachen konnte, war ich doch meist die beständige Claire gewesen.

Mein Firnis, der Ausschweifungen vortäuschte, war in Wahrheit hauchdünn und praktisch durchsichtig.

Zwar hatte ich öfter, als mir lieb ist, das böse Mädchen gespielt, war aber nie mit dem Herzen dabeigewesen.

Immer wollte ich mit ein und demselben Mann ein langweiliges Leben führen, aber weil das das Kränkendste war, was man jemandem nachsagen konnte, hatte ich mich nach Kräften bemüht, es niemand merken zu lassen.

Nur wenige Menschen kannten mein schauriges Geheimnis.

»Bedeutet dir dieser Adam etwas?« fragte Laura besorgt.

Ich fand es lustig, wie sich der ›wunderbare Adam‹ in wenigen Minuten in ›diesen Adam‹ verwandelt hatte.

»Klar«, sagte ich und lachte über ihr Entsetzen. »Er ist wirklich zum Anbeißen – hast du das etwa nicht gemerkt?«

»Na ja, er sieht ziemlich gut aus«, sagte sie zurückhaltend, »aber was weißt du über ihn?«

»Daß er liebenswürdig ist und mir das Gefühl gibt, klug, schön und begehrenswert zu sein.«

»Claire, vergiß nicht, daß du gerade jetzt sehr verletzlich bist. Es könnte sein, daß du dich nur in ihn vergafft hast, um über James hinwegzukommen.«

»Meinst du?« fragte ich und war überzeugt, daß das überlegen klang. »Wieso ermunterst du mich überhaupt, mit ihm was anzufangen«, fragte ich neugierig, »und spielst dich dann als Sittenrichterin auf, wenn ich sage, ich tu's?«

»Tut mir leid, Claire«, sagte sie bedrückt. »Ehrlich. Ich hatte gedacht, es würde dich aufbauen, daß er auf dich steht. Aber ich hatte keine Sekunde geglaubt, du würdest ernsthaft was mit ihm anfangen wollen. Du warst immer so auf einen einzigen Mann gepolt, daß mich das ziemlich umgehauen hat.«

»Laura, zur Zeit bin ich auf niemand gepolt«, erinnerte ich sie.

»Ich weiß, aber du liebst James doch so sehr… Ich weiß nicht… Ich hätte nie geglaubt, daß du an andere auch nur denkst.«

»Die Dinge ändern sich, wir ändern uns«, sagte ich. »Ich weiß nicht mehr, wie ich zu James stehe. Das einzige, was ich wirklich weiß, ist, daß es herrlich ist, mit Adam zusammenzusein.«

Laura riß sich mit einem Mal zusammen.

»Wenn das so ist, konntest du für ein kleines Abenteuer keinen Besseren finden. Er sieht gut aus. Außerdem ist er nett. Und klug«, fügte sie hinzu.

Aus Lauras Mund war das ein großes Lob, denn gewöhnlich ist ihr das Organ zwischen den Beinen eines Mannes wichtiger als das zwischen seinen Ohren.

»Nur solltest du allmählich anfangen, dich fit zu machen«, sagte sie grinsend. »Hat man dir keine Übungen gesagt, mit denen du dich in Form bringen kannst? Beckenboden-Übungen oder wie das heißt. Du willst ja wohl nicht, daß es im Bett mit Adam so wird, als wenn man eine Wurst über die Straße schleudert.«

»Vielen Dank, Laura«, sagte ich trocken. »Wenn man dich so hört, muß ich ja wirklich ein guter Fang sein.«

Nach Lauras Weggang konnte ich mich zu nichts durchringen. Niemand war im Haus. Anna war wie üblich spurlos verschwunden, Helen allem Anschein nach bei Linda.

Darüber allerdings war ich froh. Ich hatte wegen Adam ein so schlechtes Gewissen, daß ich ihr bestimmt nicht hätte in die Augen sehen können. Ich war ziemlich sicher, daß Adam nicht ihr Freund war. Aber es wäre vielleicht nicht schlecht, das genauer zu erkunden.

Allerdings fürchtete ich, dem Wissen nicht gewachsen zu sein, sollte er sich doch als ihr Freund herausstellen.

Hieße das nicht, daß er ein verrückter Typ war, dem es Spaß machte, Familien zugrunde zu richten, Schwestern gegeneinander auszuspielen und Menschen ins Unglück zu stürzen? Sollte Adam ihr Freund sein und sie dahinterkommen, daß wir uns verabredet hatten, und zwar nicht nur einmal, sondern zweimal, wäre der irische Blutsonntag von 1916, verglichen mit dem, was dann folgen würde, die reinste Weihnachtsbescherung.

Hinterging ich meine Schwester, indem ich mich mit Adam traf? Natürlich. Aber nicht übermäßig.

Falls Adam ihr Freund war, würde ich mich sofort zurückziehen und nichts weiter mit ihm zu schaffen haben. Kein Problem.

Was aber, wenn er nicht ihr Freund war, Helen ihn aber wollte? Wenn Adam auch sie wollte, galt das schon Gesagte. Ich würde mich sofort zurückziehen und nichts weiter mit ihm zu schaffen haben.

Und was aber wäre, wenn Helen zwar Adam wollte, dieser aber nicht Helen, sondern – was für ein märchenhafter Gedanke – mich? Was dann? Das wäre ein Problem.

Ich mochte meine Schwester Helen, warum, weiß Gott allein. Jedenfalls wollte ich nichts tun, was sie aufregte. Nicht nur, weil ich Angst vor ihr hatte.

Am besten wäre es wohl, mit Adam darüber zu reden. Ihn einfach ganz offen fragen, wie die Dinge zwischen ihm und Helen lagen. Falls da was lief, wäre bei mir wieder Trauer angesagt.

Wenn ich allerdings kein Risiko einging, würde ich nie erfahren, wie die Dinge lagen.

Ich hätte nie geglaubt, daß ich das aus meinem eigenen Munde hören würde, aber das Leben ist wirklich zu kurz.

Wir müssen jede Gelegenheit, die sich uns bietet, mit beiden Händen festhalten. Das galt vor allem für Adam.

Sie haben richtig gehört, das war eine Anspielung – ich wollte ihn mit beiden Händen festhalten.

»Mein Gott, Claire, was hast du nur?« schimpfte meine Mutter, als ich wieder einen anderen Sender einschaltete. »Kannst du nicht stillsitzen? Man könnte glauben, du hast Hummeln in der Hose.«

»Tut mir leid, Mum.«

In dem Augenblick klingelte das Telefon.

»Aua, mein Fuß!« Dad jaulte wie ein Hund, dessen Schwanz in der Tür eingeklemmt ist, als ich losstürmte und dabei mehrere seiner Mittelfußknochen zertrümmerte. »Paß doch um Gottes willen auf, wo du hintrittst.«

»Hallo«, keuchte ich in den Apparat.

»Ist dein Vater da?« fragte eine undeutliche Stimme am anderen Ende.

»Dad«, rief ich. »Daaad! Tante Julia für dich.«

Der Teufel soll sie holen, dachte ich.

Jetzt würde er stundenlang telefonieren.

Wenn Tante Julia betrunken war und anrief, war es unmöglich, das Gespräch zu beenden.

Gewöhnlich rief sie an, um sich für etwas zu entschuldigen, das sie getan hatte, wie beispielsweise bei einem Ballspiel mogeln, das gerade mal fünfundvierzig Jahre zurücklag.

Warum mache ich mir überhaupt Sorgen, ob das Telefon frei ist oder nicht? fragte ich mich, indem ich meinem Vater elegant auswich, als er knurrend an mir vorbeihumpelte. Hatte irgend jemand gesagt, Adam würde anrufen?

Erwartete ich Anrufe? Nein und nochmals nein.

Aber ein kleines Fünkchen in meinem Inneren hoffte, daß er vielleicht, ganz vielleicht, anrufen könnte. Gesagt hatte er allerdings nichts davon. Aber er könnte es vielleicht tun. Ich setzte mich in die Diele, um Dads Gespräch mit Tante Julia mitzuhören. Gewöhnlich war das ganz unterhaltsam, wenn auch etwas absonderlich.

Wie lange dieser kleine Plausch wohl dauern mochte?

»Jetzt hör mir mal zu, Julia«, sagte mein Vater ganz aufgeregt.

Ach je, das muß aber wieder mal ein furchtbar wichtiges Ballspiel gewesen sein, wenn Dad sich so darüber aufregen konnte.

»Mach ein Küchenhandtuch naß, und wirf es sofort drüber«, donnerte er ins Telefon.

Großer Gott, dachte ich, als ich begriff, daß Tante Julia offenbar im Begriff stand, ihr Haus abzufackeln, und nicht anrief, um lang, reumütig, gewunden und betrunken zu monologisieren.

»Nein, unter den Wasserhahn, Julia, unter den Wasserhahn!« schrie Dad.

Wie in drei Teufels Namen hatte sie denn das Küchenhandtuch naß machen wollen? Am besten gar nicht darüber nachdenken.

»So, Julia, ich leg jetzt auf, und du tust dasselbe«, sagte Dad langsam und betont, als spreche er mit einer Vierjährigen. »Dann wählst du 112. Das ist die Feuerwehr«, fuhr er fort. »Danach rufst du mich wieder an und sagst mir, daß du da angerufen hast und sie auf dem Weg zu dir sind.«

Er knallte den Hörer auf die Gabel und lehnte sich an die Wand.

»Großer Gott«, sagte er erschöpft.

»Was hat sie denn jetzt wieder angestellt?« fragte meine Mutter, die in der Diele aufgetaucht war.

»Irgendwie hat sie mit ihrem Gasherd was in Brand gesetzt und kann es nicht mehr löschen«, seufzte mein Vater. »Hört das denn nie auf?«

Das Telefon klingelte.

»Bestimmt ruft sie jetzt zurück«, sagte Dad, als Mum nach dem Hörer griff.

»Hallo«, sagte meine Mutter.

Dann änderte sich ihr Gesichtsausdruck.

»Ja, sie ist da. Wer spricht bitte?«

»Adam, für dich«, sagte sie und gab mir den Hörer mit ausdrucksloser Miene.

»Oh«, sagte ich und atmete erleichtert aus, während ich ihn nahm.

Darauf hatte ich den ganzen Abend gewartet, ohne mir selbst darüber klar zu sein.

»Hallo«, sagte ich. Zwar war ich begeistert, bemühte mich aber, es vor Mum und Dad zu verbergen.

»Wie geht es dir?« fragte er mit seiner wunderbaren Stimme.

»Gut«, gab ich ein wenig verlegen zurück. Meine Eltern standen nach wie vor in der Diele und sahen mir zu.

»Verzieht euch«, zischte ich ihnen zu und wedelte mit dem freien Arm.

»Leg auf!« knurrte mein Vater. »Wir haben einen Notfall.«

»Noch eine Minute«, sagte ich.

»Aber wirklich nur eine«, sagte er drohend.

Dann kehrten beide zögernd ins Wohnzimmer zurück.

»Tut mir leid«, sagte ich, als die beiden verschwunden waren, »eine belanglose Familienkrise.«

»Es fehlt doch hoffentlich keinem was?« fragte er besorgt.

»Nein, nein«, sagte ich. Jetzt war ich besorgt. Machte er sich etwa Gedanken wegen Helen? Wegen seiner *Freundin* Helen?

»Ich hoffe, es stört dich nicht, daß ich anrufe«, fuhr er fort. »Ich möchte dich nicht belästigen. In dem Fall sag einfach Bescheid, und ich hör auf.«

Nur zu, belästige mich, dachte ich.

»Nein, Adam, natürlich stört es mich nicht, daß du anrufst. Ich spreche gern mit dir.«

»Dann ist ja alles in Ordnung«, sagte er. Ich konnte das Lächeln in seiner Stimme hören.

Ich setzte mich auf den Boden und stellte mich auf ein behagliches Plauderstündchen ein.

Im selben Augenblick hörte ich, wie sich der Schlüssel im Haustürschloß drehte.

»O Gott«, sagte ich, als Helen durch das Haus rief: »Ich bin zurück. Gebt mir was zu essen! Oder ich zeig euch wegen Vernachlässigung Abhängiger an.«

»Was ist das?« fragte Adam.

»Helen ist gekommen«, sagte ich.

»Ach, tatsächlich? Sag ihr einen schönen Gruß von mir.«

»Nein«, stieß ich hervor.

»Warum nicht?« fragte er. Es klang entsetzt.

Helen kam an mir vorbei. Mit einem Augenzwinkern lächelte sie mir zu.

»He, Claire, tolle Stiefel«, sagte sie und ging weiter. Manchmal, normalerweise gerade dann, wenn ich am wenigsten damit rechne, kann sie so süß und reizend sein, daß ich sie umbringen könnte.

»Warum denn nicht?« fragte Adam erneut.

Jetzt war der Augenblick gekommen, die Sache ein für alle Mal zu klären.

Falls er mit meiner kleinen Schwester und mir sein Spiel triebe, wäre das für mich die ideale Gelegenheit, dem ein Ende zu bereiten. Ich hatte mich richtig in Zorn gesteigert. Was für eine verdammte Unverschämtheit von ihm!

Nur weil er gut aussieht, glaubt er, er kann hier reinkommen und rücksichtslos auf allen rumtrampeln, dachte ich empört und selbstgerecht.

»Ich weiß wirklich nicht, wie ich das sagen soll«, begann ich, als ich hörte, daß sich Helen, Mum und Dad im Wohnzimmer stritten, so daß ich nichts zu befürchten brauchte. »Ich weiß nicht mal, was ich sagen soll.«

»Wovon redest du denn, um Gottes willen?« fragte er.

Vorwärts, sag's ihm, ermutigte ich mich.

Du hast jedes Recht, es zu erfahren. Aber schon verließ mich der Mut.

»Vielleicht geht es mich ja nichts an, aber bist du Helens Freund?« brachte ich schließlich heraus.

Schweigen folgte.

O Gott, dachte ich. *Er geht* tatsächlich *mit Helen. Er war nur einfach nett zu mir, weil ich ihre ältere Schwester bin, das Stück Dreck. Und jetzt weiß er, daß ich auf ihn steh. So ein Mist. So ein verdammter Mist. Ich hätte den Schnabel halten sollen. Ich habe alles versaut, weil ich keine Geduld habe.*

»Claire«, sagte er schließlich mit einer Stimme, die verblüfft klang. »Wovon redest du eigentlich?«

»Das weißt du genau«, sagte ich. Ich kam mir blöd vor, doch gleichzeitig auch irgendwie erleichtert.

»Nein«, sagte er kühl. »Ganz und gar nicht.«

»Oh«, sagte ich. Jetzt war es mir *wirklich* peinlich.

»Du glaubst also, daß ich Helens Freund bin?« sagte er mit harter Stimme.

»Na ja, ich dachte, möglicherweise ...«, sagte ich, peinlich berührt.

»Und warum hab' ich dann deiner Ansicht nach gefragt, ob wir uns sehen können?« fuhr er mit einer Stimme fort, in der Geringschätzung mitzuschwingen schien.

»Nun?« fragte er, als ich schwieg.

»Entweder hältst du mich für unwahrscheinlich dämlich oder für unwahrscheinlich zynisch«, sagte er. »Ich weiß nicht, welche der beiden Möglichkeiten mich mehr kränkt.«

Ich sagte nach wie vor nichts. In erster Linie, weil mir nichts einfiel. Ich fühlte mich schrecklich.

Adam war mir immer nur mit Anstand und Achtung begegnet. Nichts wies darauf hin, daß er irgend etwas mit Helen zu tun hatte. Ich hatte ihn mit meinen Zweifeln verletzt.

»Hör zu, Claire«, sagte er nach längerem Schweigen. »Ich war nie der Freund deiner Schwester, bin es nicht und gedenke es auch nicht zu werden.«

»Sie ist ein reizendes Mädchen«, fügte er rasch hinzu. »Aber nichts für mich.«

»Entschuldige bitte, Adam«, stammelte ich. »Ich hatte nicht gewußt ...«

»Entschuldige bitte auch du«, sagte er. »Ich vergesse immer wieder, was du kürzlich durchgemacht hast. Man hat dich tief verletzt. Wer kann dir da einen Vorwurf machen, wenn du glaubst, daß wir Männer alle ein Haufen falscher Fünfziger sind.«

Mein Held, dachte ich und schmolz dahin. Er hatte mir die Worte aus dem Mund genommen. Er hatte mir die Qual erspart, ihm das selbst zu sagen und damit ein Risiko einzugehen. Was für ein Mann!

Wie kam es, daß er sich so genau in meine Empfindungen einfühlen konnte?

Vielleicht ist er transsexuell, dachte ich beunruhigt. *Das ist vermutlich sein großes, dunkles Geheimnis. Er ist als Frau auf die Welt gekommen. Oder er ist eine Frau, die im Körper eines Mannes gefangen ist – und was für eines Mannes*!

»Ich weiß nicht, welchen Eindruck du von mir hast, Claire«, fuhr er fort und riß mich aus meinen Spekulationen über sein Geschlecht, »aber offensichtlich ist es nicht der, den ich mir erhofft hatte.«

»Nein ... Adam ...« Mit schwacher Stimme erhob ich Einspruch. Ich hatte so viel zu sagen und wußte nicht, wo anfangen.

»Hör mir eine Minute zu«, sagte er. »Einverstanden?«

Das klang so ernst und zugleich so jungenhaft – wie konnte ich da widerstehen?

»Klar«, sagte ich.

»Ich bin mit vielen Frauen gut befreundet, aber ich verliebe mich nicht oft. Ehrlich gesagt nur höchst selten. Jedenfalls verglichen mit den anderen aus meinem Studienjahr. Aber womöglich sind die ja auch nur besonders aktiv.«

»Das ist in Ordnung«, sagte ich. Es wäre mir lieb gewesen, wenn er nichts mehr gesagt hätte. Du brauchst mir überhaupt nichts zu erklären, wollte ich ihm sagen.

Ich hatte herausbekommen, daß er nicht Helens Freund war, und das war schon eine ganze Menge. Das Theater, das ich aufgeführt hatte, und meine Vorwürfe waren mir jetzt peinlich. Ich wollte die ganze Sache einfach vergessen. Der arme Junge! Da kannte er mich erst ein paar Tage, und schon waren wir uns mehrere Male in die Haare geraten. Was um Himmels willen brachte ihn auf den Gedanken, daß ich der Mühe wert war?

Aber bevor ich darüber nachdenken konnte, tauchte mein Vater mit finsterer Miene in der Diele auf.

»Claire!« brüllte er. »Leg auf. SOFORT!«

»Mußt du aufhören?« fragte Adam.

»Ja«, sagte ich. »Tut mir leid.«

Ich wollte das Gespräch erst beenden, wenn ich wußte, daß alles in Ordnung war. Daß Adam nicht sauer auf mich war, weil ich dachte, er sei ein gewohnheitsmäßiger Don Juan.

Nachdem er nun nicht in Helen verliebt war, hätte mich ein Hinweis von ihm nicht gestört, daß möglicherweise ich als Anwärterin in dieser Richtung in Frage käme. Mit den Worten meiner Mutter gesagt: ich wollte es auf einem Silbertablett serviert bekommen.

»Ach, fast hätte ich vergessen, warum ich angerufen habe«, sagte er.

»Nämlich?« fragte ich.

Sag mir, daß du mich gern hast. Nur zu, nur zu, drängte ich ihn stumm.

»Um elf gibt's im Fernsehen 'nen guten Film. Ich bin sicher, daß er dir gefallen würde. Du solltest ihn dir ansehen, wenn du nicht zu müde bist.«

»Oh«, sagte ich. Damit hatte er mir den Wind endgültig aus den Segeln genommen. »Vielen Dank.«

Ein blöder Film! Mal ehrlich!

»Bis bald«, sagte er.

Nein, warte, wollte ich rufen, leg noch nicht auf. Sprich noch eine Minute mit mir. Gib mir deine Nummer, damit ich dich anrufen kann. Darf ich dich morgen sehen? Ach, was heißt morgen – darf ich dich heute sehen?

»Claire«, donnerte mein Vater aus dem Wohnzimmer.

»Ja, dann tschüs«, sagte ich und legte auf. Ich fühlte mich unter anderem vollkommen erschöpft.

Im selben Augenblick, als ich auflegte, gab es ein Gedränge an der Wohnzimmertür. Mein Vater und Helen stritten sich darum, wer zuerst ans Telefon durfte.

Dad wollte Tante Julia anrufen, um zu sehen, ob die Flammenhölle unter Kontrolle war. Helen hatte ihre eigenen Absichten.

»Ich muß unbedingt Anthony anrufen«, rief sie. »Er soll mich am Dienstag mit nach Belfast nehmen.«

»Julias Feuer ist dringender«, sagte Dad mit Nachdruck.

»Soll ihr Haus doch abbrennen. Das wär der alten Säuferin eine Lehre.«

Menschenfreundlich bis zum bitteren Ende, das war meine Schwester.

Ich verließ das Schlachtfeld, ging nach oben, stellte Kates Bettchen in Mums Zimmer und machte mich bereit, mir dort den von Adam empfohlenen Film auf dem kleinen Fernseher anzusehen. Es war das mindeste, was ich tun konnte, nachdem ich so gemein zu ihm gewesen war.

Außerdem kann ich dann mit ihm über den Film sprechen, wenn ich ihn das nächste Mal sehe, dachte ich.

Vorausgesetzt, es gibt ein nächstes Mal.

18

Während ich die Alkoholische Höllenmutter gewesen war (um ganz genau zu sein, auch die Alkoholische Höllentochter und die Alkoholische Höllenschwester), war die Zeit zum Stillstand gekommen. Jetzt aber, da ich wieder angefangen hatte zu leben, war sie munter vorangetrabt und galoppierte schon, ehe ich es richtig gemerkt hatte.

Die Tage vergingen wie im Fluge, so wie im Film, wenn der Regisseur darstellen will, daß die Zeit rasch vergeht. Dabei blättert der Wind einen Kalender blitzschnell durch, reißt die Blätter ab und verstreut sie überallhin. Untergemischtes braunes Laub weist auf den Herbst hin und eine Handvoll Schneeflocken auf den Anbruch des Winters.

Das Wochenende war vorüber, bevor ich es richtig gemerkt hatte. Dabei spielten für eine Nichtstuerin wie mich Dinge wie der Unterschied zwischen Wochenende und Arbeitswoche nicht die geringste Rolle. Jeder Tag war ein Feiertag, und so weiter.

Dann war mit einem Mal Montag morgen. James würde aus der Karibik oder von Mustique zurückkommen. Oder von einer kleinen Insel in Privatbesitz ganz dicht an der Küste des Himmels. Oder von wo auch immer, der treulose Mistkerl. Also mußte ich ihn anrufen.

Es ließ mich aber recht kalt. Was sein muß, muß sein. Natürlich fiel es mir nicht schwer, wegen James kalt zu sein, wo ich mir wegen Adam so große Sorgen machte. Ziemlich mühsam, sich den Kopf über beide gleichzeitig zu zerbrechen.

Übertragung der Zuneigung etcetera, und ein großer Applaus für Dr. Freud.

Aber bevor ich dazu kam, James anzurufen, hielt der Montag morgen noch ein anderes freudiges Ereignis für mich bereit. Die Nachuntersuchung beim Arzt, die sechs Wochen nach der Entbindung fällig war. Der Spaß schien in meinem Leben überhaupt nicht mehr aufzuhören. Ein ziemlich symbolisches Ereignis, gewissermaßen die Wasserscheide.

In gewisser Hinsicht eine Anerkennung dessen, daß die Geburt erfolgreich verlaufen war. Ungefähr wie der große Empfang nach einer Filmpremiere. Nur daß die Schauspieler und die anderen Beteiligten bei diesem Empfang ihre Beine nicht in Steigbügel hängen und sich von fremden Männern an intimen Stellen untersuchen lassen müssen. Es sei denn, sie wollen das unbedingt.

Auch Kate hatte einen Termin, in der Kinderklinik.

Also fuhren wir beide mit dem Auto los.

Ich war stolz auf mich. Jeder Tag, an dem ich es fertigbrachte, aufzustehen und, was zu tun war, aus eigener Kraft zu bewältigen, war nach wie vor ein kleines Wunder. Das Leben begann, wie die damit verbundene Verantwortung und seine Pflichten, allmählich wieder Freude zu machen.

Kate war schon einige Male in der Klinik gewesen, für sie war das also reine Routine. Ich hingegen war nicht auf die Schreiorgie eingestellt, die uns empfing. Das Wartezimmer schien mehrere tausend brüllender Säuglinge mit vor Überforderung verzweifelten Müttern zu enthalten, wobei manche Mütter lauter schrien als ihre Kinder.

»Wenn er doch nur aufhören würde«, sagte eine Frau unter Tränen, ohne sich dabei an jemand Bestimmten zu richten. »Nur fünf Minuten.«

Großer Gott, dachte ich entsetzt und merkte plötzlich, wieviel Glück ich hatte. Nicht nur schien Kate ein geradezu ungewöhnlich stilles Kind zu sein, ich hatte darüber hinaus Mum, Dad und, vermute ich, Helen und Anna, die sich die Aufgabe mit mir teilten, sich um sie zu kümmern.

Mum und Dad waren mit ihr zu den Kontrolluntersuchungen gegangen, als ich mich aufgeführt hatte wie der Leibhaftige.

Meine Güte, ich kann gar nicht sagen, wie sehr ich mich jetzt schämte. Wie hatte ich mein wundervolles Kind so schrecklich vernachlässigen können? Es sollte nie wieder vorkommen.

Niemand sollte je wieder meine Persönlichkeit so untergraben wie James. Mir wurde übel bei dem Gedanken, daß ich mich nicht so um Kate kümmerte wie nötig, nur weil ich mich nach einem Mann verzehrte.

Kate kam vor mir an die Reihe. Ich brachte sie in ihrer Trageschale ins Untersuchungszimmer. Die Schwester war eine bildhübsche rothaarige junge Frau aus Galway. Warum sehen Schwestern eigentlich immer so knackig aus?

Bestimmt gibt es darüber eine alte Legende. Vor vielen, vielen Jahren lebte einmal ein Stamm von Frauen, die ausnehmend schön waren. Die Männer waren ganz verrückt nach ihnen. Weil sich alle anderen Frauen im Vergleich mit ihnen unansehnlich und unzulänglich fanden, kam es zu allerlei Aufruhr und Gewalttätigkeiten. Familien wurden zerstört, weil sich glücklich verheiratete Männer in eins dieser Geschöpfe verliebten. Frauen aus den nicht so gut aussehenden Stämmen brachten sich um, weil sie keinerlei Aussicht hatten, mit diesen Sirenen zu konkurrieren. Irgend etwas mußte geschehen.

Also beschloß Gott, daß alle gutaussehenden Frauen Krankenschwestern werden und ganz ausnehmend abscheuliche Schnürschuhe und widerliche Kittel tragen mußten, die wegen ihres Schnitts den Hintern jener Frauen überdimensional erscheinen ließen, was ihre Anziehungskraft beträchtlich verminderte.

Bis auf den heutigen Tag müssen gutaussehende Frauen Krankenschwestern werden, damit die scheußliche Tracht ihre Schönheit verhüllt.

Wie allerdings diese von mir erdachte kleine Geschichte zu Supermodels paßt, denen selbst alles entstellende Kleider stehen, kann ich nicht erklären. Wie auch immer.

Obwohl die Schwester die Tür hinter uns schloß, war der Lärm der brüllenden Kinder im Wartezimmer nach wie vor einwandfrei zu hören, und dazwischen immer wieder das jämmerliche: »Nur fünf Minuten.«

»Raubt Ihnen der Krach da draußen eigentlich nicht den Verstand?« fragte ich neugierig.

»Überhaupt nicht«, sagte sie. »Ich hör es schon gar nicht mehr.«

Sie machte sich daran, Kate zu untersuchen. Kate war brav und weinte nicht einmal. Ich war wirklich stolz auf sie.

Am liebsten hätte ich die Tür aufgemacht und wie eine Lehrerin zu allen Kindern draußen gesagt: »Seht ihr, so müßt ihr euch benehmen. Schaut euch dies mustergültige kleine Mädchen hier gut an, und macht's ihr nach.«

Ich sah zu, wie die Schwester Kates Reaktionen überprüfte.

Es geschähe mir recht, wenn irgend etwas mit ihr ganz und gar nicht stimmte, dachte ich voll Schrecken. Aber nein, alles war in bester Ordnung. Der schuldbewußte Teil in mir war fast enttäuscht.

»Sie nimmt gut zu«, sagte die Schwester.

»Danke«, strahlte ich voll Stolz.

»Sie ist vollkommen gesund«, lächelte die Schwester.

»Danke«, sagte ich wieder.

Als ich die Tür öffnete, um das Untersuchungszimmer zu verlassen, brandete mir eine neue Welle von Gekreisch entgegen. Wir kämpften uns durch die Schar rotgesichtiger, brüllender Kinder. Soweit ich mitbekam, sollten einige von ihnen gegen Tuberkulose geimpft werden, was wohl zur allgemeinen Unruhe beitrug.

Mühselig bahnte ich mir, Kate in ihrer Trageschale vor mir hertragend, den Weg durch den ohrenbetäubenden Lärm der Menge. Als ich dankbar die Tür zwischen mir und dem Krach schloß, hörte ich noch einmal die arme Frau jammern: »Ich wär auch schon mit drei Minuten zufrieden.«

Dann mußten wir eine Weile warten, bis ich an die Reihe kam.

Ich las in einer Frauenzeitschrift, die aus der Zeit der Jahrhundertwende stammen mußte (›Krinolinen sind diesen Herbst eindeutig *out*‹). Kate schlief ein bißchen. Sie war richtig brav.

Schließlich wurde ich aufgerufen, und wir gingen hinein.

Der Arzt war ein freundlicher, kauziger älterer Herr. Grauer Anzug, graue Haare, umgänglich.

»Hallo. Ah ja, Claire, hm, Claire und die kleine äh, Catherine«, las er von der Karteikarte auf seinem Schreibtisch ab. »Kommen Sie rein und nehmen Sie Platz.«

Nach einem Augenblick sah er auf den Stuhl ihm gegenüber, und als er mich dort nicht sah, wanderten seine Blicke auf der Suche nach mir besorgt durch den Raum.

Ich hatte Kates Trageschale auf den Boden gestellt, meinen Slip ausgezogen, war mit Affenzahn auf den Gynäkologenstuhl geklettert und hatte die Füße in die Halterungen gelegt. Gelernt ist gelernt.

Wenn ich das nächste Mal zum Arzt muß, ganz gleich, ob mit Ohrenschmerzen oder verstauchtem Handgelenk, es würde mir schwerfallen, nicht den Slip auszuziehen und auf den Stuhl zu klettern.

Der Arzt tat, was er tun mußte, wobei er sich auch meines alten Freundes bediente, des Gummihandschuhs mit Gleitmittel. Tut mir leid, wenn das ekelhaft klingt. Ich kann Ihre Empfindungen wirklich nachvollziehen.

Es gab eine Zeit, da wäre ich schon bei der bloßen Vorstellung in Ohnmacht gefallen, daß mir jemand einen Abstrich machen wollte. Jetzt, nachdem ich Schwangerschaft und Entbindung hinter mir habe, könnte ich mir wohl unter örtlicher Betäubung die Gebärmutter herausnehmen lassen und immer noch munter mit dem Chirurgen über das Fernsehprogramm des Vorabends plaudern. Wozu groß eine Narkose machen?

Aber ich vergesse, daß nicht alle meine abhärtenden Erlebnisse teilen.

»Wunderbar verheilt«, sagte er. So, als hätte ich eine großartige Leistung vollbracht.

»Danke«, sagte ich begeistert und lächelte zwischen meinen Beinen zu ihm hinauf. Wie im ersten Schuljahr, wenn ich alle Rechenaufgaben richtig gelöst hatte.

»Ja, keinerlei Komplikationen«, fuhr er fort. »Haben die Blutungen vollständig aufgehört?«

(Tut mir leid, aber es dauert nicht mehr lange.)

»Ja, etwa vor einer Woche«, erklärte ich ihm.

»Auch die Naht ist vollständig verheilt«, sagte er, während er sich alles genau ansah und weiter herummachte.

»Danke.« Ich lächelte erneut.

»Gut, Sie können jetzt aufstehen«, sagte er.

Während ich mich anzog, fragte er: »Ist sonst alles in Ordnung?«

»Bestens«, sagte ich, »bestens – ach übrigens, wann kann ich wieder Verkehr haben?« fragte ich ihn aus heiterem Himmel.

(*Warum* hatte ich das wissen wollen?)

»Jederzeit, Ihre sechs Wochen sind um«, sagte er freundlich. »Sie könnten an Ort und Stelle anfangen.«

Er warf den Kopf in den Nacken und lachte laut. Dann hörte er unvermittelt auf, wahrscheinlich traten Bilder vor sein inneres Auge, wie ein Ehrenausschuß seiner Standesvertretung den Antrag stellte, ihm die Approbation zu entziehen.

Der Grat zwischen einem guten Umgang mit Patienten und Anzüglichkeit ist hauchdünn. Irgendwie hatte Dr. Keating den Unterschied noch nicht bemerkt.

»Ähem«, sagte er und hörte zu lachen auf. »Ja, also jederzeit.«

»Wird es weh tun?« fragte ich besorgt.

»Am Anfang ist es vielleicht ein bißchen unbehaglich, aber *schmerzen* dürfte es eigentlich nicht. Sagen Sie Ihrem Mann, er soll besonders rücksichtsvoll sein.«

»Meinem *Mann*?« fragte ich überrascht.

An James hatte ich nicht einmal *gedacht*.

»Ja, Ihrem Mann«, sagte er, gleichermaßen überrascht. »Sie sind doch verheiratet, nicht wahr, Mrs. äh, Mrs. Webster«, fragte er und blätterte in seinen Unterlagen.

»Selbstverständlich«, sagte ich und errötete. »Aber ich wollte mich einfach nur, äh, ganz allgemein erkundigen.«

»Oh«, sagte er knapp.

Schweigen und Dr. Keatings Verwirrung hingen schwer in der Luft.

Zeit, daß wir verschwinden, dachte ich. *Komm, Kate*. Wir gingen nach Hause.

»Na, wie war's?« fragte meine Mutter, als sie uns die Tür öffnete.

»Könnte nicht besser sein«, sagte ich. »Kate nimmt gut zu, hat die Säuglingsschwester gesagt.«

»Und wie geht es dir?« fragte sie.

»Offenbar tipptopp – ich kann auf meine Vagina stolz sein.«

Mum warf mir einen mißbilligenden Blick zu.

»Kein Grund, ordinär zu werden«, tadelte sie mich.

»War ich nicht«, begehrte ich auf.

Großer Gott, wenn ich ordinär wäre, wüßte ich das.

»Komm rein und trink 'ne Tasse Tee mit mir, bevor die nächste Serie anfängt«, sagte meine Mutter.

»Äh, hat jemand angerufen, als ich weg war?« fragte ich betont beiläufig, während ich ihr in die Küche folgte.

»Nein.«

»Oh.«

»Wieso, wer hätte denn anrufen sollen?« fragte sie und musterte mich.

»Niemand«, sagte ich und stellte Kates Trageschale auf den Küchentisch.

»Warum hast du dann gefragt?« wollte meine Mutter in einem Ton wissen, der mich daran erinnerte, daß sie auf keinen Fall ein Dummkopf war, auch wenn sie sich manchmal so aufführte.

»Und nimm das Kind vom Tisch!« sagte sie, wobei sie mit einem Geschirrtuch nach meinem Arm schlug. »Von dem wird gegessen.«

»Die ist ganz sauber«, protestierte ich empört.

Frechheit. Schließlich wusch ich Kate unaufhörlich. Sie war von Kopf bis Fuß frei von Krankheitserregern. Es hätte die größte Mühe gekostet, an ihr auch nur einen einzigen Krankheitserreger zu finden. Mein Kind war eine keimfreie Zone.

Also hat Adam nicht angerufen, überlegte ich, während ich meinen Tee trank.

Ob er immer noch wütend auf mich war?

Vielleicht würde er mich nie wieder anrufen. Ich konnte es ihm wirklich nicht übelnehmen, so neurotisch und streitsüchtig, wie ich mich aufgeführt hatte. Da ich seine Nummer nicht hatte, konnte ich es nicht bei ihm versuchen. Das dürfte das Ende der Beziehung sein. Das Abenteuer, das nie stattgefunden hatte. Die leidenschaftliche Affäre, die nie ihre Krönung gefunden hatte. Die durch die Umstände getrennten Seelenfreunde. Menschen, die einander aus der Ferne lieben.

Andererseits war es nicht einmal Mittag. *Gib ihm eine Chance.*

Aber er rief nicht an. Den ganzen Nachmittag lungerte ich im Haus herum, gelangweilt und unbefriedigt.

Ich wollte nichts tun. Ich mochte nicht lesen. Kate wimmerte und schrie, und ich hatte nicht viel Geduld mit ihr.

Halbherzig sah ich mir mit meiner Mutter die Nachmittags-Serien an, weil mir kein einleuchtender Grund dagegen einfiel.

Es wäre mir lieber gewesen, mehrere drittklassige australische Dramen mit immer wieder denselben Schauspielern durchzustehen, als mich noch einmal mit meiner Mutter darüber zu unterhalten, daß ich seit dem Studium Rosinen im Kopf hatte.

Sie wußte, daß etwas nicht stimmte.

»Warum so bedrückt«, sagte sie.

»Wie kommst du darauf?« blaffte ich sie an.

»Entschuldige«, sagte sie. »Gott weiß, daß du es nicht leicht hast.«

Damit hatte sie ja nun wirklich recht.

Aber offensichtlich bezog sie sich auf mein Verhältnis zu James und nicht darauf, daß ich mit Adam keins hatte.

»Nein, entschuldige du«, sagte ich. Es tat mir ziemlich leid, daß ich sie so angegiftet hatte.

Erst als mein Vater um sechs den Schlüssel in der Haustür herumdrehte, fiel mir voll Schrecken ein, daß ich James nicht angerufen hatte.

Verdammt, verdammt, verdammt. Ich hatte es wirklich vorgehabt, es aber wegen all der wichtigen Dinge – das große Ereignis des Arztbesuchs und das noch größere Ereignis, daß Adam nicht angerufen hatte – vollständig vergessen. Ich beschloß, gleich am nächsten Morgen als erstes bei James anzurufen.

Die Katastrophe rund um das Abendessen lenkte mich eine Weile ab.

Helen kam mit Dad nach Hause und verlangte, daß das Abendessen bei McDonald's geholt würde.

»Nein, Helen«, gab mein Vater lautstark zurück. »Zu McDonald's gehen wir nur an Feiertagen.«

»Das ist idiotisch«, schrie sie zurück. »Andere Familien, *normale* Familien, holen sich ihr Essen an gewöhnlichen Tagen bei McDonald's.«

Sie konnte sehr grausam sein.

Schließlich setzte sie sich wie gewohnt durch, und als Ergebnis brauste Dad wie ein Grand-Prix-Fahrer mit einer langen und komplizierten Besorgungsliste zu McDonald's.

Helen brüllte ihm nach: »Keine Gürkchen auf dem Viertelpfünder!« Aber er war schon davon.

Schamlos hing ich den größten Teil des Abends wie eine Klette an Helen, in der Hoffnung, daß sie irgend etwas über Adam sagte.

Natürlich hätte ich den Stier bei den Hörnern packen und sie einfach nach seiner Nummer fragen können, da sie ohnehin nicht seine Freundin war.

Aber ich brachte es nicht über mich. Zwar wußte ich von ihm, daß er sich nicht für sie interessierte, aber ich war keineswegs sicher, wie sie zu ihm stand.

Nach dem Abendessen, das der arme Dad übrigens vollständig falsch besorgt hatte – Gürkchen auf Mums Apfelkuchen, Cheeseburger statt Viertelpfünder mit Käse (was ihm natürlich den Vorwurf »Geizkragen« eintrug), Cola statt Diätcola – wurde Helen von Dad zum Lernen auf ihr Zimmer geschickt.

Der armer Dad hatte scheinbar eine Art Selbstsicherheitstraining absolviert.

Erstaunlicherweise ging Helen auf ihr Zimmer, ohne mehr als andeutungsweise zu maulen. Sie nannte Dad einen Mistkerl und zog Vergleiche zwischen den Zuständen in unserem Hause und denen im Dritten Reich. Aber sie ging. Das grenzte an ein Wunder.

Ich wartete einige Minuten, dann nahm ich Kate, ging mit ihr nach oben und klopfte an Helens Tür. Eine Weile hörte man Rumoren. Sie schien etwas in ihrem Bettkasten verschwinden zu lassen.

»Gott im Himmel, Claire, tu das ja nicht noch mal! Ich dachte schon, es wäre Dad«, rief sie mit weit aufgerissenen Augen und bleichem Gesicht. Aus dem Spalt zwischen Bett und Wand kramte sie eine Zeitschrift hervor, die *Wahre Verbrechen* oder so ähnlich hieß.

»Lernst du überhaupt *jemals*?« fragte ich sie neugierig.

»Nö«, sagte sie verächtlich.

»Und was ist, wenn du durchfällst?« fragte ich, während ich mich auf ihr Bett setzte.

»Komm, gib sie mir«, sagte Helen und nahm mir Kate aus den Armen. »Ich fall schon nicht durch«, fuhr sie fort.

»Woher willst du das wissen?«

»Das weiß ich eben«, versicherte sie mir.

Gott, hätte ich doch ihr Selbstvertrauen!

»Und wie läuft das Studium so im allgemeinen?« fragte ich, in der Hoffnung, damit das Gespräch auf Adam zu bringen.

»Ganz ordentlich«, sagte sie. Mein Interesse schien sie zu überraschen. Adam erwähnte sie mit keinem Ton. Ich brachte es einfach nicht fertig, sie zu fragen. Dann hörte ich das Telefon klingeln. Es war an jenem Tag das erste Mal.

Wie ein geölter Blitz war ich vom Bett aufgesprungen und die Treppe hinuntergerannt.

Gott sei Dank habe ich sie nicht um Adams Nummer gebeten, beglückwünschte ich mich selbst erleichtert. Damit hätte ich meine Karten auf den Tisch gelegt, und das war jetzt nicht mehr nötig!

»Hallo«, sagte ich, wobei ich versuchte, meiner Stimme einen angenehmen, unneurotischen – und gleichzeitig bedauernden – Klang zu geben.

Tut mir leid, Adam, ich will dich nie wieder schlecht behandeln.

»Ja, hallo, kann ich mit Jack Walsh sprechen?« sagte eine Stimme.

Mein erster Gedanke war, warum um Himmels willen Adam mit meinem Vater sprechen wollte. Dann ging mir auf, daß am anderen Ende gar nicht Adam war. Der Dreckskerl! Wie konnte er es wagen!

Da hatte ich mir auf der Treppe fast den Hals gebrochen, und dann war er nicht einmal dran.

»Augenblick bitte, Mr. Brennan, ich hole ihn«, sagte ich.

Bedrückt schleppte ich mich wieder die Treppe hinauf. Sehr viel langsamer, als ich heruntergekommen war. Ziemlich geknickt ging ich wieder in Helens Zimmer. Nach wie vor dringend auf sie angewiesen.

Sie spielte mit Kate und verlor kein Wort darüber, daß ich mich todesmutig die Treppe hinabgestürzt hatte. Eine von den angenehmen Seiten des Zusammenseins mit einem so egozentrischen Menschen wie Helen. Nur selten nahm sie irgend etwas zur Kenntnis, was nicht ihr galt.

Dann kam Anna herein, mit wallendem Haar, Schlabberrock und zerstreutem Ausdruck. Es war schön, sie zu sehen. Unsere Wege hatten sich seit irgendwann in letzter Woche nicht mehr gekreuzt.

Sie stapfte in den Schuhen, die Mum das Herz brachen, über Helens flauschigen rosa Teppich und setzte sich neben uns aufs Bett.

Aus ihrer (bestickten und mit Spiegelchen und Perlen übersäten) Tasche nahm sie etwa hundert Schokoriegel und machte sich daran, einen nach dem anderen in sich hineinzustopfen.

So etwas hatte ich noch nie gesehen.

Ich konnte nur annehmen, daß das irgendwie mit Drogen zu tun hatte.

»Anna, bist du … äh … schokosüchtig?« fragte ich und kam mir dabei ziemlich bescheuert vor.

»Hm«, nickte sie, ihr Mund war bis zum Überlaufen mit einem Marsriegel gefüllt.

»Besodisewe!« sagte sie heftig gestikulierend, während Helen die Umhüllung einiger Schokoriegel abriß und den Inhalt praktisch inhalierte.

»Besorg dir selbst welche«, brachte sie schließlich heraus, als ihr Mund einen Augenblick lang leer war.

»Nur noch dieses Bounty und den Müsliriegel da, dann nehm ich keine mehr«, sagte Helen. Natürlich war das eine faustdicke Lüge. Anna widersetzte sich nicht. Das arme Mädchen.

Den Rest des Abends verbrachte ich auf Helens Bett liegend, aß Schokolade, hörte halb dem gutmütigen Gezänk zwischen Helen und Anna zu und wartete im übrigen darauf, daß Adam anrief.

Aber dreimal dürfen Sie raten: er tat es nicht. Spielt keine Rolle, sagte ich mir, er hat nicht gesagt, daß er anruft. Bestimmt ruft er morgen an.

Sicher meldet er sich in den nächsten paar Tagen, versuchte ich mich zu beruhigen. Es liegt auf der Hand, daß er dich mag.

Aber bei aller gespielten Zuversicht war mir klar, daß er nicht anrufen würde. Ich weiß nicht, warum, es war mir einfach klar.

Offensichtlich hatte sich meine Fähigkeit, bevorstehende Katastrophen im Ansatz zu erkennen, seit mich James verlassen hatte, in gewissem Rahmen entwickelt.

Und zweifellos hatten meine zwischenzeitlichen Erfahrungen dabei geholfen.

19

Am nächsten Morgen ging es bei uns zu wie auf dem Londoner Hauptbahnhof.

Helen fuhr mit einer Studentengruppe für zwei Tage nach Belfast und glaubte, ihre Reisevorbereitungen nicht nur in letzter Minute treffen, sondern auch die ganze Familie daran beteiligen zu müssen.

Nicht Kates Quengeln weckte mich, sondern ein leises Rascheln am Fußende meines Bettes. Jemand war in meinem Zimmer und führte nichts Gutes im Schilde.

»Wer ist da?« gähnte ich. Es war Helen. Hätte ich mir denken können. Sie war mit einem Arm voll meiner neuen Kleider auf dem Weg zur Tür.

Schlaftrunken setzte ich mich auf. Als einer meiner neuen Stiefel zu Boden polterte, zuckte sie zusammen und sagte schuldbewußt: »Ich dachte, du schläfst.«

»Das sehe ich«, sagte ich trocken. »Und jetzt tu's zurück.«

»Blöde Ziege«, knurrte sie und warf den ganzen Stapel hin. Offenkundig hatten meine neuen Kleider die Reise nach Belfast mitmachen sollen.

Tut mir leid, Leute, sagte ich ihnen. Ich heb euch ein anderes Mal auf.

Helen ging nach unten in die Küche, und bald darauf hörte man den unvermeidlichen Ausbruch durchdringender Stimmen. Was war sie nur für ein Mensch? Ärger möge ihr auf allen Wegen folgen.

Inzwischen war auch Kate aufgewacht. Sie lag in ihrem Bettchen und sah die Decke an.

»Warum hast du nicht geschrien, Schätzchen?« neckte ich sie. »Du hättest mich doch wecken und mir sagen können, daß mir die böse Tante Helen meine Kleider wegnehmen wollte.«

Ich holte sie in mein Bett und hielt ihren weichen, warmen, winzigen Körper in meinen Armen.

Wir blieben eine Weile beieinander liegen. Während wir vor uns hindösten, hörten wir eine lautstarke Auseinandersetzung undeutlich aus der Küche zu uns heraufdringen. *Eigentlich müßte ich aufstehen*, dachte ich. *Vielleicht sagt Helen vor ihrem Aufbruch noch was über Adam.* Ich drückte Kate fester an mich. Mein wunderbares, schönes Kind.

Dann aber wollte sie gefüttert werden. Also stand ich auf und zog mich rasch an, wobei ich über den Kleiderstapel auf dem Fußboden stolperte. Und wir gingen beide nach unten.

Dort herrschte sichtlich Unfriede.

Anna, Mum und Helen saßen am Tisch, auf dem ein buntes Durcheinander aus Frühstücksresten, Törtchen, Teebechern, Packungen von Frühstücksflocken und Einwickelpapier von Schokoladekeksen ausgebreitet war.

Mum und Helen stritten laut miteinander. Anna lächelte selig und spielte mit einem Gänseblümchen und einer Büroklammer.

»Ich weiß nichts von einem grünen Schal und grünen Handschuhen«, sagte Mum hitzig zu Helen.

»Aber ich hab' sie auf den Kühlschrank gelegt«, begehrte Helen auf. »Was hast du damit gemacht?«

»Wenn du sie dahin getan hättest, wo sie hingehören, wüßtest du jetzt, wo sie sind«, erklärte ihr Mum ungerührt.

»Sie *gehören* aber auf den Kühlschrank«, gab Helen zur Antwort. »Da leg ich meine Sachen immer hin.«

»'n Morgen«, sagte ich freundlich. Niemand nahm von mir Notiz.

Ohne erkennbaren Grund stand die Hintertür sperrangelweit offen, und sibirisch kalte Morgenluft drang in die Küche. Was sollte das?

Immerhin hatte ich ein Kleinkind im Hause. Wir würden uns alle den Tod holen. Rasch ging ich hin, und während ich Kate mit einer Hand hielt, gelang es mir, die Tür mit der anderen zu schließen und zu verriegeln.

»Das hättest du besser nicht getan«, sagte Anna orakelhaft. Ich sah sie überrascht an. Selbst für Anna fand ich es etwas früh am Tag, sich in mystische Geheimnisse zu hüllen.

»Warum?« fragte ich sanft und wollte auf sie eingehen. »Wird mich die Morgengöttin bestrafen, weil ich ihr den Eintritt in unsere Küche verwehrt habe?«

»Nein«, sagte Anna und sah mich an, als hätte sie es mit einer Verrückten zu tun.

Im selben Augenblick hörte man auf der anderen Seite der Hintertür unterdrücktes Fluchen. Bemerkenswerte Ausdrucksweise für die Morgengöttin, das muß man schon sagen.

Jemand oder etwas schien sich über die verschlossene Tür ziemlich zu ärgern.

Seufzend tappte Anna hin und öffnete sie.

Mein Vater trat auf die Schwelle, fast vollständig hinter dem riesigen Stoß Wäsche verborgen, den er im Arm hielt.

»Wer hat die verdammte Tür zugemacht?« brüllte er durch den Berg Hosen und Pullover.

»Ich hätte es mir denken können, daß du was damit zu tun hast«, fauchte er die arme Anna an, die noch die Türklinke in der Hand hatte.

»Nein, Dad, das war ich«, sagte ich hastig. Annas Unterlippe hatte zu zittern begonnen; es sah ganz so aus, als würde sie im nächsten Augenblick in Tränen ausbrechen.

»Und zwar, weil uns *kalt* war«, erklärte ich, als er mich gekränkt ansah. »Nicht, weil ich dich hätte aussperren wollen.«

Mein Gott, was für ein Haufen Neurotiker!

Verglichen mit meiner Familie war ich richtig normal.

»So, Helen«, sagte mein Vater und warf den gesamten Kleiderhaufen auf den Tisch, ohne sich um die halbaufgegessenen Toastscheiben und die Cornflakes-Schüsseln zu kümmern, die noch darauf standen. »Welche von diesen Klamotten willst du mitnehmen?«

»Warum bist du nur so schwierig?« fragte Mum. »Dein ganzes Zimmer ist voller Sachen, aber du mußt unbedingt das haben, was in der Waschmaschine oder auf der Wäscheleine ist.«

Helen lächelte wie ein Kätzchen. Es gefiel ihr, wenn man sagte, daß sie schwierig sei. Es gab ihr das Gefühl, mächtig zu sein. Was sie auch war.

Mit selbstzufriedenem Lächeln fischte sie einige Kleidungsstücke aus dem Haufen, der auf dem Tisch lag, und gab sie Dad.

»Was soll ich damit?« fragte er überrascht.

»Die sind nicht gebügelt«, sagte sie. Auch ihre Stimme klang überrascht.

»Ach, und jetzt soll ich die wohl bügeln?« gab mein Vater zurück.

»Willst du mich etwa mit zerknitterten Sachen nach Belfast schicken?« fragte Helen empört. »Du weißt, daß ich eine Botschafterin der Republik Irland bin. Da kann ich nicht gut in Lumpen nach Belfast fahren. Sonst meinen die noch, alle Katholiken sind dreckig und schlampig.«

»Schon gut, schon gut«, rief mein Vater und hob die Arme, als müsse er sich gegen ihren leidenschaftlichen Appell zur Wehr setzen.

Der arme Mann. Er kam nicht gegen sie an.

Allmählich trat Ruhe ein. Wir begannen, Toast zu essen, Kaffee zu trinken und uns – im weitesten Sinne des Wortes – zu unterhalten.

»Ratet mal, bei wem ich in Belfast wohne?« fragte Helen übertrieben beiläufig und gelangweilt. Diesen unschuldigen Ton kannte ich. Ärger lag in der Luft.

»Bei wem denn?« fragte Anna.

»Bei Protestanten«, gab sie leise und ehrfürchtig bekannt.

Mum schlürfte weiter ihren Tee.

»Hast du nicht gehört, was ich gesagt hab'?« wandte sich Helen gereizt an sie. »Ich hab' gesagt, daß ich im Haus von Protestanten wohne.«

Gelassen hob meine Mutter den Blick.

»So?«

»Ja, hassen wir denn nicht alle Protestanten?«

»Nein, Helen, wir hassen niemanden«, erklärte ihr Mum in einem Ton, als spräche sie mit einer Zehnjährigen.

»Nicht mal Protestanten?«

Helen war entschlossen, einen Streit vom Zaun zu brechen, koste es, was es wolle.

»Nein, nicht mal Protestanten.«

»Und was ist, wenn ich unter ihren Einfluß gerate, ganz komisch werde und anfange, Ikebana zu machen?«

Irgendwann mußte Helen eine merkwürdige Vorstellung davon erworben haben, wie Protestanten waren. Irgendeine sonderbare Mischung aus Beelzebub und Miss Marple.

Natürlich hatten sie Hörner, gespaltene Hufe, außerdem spien sie Feuer und machten ihre eigene Marmelade.

»Meinen Segen hast du«, sagte Mum freundlich.

»Und wenn ich nicht mehr in die Messe gehe?« stieß Helen in gespieltem Entsetzen hervor.

»Du gehst doch sowieso nicht«, sagte Anna. Es klang verwirrt. Ein angespanntes und unfreundliches Schweigen folgte.

Zum Glück rettete Kate die Situation, indem sie wie verrückt zu schreien begann. Wahrscheinlich hatte sie die unbehagliche Stimmung gespürt.

Ihr dürfte eine große Zukunft als Mitarbeiterin der Vereinten Nationen oder als Diplomatin bevorstehen.

Alles rannte durcheinander, um ihr Fläschchen fertigzumachen, wobei Anna und Helen in ihrer Hilfsbereitschaft fast übereinander gestolpert wären.

Dad holte das Bügelbrett. Er machte aus dem Bügeln eine sehenswerte Veranstaltung und drückte den Dampfknopf am Eisen so lange, bis die Küche einer Sauna ähnelte. Meine Mutter saß da wie ein steinernes Denkmal.

Nach einer Weile aber kam auch in sie Leben. Sie machte sich daran, den Tisch abzuräumen, und warf verärgert kalten, zähen Toast in den Mülleimer.

Schade, denn ich mochte kalten, zähen Toast. Aber so dumm war ich nicht, meiner Mutter in die Quere zu kommen, kurz nachdem man ihr erklärt hatte, eine ihrer Töchter gehe nicht zur Messe. Nicht einmal dann, wenn es sich bei jener Tochter nicht um mich handelte.

Allmählich normalisierten sich die Dinge wieder, wobei man ›normal‹ ausgesprochen subjektiv sehen muß. Was für den einen die normale heimische Umgebung ist, ist für den anderen chaotisch, anarchisch und ausgesprochen ungesund.

Helen mochte noch so tief ins Fettnäpfchen getreten sein, lange ließ sie sich davon nie beeindrucken.

Schon nach wenigen Augenblicken ging das idiotische Gerede wieder los.

»Wie es wohl in Belfast ist?« überlegte sie laut. »Was ist, wenn sie mich umbringen? Da kann doch alles mögliche passieren. Die könnten mich erschießen oder in die Luft sprengen. Vielleicht seht ihr mich jetzt zum letzten Mal.«

Stumm vor Ergriffenheit schauten wir sie alle an. Selbst Kate schwieg. Soviel Glück würden wir bestimmt *nie* haben.

»Oder vielleicht entführt man mich«, sagte sie verträumt. »Wie Brian Keenan. Der hat auch zwei häßliche Schwestern!« sagte sie triumphierend und war entzückt, eine Parallele zwischen sich und einem Entführungsopfer entdeckt zu haben.

»Nur daß ich vier häßliche Schwestern habe«, sagte sie gedankenverloren. »Aber das ist nicht weiter tragisch.«

»Sie sind *nicht* häßlich«, sagte Mum empört.

»Danke, Mum«, sagte ich und grinste zu Helen hinüber.

»Ja, Mum, danke«, sagte Anna.

»Ich rede nicht von *euch*«, sagte unsere Mutter ärgerlich, »sondern von Brian Keenans Schwestern.«

»Oh«, sagte ich gedämpft.

Helen sprach immer noch von der Möglichkeit, entführt zu werden. Mein Herz verkrampfte sich vor Mitleid mit dem potentiellen Entführer.

Wer auch immer Helen entführte, würde ziemlich schnell zu der Überzeugung gelangen, daß man ihn in eine Falle gelockt hatte und Helen eine Art fürchterlicher Geheimwaffe war, die die Aufgabe hatte, die Organisation der Entführer von innen heraus zu zerstören.

Helen hatte vor nichts Angst. Sogar wenn man sie in einem kleinen schmutzstarrenden Keller anketten und von einem bis zu den Zähnen bewaffneten muskelbepackten, sehnigen Fanatiker mit glühenden Augen bewachen ließe, würde sie mit ihm eine Unterhaltung darüber anfangen, wo er seinen Pulli gekauft hatte. Oder über irgend etwas anderes.

»Vermutlich sollen Sie mich ein bißchen foltern«, würde sie beiläufig sagen. »Woran denken Sie so? Ich könnte mir vorstellen, daß Sie mir ein Ohr abschneiden und es mit der Post schicken, um Lösegeld zu fordern. Das würde mir nicht allzu viel ausmachen. Wozu brauch ich überhaupt meine Ohren? Der Mensch hört mit dem Innenohr und nicht mit dem Ding draußen. Allerdings könnte es schwierig werden, wenn ich eine Brille aufsetzen will. Mit einem Ohr würde die ganz schief sitzen. Aber natürlich könnte ich Kontaktlinsen tragen. Ja! Ich könnte Dad bitten, mir gefärbte Kontaktlinsen zu kaufen. Wie wäre es mit braun? Meinen Sie, braune Augen würden mir stehen?«

Der arme Terrorist wäre völlig erschöpft und entsetzt.

»Halt die Schnauze, Miststück«, würde er sie vielleicht anknurren.

Unter Umständen würde sie ein oder zwei Augenblicke den Mund halten, dann aber gleich weiterplappern.

»Das sind hübsche Handschellen. Ich hab' auch welche, aber nur so blöde alte Plastikdinger. Das gehört wohl zu den Vorteilen Ihrer Arbeit, daß Sie sich die guten Handschellen ausleihen dürfen. Sie wissen schon, um Ihre Freundin zu fesseln und so. Allerdings könnte es da Probleme geben, wenn Sie einen Gefangenen haben. Aber ich bin nicht so – von mir aus können Sie die Handschellen heute nacht mitnehmen. Ich versprech Ihnen auch, daß ich keinen Fluchtversuch mache ...« Und so weiter, bis zur völligen Erschöpfung des Terroristen.

Jedenfalls ging sie schließlich. Irgendein armer Trottel aus ihrem Semester, ein gewisser Anthony, hatte das zweifelhafte Vergnügen, sie auf der dreistündigen Fahrt nach Belfast in seinem Wagen neben sich zu haben.

Mit frommer Miene nahm sie neben ihm Platz, wobei sie eine Flasche mit Weihwasser an sich drückte.

Adam erwähnte sie vor der Abfahrt nicht mit einer Silbe. Die blöde Kuh.

Womöglich fuhr er ebenfalls nach Belfast. Womöglich war er schon da. Womöglich waren in Rathmines alle Telefone ausgefallen, und deshalb hatte er nicht anrufen können. Womöglich war er beim Radfahren unter ein Auto gekommen und lag jetzt schwerverletzt im Krankenhaus.

Entscheidend war, daß er mich nicht angerufen hatte. Er würde auch nicht anrufen. Was sollte ich jetzt tun?

Merkwürdigerweise hatte ich während der letzten Tage kaum an James gedacht. Mein Kopf war vollständig mit Adam angefüllt gewesen – Adam, Adam, Adam.

Ungefähr so, wie sich die Stewards auf der *Titanic* größere Sorgen um die ungeleerten Aschenbecher in der Bar gemacht hatten als um das riesige Leck in der Bordwand, durch das ungeheure Wassermengen eindrangen, machte ich mir Gedanken über das Unwichtige, ohne groß auf das Entscheidende zu achten. So herum ist es manchmal einfacher. Immerhin stand es in meinen Kräften, einen Aschenbecher zu leeren, während ich wegen des riesigen Lecks so recht nichts unternehmen konnte. Ein hübscher Vergleich.

Aber die praktische Folge davon war, daß ich den ganzen Dienstag im Haus herumhing. Allerdings meine ich *herumhängen* nicht so wie bei betrunkenen Fußballfans nach dem Spiel im Bus nach Hause. Sondern, daß ich mich elend und traurig fühlte.

Ob ich James angerufen habe? Tut mir leid, nein.

Ich litt an einem schlimmen Fall von Selbstmitleid, einer besonders hinterhältigen Spielart des armen Ich.

Natürlich war das keine wirkliche Entschuldigung. Ich wollte mich damit weiß Gott nicht rechtfertigen. Aber ich war, ich war, ich war… *deprimiert*, zum Teufel noch mal.

20

Am nächsten Tag ging es mir viel besser.

Meine Güte! Ist Ihnen je ein Mensch über den Weg gelaufen, der so voll Selbstmitleid war wie ich? Es war einfach lachhaft, und es mußte aufhören.

Also schleppte ich mich aus dem Bett und versorgte Kate. Dann versorgte ich mich selbst. Keine Angst, hier folgt keine Wiederholungsvorstellung des Mich-Betrinkens und Mich-nicht-Waschens. So schlimm standen die Dinge nicht.

Ich brachte den Tag herum, wenn ich auch ehrlich gesagt nichts besonders Aufregendes zustande brachte.

Weder habe ich eine Möglichkeit entdeckt, Krebs zu heilen, noch die laufmaschenfeste Strumpfhose erfunden. Ich schäme mich schrecklich, Ihnen zu sagen, daß ich nicht mal James angerufen habe.

Ich weiß, ich weiß! Es tut mir leid. Mir ist klar, daß ich das hätte tun müssen und daß ich mich vor meiner Verantwortung gedrückt habe. Aber ich fühlte mich so leer und allein, empfand Trauer und Einsamkeit und was sonst noch zum Kapitel ›Verlust‹, Unterkapitel ›Zurückweisung‹, gehört.

Trotzdem war das kein Grund, darauf zu warten, daß mir die gebratenen Tauben in den Mund flogen.

Immerhin brachte ich es am Donnerstag fertig aufzustehen. Nicht nur das, ich rief auch James an. Und ich war nicht einmal nervös, Adam sei Dank. So hat alles sein Gutes und so weiter.

Ich bin nämlich an den Anruf bei James mit der Haltung herangegangen: »He! Glaub bloß nicht, daß du was Besonderes bist. Das bist du auf keinen Fall. Du bist nicht der einzige, der es fertigbringt, daß ich mich traurig, einsam und zurückgewiesen fühle. Oh nein! Es gibt Millionen andere, die das auch können. So!«

Vom Standpunkt des Selbstwertgefühls aus betrachtet mag diese Haltung nicht optimal sein, aber sie ist besser als nichts.

Als ich die Nummer von James' Büro in London wählte, zitterten meine Hände nicht, und meine Stimme war nicht die Spur unsicher.

Sieh mal an, dachte ich. *Interessant.*

James' Macht über mich war nicht mehr groß genug, aus mir ein zitterndes Wrack zu machen. Wir wollen uns da jetzt aber nicht zu sehr hineinsteigern.

Mit selbstsicherer und gelassener Stimme fragte ich die Telefonistin, ob ich mit ihm sprechen könne.

Es kam mir vor, als läge eine Million Kilometer zwischen mir und London. Als wäre es so weit entfernt wie ein anderer Planet. Kaum zu glauben, daß ich es jeden Abend in den Fernsehnachrichten sah. Die Telefonistin klang sehr fern und sehr fremd. Darin spiegelten sich meine Gefühle.

Mein Leben mit James war sehr fern und sehr fremd geworden. Vielleicht lag es aber auch daran, daß die Telefonistin Griechin war.

Jedenfalls war ich völlig gelassen, während ich darauf wartete, mit ihm zu sprechen. Was war denn schon groß los? Was hatte ich zu verlieren? Nichts.

Wie einmal jemand gesagt hat – offenbar ein elender, süffisanter Misanthrop –, Freiheit ist nur ein anderes Wort dafür, daß man nichts mehr zu verlieren hat.

Bis dahin war ich der Ansicht gewesen, Freiheit sei es, schwimmen gehen zu können, wenn ich meine Periode hatte. Wie wenig ich doch gewußt hatte! Natürlich glaubt man mit zwölf Jahren alles mögliche.

Wußten Sie schon, daß man keine Kinder kriegt, wenn man es im Stehen tut? Ehrlich. Und wußten Sie auch, daß man Kinder kriegen kann, wenn man einem Mann das Ding lutscht?

Mir allerdings würde das nie passieren, weil ich so etwas Ekelhaftes nie täte. Einem Mann das Ding lutschen!

Ich glaubte auch nicht eine Sekunde, daß es irgendwo auf der Welt ein Mädchen gäbe, das zu etwas so Widerwärtigem und Abstoßendem imstande wäre.

Mit zwölf Jahren kannte ich den Begriff ›widernatürliche Unzucht‹ noch nicht, aber ich hätte ihn wie eine lange verlorene

Schwester willkommen geheißen. Ich könnte um das unschuldige Kind weinen, um die idealistische Zwölfjährige, die ich einst war. Andererseits wußte ich nicht, was mir entging.

Oh, entschuldigen Sie – Sie wollen wissen, wie es mit meinem Anruf bei James weiterging? Hatte ich das noch nicht gesagt? Er war nicht da. In einer Sitzung oder so was.

Nein, ich habe nicht hinterlassen, wer angerufen hatte. Ja, Sie haben recht, wenn Sie vermuten, daß ich ein wenig erleichtert war, nicht mit ihm sprechen zu müssen.

Aber meine Position war unangreifbar. Ich hatte ihn angerufen, oder?

Jemand soll kommen und sagen, ich hätte es nicht getan.

War es meine Schuld, daß er nicht zu sprechen war? Absolut nicht.

Aber es hieß, daß ich ein paar Stunden lang kein schlechtes Gewissen zu haben brauchte.

Und war deswegen gegen Donnerstag mittag ziemlich guter Stimmung. Glücklich nahm ich Kate aus ihrem Bettchen und wirbelte sie herum. *Bestimmt geben wir ein wunderschönes Bild ab,* dachte ich. Das wunderschöne Kind, das von seiner hingebungsvollen Mutter liebevoll gehalten wird.

Kate sah ängstlich drein und begann zu schreien, aber das spielte keine Rolle. Ich meinte es gut mit ihr. Mein Herz war auf dem rechten Fleck. Auch wenn Kates Schwerpunkt das nicht war.

»Komm, mein Schatz«, sagte ich. »Wir ziehen jetzt unseren schönsten Strampelanzug an, gehen in die Stadt und sehen uns die Leute an.« So gingen Kate und ich in die Stadt.

Für mich konnte ich nach meinem Großeinkauf vom Samstag wirklich nichts mehr zum Anziehen kaufen. Aber für Kate.

Ha! Vergeuden Sie Ihre Zeit nicht mit dem Versuch, mir deswegen ein schlechtes Gewissen einzureden. Ich hatte ein hieb- und stichfestes Alibi.

Täglich entdeckte ich mehr Gutes an Kate. Sie machte mein Leben immer lebenswerter. Ich kaufte ihr ein winziges wunderschönes Schürzchen aus Jeansstoff. Selbst das kleinste war ihr zu groß, aber sie würde schon hineinwachsen. Wirklich bezaubernd.

Außerdem kaufte ich ihr einen unglaublich süßen hellblauen Strampelanzug mit dunkelblauen Punkten und – denken Sie nur! – ein dazu passendes Reißverschluß-Jäckchen mit Kapuze. Jetzt würde sie nicht weiter auffallen, wenn sie ein paar coole Straßenkinder traf.

Und die Söckchen erst! Stundenlang könnte ich mich über die Söckchen auslassen, die wir für ihre ungemein winzigen rosa Füßchen gekauft haben. So winzig, flauschig, warm, weich und kuschelig.

Manchmal überkam mich die Zuneigung zu Kate so sehr, daß ich sie am liebsten fest an mich gedrückt hätte. Nur hatte ich Sorge, ihr weh zu tun.

Dann stöberten wir eine Weile in einem Buchladen herum. Sobald ich mich einer Buchhandlung auf hundert Meter nähere, beginnt mein Körper Adrenalin auszuschütten. Ich liebe Bücher. Fast so sehr wie Kleidungsstücke. Das will was heißen.

Schon wie sie sich anfühlen und riechen! Eine Buchhandlung ist für mich so etwas wie Aladins Schatzhöhle. Ganze Welten und viele verschiedene Leben finden sich gleich hinter dem Hochglanzumschlag. Man muß nur hineinsehen.

Die Welt und das Leben, in die ich einzutreten beschloß, gehörten einer gewissen Samantha, die offensichtlich ›alles hatte‹. Einen Palazzo in Florenz, ein Penthouse in New York, eine schicke kleine Stadtwohnung in der Nähe des Buckinghampalasts, mehr kostbare Juwelen, als man sich vorstellen kann, einen oder zwei Verlage, ein privates Düsenflugzeug, einen todschicken Freund, der irgendein Graf oder Herzog oder dergleichen war, das absolut unerläßliche dunkle Geheimnis und eine im verborgenen liegende tragische Vergangenheit.

Jede Wette, daß sie eine lesbische Prostituierte gewesen war, bevor sich ihr Schicksal wendete! Es genügt keinesfalls, daß sie einfach eine Prostituierte war. Das reißt niemanden mehr vom Hocker. Da ist schon ein wenig mehr nötig, etwas mit Pep.

Das Thema Lesbierinnen war noch nicht zu Tode geritten. Die Leute konnten sich darüber noch ein bißchen aufregen.

Und was wird passieren, wenn niemand mehr die Brauen über Lesbierinnen runzelt? Schrecklicher Gedanke.

Wird man dann über Menschen schreiben, die es mit Tieren treiben? Über solche, die es mit Leichen treiben? Über Menschen, die es mit den Führungskräften von Werbefirmen treiben? Lauter ziemlich scheußliche und entsetzliche Aussichten.

Vermutlich hätte ich mir ein ›erbauliches Buch‹ kaufen können. Etwas von einer aus der Brontë-Sippe. Vielleicht sogar etwas von Joseph Conrad. Das ist immer ganz unterhaltsam.

Aber ich wollte etwas, das nicht übermäßig anstrengend war. Deswegen kaufte ich sicherheitshalber totalen Schwachsinn.

Als ich aus dem Buchladen kam, mein Kind und meinen Bestseller mit Goldprägung an mich gedrückt, kam ich zufällig an dem Café vorbei, in dem ich am Samstag zuvor mit Adam gewesen war. Ebenso zufällig hatte ich eine oder zwei Stunden totzuschlagen, und so setzte ich mich zufällig hinein. Eineinhalb Stunden später trat zufällig – na raten Sie mal – Adam ein.

Was für ein Zufall! Zu schön, um wahr zu sein?

Wenn das nicht göttliches Eingreifen war? Erklären Sie mir das mal, wenn Sie können.

Ich war nie besonders religiös, aber ich weiß, wann ich mich in Gottes Gegenwart befinde. Ich überzeuge Sie wohl nicht, was? Na schön, vielleicht sollte ich mit der Wahrheit herausrücken.

Ich hatte gewissermaßen eine kleine Hoffnung genährt, daß ich unter Umständen, wenn ich in die Stadt ginge, Adam dort treffen könnte.

Da er am Samstag in dem bewußten Café gewesen war und sich auch einige seiner Kommilitoninnen dort aufgehalten hatten, bestand eine gewisse Aussicht, daß er auch am Donnerstagnachmittag vorbeischauen würde.

Es ist allgemein bekannt, daß Studenten – soweit sie sich nicht gerade betrinken und Drogen nehmen – nichts anderes tun, als vor einer einzigen kalten Tasse Kaffee – für alle – halbe Tage an einem Kaffeehaustisch sitzen und mit dem Zucker spielen.

Unter Umständen habe ich mich länger an meinem Schokoriegel und Kännchen Tee festgehalten als unbedingt nötig. Manche Leute hätten vielleicht sogar gesagt, daß ich auf Adam wartete.

Wahrscheinlich darf ich es also weder als religiöse noch als metaphysische Erfahrung verbuchen, daß er schließlich kam. Man könnte sogar sagen, daß ich unsere Begegnung eingefädelt hatte.

Verdammt noch mal, das wäre unfair.

Hilf dir selbst, dann hilft dir Gott. Und Gott kann kein parkendes Auto wegfahren.

Hätte ich Adam etwa getroffen, wenn ich mit Schokolade und *Marie Claire* zu Hause im Bett geblieben wäre? Die Antwort heißt mit Sicherheit nein.

Ich saß da und hatte das eine Auge auf Samanthas Übernahme-Angebot und das andere auf den Eingang gerichtet. Zwar hoffte ich, daß Adam hereinkäme, und rechnete sogar mehr oder weniger damit, doch war ich nicht auf das gefaßt, was ich empfand, als er tatsächlich kam. Er war so, er war so ... *hinreißend.* So groß und stark. Gleichzeitig aber auch so jungenhaft süß.

Sachte, sachte, sagte ich mir. Dreimal tief durchatmen. Ich widerstand dem Drang, Kate einfach auf den Tisch zu setzen, zu Adam zu rennen und mich ihm an den Hals zu werfen.

Ich ermahnte mich, daß ich meine Neurose-Zuteilung bei ihm schon verbraucht hatte, und überlegte, daß es ein guter Gedanke wäre, sich wie eine normale und ausgeglichene Frau zu verhalten. Mit etwas Übung konnte ich unter Umständen sogar eine werden.

So saß ich also gefaßt da und bemühte mich, Gelassenheit, Ausgeglichenheit und Unneurotischsein auszustrahlen.

Endlich sah er mich. Ich hielt den Atem an.

Ich rechnete damit, daß er wie ein erschrecktes Pferd auf die Hinterhand gehen und wiehernd durch die Tür davonstieben würde, als wären die Hunde der Hölle hinter ihm her.

Ich erwartete, daß er mit gesträubten Haaren und weit aufgerissenen Augen hakenschlagend wie ein Hase durch das Café rennen, dabei Tische und Stühle umwerfen und Unbeteiligten den Inhalt von Teekannen und Kaffeetassen über Rumpf und Glieder schütten würde, wobei er mit dem Finger wild auf mich und Kate weisen und jedem zurufen würde, der es hören wollte: »Die da ist total verrückt und durchgeknallt. Ich hab' mit ihr nichts zu tun.«

Aber er tat nichts dergleichen. Er lächelte mir zu. Zugegeben – ein eher mißtrauisches Lächeln. Aber ein Lächeln.

»Claire!« sagte er und kam an unseren Tisch.

»Und Kate«, fuhr er fort. Beide Male richtig getroffen. Ihm entging nicht viel.

Er gab Kate einen Kuß. Mir nicht. Aber damit konnte ich leben.

Ich war so froh, ihn zu sehen, und noch froher, daß er bereit war, mit mir zu sprechen. Es war mir nicht so schrecklich wichtig, wen von uns er küßte.

»Setz dich doch zu uns«, sagte ich höflich.

Ganz Dame von Welt. Die unübertroffene Gastgeberin, das war ich. Tadelsfreie Manieren. Alle Gefühle, sofern ich überhaupt welche hatte, fest unter Kontrolle und dort, wohin sie gehörten.

Mein Kinn war erhoben, meine Oberlippe gestrafft, meine Miene undurchdringlich. Nichts, was ihn hätte vertreiben können.

»Gern«, sagte er. Mißtrauisch. Wachsam. Er beäugte mich vorsichtig. Vielleicht rechnete er damit, daß ich ihm vorwarf, er sei auf meine Mutter scharf.

»Ich hol mir nur schnell 'ne Tasse Kaffee«, sagte er.

»Schön«, sagte ich mit großherzigem Lächeln, wobei (wie ich hoffte) jeder meiner Poren Entspanntheit und Ausgeglichenheit entströmte.

Er ging. Ich wartete. Und wartete.

Ach je, dachte ich betrübt. Wahrscheinlich hat er sich aus dem Staub gemacht. Er will wohl nichts mit mir zu tun haben. Es sah so aus, als entwickelte ich eine gewisse Fertigkeit darin, Männer zu vergraulen.

Wahrscheinlich war er im Fensterchen der Herrentoilette steckengeblieben, als er versuchte, inmitten der stinkenden Mülltonnen, Kohlblätter und leeren Schnapsflaschen, die man oft vor der Hintertür von Restaurants und Cafés findet, ins Freie zu gelangen.

Ich versenkte das Buch in meiner Handtasche, denn in meiner Freude, ihn zu sehen, hatte ich ganz vergessen, den Umschlag des Kitschromans zu verstecken, und setzte Kate in ihrem Tragetuch zurecht.

Wenigstens hab' ich es versucht, dachte ich.

Ich war froh. Zwar hatte ich nicht bekommen, was ich wollte, aber zumindest hatte ich die Verantwortung für mein Leben übernommen. Ich hatte mich bemüht, etwas auf die Beine zu stellen, etwas zu arrangieren.

Ich hatte mich nicht wie ein Opfer verhalten, in dessen Leben alles einfach nur geschieht. Ich hatte die Dinge in die Hand genommen.

Es hatte nicht funktioniert, aber das war nicht weiter schlimm. Entscheidend war, daß man es versuchte.

Wenn ich wieder einmal einem netten Mann begegnete, würde ich mich nicht wieder wie ein Schulmädchen in einem Kitschroman aufführen, ihn mir nicht als Freund einer anderen vorstellen und alle anderen Frauen verdächtigen, hinter ihm her zu sein.

Gerade hatte ich mich zum Aufbruch fertiggemacht, als er, ein Tablett mit Kaffee und Gebäck in den Händen, munter um die Ecke gebogen kam. Der Mistkerl!

Jetzt hatte ich mich für nichts und wieder nichts erwachsen, reif und weise gefühlt.

Endlich einmal fand ich mich *toll*, zwar traurig, aber durch die Fehler bereichert, die ich gemacht hatte – da mußte er zurückkommen und mir alles kaputtmachen. Meine ganze nachdenkliche bonbonrosa Selbstbetrachtung war dahin. Der egoistische Mistkerl, der!

Am liebsten hätte ich ihm gesagt, er sollte verschwinden und mich zufrieden lassen. Es war noch keine fünf Minuten her, daß ich mich mit seinem Verlust abgefunden hatte – was sollte ich jetzt mit ihm? Etwa seine Gesellschaft genießen? Ja, bist du übergeschnappt?

»Tut mir leid, daß es so lange gedauert hat«, sagte er. »Die Kassiererin hat einen Anfall gekriegt und ... He! ... Wo willst du hin?«

Er sah wirklich furchtbar überrascht drein. Und bestürzt.

»Entschuldigung«, murmelte ich, peinlich berührt.

Wenn er je zuvor Grund gehabt hatte, mich für hysterisch und neurotisch zu halten, mußte ihn das jetzt endgültig überzeugen, daß ich ein launisches kleines Luder war.

»Warum willst du gehen?« fragte er ärgerlich und zugleich verletzt. »Tut mir leid, daß es so lange gedauert hat. Aber ich hatte angenommen, du würdest warten.«

»Ich dachte, du wärst gegangen«, murmelte ich.

»Wieso das?« fragte er wie vor den Kopf geschlagen. »Warum sollte ich gehen?«

»Ich weiß nicht«, sagte ich. Mir war richtig übel, so peinlich war mir die Sache.

Diesmal hast du die Sache ja richtig schön verpfuscht, sagte ich mir.

»Hör mal!« sagte er und knallte das Tablett auf den Tisch, daß der Kaffee in alle Richtungen spritzte. Ich zuckte vor Furcht zusammen.

»Setz dich«, sagte er wütend. Er legte mir die Hände auf die Schultern und drückte mich auf meinen Stuhl zurück.

Großer Gott, dachte ich entsetzt. *Jetzt aber mit der Ruhe.*

»Entschuldige, Kate«, sagte er mit dem Ausdruck des Bedauerns. Sein abrupter Stimmungswechsel hatte wohl Überraschung auf ihrem Gesichtchen hervorgerufen.

»So!« sagte er, erneut wütend. »Was zum Teufel wird hier gespielt?«

»Wie meinst du das?« fragte ich ängstlich.

Offensichtlich bemühte er sich, seine große Wut zu zügeln. Er macht mir angst.

»Warum behandelst du mich so?« wollte er wissen. Sein Gesicht war meinem ganz nahe.

Wo war der freundliche, umgängliche, verständnisvolle Adam geblieben? Wer war dieser zornige junge Mann an seiner Stelle?

»Wie behandele ich dich denn?« fragte ich wie erstarrt. Zwar hatte ich Angst vor ihm, konnte mich aber wie ein Kaninchen im Scheinwerferlicht eines herannahenden Autos nicht vor dem wütenden Blau seiner Augen in Sicherheit bringen.

»Als wäre ich eine Art Untermensch.«

»Aber nicht doch«, protestierte ich überrascht.

So behandelte ich ihn doch wirklich nicht, oder?

»Natürlich tust du das«, schrie er mich an und krallte seine Finger in meine Schultern. »Damit hast du praktisch schon angefangen, als wir uns kennenlernten. Ich hab' dich gleich gemocht und wollte dich wiedersehen. Was ist dagegen einzuwenden?« fragte er aufgebracht.

»Nichts«, flüsterte ich.

»Und warum führst du dich dann auf, als wäre ich eine Art Casanova, warum hast du geglaubt, daß ich was mit deiner kleinen Schwester hab' und daß ich einfach verschwinden würde und dich hier sitzenlassen? *Warum*?«

Er merkte nicht, daß interessierte Blicke von den anderen Tischen uns musterten, und mir schien es nicht übermäßig vernünftig, ihn darauf hinzuweisen, jedenfalls nicht bei seiner gegenwärtigen Laune.

»Begreifst du nicht, wie kränkend das ist?« schleuderte er mir entgegen.

»Nein«, sagte ich. Ich fürchtete fast, ihn anzusehen.

»Das ist es aber!«

Unfähig, etwas zu sagen, saß ich einfach da und sah ihn an, während er mich mit seinen blauen Augen anstarrte.

Mit einem Mal fiel mir auf, wie nahe wir einander waren. Zwischen unseren Gesichtern lagen nur Zentimeter. Ich konnte in seinem Gesicht einzelne Bartstoppeln erkennen, sah, wie sich die leicht gebräunte Haut straff über seine schönen Wangenknochen spannte, die Gleichmäßigkeit seiner weißen Zähne, die Verlokkung seines Mundes...

Plötzlich wurde er ruhig. Alle Wut und Gewalttätigkeit schienen von ihm abzufallen.

Wir saßen da wie die Ölgötzen. Seine Hände lagen nach wie vor auf meinen Schultern. Wir sahen einander an. Ich war mir seiner Gegenwart so bewußt, seiner Kraft, seiner Verletzlichkeit. Zwischen uns war eine Spannung, die in der Stille leicht vibrierte.

Dann zog er sich von mir zurück. Erschöpft und allem Anschein nach völlig ermattet, ließ er seine Arme hängen.

»Adam«, sagte ich.

Er sah mich nicht einmal an, sondern saß mit gesenktem Kopf da, so daß mein Blick voll auf sein schönes, dunkles Haar fiel.

»Adam«, sagte ich noch einmal und berührte ihn vorsichtig am Arm. Er schien zu erstarren, wich aber nicht zurück.

»Es ist nicht deine Schuld, sondern meine«, sagte ich unbeholfen.

Eine Pause trat ein.

»Wie meinst du das?« fragte er.

Zumindest kam es mir so vor, als hätte er das gesagt. Er war schwer zu verstehen, denn seine Stimme klang gedämpft, weil sein Kopf praktisch auf seiner Brust lag und er in seinen Pullover hineinsprach.

»Es ist mein Problem«, sagte ich, was mir sehr schwer fiel.

Aber ich mußte es sagen. Das war ich ihm schuldig.

Ich hatte ihn verletzt, und das mindeste, was ich tun konnte, war, ihn wissen zu lassen, was in meinem Kopf vor sich ging. Wieder sagte er etwas.

»Äh, Entschuldigung, Adam, aber ich hab' das nicht ganz verstanden«, sagte ich mit einer Stimme, die um Verzeihung bat.

Er hob den Kopf und sah mich an. Er war schlecht gelaunt, sah aber sehr schön dabei aus.

»Ich habe gefragt, was dein Problem ist«, wiederholte er gereizt.

Wieder überlief mich Furcht. Jetzt durfte ich keinen Fehler machen. Aber es war sehr schwer, mit ihm zu sprechen, da er so einschüchternd wirkte.

»Es ist, daß ich unsicher und mißtrauisch bin«, sagte ich.

Er gab keine Antwort. Er saß einfach da und sah mich übellaunig an.

»Du hast nichts falsch gemacht«, fuhr ich zögernd fort. Wozu er finster nickte. Jedenfalls glaube ich, daß es ein Nicken war. Es sah einem Nicken sehr ähnlich. Auch wenn es kaum wahrnehmbar und sehr finster war.

Natürlich war es auch möglich, daß er nur seinen Kopf zurechtgerückt hatte. Aber es genügte, mich zum Fortfahren zu ermuntern.

»Ich dachte, du hättest dich davongemacht, weil du nicht mit mir sprechen wolltest«, erklärte ich ihm.

»Aha«, sagte er ohne erkennbare Bewegung.

Ich hätte ihn am liebsten geschüttelt.

Nun reagier schon, Gott im Himmel!

Sag mir, daß ich mich idiotisch benehme, sag mir, daß du mich immer sehen willst.

Er tat nichts dergleichen. Vielleicht wollte er nicht, daß ich ihn zu Komplimenten animierte. Kann man ja auch verstehen.

Vielleicht sollte ich aufhören, ihn zu manipulieren. Oder auch andere.

Aber manchmal kam das so natürlich wie mein Atmen. Glauben Sie nur nicht, daß ich stolz darauf gewesen wäre.

Ich versuchte es ihm zu erklären.

»Ich hab' geglaubt, du würdest nicht mehr mit mir sprechen wollen, nachdem ich am Sonntag abend am Telefon so unvernünftig war.«

»Ja, unvernünftig warst du«, stimmte er zu.

»Aber ich hab' Angst«, sagte ich traurig.

»Wovor?« fragte er. Es klang nicht ganz so einschüchternd.

»Vor, vor, vor ... eigentlich vor allem«, sagte ich. Zu meinem Entsetzen füllten sich meine Augen mit Tränen. Es war keine Absicht, ich *schwöre* es.

Ich war über die unvorhergesehene Flüssigkeit in meinen Augen ebenso erschreckt wie er.

»Tut mir leid«, schniefte ich. »Ich tu das nicht, damit du nett zu mir bist.«

»Gut«, sagte er. »Das würde auch nicht funktionieren.«

Herzloser Hund, dachte ich kurz, schob dann aber den unwürdigen Gedanken beiseite.

»Ich reagiere nur dann auf weinende Frauen, wenn sie jünger als zwei sind«, fuhr er mit einem halben Lächeln fort, während er Kates Gesicht tätschelte.

»Oh«, sagte ich. Ich bemühte mich, unter Tränen tapfer zu lachen.

»Wovor also hast du solche Angst, daß du mich schlecht behandeln mußt?« fragte er. Diesmal klang es fast freundlich.

»Oh, das Übliche«, sagte ich, bemüht, mich zusammenzureißen.

»Nämlich?« beharrte er.

»Man macht sich Sorgen um Menschen und verliert sie, macht sich zum Narren, verletzt andere Menschen, verschreckt sie, ist zu direkt, zu unnahbar…«, zählte ich auf. »Willst du noch mehr hören? Ich könnte stundenlang weitermachen.«

»Nein, das genügt«, sagte er. »Aber davor haben wir doch alle Angst.«

»Tatsächlich?« fragte ich überrascht.

»Natürlich«, versicherte er mir. »Warum hältst du dich für so was Besonderes? Glaub bloß nicht, daß du ein Monopol auf diese Gefühle hast. Außerdem, inwiefern mach ich dir angst?«

»Ich hab' angenommen, daß du mich gegen Helen ausspielen könntest«, sagte ich.

»Aber ich hab' dir doch *gesagt*, daß das nicht der Fall ist«, sagte er ärgerlich. »Und ich hab' dir auch gesagt, daß ich verstehen kann, warum es dir so geht, obwohl es mir nicht gefällt.«

»Warum bist du in dem Punkt nur so mimosenhaft?« fragte ich ihn, einen Augenblick von meinem eigenen Elend abgelenkt. »Ich dachte immer, alle Männer haben es gern, wenn man sie für unwiderstehlich hält.«

»Ich bestimmt nicht«, sagte er. Er machte einen traurigen und nachdenklichen Eindruck. Mir war klar, daß er nicht nur an mich und Helen dachte.

Was mochte nur mit ihm geschehen sein? Welche Art von Kummer trug er mit sich herum? Ich mußte der Sache auf den Grund gehen.

Aber zuerst mußte ich unsere gegenwärtigen Schwierigkeiten aus dem Weg räumen. So machte ich tapfer weiter. »Nach unserem Gespräch vom Sonntag abend hatte ich das Gefühl, daß ich mich hysterisch aufgeführt und dich durch meine übermäßige Reaktion verschreckt hatte. Ich hab' gedacht, du würdest mich nicht mehr anrufen«, stieß ich hervor und spähte aufmerksam durch die Wimpern, um zu sehen, wie er das aufnahm.

»Nun…«, sagte er gedehnt.

Mach schon, um Gottes willen, dachte ich, *meine Nerven halten das nicht aus.*

»Ich hätte dich nicht angerufen«, fuhr er fort.

»Oh«, sagte ich.

Ich hatte also recht gehabt. Hundert Punkte für meinen Instinkt. Minus mehrere Milliarden dafür, daß ich mein Wohlbefinden in den Vordergrund stellte.

Ich fühlte mich, als hätte mich ein Pferd getreten. Eigentlich stimmt das nicht, denn mich hatte noch nie ein Pferd getreten.

Glauben Sie wirklich, ich säße hier und unterhielte mich mit Ihnen, wenn ich die glückliche Empfängerin eines Huftritts gewesen wäre? Ganz eindeutig nein.

Aber ich kam mir so vor wie damals, als ich zehn war und von einer Mauer auf die von der Sommersonne hart wie Beton gebrannte Erde gefallen und genau auf dem Bauch gelandet war. Während mir mit einem Schlag die Luft wegblieb, hatte mich ein schreckliches Gefühl von Entsetzen und Übelkeit gepackt. Genau so kam ich mir jetzt wieder vor.

»Nicht, weil ich dich nicht anrufen wollte«, fuhr er fort, ohne zu merken, welche Schmerzen ich durchlitt, »sondern weil ich glaubte, daß es für dich so am besten wäre.«

»Wie meinst du das?« piepste ich und fühlte mich unendlich viel besser.

»Weil du in letzter Zeit so viel durchgemacht hast. Ich wollte dich in keiner Weise kränken oder dir noch mehr Schwierigkeiten machen.«

Du Engel!

»Du hast mich nicht gekränkt«, erwiderte ich.

»Offensichtlich doch«, sagte er.

»Aber nicht mit Absicht«, erklärte ich.

»Das weiß ich«, sagte er. »Deshalb habe ich auch vorhin die Beherrschung verloren – übrigens bitte ich dafür um Entschuldigung –, aber du schienst durch meine bloße Anwesenheit verärgert, gekränkt oder was auch immer zu sein.«

Wellen der Erleichterung überliefen mich.

»Es tut mir leid, daß ich schwierig war, aber ...«

Hier holte ich tief Luft.

Was ich da tat, war ein bißchen riskant. Ich zeigte meine Gefühle offen.

»Es ist mir lieber, dich zu sehen, als dich nicht zu sehen«, brachte ich schließlich heraus.

»Tatsächlich?« sagte er. Es klang hoffnungsvoll, erregt und jungenhaft.

»Ja.«

»Bist du sicher?«

»Absolut.«

»Vertraust du mir?«

»Oh, Adam«, sagte ich halb lachend, halb weinend. »Ich habe gesagt, daß ich dich sehen möchte. Von Vertrauen war keine Rede.«

»Gut«, sagte er und lachte ebenfalls. (Von Tränen keine Spur.) »Aber wirst du mir vertrauen, wenn ich dir sage, daß ich dich und nicht Helen sehen möchte?«

»Ja«, sagte ich feierlich. »Bestimmt.«

»Und wenn die Kassiererin mit einem Gast über das Wechselgeld streitet und einen Anfall kriegt und wegläuft, so daß ich stundenlang warten muß, bis ich meinen Kaffee bezahlen kann, wirst du nicht denken, daß ich mich durch die Hintertür davongeschlichen habe?«

»Nein«, versprach ich. »Das werde ich nicht tun.«

»Wir sind also Freunde?« fragte er in sehr bittendem Ton.

»Ja«, nickte ich zustimmend. »Sind wir.«

Zwar sagte mein Gehirn: »Entschuldige mal, hast du da gerade *Freunde* gesagt? Ich glaube nicht, daß sich Freunde so verhalten, wie du das mit Adam vorhast. Laura ist deine Freundin, und der reißt du die Kleider nicht jedesmal vom Leibe, wenn du sie siehst. Verbessere mich, wenn ich unrecht habe, aber hast du nicht genau das mit Adam vor?«

»Halt die Klappe«, murmelte ich als Antwort darauf.

»Wie bitte?« fragte Adam und sah mich beunruhigt an. Offensichtlich dachte er: *Großer Gott, jetzt geht das schon wieder los.*

»Nichts«. Ich lächelte ihm zu. »Überhaupt nichts.«

»Gut«, sagte er. »Nachdem wir nun alle Mißverständnisse beseitigt haben: Wann darf ich dich sehen?«

»Ich weiß nicht recht«, sagte ich schüchtern wie ein kleines Mädchen.

»Hast du am Sonntag abend etwas vor?« fragte er.

»Ich glaube nicht«, sagte ich, nachdem ich so getan hatte, als müßte ich überlegen. Dabei lag mein Terminkalender so leer und gestaltlos vor mir wie die Wüste Gobi.

»Darf ich dich dann zum Abendessen bei mir einladen?« fragte er.

»Das wäre schön«, sagte ich.

»Gut«, sagte er. »Jenny und Andy sind übers Wochenende verreist, so daß wir das Haus ganz für uns allein haben.«

»Oh«, sagte ich.

Schließlich bin ich eine Frau von Welt. Mir ist durchaus bekannt, daß eine Einladung zum Abendessen ins Haus eines Mannes, dessen sämtliche Mitbewohner fort sind, mehr bedeutet als Schweinekoteletts und Schwarzwälder Kirschtorte.

Großartig, dachte ich.

Ich konnte mein Glück kaum fassen.

»Schön, Adam. Das klingt wunderbar.«

Und so verabredeten wir uns für den Sonntag abend. Er brachte Kate und mich zum Auto, und wir fuhren nach Hause.

21

Die Vorbereitungen für Sonntag.

Man nehme:

eine vernachlässigte, verlassene, geknickte neunundzwanzigjährige Frau, die kurz zuvor Mutter geworden ist

eine großzügige Portion Schuldgefühl

eine Prise Vorfreude

ein Päckchen Unsicherheit, was ihr Aussehen betrifft

einen kleinen Zweig Erregung (möglichst wilde)

einen Löffel kondensierte tiefe Verzweiflung

einen Anflug von Schwangerschaftsstreifen-Panik

ein Paar schwarze halterlose Strümpfe mit Spitzenbesatz

einen aufregenden schwarzen Slip

einen schwarzen BH, eher Magic-Bra als einfachen Wonder-Bra

eine Flasche Rotwein

ein Kleid

ein Paar Schuhe

Verzierung:

hurenroter Lippenstift

mehrere Schichten dunkle Wimperntusche

Vorgehen:

man lege Strümpfe, Slip und BH zur späteren Verwendung beiseite,

nehme die Frau,

kontrolliere Augen und Haut genau, um sicherzugehen, daß ihr Verfallsdatum nicht überschritten ist,

füge Schuldgefühl, Vorfreude, Unsicherheit, Erregung, Verzweiflung und Panik hinzu,

mische das Ganze gründlich,

lasse es zwei Tage auf kleiner Flamme köcheln,

bereite die Frau in einem mittelgroßen Badezimmer durch Rasieren der Beine, Färben des Haares und Lackieren der Zehennägel vor,

bestreiche sie etwa eine Stunde vor Beginn mit teurer Körperlotion und wende sie häufig,

füge die Strümpfe, den aufregenden schwarzen Slip und den schwarzen BH hinzu,

versuche mehrfach, verführerisch auszusehen (das Haar über das Gesicht fallen lassen und durch die Wimpern nach oben blicken),

kontrolliere, ob sie noch nach Atem ringen, ein Hohlkreuz machen und ohne eine Miene zu verziehen Sätze sagen kann wie »Liebster, das war herrlich« und »Hör jetzt bloß nicht auf«,

kommandiere eine Schwester, vorzugsweise Anna, dazu ab, daß sie sich um das oben genannte Kind kümmert,

gebe eine großzügige Portion hurenroten Lippenstift, mehrere Schichten schwarze Wimperntusche, ein kurzes, durchgeknöpftes lila Kleid (es ist schließlich die Farbe der Leidenschaft), aufregende schwarze Schuhe mit Wildlederriemchen um die Fußgelenke und eine Flasche Rotwein hinzu,

achte stets darauf, nicht vor Erreichen des Bestimmungsortes aus der Flasche zu trinken,

Kondome in der Handtasche machen sich als kleines Extra immer gut,

sofern sie sich nicht beschaffen lassen – beispielsweise, weil für sie gerade nicht die richtige Zeit ist –, empfehlen sich große Mengen Zurückhaltung. Nicht immer ideal, funktioniert aber.

Auf einem Bett mit einem gutaussehenden Mann servieren.

Ich befolgte die Anweisungen buchstabengetreu. Es gelang mir sogar – dank Laura, was für eine Frau! –, Kondome zu beschaffen, und fühlte mich ziemlich gut.

Ich ärgerte mich nicht einmal, als ich merkte, daß meine Ohren wegen meines Haarfärbemittels (es heißt Haar-*Tönung*, meine Liebste, wir brauchen unser Haar nicht zu färben, wir *tönen* lediglich seine natürliche Farbe ein wenig ab), na schön, wegen meines Haar*tönungs*mittels die gleiche Farbe hatten wie meine Haare.

Wenn ich nun schon gefärbte Ohren haben mußte, hätte ich es gewiß weit schlechter treffen können als mit dem satten, glänzenden Kastanienbraun.

Man stelle sich vor, sie wären ebenholz- oder pflaumenfarben gewesen!

Gegen halb acht machte ich mich am Sonntag abend zum Aufbruch bereit. Ich stand im Begriff zu sündigen, und nicht das kleinste Bedenken verdüsterte mein Gemüt.

Ich gab Kate einen Gutenachtkuß.

Gerade als ich mich zur Haustür schlich, den Mantel praktisch bis zu den Augenbrauen zugeknöpft, damit mich meine Mutter nicht in diesem flittchenhaften Aufzug erspähte, klingelte das Telefon.

»Es ist für dich, Claire«, rief Helen.

Großer Gott! Aber es war nur Laura. Sie wollte mir Glück wünschen und wissen, ob ich – wie von ihr empfohlen – geübt hatte, das Kondom mit den Zähnen aufzuziehen.

»Hab' ich nicht«, sagte ich ihr.

Mir lag daran, das Gespräch so schnell wie möglich zu beenden und das Haus zu verlassen, weil ich fürchtete, ertappt zu werden.

»Warum nicht?« wollte sie wissen. »Du kannst doch da nicht einfach ankommen und erwarten, daß er mit langweiligem Großvatersex zufrieden ist. Du mußt dir schon ein bißchen was einfallen lassen.«

»Aber du hast mir doch nur zwei gegeben!« sagte ich voll Unruhe. »Ich wollte sie nicht für nichts und wieder nichts verplempern. Woran hätte ich außerdem üben sollen?«

»Dann wollen wir hoffen, daß du es beim ersten richtig hinkriegst. Sonst bekommst du keine Gelegenheit, das zweite zu verwenden«, prophezeite sie finster.

»Hör schon auf, Laura. Ich bin auch so schon nervös genug!«

»Gut so«, sie lachte. »Es ist viel besser, wenn du nervös bist.«

Ich versprach, sie am nächsten Tag anzurufen und ihr alles haarklein zu berichten.

»Falls ich heute noch früh genug zurückkomme, ruf ich dich an und erzähl dir alles«, versprach ich bereitwillig.

»Wenn du so früh nach Hause kommst, daß du mir alles erzählen kannst, gibt es nichts zu erzählen«, beschied sie mich.

»Oh«, sagte ich. Damit hatte sie wohl recht.

»Ich muß jetzt gehen«, sagte ich leicht verärgert und legte auf, während sie mir gerade irgendeine komplizierte Stellung erklärte, die sie auf einer Bühne in Bangkok gesehen haben wollte. Wie auch immer das funktionieren mochte – dafür mußte eine Frau um vieles gelenkiger sein als ich.

Es war ja nicht so, als hätte ich nicht gewußt, was man mit einem Mann im Bett anstellt. Immerhin hatte ich ein Kind zur Welt gebracht. Was glaubte sie wohl, wie es dazu gekommen war?

Wo wir gerade über all das reden, muß ich ein Bekenntnis ablegen.

Warten Sie doch. Es kommt ja schon.

Mir gefällt die Missionarsstellung. Da! Ich habe es gesagt.

Alle tun immer so, als ob ich mich dafür *genieren* müßte. Als wäre ich schrecklich langweilig und verklemmt. Das bin ich aber nicht. Ehrlich.

Ich sage nicht, daß es die *einzige* Stellung ist, die mir zusagt. Aber wirklich, sie stört mich überhaupt nicht. Natürlich ist das jetzt nicht der Augenblick, über Lieblings-Stellungen zu reden.

Ich will nur noch ganz schnell sagen, daß Cunnilingus, was mich betrifft, das Langweiligste ist, was Gott geschaffen hat. Lieber würde ich einen ganzen Tag im Büro Ablage machen, als das nur fünf Minuten lang ertragen.

Wenn dann die Kerle mit ihren paar Minuten Saugen fertig sind, tun sie so, als müßte die Frau ihnen wer weiß wie *dankbar* sein. Sie strahlen einen von unten an, als müßte man ihnen einen

Orden dafür umhängen. Anschließend führen sie sich auf, als hätten sie jetzt ein ganzes Jahr lang Anspruch darauf, sich immerzu einen blasen zu lassen.

Schön, manche Frauen schwören darauf, aber … tut mir leid. Ehrlich.

Schließlich ging ich aus dem Haus und fuhr zu ihm.

22

Ich parkte vor Adams Haus. Auf dem Weg zur Haustür stieg ein berauschendes Gemisch aus Erregung und kläglicher Befangenheit in mir auf. Dann fiel mir ein, daß ich die Flasche chilenischen Rotwein im Auto vergessen hatte, und lief rasch zurück, um sie zu holen. Ohne sie würde ich keinen Schritt tun. Ich mußte mir Mut antrinken.

Adam öffnete, kaum daß ich geklingelt hatte. Wenn ich ihn nicht besser gekannt hätte, hätte ich geschworen, daß er in der Diele versteckt hinter dem Vorhang auf meine Ankunft gewartet hatte. Vielleicht war es auch so.

Er gab sich große Mühe, so zu tun, als sei er ebenso aufgeregt und nervös wie ich. Er sah ein wenig besorgt drein. Ob er kalte Füße bekommen, es sich anders überlegt hatte? Oder hatte er Lampenfieber?

Dann aber riß er sich zusammen. »Hallo«, sagte er mit einem Lächeln. »Du siehst wunderbar aus.«

»Hallo«, sagte ich und lächelte ihm zu – trotz meiner Nervosität.

Wie großartig, dachte ich, und es überlief mich. Ich kam mir richtig gefährlich dekadent vor. Bei einer Verabredung mit einem schönen Mann.

Habe ich je einen Mann so begehrt wie Adam? überlegte ich. *Wahrscheinlich*, dachte ich seufzend. Einen Augenblick lang war ich realistisch. Dann aber kam es mir vor, als hätte ich nie wirklich jemanden begehrt.

Wie lange es wohl dauert, bis wir zusammen im Bett liegen? *Wie lange kann ich an mich halten, wenn er nicht den ersten Schritt tut*? *Und was ist, falls er ihn tut*? dachte ich voll Entsetzen. Und wenn es eine totale Katastrophe wird? Vielleicht fand er mich abscheulich, mit meinem Körper, dem man die Geburt noch ansah. Vielleicht würde ich ihn abscheulich finden, weil er nicht genau so aussah wie James.

Großer Gott! Ich hätte zu Hause bleiben sollen. Da kann man sich stumpfsinnige Serien im Fernsehen anschauen und sich all diese Schreckensvorstellungen und Dilemmas ersparen.

Bevor ich mit den Worten, daß alles ein schrecklicher Irrtum war, zur Tür stürmen konnte, legte er mir den Arm (und was für einen) um die Schultern und führte mich in die Küche.

»Leg ab«, sagte er. »Was darf ich dir zu trinken anbieten?«

»Aber ich … na schön. Gib mir 'nen halben Liter Rotwein«, sagte ich und setzte mich an den Küchentisch. Er lachte.

»Nervös, meine Schöne?« fragte er mit samtiger Stimme, während er mir ein Glas eingoß. *Gott im Himmel*, dachte ich beunruhigt, *frag mich bloß nicht mit dieser samtweichen Stimme!*

Ich hatte ohnehin schon Angst genug. Wenn er jetzt anfing, den Oberverführer zu spielen, war ich augenblicklich zur Tür hinaus.

Fehlte nur noch, daß er Jeans und Trainingspullover gegen einen seidenen Morgenmantel mit Paisley-Muster vertauschte und mit einer Onyx-Zigarettenspitze im Mund auf und ab stolzierte.

»Ich bin nicht nervös«, stieß ich hervor, »ich hab' Schiß.«

»Wovor?« fragte er mit gespielter Überraschung. »*So* schlecht koche ich nicht.«

Das also wird gespielt, dachte ich.

Beiläufig tun, was?

Von mir aus.

Ich schenkte ihm ein gefaßtes Lächeln. Dann stürzte ich mein Glas Wein mit einem Zug hinunter, bevor ich es überhaupt merkte.

»Ruhig Blut«, sagte er besorgt, setzte sich neben mich an den Tisch und hielt meine Hand. »Ich beiße nicht.«

Wenn das so ist, dachte ich, *geh ich auf jeden Fall nach Hause.*

»Wir werden einfach etwas essen und uns ein bißchen unterhalten«, sagte er freundlich. »Also keine Sorge.«

»Na schön«, sagte ich und gab mir große Mühe, mich zu entspannen. »Was gibt es überhaupt?«

»Hausgemachte Muskateller-Traubensuppe mit Stiltonkäse, Bœuf Bourguignon mit Dauphiné-Kartoffeln und als Nachtisch Zabaglione nach meinem eigenen Rezept.«

»Tatsächlich?« fragte ich verblüfft.

Ich hatte mir Adam nicht als Hobbykoch vorgestellt, der raffinierte Rezepte beherrschte. Meiner Einschätzung nach paßten Kartoffeln und Koteletts eher zu ihm. Mehr Quantität als Qualität.

»Ach was! Es gibt Spaghetti Bolognese, und du kannst von Glück reden, daß ich wenigstens die geschafft hab'.«

»Gut«. Ich lachte. Er war wirklich nett. Einer, der mit beiden Beinen auf der Erde stand.

»Und wenn du sehr brav bist...« – an dieser Stelle hielt er inne und warf mir einen bedeutungsvollen Blick zu – »und ich meine *sehr brav*, kriegst du ein bißchen *Mousse au chocolat.*«

»Oh«, sagte ich ganz aufgeregt, was teils mit dem bedeutungsvollen Blick und teils mit der Aussicht auf *Mousse au chocolat* zusammenhing. »Großartig. Die eß ich für mein Leben gern.«

»Weiß ich«, sagte er. »Was glaubst du, warum ich welche besorgt hab'?«

»Und wenn du ganz besonders brav bist«, fügte er neckend hinzu, »darfst du sie von meinem Bauch essen.«

Ich platzte vor Lachen heraus. Er war wirklich ein Engel.

Beim Gedanken an seinen muskulösen, flachen Bauch konnte ich einen Wonneschauer nicht unterdrücken. Wahrscheinlich hatte er genau das bewirken wollen.

Schnell goß ich mir ein weiteres Glas Wein ein, zwang mich aber diesmal, es in kleinen Schlucken zu trinken.

Er trug das Essen auf, und es war deutlich zu sehen, daß Kochen nicht zu seinem Alltag gehörte. Er wirkte in der Küche völlig fehl am Platz, rannte von der Spüle zum Herd und zurück zur Spüle, während die Nudeln überkochten und der Salat zusehends welkte.

Andererseits bot er mir so einen herrlichen Blick auf seinen Hintern.

Anders als bei manch anderen Dingen war er beim Kochen kein Naturtalent. Das aber war nur um so rührender, daß er sich für mich diese Mühe gemacht hatte.

Als er behutsam mit den vollen Tellern an den Tisch trat und geradezu ehrfürchtig einen davon vor mich hinstellte, sah er richtig unsicher drein.

»Trink noch was«, sagte er und goß mir Wein nach.

Es war noch keine zehn Minuten her, daß er sich aufgeführt hatte wie der Ortsvereinsvorsitzende der Anonymen Alkoholiker.

»Willst du mich betrunken machen, um mich übertölpeln zu können?« fragte ich ihn und versuchte einen ärgerlichen Klang in meine Stimme zu legen.

»Ich will dich betrunken machen, damit du nicht merkst, wie abscheulich das Essen schmeckt«, sagte er lachend.

»Bestimmt großartig«, versicherte ich ihm.

Tut mir leid, berichten zu müssen, daß ich kaum etwas davon aß. Nicht, weil es scheußlich gewesen wäre oder was. Allerdings ist das ohne weiteres möglich. Ich könnte es wirklich nicht sagen.

Ich war so nervös, und in der Luft lag so viel Erregung und Erwartung, daß ich am liebsten gesagt hätte: »Adam, Liebling, wir wissen beide, warum ich hier bin. Eigentlich könnten wir doch gleich zur Sache kommen.«

Auch er brachte nichts herunter.

Das aber lag möglicherweise am Essen und nicht an seiner Nervosität.

Wir saßen einander am Küchentisch gegenüber und schoben Spaghetti auf unserem Teller hin und her, während der völlig unberührte Salat in seiner Schüssel traurig und verlassen aussah. Unsere Unterhaltung war halbherzig.

Hin und wieder hob ich den Blick zu ihm und merkte, wie er mich ansah. Wenn ich spürte, daß sein Blick auf meinem Gesicht ruhte, überlief es mich heiß, und ich war verlegen.

Ich gab jede Hoffnung auf, überhaupt etwas zu essen. Ich fürchtete, daß sich mein Bauch in dem Fall wie eine richtige Kugel vorwölben würde. Wie sähe das aus, wenn ich mit einem Mann zum ersten Mal im Bett war?

Oder wenn ich eine Gabel voll Spaghetti zum Munde führte, würden sie mir wie ein Stück Gummischnur auf das Gesicht platschen und mich mit roter Soße bekleckern.

Die Art, wie ich in der Nähe eines Mannes auf Eßbares reagiere, liefert einen zuverlässigen Hinweis auf das, was ich für ihn empfinde. Wenn ich nichts hinunterbringe, bedeutet das, daß ich verrückt nach ihm bin.

Wenn es mir am Morgen gelingt, Orangensaft und etwas Toast hinunterzuwürgen, ist das das Ende vom Anfang, und bis ich soweit bin, daß ich die Reste von seinem Teller esse, ist es so gut wie vorbei. Oder ich heirate ihn. Jedenfalls hatte das Muster bis dahin so ausgesehen.

»Ißt du nichts mehr?« fragte er schließlich mit einem Blick auf den Berg Spaghetti vor mir. Er sah enttäuscht aus, und ich fühlte mich grauenvoll.

»Tut mir leid, Adam«, sagte ich unbeholfen. »Bestimmt ist es großartig und so, aber ich krieg einfach nichts runter. Ich weiß nicht, warum.«

»Ehrlich, es tut mir leid.« Ich sah ihn flehend an.

»Spielt doch keine Rolle«, sagte er und räumte die Teller ab.

»Heißt das, du wirst nie wieder für mich kochen?« fragte ich betrübt.

»Natürlich heißt es das nicht«, sagte er. »Und mach um Gottes willen nicht so ein mitleiderregendes Gesicht.«

»Es ist nur, weil ich so nervös bin«, sagte ich. »Nicht, weil dein Essen nicht gut wäre.«

»Nervös?« Er kam zu mir herüber und setzte sich neben mich. »Es gibt keinen Grund, nervös zu sein.«

»Nein?« fragte ich und sah ihm in die Augen. Es war ziemlich schamlos. Gebe ich sofort zu. Aber verdammt noch mal, ich hatte an dem Abend bereits genug Zeit verschwendet.

»Nein«, murmelte er. »Es gibt keinen Grund, nervös zu sein.« Sehr sanft legte er mir den Arm um die Schulter und die Hand auf den Hinterkopf. Ich schloß die Augen.

Ich kann nicht glauben, daß ich das tue, dachte ich begeistert, *aber ich höre bestimmt nicht auf.* Ich sog den Duft seiner Haut ein, während sein Gesicht näher kam. Ich wartete auf seinen Kuß. Als er kam, war er herrlich. Süß, angenehm und fest. Es war die Art Kuß, die der Küssende sehr gut beherrscht, ohne daß man das Gefühl hat, er habe ihn schon mit Tausenden geübt.

Er hörte auf, mich zu küssen, und ich hob beunruhigt den Blick zu ihm. Was bedeutete das?

»War das in Ordnung?« fragte er ruhig.

»In Ordnung?« keuchte ich. »Es war besser als in Ordnung.«

Mit leisem Lachen sagte er: »Nein, ich meine – ist es in Ordnung, dich zu küssen? Du weißt, daß ich keine Grenzen überschreiten möchte.«

»Ist es«, gab ich zur Antwort.

»Ich weiß, daß man dir übel mitgespielt hat«, sagte er.

»Aber du bist mein Freund«, sagte ich. »Es ist in Ordnung.«

»Ich möchte mehr sein als dein Freund«, sagte er.

»Auch das ist in Ordnung«, ließ ich ihn wissen.

»Tatsächlich?« fragte er und sah mich an.

»Wirklich«, bestätigte ich. Großer Gott! Jetzt blieb mir nicht mehr viel Spielraum. Aber eigentlich wollte ich auch keinen. Ich hatte angefangen, und ich würde bis zum Ende gehen.

Er küßte mich wieder, und es war ebenso schön wie beim ersten Mal. Er zog sich von mir zurück, und ich holte ihn wieder her.

Er sah mich fast staunend an und sagte: »Wie schön du bist.«

»Ach was, bin ich nicht«, sagte ich und fühlte mich ein wenig verlegen.

»Bist du doch«, sagte er. »Wirklich.«

»Nein«, sagte ich. »Helen ist schön.«

»Auf die Gefahr hin, jetzt richtig kalifornisch zu klingen: du bist eine schöne Frau«, sagte er lächelnd.

»Wirklich?«

»Ja.« Eine kleine Pause trat ein.

»*Und* du bist süß.«

»Danke«. Ich lachte. »Wie schade, daß du so abscheulich bist.«

Da lachte er. Eitel schien er nicht zu sein. Vielleicht braucht man das auch nicht, wenn man so gut aussieht.

Er küßte mich wieder. Und wirklich, es war herrlich. In seiner Nähe und in seinen Armen fühlte ich mich richtig geborgen. Zugleich schien auch er sich bei mir geborgen zu fühlen. Ich merkte, daß er mich ebenso brauchte wie ich ihn.

»Ist dir klar, daß wir uns erst seit weniger als zwei Wochen kennen?« fragte er mich.

Ach je, dachte ich, *bedeutet das etwa, daß er mit mir noch nicht ins Bett will? Will er eine Art Wartezeit einhalten? Beispielsweise, daß wir erst miteinander ins Bett gehen können, wenn wir uns drei Monate kennen oder so?*

»Ja«, stimmte ich vorsichtig zu. »Genau gesagt, sind es zehn Tage.«

»Aber es kommt mir viel länger vor«, sagte er. »Sehr viel länger.«

Gott sei Dank!

»Ich bin so froh, dich kennengelernt zu haben«, fuhr er fort. »Du bist ein ganz ungewöhnlicher Mensch.«

»Bin ich nicht«, protestierte ich. »Ein ganz gewöhnlicher Mensch.«

»Für mich bist du ein ganz ungewöhnlicher Mensch.«

»Inwiefern?«

»Ich weiß nicht«, sagte er. Er lehnte sich auf seinem Stuhl zurück und sah mich an. »Weil du interessant bist, eine eigene Meinung zu den Dingen hast und sehr lustig bist. Aber vor allem, weil du so liebenswürdig bist... Weil du ein anständiger Mensch bist.«

»Nicht immer«, sagte ich. »Du hättest mich vor ein paar Wochen sehen sollen. Da war ich wie Myra Hindley mit prämenstruellem Syndrom – die reinste Massenmörderin.«

Er lachte. Und ich ärgerte mich über mich selbst.

Da saß ich mit einem großartigen Mann, der mir großartige Dinge über mich sagte, und versuchte ihn davon zu überzeugen, daß nichts davon stimmte.

Gewöhnlich war es umgekehrt. Ich erzählte ihnen großartige Sachen über mich, und sie bemühten sich die ganze Zeit, mich zu überzeugen, daß nichts davon stimmte.

Er beugte sich vor und küßte mich wieder. Es war einfach himmlisch. Ich wollte nichts, als mich diesem Gefühl hingeben. Wollte mit Adam zusammensein, ohne schlechtes Gewissen, ohne mir über etwas Sorgen zu machen und ohne jede Befangenheit. Es kam mir vor, als ob es genau das *Richtige* wäre.

Das tust du nur, um dich über James hinwegzutrösten, mahnte ich mich streng.

Na und? fragte ich mich zurück. *Ich will Adam ja schließlich nicht heiraten. Kann ich nicht ein bißchen Spaß haben?*

Ja, schon, ich denke schon, daß ich ein bißchen Spaß haben könnte.

Aber ich kann nicht einfach mit jedem Beliebigen ins Bett gehen, der dazu Lust hat.

Andererseits ist er nicht jeder Beliebige, sondern ein angenehmer, warmherziger Mann, der mich mag, zumindest scheint es so, und ich mag ihn.

Es erschreckte mich ein wenig, als mir klar wurde, daß ich ihn tatsächlich mochte.

Damit soll nicht gesagt sein, daß ich ihn geliebt hätte oder was in der Art, denn das entspräche nicht der Wahrheit. Aber etwas an ihm rührte mich an.

Und ich wollte ihn nicht verletzen. Würde ich das denn tun? Würde ich mich ihm verpflichten, wenn ich mit ihm ins Bett ginge?

Er wußte schließlich, daß ich verheiratet war. Er war vollständig im Bilde über das, was ich für James empfand.

Vielleicht lag ihm auch gar nicht an Verpflichtungen. Vielleicht wollte er mit mir zusammensein, weil er wußte, daß ich in Wirklichkeit zu einem anderen Mann gehörte und er seine Freiheit nicht aufs Spiel setzte? Großer Gott! Ein Alptraum!

Es war Zeit, sich zu entscheiden. Ich stand auf und nahm ihn bei der Hand. Er sah mich fragend an.

»Alles in Ordnung?« fragte er. »Kann ich etwas für dich tun?«

»Ja«, murmelte ich.

»Was?« fragte er.

»Mit mir ins Bett gehen.«

Das aber sagte ich nur im Flüsterton. Ich wollte nicht, daß er mich für *entsetzlich* ordinär hielt, denn das bin ich eigentlich nicht. Jedenfalls nicht immer.

Ich ging zur Küchentür, ohne seine Hand loszulassen. Ich fühlte mich befreit und schamlos.

»Wohin gehen wir?« fragte er betont naiv.

»In die Eckkneipe, einen trinken«, erklärte ich ihm. Ich sah, wie ihm die Enttäuschung ins Gesicht geschrieben stand.

»Nur ein Spaß, Dummkopf«, sagte ich lächelnd. »Wir gehen nach oben.«

Das taten wir, wobei ich vorausging und immer noch seine Hand hielt. Mit jeder Stufe wuchs meine Überzeugung, daß ich das Richtige tat. Auf dem Treppenabsatz zog er mich an sich und küßte mich.

Es war wunderschön. Er war so groß und stark. Durch seinen Pullover spürte ich die glatte Haut seines Rückens. Er drehte mich um und schob mich auf eine Tür zu.

»Mein Zimmer«, sagte er. »Oder hast du mich hier raufgebracht, damit ich dir das Haus zeige?«

»Das kann warten«, sagte ich. Vor Aufregung und Nervosität brachte ich kaum ein Wort heraus.

Sein Zimmer war nicht schlecht. Und so ordentlich aufgeräumt, daß ich sofort wußte, daß er auf jeden Fall vorgehabt hatte, mich ins Bett zu kriegen (allerdings hatte ich auch keine Sekunde lang wirklich daran gezweifelt).

Ein Mann räumt sein Zimmer grundsätzlich nur auf, wenn er zum ersten Mal mit einer Frau ins Bett geht. Anschließend herrscht dort wieder das reinste Chaos.

So, als riefe er, kaum, daß es vorbei ist: »In Ordnung, Jungs, die Luft ist rein«, und als kämen daraufhin unter dem Bett ganze Heerscharen schmutziger Unterhosen, verschwitzte Socken, Teller, Tassen, Autozeitschriften, abscheuliche Pullover, verdrecktes Fußballzeug, Biergläser, sexistische Kalender, Bücher von Stephen King, nasse Handtücher und Flakons mit Wintergreen hervor, die sich alle unter Einsatz ihrer Ellbogen hervordrängten und jammerten, wie lange sie sich hatten verstecken müssen. Sie streckten sich, klopften sich den Staub ab und legten sich in künstlerischer Unordnung auf den Schlafzimmerteppich, froh, endlich wieder da zu sein, wo sie hingehörten.

»Warum hat das so lange gedauert?« könnte eine Socke munter den erfolgreichen Verführer fragen. »Sie hat sich wohl ein bißchen gewehrt, was?«

»Wir hatten schon geglaubt, daß wir ewig da unten bleiben müßten«, könnte eine schmutzige Krickethose gutmütig scherzen. »Du hast wohl deine beste Zeit hinter dir?«

Adam erleichterte mir den Weg über den makellosen Fußboden zum Bett, indem er mich küßte, so daß ich nicht allein hinzugehen und mich mit erwartungsvollem Blick unbehaglich auf die Bettkante zu setzen brauchte.

Nein, er küßte mich einfach und schob mich durch den Raum, und, Sie wissen schon, wir kamen am Bett an, und weil es sowieso dastand, schien es ein guter Gedanke, sich darauf zu legen, denn sonst hätten wir drumherum gehen müssen.

Nach einer Weile begann er mein Kleid aufzuknöpfen, und ich fuhr ihm mit den Händen über die bloße Haut von Bauch und Brust.

Sehr sachte und langsam knöpfte er das Kleid von oben bis unten auf und fing an, es mir auszuziehen.

Es war angenehm, aber auch seltsam. Seltsam, aber auch angenehm. Es war sehr lange her, daß ich mit jemandem zum ersten Mal ins Bett gegangen war, wenn Sie wissen, was ich meine.

Es war sonderbar, daß er nicht James war. Nicht entsetzlich und auch nicht unangenehm. Nur sonderbar, wie schon gesagt.

Ein bißchen war mir mein Körper peinlich, und auch, daß Adam mich sah.

Schon unter normalen Umständen war ich nicht unbedingt ungehemmt. Ich war nie eine von denen, die ausgezogen auf der Tanzfläche herumhüpfen.

Bei James hatte mir meine Nacktheit nichts ausgemacht. Jedenfalls hatte ich nach einer Weile keine Schwierigkeiten mehr damit. Doch sogar bei ihm war ich fürchterlich lange ziemlich schamhaft gewesen.

Adam sagte mir immer wieder, daß ich schön sei. Er war so froh über meine Gegenwart, streichelte und liebkoste mich, hielt mich in den Armen und küßte mich. Nach einer Weile entspannte ich mich vollständig. Sagen Sie von mir aus ruhig, daß ich altmodisch bin, aber ich fahre auf nichts so sehr ab, wie wenn man mir sagt, ich sei schön, denn dann fühle ich mich schön.

Das ganze Herumgemache mit der Zunge und raffinierte Hüftschwünge sind meine Sache nicht. Mit fünf Minuten Schmeichelei erreicht man bei mir eine ganze Menge mehr.

Nachdem wir einander noch eine Weile geküßt und uns besser kennengelernt hatten, wenn Sie das so nennen wollen, wurde klar, daß die Sache in eine ganz bestimmte Richtung lief. Adam zog sich von mir zurück.

»Gott im Himmel«, sagte er. »Du bist eine richtige Hexe. Du machst mich verrückt, du bist einfach toll.«

Ich setzte mich ein wenig auf und sah zu ihm hinab, während seine Hände meinen Bauch streichelten. Ich war froh, daß ich nichts gegessen hatte.

Er war wunderbar. So ein schöner Körper. Und so ein strahlendes Gesicht. So ein netter Kerl. Womit hatte ich das verdient?

Meine Augen liefen über seine Brust und bewunderten seinen Bauch, aber als sie ein bißchen weiter nach unten wanderten, wandte ich den Blick ab.

Wie soll ich schildern, was sich unterhalb seiner Taille abspielte, ohne zu sehr in Einzelheiten zu gehen oder zu puritanisch zu sein?

Eine Beschreibung dessen, was im Bett stattfindet, ist ziemlich schwierig, denn entweder drücke ich mich dabei so derb aus, daß es wie Pornographie klingt, oder ich bin so zurückhaltend, daß ich mich wie eine verklemmte viktorianische Romanautorin anhöre, die ständig an Vaginismus leidet und ihren Mann noch nach siebenundzwanzig Ehejahren siezt.

Wie wäre es, wenn ich einfach sagte, daß aus kleinen Anfängen oft Großes wird? Ist das nicht gut? Diskret und dennoch voller Anspielungen? Es kränkt niemanden und macht gleichzeitig klar: »Adam hatte einen Steifen, mit dem konnt' er Diamanten schleifen.«

Ui je. Pfui, wie ordinär!

Da wir gerade beim Thema sind, kann ich noch rasch hinzufügen, daß mich die Größe des besagten Gliedes um die Deckenlampe fürchten ließ, für den Fall, daß sich Adam plötzlich bewegte. Genau das aber wünschte ich von ganzem Herzen.

Nur ein Scherz. Ganz so groß war er nicht. Eher mittelgroß. Weder beunruhigend groß noch bedrückend klein. Eigentlich genau richtig.

Natürlich gibt es gewissenlose Frauen, die jedem Mann, mit dem sie zusammen sind, einreden, er habe den gewaltigsten Penis, den sie je gesehen hätten. Einfach so, als wäre das die größte Selbstverständlichkeit.

Ängstlich drücken sie sich auf die Matratze, starren den Betreffenden mit geweiteten Augen und gespieltem Entsetzen an und kreischen: »Ach je! Komm mir mit dem Riesending bloß nicht nahe. Was hast du vor? Willst du vögeln oder die Tür einschlagen?« Eine ganz hinterhältige Taktik.

Natürlich sind die Männer davon begeistert. Da sie sich im Besitz eines Gliedes wähnen, für das sie eigentlich einen Waffenschein brauchten, fühlen sie sich unbesiegbar und ungeheuer männlich. Daher besorgen sie es den Frauen in einer Weise, die die nicht so schnell wieder vergessen werden.

Mich würde man nie bei so was ertappen. Auf keinen Fall! Na ja, nur höchst selten.

Ich kann aber auch deshalb nicht beschreiben, was sich unterhalb von Adams Taille abspielte, weil mir kein angemessenes Wort einfällt, um sein, nun ja, Sie wissen schon, sein ... zu beschreiben. Wie kann ich Ihnen sagen, was ich nicht beschreiben kann, weil mir das Wort dafür fehlt!

Das richtige Wort dafür ist natürlich Penis. Aber das klingt so klinisch.

Ich glaube nicht, daß es mir gefallen würde, wenn mir jemand sagte: »Hast du aber eine hübsche Vagina.«

Das ist nicht unbedingt ansprechend oder romantisch. Was meinen Sie? Es dürfte auch kaum die Sprache der Liebenden sein.

In ähnlicher Weise erinnert mich das Wort Penis viel zu sehr an den Biologieunterricht in der Schule und daran, daß ein Aushilfslehrer mit rotem Gesicht in einem Raum voller kichernder Halbwüchsiger hastig und nur andeutungsweise das Fortpflanzungssystem des Menschen erklärt.

Der Begriff ist nicht menschlich genug. Aber was könnte ich sonst sagen?

Ich weiß, daß es Hunderte von Wörtern gibt, aber keines von ihnen scheint angemessen.

Wie wäre es mit ›Schwanz‹?

Sagt heute jeder. Ich weiß nicht recht. Mir klingt das ein bißchen zu sehr nach Tierreich. Andererseits, warum nicht?

Pimmel? Gefällt mir auch nicht. Irgendwie läßt mich das an alternde Rockstars mit entsetzlichen stonewashed Jeans und langen grauen Haaren denken.

Noch schlimmer ist es, wenn der Mann seinem Glied einen Namen gegeben hat. Hat man so was schon gehört!

Breites Grinsen des Mannes gefolgt von lockenden Lauten.

»Ich glaube, Hans wird wach.« Bedeutungsvolles und schmeichelndes Lächeln.

»Ich glaube, Hans möchte herauskommen und spielen.« Lüsterner Blickkontakt mit hoffnungsvollem Gesichtsausdruck.

»Hans möchte Versteck spielen.« Ekelhaftes starres Grinsen. Äh!

Von mir aus kann Hans losziehen und sich jemanden suchen, der mit ihm spielt.

Solche Männer könnten mich dem Zölibat in die Arme treiben.

Da mir kein wirklich passendes Wort einfällt, werde ich mich der Sprache des schwülstigen Liebesromans bedienen und es Adams Pochende Mannheit nennen.

Dankenswerterweise hatte er mir seine Pochende Mannheit nicht namentlich vorgestellt. Ich wußte nicht so recht, ob ich bereit war, mich mit seiner Pochenden Mannheit anzufreunden.

An James' Pochende Mannheit hatte ich mich mehr oder weniger gewöhnt. Zwar war die Beziehung anfänglich förmlich und steif gewesen (ich bitte, das Wortspiel zu entschuldigen), aber später ging es ganz gut.

Zwar hatte ich nichts gegen Adams Pochende Mannheit (von meinem Oberschenkel abgesehen), aber die Aussicht, damit bekannt zu werden, machte mich nervös.

Als hätte Adam das gespürt, ergriff er meinen Arm (nein, Adam, doch nicht meinen *Arm*, der enthält kein einziges erogenes Atom) und sagte mit Nachdruck: »Wir brauchen nichts zu tun, Claire. Wir können einfach so beieinanderliegen, wenn du möchtest.«

Wenn ich auch nur einen Penny für jede Gelegenheit bekommen hätte, bei der ein Kerl gesagt hat: »wir können einfach so beieinanderliegen«, wäre ich steinreich. Unmöglich zu sagen, wie oft ich das gehört habe, wenn ich über Nacht bei einem Kerl bleiben mußte, weil ich den letzten Bus verpaßt und kein Geld für ein Taxi hatte.

»Du kannst bei mir übernachten. Es ist gleich um die Ecke«, fing es an.

»Ich schlaf auf dem Sofa«, sagte ich dann schnell.

»Du kannst ebensogut bei mir im Bett schlafen. Das ist viel bequemer.«

»Nein, nein, das Sofa ist schon in Ordnung.«

»Ich faß dich auch bestimmt nicht an. Machst du dir deswegen etwa Sorgen?«

»Nun, äh, ja.«

»Mach dir keine Gedanken. Ich faß dich garantiert nicht an.«

Dann kamen die schicksalsschweren Worte: »*Wir können einfach so beieinanderliegen.*«

Und natürlich bekam ich kein Auge zu, weil ich die ganze Nacht mit dem Kerl Ringkämpfe veranstalten mußte.

Oder er drückte mich glatt mit dem Gesicht an die Wand, wenn ich ihm vergeblich zu entkommen versuchte, wobei sein steifes Glied, das mir in den Rücken drückte, mir das Atmen fast unmöglich machte.

Ich fürchtete, wenn sich beim Ausatmen mein Rückgrat völlig unbeabsichtigt auch nur einen Zehntelmillimeter in Richtung auf sein heißes Glied zubewegte, würde er das als Ermunterung und meine Zustimmung betrachten.

Tat ich dem betreffenden Herrn den Gefallen nicht, bestand natürlich die große Wahrscheinlichkeit, daß er mich überall als frigide Lesbierin anschwärzte, die alle Männer aufgeilt, und was der entsetzlichen und gänzlich unverdienten Verleumdungen mehr sind.

Er konnte beispielsweise sagen: »Sie wollte unbedingt bei mir übernachten. Auf ihre Ausrede, daß sie kein Geld für ein Taxi hätte, bin ich natürlich nicht reingefallen.«

Es kommt mir so vor, als hätte ich bis auf den heutigen Tag einen schwachen penisförmigen Abdruck im Rücken.

Aber Adam glaubte ich. Ich wußte, daß er es ernst meinte. Ich vertraute ihm.

Wenn er sagte, wir könnten einfach so beieinanderliegen, meinte er genau das. Aber wollte ich das? Offen gesagt: nein.

Ich war kribbelig. Zum Kuckuck, ich wollte mit ihm schlafen. Wenn' er mir jetzt voller Respekt begegnete, würde ich laut schreien.

»Ich möchte nicht aufhören«, flüsterte ich ihm zu. Vermutlich hätte ich nicht zu flüstern brauchen. Es empfiehlt sich nicht, die Masche mit dem nervösen kleinen Mädchen zu übertreiben.

Vorwärts also. Es war Zeit, die Dinge in die Hand zu nehmen, wenn ich das mal so sagen darf.

»Äh«, sagte ich verlegen. »Ich hab' meine Handtasche unten gelassen.«

»Wozu brauchst du die? Dein Make-up ist einwandfrei.« Er lächelte.

»Nicht für mein Make-up, Dummkopf.«

»Wozu dann?«

Aber er zog mich nur auf.

»Immer mit der Ruhe«, sagte er und drehte mich auf den Rücken. »Vermutlich denkst du an Kondome?«

»Äh, ja«, sagte ich. Es war mir ein wenig peinlich.

»Kein Grund zur Sorge. Ich hab' welche hier.«

»Oh.«

Ich hätte nicht gewußt, was ich sonst sagen sollte. Seine Offenheit hatte mir den Wind vollständig aus den Segeln genommen. Natürlich hatte er absolut recht. Was war daran schon peinlich?

Jetzt brauchte ich mir nur noch darüber Sorgen zu machen, ob ich es auch richtig bringen würde.

Er küßte mich wieder. Dann wurde die Sache sehr viel ernster. Mit diesem Kuß hörte das sanfte Getändel auf.

Ich sah ihn an und merkte, daß seine Augen vor Begierde ganz dunkel waren, fast schwarz.

»Claire«, flüsterte er (jetzt war *er* mit Flüstern an der Reihe). »Weißt du, ich war lange mit niemandem zusammen.«

Ist das dein Ernst? dachte ich verwundert.

Ich hätte geschworen, ein so charmanter und gutaussehender Mann wie Adam könnte jeden Tag seines Lebens 'ne Nummer schieben.

Allerdings schien er sehr wählerisch zu sein. Mehr als einmal hatte ich miterlebt, wie er Frauen abblitzen ließ, die einfach entzückend waren.

Und mich hat er auserwählt, dachte ich, und mein Herz schmolz dahin. *Er könnte so gut wie jede haben, aber er hat mich auserwählt.*

Irgendwo mußte da ein Haken sein. Bestimmt würde er mir im nächsten Augenblick seine Kampfmesser-Sammlung zeigen wollen oder eine Kettensäge hervorholen und mich in Streifen schneiden.

»Das ist in Ordnung«, flüsterte ich zurück. »Ich bin auch seit ewigen Zeiten mit keinem Mann im Bett gewesen.«

»Oh«, sagte jetzt er. Dann fuhr er lauter fort: »Warum flüstern wir eigentlich?«

»Keine Ahnung«, kicherte ich.

Darauf folgte das Kondom-Ritual. Sie wissen schon: in der Schublade danach suchen, das Knistern der Verpackung, die Frage: »Ist das so rum richtig, oder geht es andersrum?« Schließlich das Erfolgserlebnis, es aufzuziehen, nur um zu sehen, daß die Erektion nachläßt.

Nicht bei Adam. Sie ließ nicht nach. Gott sei Dank.

Ich fürchte, an dieser Stelle muß ich etwas allgemein werden. Es tut mir leid, wenn ich Sie enttäusche, aber ich werde keine detaillierten technischen Beschreibungen meiner sexuellen Begegnungen mit Adam liefern. (Ich hoffe, Ihnen ist der Plural bei ›Begegnungen‹ aufgefallen.)

Natürlich *könnte* ich eine Beschreibung liefern, die sich eher wie ein Lehrbuch für Medizinstudenten im Anatomiekurs lesen würde.

Und ich *könnte* das Ganze wie einen Leserbrief in einer pornographischen Zeitschrift gestalten, mit allem was dazu gehört: Keuchen, Hohlkreuz und allerlei absonderliche Verrenkungen.

Damit aber würde auf keinen Fall deutlich, wie wunderbar die Sache war (genau gesagt die drei), und wie glücklich ich mich dabei fühlte.

Sagen wir einfach, daß es allen Beteiligten viel Spaß gemacht hat. Mit ›allen‹ meine ich natürlich uns beide.

Ich konnte mich nicht beklagen. Er aber auch nicht.

Das Ganze war in jeder Hinsicht angenehm. Es war wirklich sein Geld wert. Bestimmt würden wir im nächsten Jahr wieder dahin gehen und so weiter.

Es wäre mir einfach viel zu peinlich, hier auszubreiten, daß er mich überall küßte (damit meine ich *überall*). Und wenn er das nicht tat, bearbeitete er meinen ganzen Körper mit wunderbaren winzigen Bissen, die mich erschauern ließen.

Auch bringe ich nicht übers Herz, Ihnen von dem Augenblick zu erzählen, als er in mir war. Und wie ich solche Angst hatte, daß es weh tun könnte, und wie sanft er war. Es tat nicht weh, und es war wunderschön.

Und wenn Sie glauben, ich würde Ihnen erzählen, wie er mir mit heißem Atem allerlei herrliche Dinge zuflüsterte, während er auf mir lag, beispielsweise, wie schön ich sei, wie wunderbar meine Haut schmeckte und wie sehr er mich begehrte, dann schlagen Sie sich das aus dem Kopf.

Da müssen Sie schon Ihre Fantasie bemühen, um sich vorzustellen, wie ich die Beine um seinen Rücken schlang, um ihn tiefer in mich hereinzuholen, und wie ich glaubte, ich müßte sterben, wenn er aufhörte, und wie ich glaubte, ich müßte sterben, wenn er nicht aufhörte.

Außerdem brauchen Sie bestimmt nicht mich, um Ihnen zu erklären, daß wir beide keuchend nach Luft rangen, als er äh … als es zu Ende war, daß wir mit Schweiß bedeckt waren, er mich ansah, mit einem breiten Grinsen lachte und bewundernd sagte: »Großer Gott, was für eine Frau.«

Ich werde mich eines Euphemismus bedienen, um die Situation zu beschreiben.

Wie wäre es mit ›eines Tages wird mein Prinz kommen‹?

Na ja, ich freue mich berichten zu können, daß er bereits gekommen war. Ich war übrigens, nebenbei gesagt, auch gekommen.

Und noch etwas: bevor ich Kate bekam, hatte ich gerüchtweise und ohne nähere Angaben gehört, einer Frau mache es im Bett, nun sehr viel mehr Spaß, wenn sie ein Kind geboren hat.

Das soll daran liegen, daß es durch die verschiedenen Vorgänge, Verletzungen und so weiter im, äh, Geburtskanal, einschließlich der gefürchteten Stiche, mit denen der Dammschnitt genäht wird, zu gewissen Veränderungen kommt. Sie bewirken angeblich eine äh, gesteigerte Empfindlichkeit und ein gesteigertes Bewußtsein der erogenen Zonen, wenn Sie verstehen, was ich meine. Das wiederum soll ganz allgemein zu mehr Genuß und Erregung im Bett führen.

Nun, es verhält sich tatsächlich so.

Mit Adam war es sehr viel anders als das, woran ich mich aus der Zeit mit James erinnerte. Nachdem ich erst einmal das anfängliche Unbehagen überwunden hatte, war es wirklich fantastisch. Tatsächlich war es besser, als es meiner Erinnerung nach mit James je gewesen war.

Eine Nebenwirkung des Gebärens, die nicht annähernd so gewürdigt wird, wie sie es verdient.

Natürlich ist es gut möglich, daß ich ziemlich viel Unsinn rede und der angeblich größere Genuß keinen anderen Grund hatte, als daß Adam eine größere Pochende Männlichkeit besaß als James. Ich hatte nie den Quatsch geglaubt, ›Größe ist nicht alles‹.

So, wie man nie hören wird, daß ein Reicher sagt, ›Geld macht nicht glücklich‹, vermute ich, daß die einzigen, die sagen, ›Größe ist nicht alles‹, Männer mit einem ausgesprochen kleinen Glied sind.

Später, als alles vorüber war, also nach dem dritten Mal, lagen wir plaudernd und lachend im Bett.

»Erinnerst du dich an den Tag im Fitneß-Studio?« fragte Adam.

»Hm«, sagte ich, kaum imstande zu reden, so entspannt und zufrieden war ich.

»Es war entsetzlich«, sagte er.

»Warum?« fragte ich.

»Weil ich so scharf auf dich war.«

»Tatsächlich?« fragte ich überrascht und entzückt.

»Wirklich.«

»Meinst du das *ernst*?« fragte ich wie eine richtige Neurotikerin.

»Ja!« beharrte er. »Ich konnte dich nicht mal ansehen, aus Sorge, daß ich mich sonst auf dich gestürzt hätte.«

»Aber du hast doch ganz ernsthaft deine Gewichte gestemmt«, erinnerte ich ihn. »Auf mich hast du überhaupt nicht geachtet.«

»Ja«, sagte er trocken. »Und mir dabei fast jeden Muskel im Leib gezerrt. Ich konnte mich auf nichts außer dir konzentrieren. Du hast in deinem Gymnastikanzug richtig niedlich ausgesehen.«

»Oh«, sagte ich begeistert und drängte mich näher an ihn.

Gegen halb eins sagte ich: »Ich sollte wohl besser gehen.«

»Kommt überhaupt nicht in Frage«, sagte er und schlang Arme und Beine fest um mich. »Ich laß dich nicht gehen. Ich behalte dich hier und kette dich an – meine kleine Sexsklavin.«

»Adam«, sagte ich seufzend. »Du sagst so wunderbare Sachen.«

Nach einer Weile sagte ich zögernd: »Ich muß aber wirklich gehen.«

»Wenn du wirklich mußt«, sagte er.

»Du weißt es.«

»Würdest du bleiben, wenn es nicht wegen Kate wäre?«

»Ja.«

Er setzte sich im Bett auf und sah mir zu, während ich mich anzog.

Als ich mein Kleid zuknöpfte, hob ich den Blick und sah, wie er zu mir herüberlächelte. Ein trauriges Lächeln.

»Stimmt was nicht?« fragte ich.

»Immer läufst du vor mir davon«, sagte er.

»Das stimmt nicht, Adam«, sagte ich aufgebracht. »Ich *muß* gehen.«

»Entschuldige«, sagte er und lächelte diesmal richtig.

Er sprang aus dem Bett und sagte: »Ich bring dich an die Haustür.«

»Untersteh dich«, sagte ich. »Wenn man uns von der Straße aus sieht, nackt wie du bist!« Kein Zweifel: ich bin die Tochter meiner Mutter.

An der Haustür küßte er mich endlos lange. Es war eine beachtliche Leistung, daß ich mich überhaupt losriß.

»Bleib doch«, flüsterte er mir ins Haar.

»Ich kann nicht«, sagte ich ihm streng, obwohl ich am liebsten die Treppe wieder hinaufgegangen wäre und mich gleich wieder mit ihm ins Bett gelegt hätte.

»Ich ruf dich morgen an«, sagte er.

»Tschüs.«

Noch ein Kuß.

Weitere Überredung.

Eiserner Widerstand von meiner Seite.

Zögerndes Nachgeben.

Schließlich schaffte ich es bis zum Auto. Eine reife Leistung.

Ich fuhr nach Hause. Die Straßen lagen dunkel und verlassen. Ich war glücklich. Ich hatte nicht einmal ein schlechtes Gewissen, daß ich Kate so lange allein gelassen hatte. Jedenfalls kein *sehr* schlechtes Gewissen.

23

Ich parkte den Wagen und steckte den Schlüssel in die Haustür. Im Wohnzimmer brannte Licht. *Merkwürdig*, dachte ich, *sonst schlafen um diese Zeit doch schon alle fest.*

Bitte, lieber Gott, mach, daß es nicht Helen ist. Bitte mach, daß sie nicht gemerkt hat, wo ich war und was ich getan habe.

Ich war sicher, daß mir meine Untat auf der Stirn geschrieben stand.

Vielleicht war Anna noch auf und opferte in der Küche eine Ziege, oder etwas in der Art. Sie wissen schon: in blutgetränkte Bettlaken gehüllt durch den Garten tanzen, den Mond ansingen, lebenden Fledermäusen den Kopf abbeißen und ähnliches.

Ich ging in die Diele. Die Wohnzimmertür öffnete sich, und Mum trat heraus, im Nachthemd. Darüber trug sie ihren gesteppten rosa Morgenmantel. Sie hatte ein paar orangefarbene Lockenwickler im Haar. Dad stand im Schlafanzug hinter ihr. Beide sahen bleich und entsetzt aus, als wäre etwas Fürchterliches passiert. Das stimmte auch, wenn man mein kleines Abenteuer mit Adam so sehen wollte.

»Claire!« sagte meine Mutter. »Gott sei Dank, daß du da bist!«

»Was ist los?« fragte ich angstvoll.

»Komm und setz dich«, sagte mein Vater und nahm die Sache in die Hand.

Mein Magen hob sich. Etwas Schreckliches mußte vorgefallen sein.

»Ist Kate was passiert?« fragte ich und faßte meine Mutter am Arm.

Tausend entsetzliche Bilder schossen mir durch den Kopf. Sie war erstickt. Plötzlicher Kindstod. Man hatte sie entführt. Helen hatte sie fallen gelassen. Anna hatte sie verzaubert. Und alles meine Schuld.

Ich hatte sie allein gelassen. Ich hatte sie hiergelassen, während ich losgezogen war, um mich mit Adam im Bett zu amüsieren. Wie konnte ich nur?

»Nein«, sagte Mum beruhigend. »Es ist nicht Kate.«

»Wer dann?« fragte ich, während mir erneut Schreckensbilder durch den Kopf zogen.

War einer meiner Schwestern etwas geschehen? Hatte ein Gangster in Chicago Margaret umgebracht? War Rachel in Prag verschwunden? Hatte Anna eine Stelle bekommen? Hatte sich Helen für etwas entschuldigt?

»Es ist James«, stieß Mum hervor.

»James«, sagte ich benommen und ließ mich langsam auf das Sofa sinken. »Ach du großer Gott, James.«

James. Ich hatte nicht einmal an ihn gedacht, als mir durch den Kopf gegangen war, was jemandem, der mir nahestand, an Schrecklichem widerfahren sein könnte.

Während ich mich mit Adam im Bett vergnügt hatte, war meinem Mann etwas zugestoßen. Was für eine Ehefrau war ich nur?

»Was ist mit James?« fragte ich. Beide saßen da und sahen mich liebevoll und mitleidig an.

»Sagt es doch schon«, rief ich. »Bitte sagt es mir!« Ich war auf das Schlimmste gefaßt. Während ich mich voll Leidenschaft mit einem anderen Mann im Bett wälzte, war James verunglückt.

Natürlich war mir klar, daß mein Leben vorüber war. Mir blieb nichts als der Zölibat. Vielleicht würde ich sogar in ein Kloster gehen. Das war das mindeste, was ich tun konnte, und meine Strafe dafür, daß ich mit jemandem ins Bett gegangen war, den ich nicht liebte.

Ich wollte Adam nie wiedersehen, so lange ich lebte. Es war alles seine Schuld.

Wenn ich nicht mit ihm ins Bett gegangen wäre, würde es James gutgehen.

»Er ist hier«, sagte meine Mutter sanft.

»Hier«, kreischte ich. »Was meinst du mit ›hier‹?«

Ich sah mich wie wild um, als erwartete ich, daß er plötzlich im Smoking und mit glattem Lächeln hinter einem Vorhang oder unter dem Sofa hervorkam, eine brennende Zigarre in der Hand, und sagte: »Meine Frau, vermute ich.«

»Wollt ihr damit sagen, daß er im Hause ist?« fragte ich hysterisch.

In meinem Kopf wirbelte es wie ein Kreisel. Warum gerade jetzt? überlegte ich. Warum tauchte er ausgerechnet jetzt wieder auf? Und was wollte er?

»Ach was«, sagte Mum. Es klang ein wenig verärgert. »Glaubst du, wir würden ihn hier aufnehmen, nach allem, was geschehen ist? Nein, er hat angerufen. Er ist in Dublin, aber in einem Hotel.«

»Oh«, sagte ich. Ich glaubte, ich würde in Ohnmacht fallen.

»Will er mich sehen?«

»Natürlich will er dich sehen«, sagte Dad. »Aber du mußt nicht, wenn du nicht willst.«

»Jack«, sagte Mum. »Selbstverständlich muß sie. Wie wollen sie sonst regeln, was zu regeln ist? Sie muß schließlich an das Kind denken.«

»Ich sag doch nur, daß wir sie nicht unter Druck setzen, wenn sie sich dem nicht gewachsen fühlt. Wir werden ihr helfen, so gut wir können.«

»Jack«, sagte meine Mutter scharf. »Claire ist erwachsen und ...«

»Aber Mary«, fiel ihr mein Vater ins Wort.

»Schluß!« sagte ich laut.

Ich mußte die Sache im Keim ersticken. Das konnte sonst ewig so weitergehen. Beide sahen mich überrascht an. Fast, als hätten sie vergessen, daß ich da war.

»Ich möchte ihn sehen«, sagte ich etwas ruhiger. »Du hast recht, Mum, ich *bin* erwachsen. Ich bin die einzige, die diese Dinge regeln kann. Und ich muß an Kate denken. Sie ist in dieser ganzen Angelegenheit am wichtigsten.«

»Danke, Dad«, nickte ich meinem Vater zu. »Es ist beruhigend zu wissen, daß du notfalls einen Trupp Männer zum Lynchen zusammenbringst, wenn ich mal einen brauche.«

»Ich weiß nicht«, stieß er hervor. »Aber wenn du Lynchen für den richtigen Weg hältst, kann ich ein paar Burschen im Golfklub fragen. Mal sehen, was die sagen.«

»Ach, Dad«, sagte ich matt. »Ich mach doch nur Spaß.«

»Er hat gesagt, daß er morgen früh anruft«, sagte meine Mutter.

»Um wieviel Uhr?« fragte ich.

»Um zehn«, sagte meine Mutter.

»In Ordnung«, sagte ich.

Wenn James gesagt hatte, daß er um zehn Uhr morgens anrufen wollte, würde er das tun – nicht um achtzehn Sekunden nach zehn, und auch nicht eine halbe Minute vor zehn. Er würde Punkt zehn anrufen.

Zwar hatte er mich um einer anderen willen sitzenlassen, aber in mancher Hinsicht konnte man sich hundertprozentig auf ihn verlassen.

»Und wie spät ist es jetzt?« fragte ich.

»Zwanzig nach drei«, sagte mein Vater.

»Dann geh ich wohl besser schlafen«, sagte ich. »Morgen ist ein wichtiger Tag.« Dabei war mir klar, daß ich kein Auge zutun würde.

»Wir gehen alle schlafen«, sagte meine Mutter. »Wo warst du übrigens noch so spät?«

»Mit Adam im Bett«, gab ich zur Antwort.

Mein Vater stieß ein lautes, nervöses Lachen aus. Meine Mutter sah betroffen drein.

Geschieht dir recht, dachte ich. *Du hast mir schließlich den Floh ins Ohr gesetzt.*

»Jetzt mal im Ernst«, sagte meine Mutter. »Was hast du getrieben?«

»Es *ist* mein Ernst«. Ich lächelte. »Gute Nacht, Mum.«

Sie machte ein entsetztes Gesicht. Sie wußte nicht, ob sie mir glauben sollte oder nicht, vermutete aber offenkundig das Schlimmste. Sie stand da und machte den Mund auf und zu wie ein Goldfisch, während ich die Tür hinter mir zuzog.

Ich glaube nicht einmal, daß sie gemerkt hat, wie mein Vater sie am Morgenrock zupfte und sie leise fragte: »Wer von denen ist Adam?«

24

Ich ging ins Bett, und wie ich es vermutet hatte: ich tat kein Auge zu.

Was wollte James hier? Hatte er etwa einen Versöhnungsversuch im Sinn? Oder wollte er einfach nur Ordnung in die Sache bringen?

Konnte ich es ertragen, wenn er nur Ordnung in die Sache bringen wollte? Wollte ich einen Versöhnungsversuch? War er nach wie vor mit Denise zusammen?

Ein Gedanke kam mir: Gott im Himmel, und was, wenn er Denise mitgebracht hat?

Ich setzte mich kerzengerade im Bett auf. Wut durchtobte mich. So weit würde der verdammte Schweinehund es ja wohl nicht treiben, oder?

Ich zwang mich zur Ruhe. Ich hatte keinen Beweis dafür, daß er irgend etwas in der Art getan hatte, und es war sinnlos, sich über etwas aufzuregen, das unter Umständen nicht einmal passiert war.

Ich mußte vor allem an Kate denken. Niemand war jetzt wichtiger als sie.

Ich wollte, daß mit James alles zivilisiert geregelt wurde, damit er nicht aus Kates Leben verschwand.

Für sie sollte er dasein, selbst wenn er mich nie wieder sehen wollte. Also konnte ich am nächsten Morgen nicht mit einer Machete auf ihn losgehen.

Ich konnte es einfach nicht glauben: ich würde ihn sehen. Und wenn das Undenkbare geschah und er es noch einmal mit mir versuchen wollte? Was dann?

Ich wußte es nicht. Und was war mit Adam? Dem Mann, den ich gerade verlassen hatte? Daran durfte ich jetzt nicht denken.

In meinem Kopf drängten sich die Gedanken so wild, daß es nur noch Stehplätze gab. Tatsächlich standen einige besonders wetterfeste Gedanken außerhalb meines Kopfes im strömenden

Regen, ihre Drinks in der Hand, weil da wenigstens ein bißchen Platz war. Aber für Adam war kein Platz.

Laß gut sein, sagte ich mir, du kannst unmöglich jetzt darüber nachdenken. Warte, bis alles auf die eine oder andere Weise vorüber ist, und denk dann über ihn nach.

Dann begann ich mich zu fragen: warum? Sie wissen schon: warum hatte mich James verlassen? Warum war er mit Denise zu einer Zeit auf und davon gegangen, als ich glaubte, daß unsere Beziehung besonders stabil sei. Mit diesen Gedanken quälte ich mich schon eine ganze Weile herum.

Am nächsten Tag würde ich zumindest versuchen, einige Antworten zu bekommen. Sollte es mir gelingen zu verstehen, was schiefgegangen war oder was ich falsch gemacht hatte, wäre es vielleicht nicht so schwer, damit zu leben.

Ich wünschte, es gäbe eine Art Schalter in meinem Gehirn, mit dem ich es so ausstellen konnte wie den Fernseher. Einfach zack, und sofort verschwinden alle Bilder und quälenden Gedanken aus meinem Kopf und lassen nur einen leeren Bildschirm zurück.

Oder wenn ich meinen Kopf abnehmen, ihn auf den Nachttisch stellen und bis zum nächsten Morgen vergessen könnte. Sobald ich ihn erneut brauchte, könnte ich ihn wieder aufsetzen.

Als schließlich der Morgen kam, hatte sich, was meinen Schlaf betrifft, noch nichts geändert.

Ich sprang aus dem Bett und spürte undeutlich, daß die Innenseite meiner Oberschenkel ein wenig steif war. Was ist das? fragte ich mich. Und dann fiel es mir ein. Ach ja, äh, stimmt. Ich errötete ein wenig, während ich daran dachte, was ich am Vorabend getrieben hatte. Ich hatte mit Adam geschlafen. *Aber daran kann ich jetzt nicht denken. Der Teufel soll James holen, ganz ehrlich.*

Mir blieb die Wonne versagt, behaglich im Bett zu liegen und mich gedankenverloren an alle Einzelheiten meines Abends der Lust mit Adam zu erinnern. Statt dessen mußte ich aufstehen und wie eine wild gewordene Hummel herumsausen, um die Ankunft von Euer Gnaden vorzubereiten, als wäre er ein Staatsoberhaupt, das zu Besuch kam, oder der Papst.

Nachdem ich Kate das Fläschchen gegeben hatte, badete ich sie, bestäubte sie mit Talkumpuder, hielt sie dicht vor mich und atmete ihren herrlichen milchigen Kleinkindgeruch ein. Dann zog ich ihr einen ungemein süßen, flauschigen rosa Strampelanzug an, der über und über mit kleinen grauen Elefanten bedeckt war.

»Du siehst großartig aus«, versicherte ich ihr. »Der Traum eines jeden Mannes. Wenn er das nicht begreift, ist er ein noch größerer Dummkopf, als ich angenommen hatte.«

Ich wollte, daß sie göttlich aussah. Ich wollte, daß sie wie der schönste Säugling auf der Welt aussah. Ich wollte, daß sich James nach ihr sehnte, danach verlangte, sie zu halten, zu küssen, zu füttern, zu riechen.

Ich wollte, daß er begriff, wieviel er aufgegeben hatte, ich wollte, daß er uns zurückhaben wollte.

Alle im Haus schienen seit dem Morgengrauen auf zu sein. Meine beiden Schwestern wußten, daß James angerufen hatte. Helen kam gegen halb acht in mein Zimmer, lief zu Kates Bettchen und sagte: »Oh, gut, du hast sie richtig schön gemacht. Zeig's ihm. Wir wollen nur hoffen, daß sie ihn nicht bekotzt oder in ihre Windel macht, wenn er sie hält.« Sie nahm Kate auf und bewunderte den Strampelanzug.

»Meinst du, wir könnten ihr ein farblich passendes rosa Bändchen ins Haar flechten?« fragte sie.

»Wenn sie mehr Haare hätte, könnte man darüber nachdenken«, sagte ich.

Als aber Helen vorschlug, Kate etwas Make-up aufzulegen, fand ich, sie übertrieb. Das sparte ich für mich auf, und zwar eine ganze Menge davon.

»Du mußt natürlich auch gut aussehen«, sagte Helen. Ich war nicht sicher, daß mir die Art gefiel, wie sie das sagte. Es klang irgendwie ein bißchen zweifelnd oder defätistisch.

Dann kam mein Vater.

»Ich fahr jetzt zur Arbeit«, sagte er. »Aber vergiß nicht, was ich dir gesagt hab'. Du brauchst nicht um Kates willen wieder zu ihm zu gehen.«

»Wer sagt denn, daß er ihr das überhaupt anbieten wird?« fragte Helen laut. Das wäre wirklich nicht nötig gewesen. Aber sie hatte recht.

Dann kam meine Mutter herein. »Wie geht's dir heute?« fragte sie freundlich.

»Gut«, sagte ich.

»Schön«, sagte sie. »Geh dich duschen. Helen und ich kümmern uns so lange um Kate.«

»Mach ich.« Mich verwirrte all die Umtriebigkeit und das Organisieren. Es war fast wie der Morgen meines Hochzeitstages.

Dann kam Anna. Ich überlegte, ob ich nicht nach unten gehen, die Haustür aufmachen und ein paar Fremde von der Straße hereinbitten sollte.

Anna lächelte mir anmutig zu und hielt mir etwas hin. »Nimm diesen Kristall, und steck ihn in eine Tasche oder so. Er bringt dir Glück.«

»Dafür braucht sie mehr als einen von deinen alten Scheißkristallen«, sagte Helen unverblümt.

»Schluß jetzt, Helen«, sagte meine Mutter scharf.

»Was denn?« begehrte Helen empört auf.

»Mußt du so gemein sein?«

»Ich war nicht gemein«, verteidigte sie sich hitzig. »Aber wenn sie hübsch aussieht und so tut, als ob es ihr gutginge, will er sie bestimmt zurückhaben. Dazu braucht man keinen Kristall.«

Ich sah Helen an. Fast hätte mich der Schlag getroffen.

Zwar gehörte sie zu den nervenaufreibendsten Idioten, die ich je kennengelernt habe, aber in Männerkunde machte ihr so schnell keine was vor, das mußte ihr der Neid lassen.

Ich nahm den Kristall trotzdem. Man kann nie wissen.

Ich mußte eine Weile allein sein. Solange meine Familie um mich herum war, konnte ich keinen klaren Gedanken fassen. Ich mußte innerlich zur Ruhe kommen, bevor ich bereit war, mit James zu sprechen.

Ich beschloß, Laura anzurufen. Sie würde mir sagen, was ich zu tun hatte.

»Laura«, sagte ich mit zitternder Stimme, als sie sich meldete.

»Oh, Claire«, platzte sie heraus. »Ich wollte dich gerade anrufen. Weißt du was?«

Das ist doch mein *Text*, dachte ich.

»Was?« fragte ich.

»Der kleine Mistkerl Adrian hat mir den Laufpaß gegeben.« Adrian – ihr neunzehnjähriger Kunststudent.

»Was?« fragte ich erneut.

»Ja«, sagte sie mit Tränen in der Stimme. »Soll man das für möglich halten?«

»Aber ich dachte, du machst dir nichts aus ihm?« sagte ich überrascht.

»Dachte ich auch«, schluchzte sie. »Und warte nur, bis du alles gehört hast! Rate mal, warum er mich sitzenläßt.«

»Warum?« fragte ich und überlegte, woran das liegen mochte. Waren ihr die Socken ausgegangen?

»Weil er eine andere kennengelernt hat«, erklärte Laura. »Und weißt du, wie alt die ist?«

»Dreizehn?« riet ich aufs Geratewohl.

»Nein!« schrie sie. »Siebenunddreißig, verdammt noch mal!«

»Allmächtiger!« sagte ich.

Ich war entsetzt.

»Ja«, sagte sie, kaum imstande zu sprechen, weil sie so sehr weinte. »Er sagt, ich bin unreif.«

»Der kleine Scheißer.«

»Es sagt, er braucht einen Menschen, dem die wesentlichen Dinge am Herzen liegen.«

»Eine *Unverfrorenheit*!«

»Und ich hatte ihm gerade den Gefallen getan, mit ihm auszugehen. Da hat er mich doch tatsächlich einfach sitzenlassen«, schluchzte sie. »Und ich hab' keine einzige Socke mehr. Außerdem werd ich nie wieder wissen, welche Gruppe in den Charts ist.«

»Wirklich schlimm«, sagte ich und schüttelte gottergeben den Kopf.

»Ich muß jetzt gehen«, sagte sie mit tragischer Stimme. »Ich komme sonst zu spät zur Arbeit. Ich rede später mit dir.« Dann legte sie auf.

Was soll man da sagen? Wahrscheinlich hatte sie angenommen, ich riefe sie an, um über meine Nacht der Leidenschaft mit Adam zu berichten. Sie ahnte nichts von dem großen Drama, das inzwischen auf dem Plan stand.

Ich saß da und starrte einige Sekunden lang das Telefon unschlüssig an. Wen sollte ich anrufen? Niemanden, beschloß ich.

Ich würde versuchen, allein damit fertig zu werden. Wenn ich mit meinem eigenen Leben nicht fertig wurde, durfte ich das auch von keinem anderen erwarten.

Ich duschte, wusch mir die Haare und ging wieder in mein Zimmer, wo ein unverständlicher Streit zwischen Anna, Helen (natürlich) und Mum im Gange war.

Alle drei schrien durcheinander. Von Kate in ihrem Bettchen nahmen sie keinerlei Notiz.

»Ich hab' *keine* Grimasse geschnitten«, sagte Anna mit soviel Nachdruck, wie sie konnte. Was aber nicht besonders viel war.

»Hast du wohl«, sagte Helen.

»Es war keine Grimasse«, sagte meine Mutter und versuchte, die Wogen zu glätten, die in der Tat außerordentlich hoch schlugen. »Es war eher ein Blick.«

Das Stimmengewirr hörte schlagartig auf, als ich den Raum betrat. Alle drei sahen mich erwartungsvoll an.

Es schien, als hätten sie beschlossen, ihre Privatfehde zu begraben und sich mit mir gegen den gemeinsamen Feind James zusammenzuschließen. Sie liefen hierhin und dorthin, suchten Kleidungsstücke zusammen und putzten mich heraus.

»Du mußt schön aussehen«, sagte Anna.

»Ja«, stimmte Helen zu. »Aber so, als hättest du dir keine Mühe damit gegeben, sondern einfach irgendwelche Klamotten angezogen, die dir in die Finger gefallen sind.«

»Aber er ruft mich doch nur um zehn Uhr an«, erinnerte ich sie. »Von einem Besuch hat er nichts gesagt.«

»Stimmt«, sagte meine Mutter. »Aber er ist bestimmt nicht extra nach Dublin gekommen, um dich anzurufen. Das hätte er auch von London aus tun können.« Damit hatte sie recht.

»Gut«, sagte ich zu Anna und Helen. »In dem Fall macht mich schön.«

»Wir wollten dir Klamotten leihen und dein Make-up machen«, sagte Helen. »Davon, daß wir Wunder wirken können, war keine Rede.« Aber sie lächelte dabei.

Schließlich einigten wir uns darauf, daß ich die Leggings und die blaue Seidenbluse anziehen würde, die ich getragen hatte, als Adam zum Tee gekommen war.

Adam, dachte ich einen Augenblick lang sehnsuchtsvoll. Dann aber schob ich ihn entschlossen beiseite. *Jetzt nicht*, dachte ich finster.

»Du siehst hübsch und richtig schlank aus«, sagte Helen, nachdem sie einen Schritt zurückgetreten war und mich kritisch gemustert hatte. »Jetzt zu deinem Make-up.« Wirklich, sie organisierte das Ganze wie einen Feldzug.

Bei der Erwähnung meines Make-ups leuchteten Annas Augen auf. Dann schleppte sie eine Plastiktüte mit allen möglichen Stiften an.

»Hau ab«, sagte Helen gereizt und schob sie mit dem Ellbogen beiseite. »*Ich* mach das. Wahrscheinlich willst du ihr Gesicht bunt anmalen und ihr Sterne, Sonnen und all den anderen New-Age-Tinnef ins Gesicht schmieren.« Jetzt sah Anna in der Tat ein wenig betreten drein.

»Sie muß aussehen, als hätte sie sich überhaupt nicht zurechtgemacht«, erklärte Helen etwas freundlicher. »Einfach von Natur aus schön.«

»Ja«, sagte ich aufgeregt. »So mach es.« Warum mochte Helen nur so liebenswürdig sein? Ob sie in mir die Rivalin um Adams Gunst argwöhnte? Sollte ich mich mit James aussöhnen, hätte sie Adam für sich.

Vielleicht war ich aber auch zu zynisch. Schließlich war sie meine Schwester. Außerdem ahnte sie vermutlich nichts.

Ich muß sagen, nachdem mich Helen zurechtgemacht hatte, sah

ich wirklich schön aus. Frisches Gesicht, klare Haut, leuchtende Augen, lässig gekleidet.

»Lächle«, befahl sie. Ich gehorchte. Alle nickten zustimmend.

»Gut«, sagte meine Mutter. »Lächle möglichst viel.«

»Wie spät ist es?« fragte ich.

»Fast halb zehn«, sagte meine Mutter.

»Noch eine halbe Stunde«, sagte ich und spürte, wie Übelkeit in mir aufstieg.

Ich setzte mich auf das Bett, auf dem Kates Trageschale stand. Mum, Anna und Helen saßen auch schon da.

»Mach Platz«, sagte ich. Ich saß auf Annas Fuß.

»Aua«, sagte Helen, als Anna beiseite rückte und ihr den Ellbogen ins Gesicht stieß. Wir drängten uns auf dem Bett und lagen praktisch aufeinander. Wie eine Nachtwache. Sie würden mir nicht von der Seite weichen, bis er anrief.

Es kam mir vor, als wären wir Überlebende eines Schiffsunglücks, die sich auf einem Floß drängten. Es war unbehaglich eng, und es gab nicht den kleinsten Hinweis darauf, daß eine die Gesellschaft der anderen verlassen konnte.

»Schön«, sagte Mum. »Machen wir ein Spiel.«

»Einverstanden«, sagten wir einstimmig. Außer natürlich Kate.

Mum kannte großartige Spiele, die mit Worten gespielt wurden. Damit hatten wir als Kinder bei langen Autofahrten die Zeit totgeschlagen.

Aus irgendeinem Grund spielten wir gerade in dem Augenblick, als James anrief, ein Spiel, das sich Helen ausgedacht hatte (wer sonst?). Es bezog sich mehr als nur nebenbei auf meinen jüngst vergangenen Zustand. Dabei mußte man möglichst viele Ausdrücke für ›schwanger‹ finden.

Ich nehme nicht an, daß das Mums Absicht gewesen war, als sie uns früher darin bestärkt hatte, uns selbst Varianten der Spiele auszudenken, die sie uns beigebracht hatte.

»In anderen Umständen«, rief Anna.

»Vom Storch gebissen«, kreischte Helen.

»Guter Hoffnung«, sagte meine Mutter, hin und her gerissen zwischen Mißbilligung und dem Wunsch zu gewinnen.

»Du bist dran, Claire«, sagte Anna.

»Augenblick«, sagte ich. »Ist das nicht das Telefon?« Alles wurde still. Es war das Telefon.

»Soll ich drangehen?« fragte meine Mutter.

»Laß nur, Mum, vielen Dank. Ich mach das schon«, sagte ich.

Dann ging ich nach unten.

25

»Hallo«, sagte ich, weil mir nichts Besseres einfiel.

»Claire«, sagte James' Stimme. Endlich konnten wir miteinander sprechen.

»James«, gab ich zur Antwort. Danach wußte ich nicht weiter.

Ich hatte keine besondere Übung im Gespräch mit davongelaufenen Ehemännern. Ich war mir ziemlich sicher, daß er nicht versuchen würde, sich wieder bei mir einzuschmeicheln.

Was fehlt, ist ein Ratgeber, in dem eine Frau nachlesen kann, wie sie mit ihrem davongelaufenen Ehemann reden kann, wenn er zurückkommt. Sie wissen schon: die Art Buch, die uns sagt, wie und mit welchem Messer man eine Auster richtig öffnet und wie man beispielsweise einen Bischof richtig anredet (nur der Vollständigkeit halber sei gesagt, daß bei einer ersten Begegnung ›Sie tragen da einen herrlichen Ring, Euer Exzellenz‹ gewöhnlich als ausreichend höflich gilt).

Ein solches Buch würde uns Frauen klare Anweisungen darüber geben, wie oft wir in einem Satz das Wort ›Schweinehund‹ verwenden dürfen, wann es als unhöflich gilt, keine körperliche Gewalt anzuwenden, und so weiter.

Wenn der Freund/Ehemann/Kerl beispielsweise nach einem besonders wichtigen Fußballspiel einfach für ein paar Tage verschwunden war und gerade grün im Gesicht, unrasiert und ganz abgerissen ins traute Heim zurückgekehrt ist, wäre die angemessene Begrüßung: ›Wo zum Teufel hast du die letzten drei Tage gesteckt, du besoffener, egoistischer Drecksack?‹ Da aber der bewußte Ratgeber noch nicht geschrieben war, mußte ich mich auf meinen Instinkt verlassen.

»Wie geht's dir?« fragte er. *Als ob dich das interessierte*, dachte ich.

»Ganz gut«, sagte ich höflich. Verlegenes Schweigen antwortete mir.

»Oh … und dir?« fügte ich rasch hinzu. Ehrlich, wo waren meine Manieren? Muß man sich da wundern, daß er mich verlassen hatte?

»Hm«, gab er nachdenklich zur Antwort. »Auch ganz gut.« *Aufgeblasener Saftsack*, dachte ich.

»Ich bin in Dublin«, fuhr er mit unbeteiligter Stimme fort.

»Ich weiß«, sagte ich schroff. »Meine Mutter hat erwähnt, daß du gestern abend angerufen hast.«

»Ja, daran zweifle ich nicht«, sagte er mit einem Anflug von Ironie. Er war auf keinen Fall ein Dummkopf. Ein Schweinehund: ja, aber keinesfalls ein Dummkopf.

»Wo wohnst du?« fragte ich.

James nannte irgendeine Pension mitten in der Stadt. In einer ziemlich üblen Gegend. Das entsprach ganz und gar nicht seinen Gewohnheiten. Er pflegte eher in vornehmen Hotels abzusteigen, wie sie von Geschäftsreisenden bevorzugt werden. Mit Wechselstube und kleinen Läden im Foyer, in denen man lackierte Schwarzdorn-Spazierstöcke und Kobolde in Blechdosen kaufen kann. Offenbar war er nicht geschäftlich unterwegs, denn sonst würde er auf Spesen reisen und hätte sich eine deutlich bessere und teurere Unterkunft geleistet. Falls er sich aber nicht geschäftlich in Dublin aufhielt – warum war er dann gekommen?

»Was kann ich für dich tun?« fragte ich, ein wenig giftig. Er war nicht der einzige, der ironisch sein konnte.

Der Klang meiner Stimme sollte ihm klarmachen, daß ich nicht im Traum daran dachte, ihm auch nur den kleinen Finger zu reichen.

»Was du für mich tun kannst, Claire?« sagte er. »Dich mit mir treffen. Tust du das?«

»Selbstverständlich«, sagte ich folgsam. *Wie könnte ich dir sonst alle Knochen brechen*? dachte ich.

»Tatsächlich?« fragte er. Es klang überrascht. So, als hätte er mit einer Art Tauziehen gerechnet.

»Aber sicher.« Ich lachte leise. »Was ist daran so erstaunlich?« *Sobald ich dir alle Knochen im Leibe gebrochen habe, schneid ich dir den Schwanz ab und steck ihn dir in den Mund. Das geht ja wohl auf keinen Fall am Telefon, oder*? dachte ich.

»Schon gut ... äh, nichts. Es ist ... äh ... großartig«, sagte er. Er wirkte immer noch überrascht. Offensichtlich hatte er damit gerechnet, daß ich mich weigern würde, ihn zu sehen. Das könnte den einschmeichelnden Ton und die Überraschung angesichts meiner gelassenen Zustimmung zu seinem Vorschlag erklären.

Aber ehrlich, was hätte ich damit gewonnen, wenn ich mich geweigert hätte, ihn zu sehen?

Schließlich wollte ich ein paar Fragen beantwortet haben. Beispielsweise: warum liebst du mich nicht mehr? Und: wieviel Geld wirst du mir für Kate geben?

Wie könnten wir sonst unsere jeweilige rechtliche Position und unsere Beziehung zu Kate regeln, wenn wir uns nicht trafen, um darüber zu reden?

Vielleicht hatte er erwartet, mich völlig am Boden zerstört vorzufinden. Aber ... He! ... Ich war nicht am Boden zerstört, was?

Ganz gleich, von welcher Seite ich die Sache betrachtete, ich konnte nicht bestreiten, daß ich mich deutlich besser fühlte.

Sonderbar! Wann war das geschehen? Sie wissen ja, wie das ist, wenn eine Beziehung in die Brüche geht, alle Freunde zusammenkommen und lästige Sprüche klopfen wie: »Andere Mütter haben auch schöne Söhne« und: »Du wärest bei ihm nie glücklich gewesen.« Und wenn sie dann den Spruch auspacken: »Zeit heilt Wunden«, bemühen Sie sich unbedingt, ihnen kein blaues Auge zu schlagen, so sehr Ihnen danach sein mag. Es stimmt tatsächlich. Ich war der lebende Beweis dafür.

Die einzige Schwierigkeit damit, daß die Zeit Wunden heilt, besteht darin, daß es eine Weile dauert. So wirksam dies Mittel ist, es nützt denen herzlich wenig, die in Eile sind.

Vermutlich hatte die Sache mit Adam dem Prozeß des Zu-mir-selbst-Findens ebenfalls nicht geschadet. Aber ich mußte meine Gedanken in die Gegenwart zurückholen.

»Wo wollen wir uns treffen?« fragte James.

»Warum kommst du nicht zu uns ins Haus?« schlug ich vor. Wenn schon nicht nach meinen Regeln gespielt werden sollte, wollte ich ein Heim- und kein Auswärtsspiel.

»Du kannst dir ein Taxi nehmen oder, wenn dir das lieber ist, mit dem Bus fahren, In dem Fall sag dem Schaffner, daß du am Kreisverkehr ausstei...«

»Claire!« fiel er mir ins Wort und lachte über meine Dummheit. »Ich war schon oft bei euch zu Hause. Ich *weiß*, wie ich da hinkomme.«

»Ach natürlich«, sagte ich sanft.

Das war mir klar, aber ich hatte der Versuchung nicht widerstehen können, ihn wie einen Fremden zu behandeln, ihm zu zeigen, daß er nicht mehr dazugehörte.

»Sagen wir, halb zwölf?« sagte ich mit Bestimmtheit.

»Äh, in Ordnung«, sagte er.

»Großartig«, sagte ich schneidend. »Bis dann.« Ich legte auf, ohne seine Antwort abzuwarten.

26

Ich würde mich selbst und auch Sie belügen, wenn ich nicht zugäbe, daß es mich überaus befriedigt hätte, wenn James auf den Knien zu mir zurückgekehrt wäre, ein gebrochener Mann.

Es hätte mich wirklich entzückt, wenn er auf allen vieren den Kiesweg entlang vors Haus gekrochen wäre und mich schluchzend angefleht hätte, ihn wieder aufzunehmen. Am liebsten wäre er mir unrasiert, schmutzig und zerlumpt gewesen, mit langem, verfilztem Haar, von Kummer und der schrecklichen Erkenntnis zerfressen, daß er die einzige Frau verloren hatte, die er je geliebt hatte und je würde lieben können.

So lebhaft war dieses Bild, daß es mich ziemlich enttäuschte, als ich sah, daß er aufrecht ging, als er um halb zwölf durch das Gartentor trat.

Der prähistorische Mensch muß ein ähnliches Gefühl des Unglaubens empfunden haben, als einer seiner Artgenossen von einem der Bäume heruntersprang und sich anschickte, auf lediglich zwei Beinen herumzustolzieren.

Ich sah durch das Fenster, wie er den kurzen Weg zum Haus entlangkam. Natürlich hielt ich mich in einer gewissen Entfernung vom Fenster, denn ich fand es unter meiner Würde, mir vor seinen Augen die Nase an der Scheibe plattzudrükken.

Ich hatte mich gefragt, wie er wohl aussehen mochte. Schon die Vorstellung verursachte mir heftigen Schmerz. Er gehörte nicht mehr mir und würde daher anders aussehen.

Das ihm von mir aufgedrückte unauffällige, aber dennoch unverkennbare Mal wäre nicht mehr da.

Er war eine Erweiterung meiner Person gewesen, und so hatte ich ihm unbewußt – manchmal sogar, das muß ich gestehen, in subversiver Weise – ein gewisses Aussehen zugedacht. Offen gesagt spiegelte ich mich in ihm. Ich konnte ja nicht gut zulassen, daß er herumlief und heruntergekommen aussah. Jetzt war diese meine Macht dahin.

Und wie sah er aus? Hatte er sich verändert? Hatte er unter dem Einfluß von Denise zugenommen? War er schlecht gekleidet? Hatte ihm Denise die gleichen kleinen Jäckchen und Höschen verpaßt, die sie ihren drei kleinen Jungen anzog? Alles in Lila- und Türkistönen. Affenscheußlich. Ob er aussah wie ein grausamer und herzloser Schweinehund, der gekommen war, mir Heim und Kind zu nehmen?

Er sah einfach ganz *normal* aus. Schlenderte mit den Händen in den Taschen daher. Er hätte jeder Beliebige sein können, der irgendwo hinging. Aber er sah anders aus als in meiner Erinnerung. Schmaler.

Ich war sicher, daß sich noch etwas geändert hatte. Was mochte es nur sein? ... Ich war nicht sicher ... War er ... war er schon *immer* so klein gewesen?

Und er war auch nicht so gekleidet, wie ich es erwartet hatte. In meiner Vorstellung hatte er jedesmal den Leichenbestatter-Anzug getragen, den er damals im Krankenhaus angehabt hatte. Heute trug er Jeans, blaues Hemd und Jackett.

Sehr lässig, sehr salopp. Offensichtlich brachte er dem Anlaß nicht die gebotene Achtung entgegen. Es schien mir unpassend. Unangemessen.

Wie ein Henker, der in einem Hawaiihemd und einer verkehrt herum aufgesetzten Baseballkappe zur Arbeit erscheint, von einem Ohr zum anderen grinst und Witze erzählt.

Er klingelte. Ich atmete tief ein und ging zur Tür. Mein Herz pochte. Ich öffnete, und er stand da, wie immer. Er sah in herzerschütternder Weise aus wie immer.

Sein Haar war immer noch dunkelbraun, sein Gesicht immer noch bleich, die Augen waren immer noch grün und seine Wangen immer noch hager.

Er begrüßte mich mit einem sonderbar verzerrten halben Lächeln und sagte nach einer verlegenen Pause ausdruckslos: »Guten Tag, Claire, wie geht's dir?«

»Gut.« Ich lächelte ein wenig – aus Höflichkeit. »Komm doch rein.«

Er trat in die Diele, und ich wäre fast vor Übelkeit in Ohnmacht gefallen.

Es war eine Sache, gelassen mit ihm zu telefonieren, aber es war sehr viel schwieriger, ihm in Fleisch und Blut gegenüberzustehen.

So unangenehm das alles war, ich mußte mich wie ein erwachsener Mensch verhalten. Die Tage, da ich weinend in mein Zimmer gerannt war, lagen in weiter Vergangenheit.

Er selbst sah auch nicht besonders glücklich aus.

Mir war klar, daß er mich nicht mehr liebte, aber er war nur ein Mensch. Jedenfalls vermutete ich das. Und so mußte auch ihn dieser besondere Anlaß zwangsläufig mitnehmen.

Doch ich kannte James. Er würde sein Gleichgewicht in Null Komma nichts wiederfinden. Das mußte auch ich tun.

So fragte ich freundlich: »Soll ich dein Jackett aufhängen?«, als wäre er jemand, der mir eine Zentralheizung verkaufen wollte.

»Warum nicht«, sagte er zögernd, arbeitete sich aus dem Jackett heraus und gab es mir mit großer Vorsicht, wobei er übermäßig darauf zu achten schien, daß sich unsere Hände nicht berührten.

Er warf einen sehnsuchtsvollen Blick auf sein Jackett, als wollte er es sich in allen Einzelheiten einprägen, bevor es auf Nimmerwiedersehen verschwand. Wovor hatte er Angst?

Ich würde ihm sein verdammtes Jackett schon nicht stehlen. Dazu war es nicht schick genug.

»Augenblick, ich häng es nur schnell auf«, sagte ich. Zum ersten Mal trafen sich unsere Blicke richtig.

Er betrachtete mein Gesicht flüchtig und sagte: »Du siehst gut aus.« Das sagte er mit der gleichen Art von Begeisterung, die ein Leichenbestatter gewöhnlich für jemanden parat hat, der einen schrecklichen Autounfall gegen alle Erwartungen überlebt. »Ja«, nickte er, ein wenig überrascht. »Du siehst *tatsächlich* gut aus.«

»Warum auch nicht?« Ich schenkte ihm ein wissendes Lächeln, in das ich – so hoffte ich jedenfalls – zu gleichen Teile Würde und Ironie legte.

Die Botschaft war: ich bin ein vernünftiger Mensch und werde darüber hinwegkommen, daß du mich verletzt und erniedrigt hast und mich nicht mehr liebst.

Womit ich das ganze traurige Durcheinander fast als Witz hinstellte und ihn – dessen Verursacher – gewissermaßen aufforderte, mit in mein Lachen einzustimmen.

Ich konnte nicht glauben, daß ich das zuwege gebracht hatte. Ich war mit mir ziemlich zufrieden. Auch wenn ich, Gott ist mein Zeuge, weder übermäßig gelassen noch besonders freundlich gestimmt war, würde ich ihm das recht überzeugend vorspielen.

Er schien die Sache aber nicht so unterhaltsam zu finden, wie ich sie hinzustellen versuchte. Er warf mir einen kalten Blick zu. Wieder mußte ich an einen Leichenbestatter denken. Der elende Schweinehund.

Wenn ich schon bereit war, die ganze Sache freundlich und zivilisiert abzuhandeln, konnte er das doch sicher auch. Was hatte er schon zu verlieren?

Vielleicht hatte er eine schöne Rede in petto über das Thema, wie ich seinen Verlust verwinden würde, daß er nicht gut genug für mich sei, wir nie wirklich zueinander gepaßt hätten und ich ohne ihn besser zurecht käme. Vielleicht war er enttäuscht, daß er keine Gelegenheit haben würde, sie zu halten.

Wahrscheinlich hatte er sich vor den Spiegel in seinem Zimmer im *The Liffey Side* gestellt (Gütesiegel des Irischen Tourismusverbandes, Zimmer mit Dusche, Tee- und Kaffeemaschine in allen Zimmern, Kabelfernsehen, auf Wunsch in den frühen Morgenstunden Straßenschlägereien von Betrunkenen unter dem Zimmerfenster) und geübt, wie er flehend die Arme um mich werfen würde, während er mir mit von Rührung erstickter Stimme mitteilte, daß er mich zwar noch gut leiden könne, aber eben nicht mehr *liebe*.

Wir blieben einige Sekunden in der Diele stehen. James sah aus, als wäre seine gesamte Familie gerade bei einem Überfall einer Horde Wilder ums Leben gekommen. Ich sah auch nicht besser aus. Die Spannung war fürchterlich.

Mit den Worten »Komm doch ins Eßzimmer. Da stört uns keiner, und wir haben den Tisch für Papiere und dergleichen«, ergriff ich wieder die Initiative. Sonst hätten wir den ganzen Tag nervös und mit bleichen Gesichtern dastehen und uns elend fühlen können.

Entschlossen nickend ging er vor mir durch die Diele. Eine Frechheit! Warum sah er nur so verdammt verkniffen drein? Dazu hätte ja wohl ich das Recht gehabt.

Im Eßzimmer lag Kate in ihrer Trageschale und sah sehr schön aus. Ich nahm sie auf und blieb stehen, während ich sie hielt, ihr Gesicht an meins gedrückt.

»Das ist Kate«, sagte ich einfach.

Er sah uns beide an. Da er dabei den Mund auf und zu klappte, ohne etwas zu sagen, sah er ein wenig aus wie ein Goldfisch. Ein bleicher, ernsthaft dreinblickender Goldfisch.

»Sie … ist gewachsen. Wie groß sie schon ist«, brachte er schließlich heraus.

»Das ist bei Säuglingen so«, bestätigte ich mit weisem Nicken. Und natürlich dem unausgesprochenen Vorwurf: »Wärest du Dreckskerl dagewesen, hättest du selbst sehen können, wie sie gewachsen ist.«

Aber ich sagte nichts. Es war nicht nötig. Er wußte es. Man konnte es deutlich auf seinem verlegenen und beschämten Gesicht lesen.

»Sie heißt also Kate?« fragte er.

In mir stieg eine solche Welle der Wut auf, daß ich glaubte, ich müßte ihn umbringen. Nicht mal ihren Namen wußte er. Obwohl es viele Leute gab, die er hätte fragen können.

»Nach Kate Bush?« fragte er – eine Sängerin, die ich zwar mochte, aber nach der ich nie im Leben mein erstgeborenes Kind genannt hätte.

»Ja«, stieß ich bitter hervor. »Nach Kate Bush.« Es war die Mühe nicht wert, ihn über die wahren Hintergründe aufzuklären. Es interessierte ihn ja doch nicht.

»Darf ich sie mal halten?« fragte er. Ein Gedanke, der ihm offenbar gerade erst gekommen war. Unter anderen Umständen hätte man sagen können, daß er begeistert klang. So wie er aussah, waren meine Wut und Bitterkeit einfach über seinem glatt gescheitelten Kopf verpufft.

Ich wollte ihn anbrüllen: »Natürlich darfst du. Sie wartet seit zwei Monaten darauf. Du bist ihr verdammter VATER!« Aber ich beherrschte mich.

Als ich sie ihm gab, kam ich mir vor wie eine Verräterin, wie eine Mutter aus der dritten Welt, die sich durch ihre wirtschaftliche Lage gezwungen sieht, ihr Kind an den reichen Gringo zu verkaufen.

Mit einem Mal sah er aus, als wäre er geistig zurückgeblieben. Sein Gesicht bestand nur noch aus Grinsen, glänzenden Augen und ehrfürchtigem Staunen. Natürlich hielt er sie falsch.

Offenbar hatte er noch nie davon gehört, daß man das Köpfchen stützen muß. Leute, die nichts von Säuglingen wissen, halten sie so.

Ich weiß das, weil ich das am ersten Tag auch so gemacht hatte, bis mich eine der anderen Mütter, die es nicht mehr aushielt, daß Kate beständig brüllte, voll Überdruß aufklärte. (»Die Hand unter den Kopf!«)

Aber ich dachte nicht daran, Mitgefühl für James aufzubringen, weil er den gleichen Fehler machte.

Das arme Kind begann zu brüllen. Kein Wunder, wenn ein fremder Mann sie wie eine Teppichrolle hielt. Wer würde da nicht brüllen?

James sah ängstlich drein.

»Was fehlt ihr?« fragte er. »Wie bringe ich sie dazu, aufzuhören?« Das ehrfürchtige Staunen war verschwunden. An seine Stelle war nackte Angst getreten.

Ich hatte ja gewußt, daß das ganze freundliche Getue nicht lange dauern konnte: zu schön, um wahr zu sein.

»Da«, sagte er und gab sie mir. Er sah uns beide mit einem Ausdruck an, den man als Abscheu deuten konnte. In seiner Welt gab es offensichtlich keinen Platz für weinende Frauen. So war er schon immer gewesen.

Schließlich hatte er mich geheiratet. Und ich war nicht berühmt dafür, meine Tränen zu unterdrücken. Bloß nichts schlukken, war stets mein Wahlspruch.

Aber wie ich ihn jetzt so sah mit seinem betretenen Ausdruck, fragte ich mich – und offen gestanden, nicht zum ersten Mal –, was für ein Drecksack er geworden war.

»Ach je«, sagte ich mit beißendem Spott. »Sie scheint dich nicht zu mögen.« Ich lachte, als wäre das ein Scherz, und nahm sie ihm ab.

Er konnte sie nicht schnell genug loswerden. Ich beruhigte sie leise, und sie hörte auf zu weinen.

Einen Augenblick empfand ich bittere Befriedigung, daß sich Kate auf meine Seite geschlagen hatte – gegen ihn. Dann überkamen mich Trauer und Scham. James war Kates Vater. Eigentlich müßte ich alles in meiner Macht Stehende tun, daß die beiden gut miteinander auskamen.

Ich würde einen anderen Mann finden, den ich lieben konnte, aber Kate hatte nur den einen Vater.

»Tut mir leid«. Ich lächelte ihm entschuldigend zu. »Du bist eben fremd für sie. Gib ihr eine Chance. Sie hat Angst.«

»Du hast recht. Wahrscheinlich braucht sie ein bißchen Zeit«, sagte er. Es schien ihn ein wenig aufzumuntern.

»Genau«, versicherte ich ihm. Gleichzeitig aber überlegte ich voll Entsetzen, wann er dieses ›bißchen Zeit‹ mit ihr verbringen wollte.

Sollte er nach Dublin gekommen sein, um Kate mit nach London zu nehmen, mußte er sterben. Ganz einfach.

Er hatte bisher die Rolle des abgöttisch liebenden Vaters nicht gespielt, was also wollte er?

»Kaffee?«

»Was?« fragte ich scharf.

»Könnte ich wohl eine Tasse Kaffee haben?« fragte er. Er sah mich an, als wäre ich etwas sonderbar. Wie oft er mich gefragt haben mochte, bevor ich es gehört hatte?

»Klar«, sagte ich. Ich legte Kate wieder in ihre Trageschale und ging in die Küche, um ihm Kaffee zu machen. Ich hätte es ihm von mir aus anbieten müssen, war aber bei all der Aufregung gar nicht auf den Gedanken gekommen.

Es war eine gewisse Erleichterung, in die Küche gehen zu können. Ich seufzte lange, tief und schwer, als ich die Tür hinter mir schloß.

Meine Hände zitterten so sehr, daß ich kaum den Wasserkessel füllen konnte. Mit James zusammenzusein war dermaßen anstrengend. So tun zu müssen, als ob es mir gutgehe, war erschöpfend. Es kostete viel Kraft, ständig die Mordswut unter Kontrolle zu halten.

Aber das mußte ich hinter mich bringen. Ich wollte so viel wie möglich für Kate dabei herausholen.

Ich brachte ihm den Kaffee ins Eßzimmer. Kekse würde ich ihm nicht dazu anbieten. Tut mir leid, aber dafür war ich einfach nicht erwachsen genug.

Er beugte sich über Kate und versuchte mit ihr zu reden. Er führte eine Art gemurmelter verkniffener Unterhaltung mit ihr. So, als wäre sie eine Kollegin in der Firma und nicht ein zwei Monate alter Säugling.

Er verhielt sich nicht so wie nette, normale, warmherzige Menschen in Gegenwart von Kleinkindern. Sie wissen schon, so als hätten sie ihr Gehirn über Nacht im Regen draußen gelassen. Lauter Singsang und dumme rhetorische Fragen, vom Schlage: ›Wer ist das schönste Mädchen auf der ganzen Welt?‹ Die richtige Antwort darauf lautete natürlich nicht, wie man annehmen könnte, Cindy Crawford, sondern Kate Webster.

Statt dessen klang es, als spreche er mit ihr über die Steuerreform. Für ihn schien das offenbar ganz in Ordnung zu sein.

Im selben Augenblick, als ich den Kaffee auf den Mahagoni-Eßzimmertisch stellte, fiel mir auf, daß ich ihn unwillkürlich so gemacht hatte, wie er ihn gern hatte. Gott, war ich wütend! Hätte ich denn nicht wenigstens *so tun* können, als hätte ich es vergessen?

Hätte ich nicht Milch und zwei Löffel Zucker hineintun können, statt ihm schwarzen Kaffee ohne Zucker zu machen und das Ganze zur Hälfte mit kaltem Wasser aufzufüllen?

Und wenn er ihm dann im Halse steckenblieb und er sich um seinen verbrühten und übermäßig gesüßten Rachen kümmerte, hätte ich da nicht munter etwas sagen können wie: »Ach entschuldige, ich hab' ganz vergessen, *du* bist ja derjenige, der keinen Zucker mag.« Aber nein. Ich hatte mir eine erstklassige Gelegenheit entgehen lassen, ihm zu zeigen, daß er mir überhaupt nichts mehr bedeutete.

»Oh, danke, Claire«, sagte er zufrieden lächelnd, während er den ersten Schluck nahm. »Du weißt ja noch, wie ich ihn gern trinke.«

Ich war so wütend, ich hätte ohne weiteres in die Küche gehen, mich mit Benzin übergießen und anzünden können.

»Gern geschehen«, sagte ich mit zusammengebissenen Zähnen.

Ein kurzes Schweigen trat ein. Dann begann James zu sprechen. Er schien mit einem Mal auf das Entspannungsprogramm umgeschaltet zu haben. Seine noch an der Haustür erkennbare offenkundige Nervosität hatte sich verflüchtigt.

Hätte es doch nur meine auch getan!

»Weißt du, ich kann gar nicht glauben, daß ich hier bin«, sagte er im Plauderton, bequem auf dem Stuhl zurückgelehnt, die Tasse mit dem verräterischen Kaffee in Händen.

Es klang, als bereite es ihm nicht die geringsten Schwierigkeiten, das zu glauben.

»Ich kann nicht glauben, daß du mich reingelassen hast.« Da bist du nicht der einzige, hätte ich am liebsten gesagt, unterließ es aber.

»Inwiefern?« fragte ich mit eisiger Höflichkeit.

»Oh«, sagte er und schüttelte den Kopf mit einem Lächeln, als könnte er nicht glauben, daß seine Fantasie so mit ihm durchgegangen war. »Ich dachte, vielleicht würden deine Mutter und Schwestern was Scheußliches mit mir anstellen. Mir siedendes Öl über den Kopf gießen oder etwas in der Art.«

Es saß da, sah mir unverwandt in die Augen und lächelte selbstzufrieden über die Leichtigkeit, mit der er in die Höhle des Löwen gelangt war, als stehe ihm das zu. Offenbar war er fest überzeugt, daß er dort sicher wie in Abrahams Schoß war, obwohl ich aus einer verrückten Familie und einem von Wilden bevölkerten Land stamme.

Ich widerstand dem Impuls, mich über den Tisch hinweg auf ihn zu stürzen, ihm mit den Zähnen die Gurgel herauszureißen und ihm dabei zuzuzischen: ›Siedendes Öl wäre viel zu gut für dich.‹

Statt dessen sagte ich mit kaltem Lächeln: »Sei nicht albern, James. Wir sind hier durchaus zivilisiert, ganz gleich, was du vielleicht denkst. Warum sollten wir dir etwas antun? Schließlich mußt du gesund bleiben« – ein leises, klirrendes Lachen, wie Eiswürfel, die in ein Glas fallen –, »damit du dir die Unterhaltszahlungen für Kate leisten kannst.«

Ein hallendes Schweigen folgte darauf.

»Was meinst du mit ›Unterhaltszahlungen‹?« fragte er gedehnt, als hätte er davon noch nie im Leben gehört.

»Du mußt doch wissen, was Unterhaltszahlungen sind«, entgegnete ich erschüttert und sah ihn verständnislos an. Worauf zum Teufel wollte er hinaus?

Er war ein langweiliger, streberischer Buchhaltertyp. Er und Unterhaltszahlungen hätten ja wohl auf du und du stehen müssen.

Eigentlich war ich erstaunt, daß er nicht mit einer ellenlangen, in lauter Einzelpunkte unterteilten Vereinbarung gekommen war, die ich an der von ihm angekreuzten Stelle unterschreiben sollte. Sie wissen schon, wo alles genau aufgeschlüsselt ist, beispielsweise, was Kates Schuhe für den Rest ihres Lebens kosten würden, geplante Einsparungen durch erhöhte Produktivität, Tilgungsfonds, Amortisierung und dergleichen.

Schließlich war er der Mann, der fähig war, das Trinkgeld für eine Kellnerin auf vierzehn Stellen hinter dem Komma zu berechnen – und wahrscheinlich tat er das auch häufig. Damit will ich nicht sagen, daß er geizig gewesen wäre. Aber er ging bei allem, was er tat, sehr, *sehr* planvoll vor.

Unaufhörlich kritzelte er ungeheuer detaillierte Kalkulationen auf Zettelchen oder Servietten, die merkwürdigerweise beinahe immer stimmten.

In fünf Minuten konnte er einem genau sagen, wieviel es kosten würde, das Badezimmer zu renovieren, wobei er an alles dachte, einschließlich Farben, Armaturen, Arbeitslohn, Kekse zum Tee für die Handwerker, die Zahl der (eigenen) Arbeitstage, die man durch schlaflose Nächte verlieren würde, weil die Leute drei Wochen lang nicht auftauchten, während die Badewanne auf dem Treppenabsatz stand, und so weiter.... Ehrlich, er dachte einfach an alles!

»Unterhaltszahlungen«, sagte er erneut nachdenklich. Es klang nicht glücklich.

»Ja, James«, sagte ich mit eiserner Entschlossenheit.

Dabei benahm sich mein Magen wie ein irischer Maurer auf einer Fähre bei hohem Seegang, der achtzehn Halbe zollfreies Bier getrunken hat.

Sollte James beim Geld Schwierigkeiten machen, wäre das mein Tod. Nein, das nehme ich zurück. Seiner. Ich würde ihn umbringen.

»Schön, schön, ich verstehe«, sagte er. Es klang ein wenig verblüfft. »Ja, wir müssen wohl tatsächlich über manches reden.«

»So ist es«, bestätigte ich und versuchte, einen herzlichen Klang in meine Stimme zu legen. »Und da du hier bist, sind wir in der glücklichen Lage, das gleich tun zu können.« Ich schenkte ihm ein munteres Lächeln. Allerdings so widerwillig, daß es wohl einige meiner Gesichtsmuskeln in Mitleidenschaft gezogen hat. Ich mußte unbedingt so liebenswürdig und freundlich wie möglich bleiben.

»Ich weiß, daß wir beide mit dieser Materie nicht besonders vertraut sind«, fuhr ich munter fort, fest entschlossen, so zu tun, als wüßte ich, wovon ich redete, »aber meinst du nicht, daß wir versuchen sollten, die Sache in groben Zügen zu klären und die Einzelheiten den Anwälten zu überlassen?« (Dabei gestattete ich mir ein leichtes Lächeln, das er überhaupt nicht zur Kenntnis nahm.) »Oder möchtest du lieber alles von A bis Z durch unsere Anwälte erledigen lassen?«

»Aha!« Mit einem Mal schien er munter zu werden. Er hob den Zeigefinger wie Hercule Poirot, wenn er den entscheidenden Fehler in einem Beweis entdeckt hat. »Wenn wir Anwälte hätten. Aber wir haben keine, oder?« Er sah mich freundlich und zugleich mitleidig an, als wäre ich leicht schwachsinnig.

»Aber ... ich habe einen«, erklärte ich ihm.

»Tatsächlich?« fragte er. »Nun ja.« Seine Stimme klang einigermaßen erstaunt und nicht besonders erfreut.

»Äh ... ja, natürlich«, sagte ich.

»Da hast du dich aber rangehalten«, sagte er ziemlich gehässig. »Du scheinst es ja ziemlich eilig zu haben.«

»James, wovon redest du? Es ist immerhin zwei Monate her«, wandte ich ein.

Und *ich* hatte ein schlechtes Gewissen wegen meiner Zögerlichkeit und Verschleppungstaktik gehabt.

Ich war verwirrt. Hatte ich etwas falsch gemacht? Gab es da womöglich eine Art vorgeschriebene Vorgehensweise? Mußte ich irgendeine Frist einhalten, bevor ich mich um die Reste meiner zu Bruch gegangenen Ehe kümmern durfte?

Etwa so, wie eine Frau erst sechs Jahre nach dem Tod ihres Mannes in einem roten Kleid zum Tanzen gehen durfte oder womit auch immer Scarlett O'Hara seinerzeit die Gesellschaft in Atlanta schockiert hatte?

»Ja«, sagte er seufzend. »Das ist es wohl.« Einen Augenblick lang fuhr mir der verrückte Gedanke durch den Kopf, er könnte traurig sein. Dann begriff ich, daß er es vermutlich war. Wäre nicht jeder Mann traurig, wenn ihm mit einem Mal aufgeht, daß er jetzt zwei Familien unterhalten muß?

Wahrscheinlich sah er schon, während wir noch aufdröselten, was von unserer Ehe geblieben war, Anwaltshonorare und Maklergebühren auf sich zukommen, die sich in die Zukunft erstreckten, so weit das Auge reichte.

Natürlich würde es auch nicht billig werden, dafür zu sorgen, daß die drei kleinen Gören von Denise immer ihre rosa Nylon-Trainingsanzüge bekamen, mit denen sie herumliefen. Das geschah ihm ganz recht.

So schob ich alles Mitgefühl beiseite, das ich vielleicht empfand, und sagte: »James, hast du einen Vertragsentwurf mitgebracht?«

»Äh, nein«, sagte er und sah ein wenig verwirrt drein.

»Warum nicht?« fragte ich leicht ärgerlich.

»Ich weiß nicht«, sagte er, auf seine Schuhe blickend. Offenbar war er verblüfft. Nach einer kurzen Pause fuhr er fort: »Ich hab' wohl einfach nicht daran gedacht. Ich bin in so großer Eile von London abgereist.«

»Hast du *irgendwelche* Papiere mit?« fragte ich und unterdrückte den Drang, auf ihn einzuprügeln. »Du weißt schon, Bankauszüge, Auszüge von der Rentenversicherung und das alles?«

»Nein«, sagte er knapp. Sein Gesicht war sehr blaß geworden. Bestimmt war er wütend, weil ich ihn auf dem falschen Fuß erwischt hatte. Das sah ihm wirklich nicht ähnlich. Es paßte überhaupt nicht zu seinem Wesen. Allerdings hatte sein Verhalten schon eine ganze Weile nicht zu seinem Wesen gepaßt. Vielleicht ein Nervenzusammenbruch? Vielleicht war er so in die dicke Denise verknallt, daß er zu einer hirn- und willenlosen Marionette geworden war.

Wenn ihn schon offenkundig sein Sehvermögen im Stich gelassen hatte, als er mit ihr durchgebrannt war, warum sollte es ihm mit seinem Denkvermögen nicht ebenso ergangen sein?

»Brauchen wir denn all diese Papiere?« wollte er wissen.

»Nun, wohl nicht gleich«, sagte ich. »Aber wenn wir die Dinge regeln wollen, während du hier bist, wäre es sehr nützlich, sie zur Hand zu haben.«

»Ich denke, ich könnte mir ein paar davon rüberfaxen lassen«, sagte er nachdenklich. »Vorausgesetzt, du willst das wirklich.«

»Es geht nicht unbedingt darum, was *ich* will«, sagte ich ein wenig durcheinander. »Aber sollten wir nicht versuchen festzustellen, wem was gehört?«

»Großer Gott, wie unfein«, sagte er mit großem Abscheu. »Meinst du etwa ›mir gehört das Handtuch, dir gehört der Kochtopf‹ und so weiter?«

»Ja, ich glaube«, sagte ich.

Was *stimmte* nicht mit ihm? Hatte er etwa überhaupt noch nicht daran gedacht?

»Was hast du denn *geglaubt*, wie es weitergeht?« fragte ich ihn, während er völlig verstört auf seinem Stuhl saß. »Hast du gemeint, die Scheidungsfeen kommen und erledigen all das über Nacht mit dem Zauberstab, während wir schlafen?«

Er brachte ein kleines, mattes Lächeln zustande.

»Du hast recht«, sagte er matt. »Du hast absolut recht.«

»Habe ich«, versicherte ich ihm. »Und für den Fall, daß es dir hilft, kannst du alle Kochtöpfe haben.«

»Danke«, sagte er gefaßt.

»Keine Angst«, fuhr ich fort, voll falscher Jovialität und schulterklopfender Munterkeit, »bestimmt werden wir eines Tages über all das lachen.«

Natürlich war ich meiner Sache überhaupt nicht sicher. Ich hatte das undeutliche Gefühl, daß irgend etwas grundlegend falsch daran war, daß ich *ihn* trösten, aufmuntern und dazu auffordern mußte, stark zu sein.

Aber offen gestanden war die ganze Situation ohnehin so eigenartig, daß ich nicht mehr wußte, ob ich Männlein oder Weiblein war.

Natürlich unterläuft mir dieser Fehler normalerweise nicht, wie Sie sich denken können. Aber wie schon gesagt, es war eine schwere Zeit.

Mit einem Mal erhob sich James. Er stand einige Augenblicke da, ohne zu wissen, was er tun sollte. Wahrscheinlich überlegte er, auf welche Weise er die Papiere für die Hypothek und all das andere Zeug aus London herbeischaffen sollte. Vermutlich war ihm seine Untüchtigkeit wahnsinnig peinlich.

»Ich geh jetzt besser«, sagte er.

»In Ordnung«, sagte ich. »Geh doch in dein Hotel« (Hotel! Was für ein Witz!), »und sorg dafür, daß die Unterlagen für die Wohnung hergeschickt werden. Wir können uns dann später noch mal treffen.«

»Gut«, sagte er, nach wie vor ziemlich gedämpft. Ich konnte gar nicht erwarten, daß er ging. Es war zu viel.

Endlich war es soweit. Es war wahrhaftig vorüber. Wir hatten die Sache wie zivilisierte Menschen behandelt. Meiner Ansicht nach zu zivilisiert.

Das Ganze hatte etwas von einem Traum an sich.

Es war grauenvoll.

»Ich ruf dich heute nachmittag an«, sagte er.

Er verabschiedete sich von Kate, und obwohl es aussah, als erklärte er ihr Pensionsansprüche, bemühte er sich zumindest, eine Beziehung zu ihr herzustellen.

Schließlich bekam ich ihn dazu zu gehen. Er sah so erschöpft aus, wie ich mich fühlte.

27

Kaum hatte ich die Tür hinter ihm geschlossen, fing ich an zu weinen.

Als hätten Anna, Helen und Mum instinktiv gespürt, daß er gegangen war – aber was rede ich da, bestimmt hatten sie, das Ohr an ein Glas gedrückt, über dem Eßzimmer auf dem Fußboden gelegen, um sich ja kein Wort entgehen zu lassen –, traten sie besorgten Gesichts wie mit einem Schlag aus der Wandtäfelung.

Ich war am Boden zerstört.

Als spürte sie meinen Kummer, begann Kate zu schreien. Möglicherweise hatte sie auch nur Hunger. So oder so war es ein ziemlich mißtönender Lärm.

»Der Scheißkerl«, brachte ich schluchzend heraus, während mir Tränen auf meinem Gesicht brannten. »Wieso ist es für ihn so einfach? Er hat keinerlei Gefühle, er ist wie eine verdammte Maschine.«

»Hat er nicht wenigstens ein bißchen mitgenommen ausgesehen?« erkundigte sich Mum besorgt.

»Das einzige, das wirklich einzige, was dem Schweinehund Sorgen macht, ist, wie *unfein* es sein wird, wenn wir unseren Besitz aufteilen.«

»Das ist doch nicht so schlimm«, sagte Helen beruhigend. »Vielleicht überläßt er dir das Teilen, und du kriegst dann alles.« *Lieb gemeint*, Helen. Nur nützte mir das nichts.

»Er hat also nicht von Versöhnung gesprochen?« fragte meine Mutter mit bleichem Gesicht und besorgtem Blick.

»Nicht die Bohne!« brach es aus mir heraus. Woraufhin Kate, die von der betrübt dreinblickenden Anna gehalten wurde, erneut zu weinen begann.

»Versöhnung«, kreischte Helen. »Du würdest ihn ja wohl nicht zurücknehmen, oder? Nachdem er dich so behandelt hat!«

»Aber darum geht es doch gar nicht«, schluchzte ich. »Zumindest wollte ich das entscheiden dürfen. Ich wollte die Wahl haben, ihm zu sagen, daß er abhauen soll und ich ihn nicht mehr mit der Feuerzange anfassen würde. Nicht mal den Anstand hat der Mistkerl gehabt.« Alle drei nickten voll Mitgefühl.

»Und wie selbstgefällig er war!« brach es aus mir heraus. »Ich hab' ihm doch tatsächlich seinen verdammten Kaffee so gemacht, wie er ihn immer haben will!«

Alle drei atmeten scharf ein. Traurig schüttelten sie den Kopf über meine Dummheit. »Das ist schlimm«, sagte meine Mutter. »Jetzt weiß er, daß du ihn noch magst.«

»Aber das stimmt doch gar nicht«, begehrte ich auf. »Ich hasse ihn, diesen verklemmten ehebrecherischen Buchhalter!«

»Es ist eine verdammte Unverschämtheit«, fuhr ich fort, während mir die Tränen über das verschmierte Gesicht liefen.

»Was?« fragten die drei und schoben sich näher heran, um sich eine weitere von James' Untaten berichten zu lassen.

»*Er* hat sich aufgeregt, als ich von der Aufteilung unserer Sachen gesprochen habe. ICH, ICH! hab' schließlich versucht, ihn darüber zu trösten. Stellt euch das vor! *Ich* tröste *ihn*. Nach allem, was passiert ist!«

»Männer«, sagte Anna und schüttelte ungläubig den Kopf. »Mit denen ist einfach kein Auskommen.«

»Mit denen kann man nicht auskommen«, fuhr meine Mutter fort. »Und man kann sie nicht mal abknallen.«

Nach einer Weile meldete sich Helen zu Wort: »Wer sagt das?«

»Und was ist bei der ganzen Sache herausgekommen?« wollte meine Mutter wissen.

»Bis jetzt noch nichts«, sagte ich. »Er will heute nachmittag wieder anrufen.«

»Und was willst du bis dahin tun?« fragte sie. Wie zufällig wanderte ihr besorgter Blick zum Barschrank, obwohl dieser schon seit Jahren leerstand. Der Mensch ist nun mal ein Gewohnheitstier. Es wäre der Situation angemessener gewesen, wenn ihr Blick wie zufällig hinaus in den Garten und unter den Öltank gewandert wäre, aber was soll's.

»Nichts«, sagte ich. »Ich bin schrecklich müde.«

»Dann leg dich doch hin«, sagte sie rasch. »Was du alles durchgemacht hast. Wir kümmern uns um Kate.«

Helen, die dagegen aufbegehren zu wollen schien, öffnete aufsässig den Mund, schloß ihn dann aber wieder. Das reinste Wunder, muß ich sagen.

»Na schön«, sagte ich.

Ich schleppte mich die Treppe hinauf und legte mich mit den guten Sachen ins Bett, die man mir am frühen Morgen angezogen hatte. Keine Spur war von der lächelnden, gut zurechtgemachten, bezaubernden Frau geblieben, die ich am Vormittag gewesen war. Ich war ein rotgesichtiges Wrack mit verheulten Augen und fleckiger Haut. Um die Mitte des Nachmittags weckte mich meine Mutter durch sanftes Rütteln an der Schulter und flüsterte mir zu: »James ist am Apparat. Willst du mit ihm reden?«

»Ja«, sagte ich. Taumelnd erhob ich mich in meinen zerdrückten Kleidern vom Bett. Ich war noch so schlaftrunken, daß ich kaum etwas sah und sabberte wie eine Geisteskranke.

»Hallo«, murmelte ich.

»Claire«, sagte er munter, wie jemand, der alles im Griff hat. »Ich hab' versucht, mir die Unterlagen hierher faxen zu lassen, aber in dieser verdammten Stadt gibt's kein Faxgerät.«

Sofort hatte ich ein schlechtes Gewissen. Er vermittelte mir den Eindruck, als wäre das meine Schuld, als wäre ich persönlich durch Dublin gezogen und hätte alle Firmen geschlossen, die ein Faxgerät besaßen, nur, um ihn zu ärgern.

»Tut mir leid, James«, stotterte ich. »Hättest du das vorher gesagt, hätte ich vorgeschlagen, daß du dir die Papiere in Dads Büro faxen läßt.«

»Zu spät«, seufzte er. Er klang reizbar und zornig, und das hieß soviel wie, es wäre besser, er tue selbst, was zu tun war, statt mich oder jemanden aus meiner näheren Verwandtschaft daran zu beteiligen. »Jetzt hab' ich schon veranlaßt, daß sie mit der Post geschickt werden. Morgen dürften sie hier sein.«

Dann hättest du aber großes Glück, dachte ich, eingedenk dessen, wie lässig die irische Post im Vergleich zur englischen war. Aber ich sagte nichts. Zweifellos würde er mir, wenn es soweit war und die Unterlagen nicht kamen, das Gefühl vermitteln, daß ich auch daran die Schuld trug.

»Aber ich finde, wir sollten uns trotzdem heute abend noch mal treffen«, fuhr er unbeirrt tüchtig fort. Ein wahrer Profi. *Zeit ist Geld, stimmt doch, James*?

Aber ehrlich gesagt hatte er recht. Wir mußten ohnehin noch über vieles reden. Es war vernünftig. Selbstverständlich wollte ich alles so rasch wie möglich geklärt haben, damit ich mein neues Leben in Angriff nehmen konnte.

Ein anderes Motiv hatte ich dabei ja wohl nicht, oder? Ich war ja wohl kein solcher Jammerlappen zu glauben, er würde merken, daß er mich immer noch liebte, wenn er mich oft genug sah?

Vielleicht fühlte ich mich in seiner Gesellschaft einfach wohl. Vielleicht aber auch nicht! Doch daß er mich nicht mehr liebte, faszinierte mich, das mußte ich zugeben.

Sie wissen schon, etwa so, wie Leute nach einem Unfall immer auf das Blut auf der Straße starren und zusehen, wie die zerfetzten Fahrzeuge auseinandergeschleppt werden. Ich weiß, daß es entsetzlich ist, und trotzdem lockt es mich an. Ich weiß, daß ich hinterher ganz verstört bin, trotzdem kann ich mich nicht losreißen.

Vielleicht wollte ich aber auch nur die Möglichkeit haben, ihn gründlich durchzuprügeln. Wer weiß?

»Was machen wir?« fragte er. »Ich würde gern zu euch kommen, weiß aber nicht so recht, ob ich da willkommen bin.« Ich traute meinen Ohren kaum. Was für eine *Unverschämtheit*! Eine unglaubliche und unfaßbare Unverschämtheit!

Obwohl er keinerlei Anspruch darauf hatte, willkommen geheißen zu werden, hatte ich ihn mit ausgesucht guten Manieren empfangen. Das kann man von der Art, wie er mich behandelt hatte, nicht sagen.

Hatte ich ihm nicht Kaffee gemacht? Hatte ich es mir nicht verkniffen, die Hunde auf ihn zu hetzen?

Zwar hatten wir keine Hunde, aber darum ging es nicht. Schlimmer noch, ich hätte Helen auf ihn hetzen können.

Was hatte er eigentlich erwartet? Blasmusik und einen roten Teppich? Die Ausrufung eines Nationalfeiertags? Hatte er erwartet, daß an den Straßen, die vom Dubliner Flughafen in die Stadt führen, dichtgedrängt jubelnde Einheimische die englische Fahne schwenkten? Daß ich ihn in einem verführerischen Negligé an der Haustür begrüßte und lächelnd mit heiserer Stimme sagte: »Willkommen daheim, mein Geliebter«?

Offen gestanden war ich wie vor den Kopf geschlagen. Ich wußte nicht, was ich sagen sollte. Tut mir leid, mein Herr, aber wir haben gerade keine gemästeten Kälber im Hause.

Es klang so, als schmollte er. Als wollte er, daß ich sagte: »Sei doch nicht albern, James. Natürlich bist du willkommen.« Oder etwas in der Art.

Aber er schmollte nicht. Dafür war er viel zu erwachsen. Außerdem konnte kein Mann bei klarem Verstand erwarten, daß ich ihn in dieser Situation mit offenen Armen willkommen hieß. Was sollte ich sagen?

»Es ist schade, daß du das so siehst, James«, brachte ich schließlich zerknirscht heraus. »Sollten meine Familie oder ich uns in irgendeiner Weise ungastlich verhalten haben, kann ich dafür nur um Entschuldigung bitten.« Natürlich war mir kein Wort davon ernst.

Hätte ihn meine Familie in irgendeiner Weise gekränkt, wenn beispielsweise Helen, als er ging, seine Aufmerksamkeit dadurch auf sich gelenkt hätte, daß sie aus einem der oberen Fenster üble Grimassen geschnitten oder obszöne Gesten gemacht hätte, wenn sie ihm ihren Hintern – oder Schlimmeres – gezeigt hätte, ich würde persönlich Belohnungen verteilen.

Doch ich mußte James bei Laune halten.

Zwar erstickte ich fast an meinen gedrechselten Worten, dachte aber in erster Linie an Kate. Nichts hätte mir größeres Vergnügen bereitet, als ihm zu sagen, wie unwillkommen er war. Damit freilich hätte ich mir ins eigene Fleisch geschnitten. Ich wollte nicht, daß Kate ohne Vater aufwuchs, also mußte ich den Preis zahlen, James zu sagen, daß er nicht *un*willkommen war. (Ich fürchte, zu weiteren Zugeständnissen war ich nicht bereit.)

»Soll ich also kommen?« fragte er übellaunig.

Was war bloß mit ihm los? Er führte sich auf wie ein Kind, das seine Eltern manipuliert.

»Ach, James«, sagte ich freundlich. »Ich möchte nicht, daß du herkommst, wenn du dich nicht besonders willkommen fühlst. Keiner von uns beiden will sich aufregen. Vielleicht sollten wir uns einfach in der Stadt treffen.«

Während er das verdaute, entstand eine lange Pause.

»Schön«, sagte er kalt. »Wir könnten gemeinsam zu Abend essen.«

»Das klingt gut«, sagte ich und meinte, das klingt *tatsächlich* gut.

»Ich muß sowieso was essen«, sagte er, »da kannst du auch gleich mitkommen.«

»Da spricht der alte Häuptling Silberzunge«, sagte ich mit einer Stimme, der man das gequälte Lächeln vermutlich anhören konnte. Mit einem Mal fühlte ich mich entsetzlich traurig.

Wir verabredeten uns für halb acht in einem Restaurant in der Stadt.

Die Vorbereitungen waren eher noch aufwendiger als am Vormittag.

Natürlich wollte ich schön sein.

Ich beschloß aber auch, verführerisch auszusehen.

James hatte immer meine Beine gemocht und es gern gesehen, wenn ich hohe Absätze trug, obwohl ich damit fast so groß war wie er.

So zog ich meine Schuhe mit den höchsten Absätzen an und dazu mein kürzestes Kleid, schwarz natürlich, und selbstverständlich die dünnste Strumpfhose, die ich finden konnte.

Hatte ich nicht glücklicherweise erst am Vorabend meine Beine enthaart? (Als ich mich darauf vorbereitete, mit Adam ins Bett zu gehen, aber davon wollen wir jetzt nicht reden.)

Ich legte Unmengen von Make-up auf.

»Mehr Wimperntusche«, sagte Helen von der Trainerbank aus. »Mehr Grundierung.«

Mein zurückhaltendes Vorgehen vom Vormittag war, sagen wir einmal, nicht besonders erfolgreich gewesen. Also holte ich jetzt zum Rundumschlag aus.

Während ich die klebrige Grundierung auftrug, die ich auf meine Lippen tue, damit der Lippenstift hält, kam mir der Gedanke, wie grauenvoll das alles war. Widerlich.

Früher hatte ich mich immer mit derselben Sorgfalt zurechtgemacht wie bei meiner ersten Verabredung mit James. Und hier saß ich, putzte mich heraus und versuchte mit aller Gewalt, für das große Finale unserer Beziehung schön auszusehen. Die reine Verschwendung!

In die Brüche gegangene Beziehungen sind eigentlich eine Riesenmenge vergeudetes Make-up. Vergessen wir das Gelächter, die Auseinandersetzungen, den Sex, die Eifersucht. Sondern nehmen wir den Hut ab und legen eine Gedenkminute ein für die Legionen unbekannter Tuben mit Grundierungscreme, Lidschatten, Wimperntusche, Dosen mit Rouge und die ungezählten Lippenstifte, die all das unter Aufopferung ihres Lebens ermöglicht haben. Sie sind vergebens dahingeschieden.

Ein Blick in den Spiegel zeigte mir, daß ich gut aussah, zugegeben. Groß, schlank und fast elegant. Weit und breit keine Wassermelone zu sehen.

»Sieh dich nur an«, sagte Helen und schüttelte mit unverhohlener Bewunderung den Kopf. »Dabei ist es noch gar nicht lange her, daß du eine richtig fette alte Kuh warst.« Wenn das kein Lob war!

»Steck dir die Haare hoch«, schlug sie vor.

»Das geht nicht, dafür sind sie zu kurz«, wandte ich ein.

»Sind sie nicht«, sagte sie, kam herüber und kämmte sie mir auf den Kopf.

Sie hatte recht, verdammt noch mal. Sie mußten während der letzten zwei Monate, in denen ich mich gänzlich vernachlässigt hatte, ein wenig gewachsen sein.

»Oh«, sagte ich entzückt. »Ich hatte seit meinem sechzehnten Lebensjahr keine langen Haare mehr.«

Helen machte sich mit Spangen und Klammern zu schaffen, während ich wie ein Idiot mein Spiegelbild angrinste. »James werden die Augen aus dem Kopf fallen«, sagte ich. »Es wird ihm schrecklich leid tun, daß er eine hübsche Puppe wie mich nicht haben kann. Bestimmt fleht er mich auf den Knien an, ihn wieder in Gnaden aufzunehmen, sobald ich zur Tür reinkomme.«

In mein wunderbares Traumbild eines zerknirschten und lechzenden James hinein sagte Helen: »Was hast du eigentlich mit deinen Ohren angestellt?«

»Was soll mit denen sein?«

»Die sind irgendwie lila.«

»Ach, das ist nur die Tönung. Wir tun die Haare besser wieder runter, um sie zu verdecken«, sagte ich betrübt. Ich hatte mich sehr schnell an diesen eleganten Anblick gewöhnt.

»Nein, nein, da fällt uns schon was ein«, sagte Helen mit glänzenden Augen. »Bleib da.« Damit verschwand sie.

In Gesellschaft Annas, die bei meinem Anblick anerkennend pfiff, kehrte sie mit einigen Tüchern und einer Flasche Terpentin zurück.

»Mach du das eine Ohr«, wies Helen sie an, »ich mach das andere.«

Als ich zu meiner Verabredung mit James aufbrach, waren meine Ohren nicht mehr glänzend kastanienbraun, sondern rot, wund und bluteten fast.

Aber meine Haare blieben oben.

28

Mein Auftritt im Restaurant gehört zu den angenehmsten Erlebnissen, die ich je hatte. Als ich hereinkam, las James etwas. Er hob den Blick von seiner Lektüre und mußte buchstäblich, *buchstäblich*, zweimal hinsehen.

»Claire«, sagte er ganz verwirrt. »Äh, du siehst großartig aus.«

Ich lächelte und hoffte, daß es geheimnisvoll, rätselhaft und raffiniert wirkte.

»Danke«, schnurrte ich.

Das wird dir hoffentlich eine Lehre sein, du Mistkerl, dachte ich, während ich mich auf meinen Stuhl setzte und darauf achtete, daß James Gelegenheit hatte, meine Schenkel in der dünnen, glänzenden Strumpfhose unter dem eng anliegenden kurzen schwarzen Kleid ausführlich zu mustern.

Er konnte die Augen nicht von mir lösen. Es war herrlich.

Auf dem Weg vom Auto zum Restaurant hatte ich einige sonderbare Blicke geerntet. Vermutlich war ich für einen frühen Montagabend im April eine Spur zu aufgedonnert, aber was für eine Rolle spielte das?

Der Kellner, ein junger Mann in einem schlechtsitzenden Smoking, angeblich Italiener, allerdings mit Dubliner Zungenschlag, eilte herbei und beschäftigte sich unnötig lange damit, mir die Serviette auf dem Schoß auszubreiten.

»Äh, danke«, sagte ich, als ich den Eindruck hatte, daß es jetzt reichte.

»Gern geschehen«, sagte er schleppend. Es klang so italienisch wie Schinken mit Kohl. Er zwinkerte mir über James' Kopf hinweg zu. Ungelogen!

Dann bekam ich es plötzlich mit der Angst zu tun. Vielleicht hielt er mich für eine Nutte. Sah ich etwa wie eine Prostituierte aus? Ich *wußte*, daß mein Kleid zu kurz war.

Was soll's, tat ich den Gedanken ab.

James lächelte mir zu. Es war ein schönes, warmes, bewunderndes, billigendes Lächeln. Einen Augenblick lang sah ich den Mann, den ich geheiratet hatte.

Als er sah, wie sich der junge Kellner bückte, damit er unter dem Tisch mehr von meinen Beinen sehen konnte, verschwand das Lächeln, und ich fühlte einen schmerzlichen Verlust.

»Bedecke deine Blöße, Claire«, sagte James stirnrunzelnd wie ein Patriarch aus dem vorigen Jahrhundert. »Sieh nur, wie dich der Kellner anstarrt!«

Ich wurde rot. Jetzt war es mir peinlich, mit dem kurzen Kleidchen ausgegangen zu sein, und ich fühlte mich blöd statt verführerisch und keß. Der Teufel sollte James holen! Er führte sich auf wie ein verdammter Puritaner.

So war er nicht immer gewesen. Ich konnte mich noch gut an eine Zeit erinnern, als ihm meine Kleider gar nicht kurz genug sein konnten.

Nun, die Zeiten hatten sich geändert.

Ich senkte den Kopf und suchte mir rachsüchtig das Teuerste auf der Speisekarte heraus.

»Wir müßten wohl über die finanzielle Seite reden«, sagte ich, nachdem der Kellner gegangen war.

»Das ist schon in Ordnung so«, sagte James. »Ich zahle. Es geht auf meine Karte.«

»Das meine ich nicht«, sagte ich und überlegte, ob er sich dumm stellte. »Ich meine damit ganz allgemein unsere finanziellen Angelegenheiten.« Ich sprach langsam und mit Nachdruck, als hätte ich ein Kind vor mir.

»Ach so.« Er nickte.

»Haben wir Geld?« fragte ich besorgt.

»Natürlich haben wir Geld«, sagte er ärgerlich. Offenbar hatte ich ihn an einer empfindlichen Stelle getroffen, indem ich an seiner Fähigkeit gezweifelt hatte, für Frau und Kind zu sorgen. Oder sollte ich besser Kinder sagen – die drei von Denise und meins?

»Wie kommst du darauf, daß wir keins haben könnten?« fragte er.

»Na ja, ich arbeite zur Zeit nicht und krieg nur das bißchen Mutterschaftsgeld. Du zahlst die Hypothek, die Miete für eine zweite Wohnung und …«

»Was meinst du mit Miete für eine zweite Wohnung?« fragte er laut und aufgebracht.

»Na ja, die, in der du mit … mit … Denise lebst«, sagte ich. Ich wäre an dem Namen fast erstickt.

»Aber ich bin doch wieder in unsere Wohnung gezogen«, sagte er und sah mich leicht erstaunt an. »Wußtest du das nicht?«

Mehrere Gedanken stürmten gleichzeitig auf mich ein. Konnte ich ihm mit einer Gabel eine tödliche Wunde zufügen? Wäre eine Richterin milder als ein Richter? Was gibt es im Gefängnis zu essen? Wie würde sich Kate entwickeln, wenn ihre Mutter ihren Vater umbrachte?

Seine Stimme erreichte mich durch einen Nebel mörderischer Wut.

»Fehlt dir was?« fragte er besorgt.

Ich merkte, daß sich meine Hand so fest um das Buttermesser gekrampft hatte, daß sie schmerzte. Auch wenn ich es nicht sehen konnte, wußte ich, daß mein Gesicht vor Wut knallrot angelaufen war.

»Willst du damit sagen«, zischte ich ihm schließlich zu, »daß du das Weib in *meine* Wohnung gelassen hast?«

Ich fürchtete, im nächsten Augenblick zu ersticken, mich zu übergeben oder *irgend etwas* zu tun, das nicht gerade gesellschaftsfähig war.

»Aber nein, Claire«, sagte er rasch und besorgt. Er fürchtete wohl, ich könnte ihm – Gott behüte – eine Szene machen. »Ich lebe in unserer Wohnung, aber Deni … äh … nicht.«

»Ach so.«

Es hatte mich total umgehauen. Da ich nicht wußte, wie ich mich fühlte, wußte ich auch nicht, was ich sagen sollte.

»Wir sind … äh … weißt du … nicht mehr zusammen. Schon eine Weile nicht.«

»Oh.« In gewisser Hinsicht war das fast schlimmer.

Ich hatte immer noch das Bedürfnis, ihn zu erwürgen. Man denke sich nur: da hatte er unsere Ehe, unsere Beziehung, für etwas fortgeworfen, das nicht einmal zwei Monate überdauerte.

Was für eine *Verschwendung*. Das Gefühl eines sinnlosen Verlustes war nahezu unerträglich.

Dann brach es aus mir heraus. »Und warum hat mir das kein Mensch gesagt?« War denn auf den hochentwickelten Buschtelegraphen in meinem Freundeskreis kein Verlaß mehr?

»Ich hab' es nicht an die große Glocke gehängt und im letzten Monat kaum jemand gesehen«, erklärte er, offensichtlich darauf bedacht, mich zu beruhigen. »Vielleicht weiß es noch niemand.«

Offenbar war er ein Einsiedler geworden, ein unheimlicher Sonderling wie Howard Hughes, überlegte ich. Er *mußte* einen Nervenzusammenbruch gehabt haben.

»Ich war verreist, auf einem Fortbildungsseminar«, fuhr er fort.

»Oh.«

Na schön, dann war er eben *kein* Einsiedler geworden, kein unheimlicher Sonderling wie Howard Hughes und hatte keinen Nervenzusammenbruch gehabt.

Eigentlich hätte ich es mir denken können. James war viel zu praktisch veranlagt, als daß er sich auf Nervenzusammenbrüche eingelassen hätte. Was sich nicht genau berechnen ließ, war für ihn uninteressant.

Immerhin bedeutete das, daß er damals nicht mit der dicken Denise im Urlaub war, als ich ihn anrufen wollte. Ich hatte also all meine Seelenqualen und meinen Kummer für nichts und wieder nichts durchgemacht.

Dann begann mir die Neugier auf den Nägeln zu brennen. Was war mit James und Denise geschehen?

Ich hatte zwar kein Recht, Fragen zu stellen, konnte mich aber nicht beherrschen.

»Hat sie dich rausgeschmissen?« fragte ich. Ich wollte es leichthin sagen, aber es klang einfach bitter. »Ist sie zu ihrem Mario oder Sergio oder wie er heißt zurück?«

»Nein, Claire«, sagte James und sah mich aufmerksam an. »Ich hab' sie verlassen.«

»Großer Gott.« Bitterkeit strömte durch meine Poren nach außen. »Das wird bei dir ja eine richtige Gewohnheit. Ich meine, daß du Frauen sitzenläßt«, fügte ich gehässig hinzu, für den Fall, daß er es nicht begriffen hatte.

»Ja, Claire, ich hatte schon verstanden, wie es gemeint war.« Im Klang seiner Stimme schwang mit, *über* all dem zu stehen, aber als anständiger Kerl bereit zu sein, Nachsicht mit mir zu üben.

Ich machte einfach weiter. »Außerdem hatte ich immer gedacht, daß ein Herr anstandshalber nie öffentlich sagt, er habe eine Frau verlassen – auch wenn es stimmt.«

Meine Inkonsequenz erstaunte mich. Ich spürte, daß meine Stimme leicht hysterisch klang, konnte mich aber nicht bremsen. Ich hatte keinerlei Herrschaft über meine Gefühle.

»Ich sage nicht öffentlich, daß ich sie verlassen habe«, sagte er kurz angebunden, »sondern ich sage es dir, weil du es wissen wolltest – wenn du dich erinnerst?«

»Und warum sagst du es nicht öffentlich? Ich *möchte*, daß du es öffentlich sagst«, gab ich mit bedenklich zitternder Stimme zurück. »Warum soll alle Welt zwar wissen, daß du mich – und Kate – fallenlassen hast, zugleich aber glauben, das Weib hätte dir den Stuhl vor die Tür gesetzt? Warum willst du ihr die Demütigung ersparen?«

»Na schön, Claire«, sagte er, laut über meine unvernünftige und irrationale Forderung seufzend. »Wenn es dich glücklich macht, *werde* ich aller Welt sagen, was mit Denise war.«

»Gut«, sagte ich. Meine Unterlippe zitterte wie Espenlaub.

Es war schrecklich. Wo war nur die entspannte und gelassene Claire geblieben? Ich hatte mich so sehr um Beherrschung bemüht, wollte James nicht spüren lassen, wie stark er mich verletzt hatte, wie tief ich gekränkt war. Doch der Schmerz lag noch ganz nahe an der Oberfläche. Es fehlte nicht viel, und ich würde zusammenbrechen.

Es war alles so entsetzlich peinlich. Während ich völlig verstört war, hatte er sich und seine Gefühle in der Hand. Der Kontrast war beschämend.

»Ich muß mal auf die Toilette«, sagte ich. Vielleicht konnte ich mit etwas Abstand die Gewalt wieder über mich gewinnen.

»Warte, Claire«, sagte James, als ich aufstand. Er griff über den Tisch nach meiner Hand.

Ich schüttelte sie wütend ab. »Faß mich nicht an«, sagte ich unter Tränen.

Als nächstes würde ich sagen: »Das Recht, mich anzufassen, hast du dir verscherzt, als du mich verlassen hast.«

Dann hörte ich mich sagen: »Das Recht, mich anzufassen, hast du dir verscherzt, als du mich verlassen hast.« Ich wußte es doch! Wer auch immer den Dialog meines Lebens schrieb, hatte früher an ganz miesen Seifenopern mitgearbeitet.

Aber es war mir ernst. Ich wollte ihm weh tun. Er sollte das gleiche Gefühl des Verlustes spüren wie zuvor ich. Er sollte sich so sehr nach einem Menschen sehnen, daß es schmerzte, sollte merken, daß er ihn nicht haben konnte. Vor allem sollte er merken, daß es seine eigene *Schuld* war.

Wer hat die Sache ins Rollen gebracht? Du.

»Claire, setz dich bitte«, sagte er und ließ meine Hand langsam los. Es gelang ihm, einen bleichen und verstörten Eindruck zu machen. Einen Augenblick lang hatte ich ein schlechtes Gewissen. Großer Gott, dagegen kam ich nicht an.

»Keine Sorge«, sagte ich kalt. »Ich mach dir schon keine Szene.«

Er hatte den Anstand, beschämt dreinzusehen. »Das macht mir kein besonderes Kopfzerbrechen«, sagte er.

»Ach, tatsächlich nicht?« spottete ich.

»Nein, wirklich nicht«, sagte er. Es klang etwas geduldiger. »Claire, wir *müssen* miteinander reden.«

»Es gibt nichts mehr zu sagen«, gab ich mechanisch zur Antwort. Wumm! Da war es wieder. Noch mehr verdammte Klischees! Ehrlich, ich hätte sterben können. Es war richtig peinlich.

Das wäre nicht weiter schlimm, aber was ich gesagt hatte, stimmte einfach nicht. Wir mußten über ungeheuer viel reden.

»Langsam, immer mit der Ruhe«, sagte ich mir. »Wolltest du nicht ruhig und zivilisiert vorgehen?« redete der vernünftige Teil meines Gehirns mit sanfter Stimme auf den streitsüchtigen ein. »Das ist doch richtig?«

»Möglich«, knurrte der streitsüchtige Teil widerwillig. Ganz wie ein schlechtgelaunter Halbwüchsiger.

»Können wir nicht zumindest versuchen, uns zu beherrschen?« fragte der vernünftige Teil.

»Ich muß aufhören«, sagte ich mir und atmete tief ein. »Ich will aufhören.«

»Ich weiß, daß ich dich schlecht behandelt habe«, sagte James und bemühte sich, seiner Stimme einen sanften Ton zu geben. Dabei faßte er erneut nach meiner Hand.

»Schlecht behandelt!« platzte ich heraus, bevor ich mir den Mund verbieten konnte. »Ha! Schlecht behandelt! So kann man das auch nennen.« Soviel zum Thema Vernunft und Selbstbeherrschung!

Meine kläglichen Versuche, meine Gefühle zu beherrschen, waren gescheitert. Jeglicher Anschein von Gelassenheit, von erwachsenem und angemessenem Verhalten war dahin. Jedenfalls bei mir. James hingegen brachte nach wie vor ein erstaunliches Maß an Ausgeglichenheit auf. Eine seiner größten Vorzüge.

»Na schön, also entsetzlich schlecht«, räumte er ein. Es klang nicht besonders zerknirscht, sondern eher so, als wollte er mir damit einen Gefallen tun.

Der gefühllose Hund! Wie konnte er so distanziert sein? Es war unmenschlich.

»Wie konntest du so verantwortungslos handeln?« platzte ich heraus. Mir war klar, daß ihn dieser Vorwurf mehr schmerzen würde als alles andere. Wenn man behauptete, er sei unfreundlich, grausam oder hartherzig bis zum Exzeß, traf ihn das nicht. Aber daß man ihn verantwortungslos nannte, war für ihn ein Tiefschlag.

»Wie konntest du uns einfach im Stich lassen? Ich *brauchte* dich«, endete ich voll Leidenschaft. Darauf folgte ein Schweigen. Einen Augenblick saß er völlig bewegungslos da – es wirkte unheilverkündend. Dabei lief der Ausdruck einer Empfindung über sein Gesicht. Keine, die ich an ihm kannte.

Als er wieder sprach, merkte ich, daß sich etwas verändert hatte. Seine Geduld war am Ende. Er hatte wohl noch nach einem Restchen Geduld gesucht, aber es war keine mehr da. Schluß mit dem

Samthandschuh! Viel hatte ich davon ohnehin nicht zu spüren bekommen.

Er sprach nicht mit seiner üblichen Stimme, sondern in einem widerlichen schnarrenden Ton, wobei er jeweils eine lange Pause zwischen zwei Wörtern machte. »Ja«, sagte er. »Damit. Hast. Du. Recht.«

»Waas?« fragte ich ziemlich überrascht.

Ich steckte nach wie vor tief in meinen Gefühlen des Verlustes und des Verlassenseins, doch begriff ich, daß sich irgend etwas mit James verändert hatte – und zwar nichts zu meinem Vorteil. Es lag auf der Hand, daß die Dinge nicht zum besten standen, wenn er mir so bereitwillig zustimmte. Noch mehr lag es auf der Hand, daß es ausgesprochen schlecht stand, wenn er mir so bereitwillig und in einem so sonderbaren Ton zustimmte.

»Oh«, fuhr er fort, immer noch in dem sonderbaren Ton. »Ich sag jetzt einfach, wie recht du hast. Das möchtest du doch hören, nicht wahr? Ich sag es noch mal. Einverstanden? Du hast mich *gebraucht.*«

Was war passiert? Die Dinge hatten eine plötzliche und unerwartete Wendung genommen. Es kam mir vor, als wäre ich in ein Gespräch fremder Menschen geraten. Oder als hätte James aus eigener Machtvollkommenheit beschlossen, den Sendekanal zu wechseln. Ich steckte noch bis zum Hals in unserem Gespräch, bei dem es darum ging, daß er mich im Stich gelassen hatte, und fühlte mich ziemlich elend. Er aber hatte ein völlig neues Gespräch über etwas gänzlich anderes angefangen. Ich bemühte mich, mit ihm Schritt zu halten.

»James, was geht hier eigentlich vor?« fragte ich verwirrt.

»Was meinst du damit?« fragte er äußerst unliebenswürdig.

»Wieso bist du mit einem Mal so sonderbar?« fragte ich nervös.

»Sie behauptet, ich bin sonderbar«, sagte er nachdenklich und mit bedeutungsschwerer Stimme. Zugleich sah er sich im Raum um, als wende er sich an ein unsichtbares Publikum. Einer, der mit Leuten sprach, die nicht da waren.

»Das bist du auch«, sagte ich. Er wurde von einer Sekunde zur nächsten sonderbarer.

»Ich habe lediglich gesagt, daß ich dich brauchte und ...«

»Das habe ich gehört«, unterbrach er mich wütend. Die schnarrende Singsangstimme war mit einem Mal fort.

Er beugte sich über den Tisch und sah mich wütend an. *Jetzt kommt's,* dachte ich. Erleichterung mischte sich in meine Furcht. Zumindest würde ich jetzt erfahren, was zum Teufel er vorhatte.

»Du hast gesagt, daß du mich brauchtest.« Er gab einen gereizten Laut von sich und drehte die Augen zum Himmel. »Das ist wirklich sehr zurückhaltend formuliert!« Er schwieg – um die Wirkung seiner Worte zu steigern? – und sah mich hart und zornerfüllt an.

Ich sagte nichts. Ich war äußerst gespannt. Was würde jetzt kommen?

»Ich *weiß*, daß du mich gebraucht hast«, schleuderte er mir ins Gesicht. »Du hast mich immerzu gebraucht, für dies und jenes. Wie hätte ich es da *nicht* wissen sollen?« Ich konnte ihn nur wortlos anstarren.

Wutausbrüche waren bei ihm selten, gewissermaßen eine Sensation, und bei den wenigen Gelegenheiten, da er die Beherrschung verloren hatte, war er eigentlich immer ganz witzig gewesen. Aber heute war das anders. Ich wußte nicht, worauf er so zornig war, aber seinen Worten nach zu urteilen, schien es darum zu gehen, daß ich schuld war.

So stand das nicht im Drehbuch. Recht hatte *ich*. Er war der miese Kerl. So herum war's.

»Du hast mich für *alles* gebraucht«, brüllte er fast. Hier müßte ich wohl darauf hinweisen, daß James normalerweise nie laut wurde. Er hatte früher kein einziges Mal auch nur fast gebrüllt.

»Ständig hast du Aufmerksamkeit gebraucht«, fuhr er fort. »Und Bestärkung. Nie hast du dich im geringsten darum gekümmert, wie ich mich fühlte und was ich brauchen könnte.«

Ich starrte ihn mit offenem Mund an. Ich traute meinen Ohren nicht. Warum griff er mich an? Schließlich hatte er *mich* im Stich gelassen, oder? Wenn es also Vorwürfe zu machen gab, war die Reihe an mir.

»James ...«, sagte ich schwach.

Ohne darauf zu achten, fuhr er mit seinen Anwürfen fort, wobei er unaufhörlich mit dem Finger nach mir stieß.

»Du warst unmöglich. Ich war völlig erschöpft von deinen Ansprüchen. Ich weiß gar nicht, wie ich es bei dir so lange ausgehalten habe. Ich weiß auch nicht, wie *irgend jemand* mit dir leben könnte.« Ach nein!

Das war zuviel. Wut stieg in mir auf. So etwa muß es bei einem Femegericht zugehen. Er tat mir so ungeheuer unrecht. Das würde ich ihm keinesfalls durchgehen lassen. Ich war fuchsteufelswild.

»Ich verstehe«, sagte ich aufgebracht. »Es ist also alles meine Schuld. Ich hab' dich dazu getrieben, ein Verhältnis anzufangen. Ich hab' dich dazu getrieben, mich im Stich zu lassen. Merkwürdig, weil ich mich nicht erinnern kann, dir die Pistole auf die Brust gesetzt zu haben. Ich muß das ganz vergessen haben.«

Es stimmt schon, Sarkasmus ist die niedrigste Form des Witzes, aber ich konnte nicht anders. Er hatte mich angegriffen, und in mir brannte das Bewußtsein, daß er mir damit unrecht tat. Es versengte mich förmlich.

»Nein, Claire«, sagte er mit zusammengebissenen Zähnen. Das hatte ich noch nie bei jemandem gesehen und es immer für eine leere Redewendung gehalten. »Natürlich hast du mich nicht dazu getrieben, etwas zu tun.«

»Was willst du dann sagen?« wollte ich wissen.

In meiner Magengrube meldete sich ein eigenartiges kaltes Gefühl. Mir war klar, daß es Angst war.

»Daß das Zusammenleben mit dir so ähnlich war wie das mit einem Kind, das nur Ansprüche stellt. Immer wolltest du ausgehen, als wäre das Leben eine einzige lange Party. Für dich war es das ja wohl auch. Immer hast du gelacht und dich vergnügt. Also mußte ich den Part des Erwachsenen übernehmen, der sich um Geldsachen und Rechnungen kümmerte. Du warst so wahnsinnig *egoistisch.* Ich hatte die Aufgabe, dich bei einer Gesellschaft um ein Uhr nachts daran zu erinnern, daß wir beide am nächsten Morgen zur Arbeit mußten. Zum Dank dafür mußte ich mir gefallen lassen, daß du mich einen langweiligen Scheißkerl nanntest.« Dieser

Schwall von Vorwürfen verblüffte mich. Abgesehen davon, daß er unerwartet kam, fand ich ihn auch äußerst ungerecht.

»So ist das bei uns eben gelaufen«, wandte ich ein. »Ich war die Lustige und du der Ernsthafte. Jeder wußte das. Ich war das komische Zwischenspiel, das kleine Dummerchen, das dich zum Lachen brachte, so daß du dich entspannen konntest. Du warst der Starke. Uns beiden war das recht, so war es nun mal, und deswegen war es auch gut so.«

»Das war es nicht«, sagte er. »Ich war es so leid, immer der Starke zu sein.«

»Außerdem hab' ich dich nie langweiliger Scheißkerl genannt«, rief ich. Ich wußte, daß irgend etwas an seinen Worten nicht gestimmt hatte.

»Das ist doch egal«, sagte er gereizt. »Jedenfalls hast du mir immer das Gefühl gegeben, daß ich einer wäre.«

»Ja, aber du hast gesagt, daß ich ...«, begehrte ich auf.

»Großer Gott, Claire«, brach es zornig aus ihm heraus. »Du fängst schon wieder an und versuchst, Punkte zu sammeln. Kannst du es nicht einfach sein lassen? Kannst du nicht ein einziges Mal, nur diesmal, einsehen, daß du schuld bist?«

»Ja, aber ...«, sagte ich schwach.

Ich war nicht einmal sicher, wofür ich die Schuld auf mich nehmen sollte.

Einerlei. Ich hatte keine Zeit, darüber nachzudenken. James holte Luft und legte wieder los, und ich mußte mit gespannter Aufmerksamkeit auf seine Worte achten.

»Wo du gingst und standest, hast du ein Chaos hinterlassen«, sagte er seufzend, »und ich mußte es in Ordnung bringen.«

»Das stimmt nicht!« brüllte ich.

»So ging's mir wenigstens«, sagte er unfreundlich. »Du willst einfach nicht einsehen, daß es so ist. Dauernd gab es ein Drama. Oder ein Trauma. Und ich war dauernd derjenige, der sich darum kümmern mußte.« Ich war wie vor den Kopf geschlagen und schwieg.

»Und weißt du, Claire«, fuhr er in ernstem Ton fort, »man wacht nicht eines Morgens auf und hat wie durch ein Wunder gelernt, erwachsen zu sein. Man weiß nicht über Nacht, wie man Rechnungen bezahlt. Man arbeitet daran. Man arbeitet an seinem Verantwortungsgefühl.«

»Ich weiß, wie man Rechnungen bezahlt«, wandte ich ein. »Immerhin bin ich kein völliger Schwachkopf.«

»Wie kommt es dann, daß ich mich immer um solche Sachen kümmern mußte?« fragte er nüchtern. Mir schwirrte der Kopf, während ich nach Möglichkeiten suchte, mich zu verteidigen.

»Ich habe versucht, dir zu helfen«, sagte ich schließlich.

Ich konnte mich genau an eine Gelegenheit erinnern, als ich bei ihm gesessen hatte, während er wichtigtuerisch Scheckbelege und Kassenzettel durchgeblättert und auf einem Taschenrechner herumgetippt hatte. Ich hatte ihm an dem Tag meine Hilfe angeboten, und er hatte mir mit einem beredten Zwinkern mitgeteilt, er werde tun, wovon er etwas verstehe, und ich solle tun, wovon ich etwas verstünde. Dann haben wir es, wenn ich mich recht entsinne, und das tue ich ganz bestimmt, auf dem Schreibtisch miteinander getrieben. Auf den Kontoauszügen und Kreditkartenabrechnungen für Juli 1991 kann man bis auf den heutigen Tag ziemlich aufschlußreiche Abdrücke sehen. Aber ihn daran zu erinnern, dazu reichte mein Mut nicht.

»Ich habe dir wirklich meine Hilfe angeboten«, wandte ich erneut ein. »Aber du wolltest sie nicht. Du hast gesagt, du könntest das viel besser, weil du einen Kopf für Zahlen hast.«

»Und das hast du einfach so hingenommen?« fragte er boshaft und schüttelte leicht den Kopf, als könne er meine haarsträubende Dummheit kaum glauben.

»Nun ... ja, nehm ich an«, sagte ich und kam mir blöd vor.

Er hatte recht. Ich hatte es ihm überlassen, sich mit scharf formulierten Mahnbriefen, der Androhung von Stillegungen und so weiter auseinanderzusetzen. Aber ich hatte wirklich geglaubt, er mache das gern. Nicht, daß es Mahnbriefe oder Androhungen von Stillegungen gegeben hätte. James war viel zu ordentlich, als daß es soweit gekommen wäre. Ich hatte angenommen, das Gefühl, alle Fäden in der Hand zu haben, sei ihm wichtig, hatte gemeint, das

Ganze sei übersichtlicher, wenn sich nur einer von uns beiden darum kümmerte. Welch ein Irrtum!

Ich wünschte, ich hätte die Uhr zurückdrehen können. Hätte ich doch nur mehr auf solche Dinge geachtet wie beispielsweise den Zeitpunkt, an dem unsere Hypothekenraten fällig waren.

»Tut mir leid«, sagte ich verlegen. »Ich dachte, du wolltest es unbedingt selbst tun. Ich hätte es auch getan, wenn ich gewußt hätte, daß du es nicht tun wolltest.«

»Und warum hätte ich es tun wollen?« fragte er böse. »Welchem Menschen, der bei klarem Verstand ist, macht es Spaß, als einziger für die Abrechnungen eines Haushalts verantwortlich zu sein?«

»Du hast natürlich recht«, gab ich zu.

»Vermutlich war es nicht wirklich deine Schuld«, sagte James. Es klang ein wenig freundlicher. »Du warst immer etwas gedankenlos.«

Ich schluckte eine Antwort herunter. Es war nicht der richtige Zeitpunkt, ihn gegen mich aufzubringen. Aber *gedankenlos* war ich nicht. Ich weiß, daß das nicht stimmt. James jedoch sah das anders.

»Wenn du wenigstens nicht bei wichtigen Dingen gedankenlos gewesen wärest«, sagte er nachdenklich. »Die Probleme in unserer Ehe hatten nicht nur damit zu tun, daß du nicht immer deinen Beitrag geleistet hast. Es ging auch darum, welches Gefühl du mir vermittelt hast.«

»Was meinst du damit?« fragte ich, auf eine neue Salve von Vorwürfen gefaßt. Vorwürfe, die ich nicht hören wollte, mir aber würde anhören müssen, wenn ich verstehen wollte, warum er mich im Stich gelassen hatte.

»Gib ruhig zu, daß es immer um dich gegangen ist – oder stimmt das etwa nicht?« sagte er.

»Wieso?« fragte ich verwirrt.

»Wenn ich nach einem harten Tag von der Arbeit nach Hause kam, warst du nicht bereit, mit mir darüber zu sprechen. Immer hast du davon geredet, wie es bei dir war, mir Geschichten erzählt und erwartet, daß ich darüber lachte.«

»Aber ich hab' dich doch ermutigt«, protestierte ich. »Und du hast immer gesagt, es sei zu langweilig, über das zu reden, was dir passiert war. Ich hab' dir nur deshalb lustige Geschichten erzählt, weil ich wußte, daß du einen schrecklichen Tag hinter dir hattest und weil ich dich aufmuntern wollte.«

»Versuch nicht, dich zu rechtfertigen«, sagte er mit Nachdruck. »Es war deutlich erkennbar, daß du nie etwas Unangenehmes hören wolltest. Du wolltest nur Spaß. Unangenehme Dinge haben dich nie interessiert.«

»James«, begann ich mit kläglicher Stimme.

Was konnte ich ihm sagen? Er schien sich alles so gut überlegt zu haben.

Ich schwöre Ihnen, all das war mir völlig neu. Ich hatte nie vermutet, daß er die Dinge so sehen könnte. Ich hatte keine Ahnung, daß ich mich so unerträglich aufgeführt hatte.

Lag James womöglich daran, sich bei diesem beklagenswerten Fiasko von aller Schuld reinzuwaschen? Wollte er mich vielleicht irgendwie manipulieren?

Ich mußte dahinterkommen.

»James«, sagte ich leise. »Entschuldige, wenn ich das frage, aber könnte es sein, daß du mir die Schuld für dein Verhalten in die Schuhe zu schieben versuchst und mich als schuldig hinstellen willst?«

»Großer Gott«, schnaubte er. »Das ist genau die Art kindischer und ichbezogener Antwort, wie sie von dir zu erwarten war.«

»Tut mir leid«, flüsterte ich. »Ich hätte wohl nicht fragen sollen.«

Wieder trat Schweigen ein.

»Warum hast du mir das nicht gesagt?« platzte es aus mir heraus. »Wir waren einander so nahe. Es war so wunderschön.«

»Wir waren einander nicht nahe, und es war nicht wunderschön«, sagte er barsch.

»Doch«, begehrte ich auf.

Jetzt hat er mir genug genommen, dachte ich. *Meine Erinnerungen wird er mir nicht nehmen.*

»Wenn es so wunderschön war, wie du sagst – warum hätte ich dann gehen sollen?« fragte er ruhig. Was konnte ich darauf sagen? Er hatte ja recht.

Aber, Augenblick mal. Er war schon wieder dabei, mir Vorwürfe zu machen. Nichts konnte seinen Groll bremsen.

»Claire, du warst ganz und gar unmöglich. So vieles mußte ich von dir fernhalten, so viele Sorgen allein tragen, weil ich das Gefühl hatte, man dürfte dich nicht damit belasten.«

»Warum hast du es nicht probiert?« fragte ich traurig.

Er machte sich nicht einmal die Mühe, darauf zu antworten, sondern fuhr fort: »Du hast mich immer ganz schön auf Trab gehalten. Wenn ich erschöpft von der Arbeit nach Hause kam, erfuhr ich, daß du, einer Augenblickslaune folgend, beschlossen hattest, eine Abendgesellschaft für acht Personen zu geben. Dann mußte ich wie ein Blöder rumrennen, Bier besorgen, Weinflaschen aufmachen und Sahne schlagen.«

»James, das ist nur ein einziges Mal vorgekommen. Außerdem waren es nicht acht Leute, sondern sechs. Die Gesellschaft habe ich gegeben, weil deine Freunde aus Aberdeen zu Besuch gekommen waren. Es sollte eine Überraschung für dich sein. Die Sahne habe übrigens ich geschlagen.«

»Wir brauchen jetzt nicht ins Detail zu gehen«, sagte er gereizt. »Ich bin sicher, daß du versuchen kannst, alles zu rechtfertigen, was ich sage, aber im Unrecht warst du trotzdem.«

Ich kann in der Tat *versuchen, das zu rechtfertigen, weil ich überzeugt bin, das Richtige getan zu haben*, dachte ich verwirrt, schwieg aber.

»Ich dachte, meine Spontaneität hätte dir gefallen«, sagte ich ängstlich. »Hast du mich nicht sogar darin bestätigt?«

»Es ist typisch, daß du das so siehst«, sagte er spöttisch. »Vermutlich willst du es so sehen«, fügte er etwas freundlicher hinzu.

Ein lächelnder Kellner näherte sich munter unserem Tisch, bremste aber und bog scharf im rechten Winkel zu einem anderen Tisch ab, als er James' finsteren Blick sah.

»Du hast also geglaubt, mir beim Erwachsenwerden zu helfen, und dachtest, der Schock würde das bewirken, wenn du mich verließest«, sagte ich, als mir die Zusammenhänge nach und nach dämmerten. »Wie schade, daß du deine Zuflucht zu einem so extremen Schritt genommen hast.«

»Nein, nicht darum bin ich gegangen«, sagte er. »Nicht, weil ich wollte, daß du erwachsen wirst. Offen gestanden schien mir das nicht möglich. Ich wollte einfach mit einem Menschen zusammensein, dem ich etwas bedeute. Mit einem Menschen, der sich um mich kümmert. Das hat Denise getan.«

Ich schluckte die Kränkung herunter.

»Du *hast* mir etwas bedeutet. Ich habe dich *geliebt.*« Ich mußte unbedingt erreichen, daß er mir glaubte. »Du hast mir nie eine Möglichkeit gegeben, dir zu helfen. Du hast mir nie Gelegenheit gegeben, stark zu sein. Jetzt bin ich stark. Ich *hätte* mich um dich kümmern können.«

Er sah mich mit einem väterlichen Gesichtsausdruck voller Nachsicht an.

»Möglich«, sagte er durchaus freundlich. »Vielleicht hättest du dich um mich kümmern können.«

»Und jetzt werden wir es nie erfahren«, dachte ich laut, während mir angesichts des Verlustes, der verpaßten Gelegenheiten und der Mißverständnisse fast das Herz brach.

Nach einem längeren unbehaglichen Schweigen sagte er hastig: »Äh, ja, vermutlich nicht.«

Und jetzt? Ich fühlte mich jämmerlich, mir war elend, und ich war todtraurig. Wegen uns beiden.

Wegen James, der ganz allein so viele Sorgen auf sich genommen hatte. Meinetwegen, weil er mich so falsch verstanden hatte. Oder war es meinetwegen, weil ich ihn so falsch verstanden hatte? Um Kates willen, die das unschuldige Opfer war.

»Du mußt geglaubt haben, daß ich ohne dich ganz und gar vor die Hunde gehe«, wandte ich mich an ihn. Mir war heiß, ich war wütend vor Scham und Verlegenheit.

»Ja, so war es wohl«, gab er zu. »Daraus kannst du mir kaum einen Vorwurf machen, oder?«

»Nein«, sagte ich und ließ den Kopf hängen.

»Aber ich bin nicht vor die Hunde gegangen, was?« sagte ich. Tränen liefen mir über das Gesicht. »Ich habe es ohne dich geschafft und werde auch künftig gut ohne dich zurechtkommen.«

»Das sehe ich«, sagte er und nickte leicht belustigt zu meinem nassen, tränenüberströmten Gesicht hin. »Komm, Dummkopf.« Er schob die Blumenvase und den Ständer mit Salz und Pfeffer beiseite, zog mich unbeholfen über den Tisch hinweg an sich und tätschelte mir Kopf und Schultern. Er wollte mich offenbar trösten.

Ich ließ ihn einen Augenblick lang gewähren. Ich fühlte mich ein wenig unbehaglich und blöd und setzte mich wieder auf. Es würde meiner Sache kaum nützen, wenn ich fortfuhr, mich wie ein Kind aufzuführen, das Trost brauchte.

Aber auch das schien ihm nicht recht zu sein.

»Was ist?« fragte er. Es klang ein wenig ärgerlich.

»Was soll sein?« fragte ich und überlegte, was ich jetzt wieder angestellt hatte.

»Warum ziehst du dich von mir zurück? Schön, ich hab' dich wegen einer anderen Frau verlassen, aber hab' ich Tollwut oder so was?« Ein kleines Grinsen wegen seines Witzchens trat auf sein Gesicht, und ich versuchte kläglich zurückzugrinsen.

»Äh, nein«, sagte ich völlig verwirrt. Was *wollte* er von mir? Ich schien es ihm nicht recht machen zu können, ganz gleich, was ich tat. Ich war ausgelaugt.

Alles war viel einfacher gewesen, als er ein ehebrecherischer Mistkerl und Frauenheld war. Da hatte ich gewußt, woran ich war, und hatte den Durchblick. Aber er hatte wohl recht. Vermutlich hatte es mir Spaß gemacht, verantwortungslos zu sein. Warum eigentlich konnte ich die Schuld für meinen Anteil am Scheitern unserer Ehe nicht auf mich nehmen?

Es fiel mir schwer einzusehen, daß alles meine Schuld sein sollte. *Er* hatte mich im Stich gelassen, *er* hatte mir das Herz gebrochen.

Nichts von dem war eingetreten, was ich erwartet hatte. Ich hatte angenommen, er würde mich vielleicht fragen, ob ich zu ihm zurückkehren wollte. Eine andere Möglichkeit war es gewesen, daß er sich weiterhin in jeder Beziehung wie ein Mistkerl aufführte. Damit aber, daß ich mich letztlich entschuldigen sollte, weil die Situation angeblich ganz allein von mir heraufbeschworen worden war, hatte ich überhaupt nicht gerechnet.

Die Dinge waren schwarz und weiß gewesen. Er war die Finsternis, und ich das Licht. Er war der Übeltäter, und ich das Opfer. Jetzt war alles durcheinandergeraten: ich war die Übeltäterin, und er das Opfer. Irgend etwas war daran falsch.

Es war nicht leicht, aber ich war bereit, es auf dem von ihm vorgezeichneten Weg zu probieren.

»Sieh mal, James«, sagte ich und schluckte meine Tränen herunter. »Was du da sagst, kommt alles ziemlich plötzlich. Ich muß darüber nachdenken. Ich gehe jetzt. Wir können morgen weitersprechen.«

Damit sprang ich auf, ging zur Tür und ließ ihn am Tisch sitzen, wo er stumm wie ein aufgeregter Goldfisch den Mund auf- und zumachte.

»So ist es richtig, Schätzchen«, sagte einer der Kellner zu mir, als ich an ihm vorüberrauschte. »Er ist weiß Gott nicht dein Typ.«

Auf dem Heimweg fuhr ich schnell, mißachtete mehrere rote Ampeln und brachte andere Autofahrer und Fußgänger in Lebensgefahr.

29

In dem Augenblick, als ich den Schlüssel ins Schloß steckte, kamen als sichtbarer Beweis ihrer wunderbaren Fähigkeit, hellsehen zu können, Anna, Helen und Mum aus der Küche zu meiner Begrüßung in die Diele gestürzt. Natürlich konnten sie auch gehört haben, wie ich den Wagen abgestellt hatte.

»Wie ist es gelaufen?« fragte meine Mutter.

Offensichtlich hatte momentan keine von ihnen so recht etwas zu tun, sonst hätte sie das Melodrama meines Lebens nicht so brennend interessiert.

»Was ist passiert?« rief Helen.

»Großartige Neuigkeiten«, rief ich unter Tränen aus, während ich nach oben ging, um nach Kate zu sehen.

»Gut«. Meine Mutter strahlte.

»Ihr wißt ja, daß mich James im Stich gelassen und mit einer anderen zusammen war. Nicht mal Kates Namen hat er gewußt. Das ist jetzt alles geklärt. Es war nämlich meine Schuld. Ich hatte es darauf angelegt. Es konnte gar nicht ausbleiben, und er hat mir damit geradezu einen Gefallen getan!«

Ich stürmte in mein Zimmer und ließ am Fuß der Treppe drei erstaunte Gesichter mit vor Überraschung offenen Mündern zurück.

Kate begann zu weinen, kaum daß sie mich sah. Ich tat es ihr gleich – nur so zum Spaß. Die Schuld auf mich zu nehmen, wie sich James das vorstellte, war für mich nicht so einfach. Haben Sie sich wahrscheinlich schon gedacht. Meinen Zorn darüber ließ ich an Helen, Anna und Mum aus statt an James, obwohl er die richtige Adresse gewesen wäre. Das war den dreien gegenüber nicht fair. Eine leise Stimme erinnerte mich an meinen Versuch, James darauf hinzuweisen, daß er unrecht hatte, und an seine Antwort, das sei ein weiterer Beweis für meine kindische Haltung. Wahrscheinlich stimmte das. Er hatte gewöhnlich recht.

Er kann einem ganz schön auf den Geist gehen, dachte ich aufsässig.

Jetzt aber mußte ich aufhören, nachtragend und aufsässig zu sein. Ich war keine neunundzwanzigjährige Heranwachsende mehr. Sollte ich eine vernünftige und auf das Wohl anderer bedachte Erwachsene werden wollen, konnte ich auch gleich damit anfangen. Ich konnte auf Kates Bedürfnisse eingehen.

»Was kann ich für dich tun, mein Schatz?« fragte ich sie. Ich überlegte mir, ob das für James *reif* genug wäre. Damit mußte Schluß sein. Er hatte recht, ich hatte unrecht.

Ich versuchte, das schreiende Kind in meinen Armen zu beruhigen.

»Vielleicht 'ne frische Windel? Oder kann ich dich für das Fläschchen begeistern? Außerdem haben wir eine herrliche Auswahl von Aufmerksamkeit und Zuneigung. Es ist alles da. Du mußt es nur verlangen.«

Sogar das machte ich falsch. James zufolge war es nicht nötig, daß man mich um das bat, was man haben wollte. Wenn ich wirklich selbstlos wäre, mußte ich das von selbst wissen.

Vorsichtshalber gab ich ihr alles. Ich wickelte sie neu, fütterte sie und sagte ihr, sie sei schöner als Claudia Schiffer.

Mum, Anna und Helen kamen vorsichtig ins Zimmer geschlichen und fragten sich, ob ich wohl verrückt geworden sei.

»Hallo«, sagte ich, als ich den ersten Kopf sah, der zögernd durch die Tür gesteckt wurde. »Nur herein. Die kleine Szene in der Diele tut mir leid. Ich war wütend. Ich hatte kein Recht, es an euch auszulassen.«

»Ist schon in Ordnung«, sagte Helen. Die drei kamen hereinmarschiert und nahmen auf dem Bett Platz, während ich mich um Kate kümmerte und ihnen von meiner Begegnung berichtete.

»Es ist komisch, aber zu wissen, wie schwierig ich war, macht mir sein Verschwinden ein bißchen leichter«, sagte ich zu ihnen. »Versteht ihr, zumindest ergibt es jetzt einen Sinn.«

»Du kannst ja wohl nicht so schlimm gewesen sein, wie er behauptet«, sagte Mum.

»Ich versteh das auch nicht«, gab ich zu. »Aber wie ich ihm das gesagt hab', meinte er, genauso hätte er sich meine Reaktion vorgestellt.«

Darauf konnte niemand etwas sagen. James hatte mich gekonnt in die Ecke getrieben.

Irgendwann gaben die drei den Versuch auf, mir zu versichern, daß ich so schlimm nicht sein könnte, und gingen. Die Nacht war entsetzlich. So schlimm wie die ersten Tage, nachdem mich James verlassen hatte. Ich fand keinen Schlaf, lag flach auf dem Rücken und starrte in die Dunkelheit. Fragen schossen mir durch den Kopf.

All das hatte mich schrecklich durcheinandergebracht. Ich hatte nie gewußt, daß ich so selbstsüchtig und unreif war. Niemand hatte sich je darüber beklagt. Gewiß, ich war lebhaft und manchmal wohl auch ein bißchen laut und temperamentvoll. Aber ich war allen Ernstes überzeugt, daß ich auf die Gefühle anderer Menschen Rücksicht nahm.

Mir kam der Gedanke, daß James unter Umständen meine negativen Seiten ein wenig übertrieben dargestellt und sich das eine oder andere vielleicht sogar aus den Fingern gesogen hatte. Ich wies den Gedanken sofort zurück. Dieser Versuch, der Verantwortung auszuweichen, war wieder einmal typisch für mich. Warum hätte James so etwas sagen sollen, wenn es nicht der Wahrheit entsprach? Er hatte es selbst gesagt – und seine Worte gingen mir nicht aus dem Kopf. »Wenn es so wunderschön war, wie du sagst – warum hätte ich dann gehen sollen?«

Ich konnte es nicht ausstehen, unrecht zu haben. Es fiel mir wirklich ungeheuer schwer, einfach zuzugeben, daß ich nicht recht hatte. Ich kam mir ertappt vor, bloßgestellt und so ungerecht behandelt, daß es weh tat. Ich war so selbstgefällig gewesen. Ich hatte geglaubt, das Recht sei auf meiner Seite. Es war demütigend einzusehen, daß es das nicht war.

Schon als kleines Mädchen in der Schule hatte ich Schwierigkeiten gehabt, wenn ich meine Rechtschreibübungen nicht richtig gemacht hatte, mit gesenktem Kopf zu schlucken und zur Lehrerin zu sagen: »Sie haben recht, und ich hab' unrecht.«

Na ja, Übung macht den Meister.

Endlich schlief ich ein.

30

Am nächsten Morgen weckte mich mein Vater damit, daß er mir einen riesigen gelben Umschlag unter die Nase hielt. »Hier«, sagte er schlechtgelaunt. »Für dich. Ich muß zur Arbeit und bin schon spät dran.«

»Danke, Dad«, sagte ich schläfrig und schob mir die Haare aus dem Gesicht, während ich mich aus dem Bett quälte.

Ich sah auf den Brief. Er war in London abgestempelt. Es überlief mich kalt, als mir klar wurde, daß es die Besitzurkunde für die Wohnung und alle anderen Dokumente waren, die James hatte schicken lassen.

Ich spielte mit dem Gedanken, den Vatikan anzurufen, um ihm ein Wunder zu melden. Sicher war noch nie zuvor etwas so schnell von London nach Dublin gelangt.

Dann dachte ich, ich sollte statt dessen James anrufen. Das dürfte wohl am besten sein. Andererseits würde man mich im Vatikan vermutlich besser behandeln.

Ich fand die Nummer seiner Pension im Telefonbuch. Eine Frau nahm ab. Ich verlangte James. Sie sagte mir, ich solle dranbleiben, während sie ihn holte. Während ich wartete, hörte ich im Hintergrund Geräusche, die wie Maschinengewehrfeuer klangen. Gut, vielleicht war es nur die Waschmaschine, aber wer die Pension kannte und die Straße, in der sie lag, hätte eher sein Geld darauf gewettet, daß es doch Maschinengewehrfeuer war.

»Hallo«, sagte James. Es klang tüchtig und energisch.

»Ich bin's«, sagte ich.

»Ich wollte dich gerade anrufen, Claire«, sagte er und versuchte, einen freundlichen Klang in seine Stimme zu legen.

»Tatsächlich?« fragte ich höflich und überlegte, was der Grund dafür sein mochte. War ihm noch etwas Widerwärtiges eingefallen, was ich ihm angetan hatte? Hatte er bei seiner Kritik an meinem Verhalten in der Öffentlichkeit einen wichtigen Punkt ausgelassen, den er mir am Vorabend noch hatte mitteilen wollen? Sachte, sachte, mahnte ich mich. Sei selbstlos und erwachsen.

»Sollte man es für möglich halten?« fragte er ungläubig. »Nirgendwo in dieser Stadt kriegt man vor neun Uhr morgens eine Zeitung. Seit dem Aufstehen versuche ich, eine *Financial Times* aufzutreiben – es ist aussichtslos.«

»Na so was«, sagte ich. Ärger stieg in mir auf, doch versuchte ich, ihn zu verbergen. Ich durfte nicht vergessen, daß die *Financial Times* für mich nicht wichtig war, wohl aber für einen anderen Menschen, nämlich James – und ich als selbstloser, mitfühlender und fürsorglicher erwachsener Mensch Anteil nehmen *mußte*.

»Wolltest du mich anrufen, um mir das zu sagen?« fragte ich einfach.

»Aber nein, natürlich nicht. Was war es noch? Ach ja«, sagte er. Offenbar fiel es ihm wieder ein. »Ich wollte mich erkundigen, wie es dir geht. Gestern abend war ich wohl möglicherweise ein bißchen … nun … *schroff* zu dir. Inzwischen ist mir klar, daß du gar nicht gemerkt hast, wie egoistisch und gedankenlos du warst. Vielleicht ist es für dich ziemlich überraschend gekommen, daß ich dir die Augen geöffnet habe.«

»Ein bißchen schon«, gab ich zu. Aufs neue überwältigte mich Verwirrung. Allmählich kam ich mir vor wie ein Tatverdächtiger, den zwei Polizisten verhören, ein freundlicher und ein unsympathischer. Immer, wenn ich mich daran gewöhnt hatte, daß sich einer von ihnen widerlich aufführte, verhielt sich der andere besonders freundlich, so daß ich das Bedürfnis hatte, ihm weinend um den Hals zu fallen. In Wirklichkeit war da zwar nur James, aber die Wirkung war die gleiche. Jetzt, da er freundlich zu mir war, wäre ich ihm am liebsten – richtig geraten! – weinend um den Hals gefallen.

»Du hast dich nicht absichtlich so aufgeführt«, fuhr er fort. »Es war dir einfach nicht bewußt.«

»Nein, war es nicht«, schniefte ich.

Ich war so *froh*, daß er endlich freundlich zu mir war. Ich hätte vor Erleichterung heulen können.

»Du mußt dir eben ein bißchen mehr Mühe geben«, sagte er mit leisem Lachen. »Stimmt's?«

»Äh, ja, ich glaub schon. Übrigens hab' ich eine gute Nachricht«, sagte ich und kam damit zum Anlaß meines Anrufs.

»Nämlich?« fragte er. Es klang zufrieden und nachsichtig.

»Die Unterlagen sind gekommen!« sagte ich triumphierend. »Ich habe es selbst kaum geglaubt. Bestimmt ist der irischen Post das zum ersten Mal passiert.«

»So?« fragte er scharf.

O Gott, dachte ich. Da hab' ich ihn schon wieder verärgert. Ich verstehe, was er meint. Ich tu das wohl, ohne es zu merken.

»Es ist also alles bestens ...«, sagte ich schwach. »Wir brauchen keine weitere Zeit zu vergeuden und können uns sofort daran machen, die Angelegenheit zu regeln.«

»Oh.« Er wirkte ein wenig benommen. Ein wenig dümmlich.

»Oh«, sagte er noch einmal. »Schön.«

»Komm doch zu uns«, schlug ich vor. »Ich verspreche dir, daß es kein siedendes Öl gibt.« Ich zwang mir ein munteres Lachen ab, als wäre die Idee albern, einer aus meiner Familie oder ich könnte ihm Schaden zufügen.

»Gut«, sagte er knapp. »Ich bin in einer Stunde da.« Dann legte er auf. Einfach so.

Ein kurzer Gedanke schoß mir durch den Kopf. War er womöglich schizophren?

Oder gab es in seiner Familie Fälle von Geisteskrankheit?

Es fiel mir ungeheuer schwer, mit all diesen Stimmungsumschwüngen fertig zu werden. *Irgend etwas* mußte der Grund dafür sein.

Vielleicht würde ich es merken, wenn er kam. Bis dahin wollte ich rasch einen heimlichen Blick in die Papiere werfen, um zu sehen, ob ich überhaupt irgendwelche Ansprüche hatte.

Genau eine Stunde später klingelte es an der Tür. Es war James. Er begrüßte mich mit der Andeutung eines Lächelns und fragte nach Kates Wohlergehen.

»Warum fragst du sie nicht selbst?«

»Oh, äh, ja«, sagte er. Wir gingen ins Eßzimmer, wo Kate in ihrer Trageschale lag. Zögernd kitzelte James sie. Ich ging in die Küche, um Kaffee zu machen.

Dann kehrte ich zurück und sagte munter und mit einem Lächeln: »Dann also ans Werk.«

Ich wies auf die Unterlagen, die auf dem Tisch ausgebreitet waren, und wir setzten uns.

»Ich dachte, wir fangen am besten mit den Eigentumspapieren für die Wohnung an«, sagte ich.

»In Ordnung«, sagte er schwach.

»Sieh mal, diese Klausel hier«, sagte ich und wies auf eine Bestimmung hin, die sich auf den Verkauf der Wohnung vor Tilgung der Hypothek bezog. »Da ist doch ...«

Ich verstieg mich zu Erklärungen und Vorschlägen, die ich mit verschiedenen juristischen Ausdrücken würzte. Ich war stolz auf mich. Es klang, als wüßte ich genau, wovon ich sprach. Insgeheim hoffte ich ihn damit zu beeindrucken. Obwohl wir uns getrennt hatten, war es mir wichtig, daß er in mir eine tüchtige Frau sah und nicht ein verzogenes, zickiges Dummchen.

Nach einer Weile merkte ich, daß er mir überhaupt nicht zuhörte. Er lehnte sich einfach auf seinem Stuhl zurück und sah auf mein Gesicht statt auf das Dokument, das ich ihm mit so großer Mühe erklärte.

Ich hielt mitten in der Verzichtsklausel inne, mit der ich mich gerade beschäftigte, und fragte: »James, fehlt dir was? Warum hörst du nicht zu?«

Er fuhr mir liebevoll durchs Haar – was mich ziemlich überraschte, kann ich Ihnen sagen – und sagte mit einem Lächeln: »Du kannst aufhören, Claire. Ich bin überzeugt.«

»Wovon?« fragte ich ihn. Was zum Teufel war jetzt schon wieder los?

»Ich bin überzeugt, daß du dich geändert hast. Du brauchst die Rolle nicht weiterzuspielen.«

»Was für eine Rolle?« fragte ich verständnislos.

»Du weißt schon«, sagte er und sah mir lächelnd in die Augen. »Du kannst den Vorwand fallenlassen, daß wir die Wohnung verkaufen und uns über den Unterhalt für Kate einigen. Du brauchst nicht weiterzureden.«

Ich schwieg. Was hätte ich auch sagen können?

»Es ist keine Rolle«, sagte ich mit piepsender Stimme.

»Claire«, sagte er und lächelte nachsichtig. »Hör auf! Ich muß zugeben, ich hab' es dir zeitweise wirklich abgenommen. Fast hätte ich geglaubt, daß es dir ernst ist. Mußtest du wirklich die Sache soweit treiben, daß du dir die Besitzurkunden hast schicken lassen? War das nicht ein bißchen übertrieben?«

»James«, protestierte ich schwach.

Er schien darin eine Art Kapitulation zu sehen. Er legte die Arme um mich und zog mich an sich. Mein Kopf lag steif auf seiner Schulter.

»Sieh mal, ich weiß, daß du sehr schwierig warst. Verdammt schwierig«, sagte er. Ich konnte das wehmütige Lächeln in seiner Stimme richtig hören. »Aber ich sehe, daß du dir große Mühe gibst, mich davon zu überzeugen, wie verantwortungsbewußt und erwachsen du geworden bist und daß du auf die Bedürfnisse anderer eingehen kannst.«

»Findest du?« fragte ich.

»Ja«, sagte er freundlich. Er lehnte sich zurück und sah mir in die Augen. »Absolut.«

»Und deswegen können wir das hier erst mal beiseite lassen.« Mit diesen Worten schob er die Papiere auf dem Tisch zu einem unordentlichen Haufen zusammen.

»Warum?« fragte ich.

»Weil wir die Wohnung nicht verkaufen.« Er lächelte.

Er sah ein wenig aufmerksamer auf mein bleiches und entsetztes Gesicht.

»Großer Gott.« Melodramatisch schlug er sich mit der Hand vor die Stirn. »Du hast es noch nicht gemerkt, was?«

»Nein«, sagte ich.

Er packte mich bei den Schultern und schob sein Gesicht dicht an meins. »Ich liebe dich«, sagte er mit leisem Lachen. »War dir das nicht klar, mein kleiner Dummkopf?«

»Nein«, sagte ich. Ich fürchtete, im nächsten Augenblick in Tränen auszubrechen.

Ist es nicht sonderbar, wie einem Erleichterung bisweilen ganz wie Angst vorkommen kann und Glück wie Enttäuschung?

»Was glaubst du, warum ich nach Dublin gekommen bin?« Er schüttelte mich sacht an den Schultern und lächelte erneut nachsichtig.

»Keine Ahnung«, räumte ich ein. »Vielleicht, um Ordnung zu machen.«

»Vermutlich hast du angenommen, ich würde dir dein Verhalten nie verzeihen?« In die Richtung hatte ich gar nicht gedacht.

»Aber ich *habe* dir verziehen«, sagte er großzügig. »Ich bin bereit, einen neuen Anfang zu machen. Ich bin sicher, daß die Dinge künftig ganz anders aussehen werden, weil du erwachsen geworden bist.«

Ich nickte stumm. Warum war ich nicht glücklich? Er liebte mich nach wie vor. Er hatte nie aufgehört, mich zu lieben.

Ich hatte ihn vertrieben. Aber ich hatte mich geändert, und die Sache konnte wieder ins Lot gebracht werden. Hatte ich nicht genau das gewollt? Nun?

Er sah auf mein stummes, entsetztes Gesicht und stupste mir mit einem Finger ans Kinn.

»Du nimmst mir doch die Sache mit Denise nicht mehr übel?« fragte er, als wäre das ein ganz und gar absurder Gedanke.

»Eigentlich schon«, sagte ich leise. Dabei hatte ich das Gefühl, als hätte ich jetzt, wo er so freundlich zu mir war, kein Recht, mich über etwas zu beklagen.

»Aber es war nichts«, er lachte. »Es war nur eine Reaktion auf das, was du in mir ausgelöst hast. Ich bin sicher, daß du den Fehler nicht noch mal machen wirst.« Er lächelte, als wäre das spaßig. Das aber war es ganz und gar nicht.

»Äh, James«, sagte ich. Es kam mir vor, als würde mein Kopf jeden Augenblick explodieren. Ich mußte eine Weile allein sein.

»James«, sagte ich leise. »Das ist eine Wahnsinns …«

»… überraschung«, ergänzte er. »Ich weiß, ich weiß.«

»Ich muß in Ruhe ein wenig über all das nachdenken.«

»Was gibt's da nachzudenken?« fragte er leichthin.

»Du hast mir sehr weh getan«, sagte ich. »Du hast mir weh getan und mich erniedrigt. Ich kann das Gefühl nicht einfach abschütteln, um dir jetzt eine Freude zu machen.«

»Ach je«, seufzte er. »Kramst du jetzt wieder die ›arme Claire‹ raus? Ich dachte, du hättest dich geändert. Was ist damit, wie du mich verletzt und erniedrigt hast?«

»Aber ich wollte doch nie ...«

»Auch ich hab' dich nicht absichtlich verletzt«, antwortete er. Seine Stimme klang ein wenig ungeduldig. »Es ist einfach so passiert.«

»Aber du hast gesagt, du *liebst* Denise«, sagte ich in Erinnerung an das, was mir am meisten weh getan hatte.

»Das hatte ich *geglaubt*«, sagte er, als erklärte er einem sehr kleinen Kind etwas. »Aber es hat sich gezeigt, daß es nicht so war.«

Dann fuhr er streitlustig fort: »Na schön. Ich soll also zugeben, daß ich einen Fehler gemacht habe. Das tue ich. Einfach um zu zeigen, wie sehr mir daran liegt, unsere Ehe fortzuführen.«

Nach einer Weile sagte er mit einer Singsangstimme wie ein kleiner Junge (die Art von kleinen Jungen, denen man am liebsten den Hals umdrehen würde): »Ich hab' 'nen Fehler gemacht. Genügt das?«

»Äh, danke«, sagte ich höflich. Wenn er doch nur *ginge*.

»Wenn du allerdings nachtragend bist und deinen Groll weiterhin hegst und pflegst, ist es sinnlos, daß ich hier bleibe, nicht wahr?« fuhr er fort. »In dem Fall fahre ich am besten sofort zum Flughafen, fliege nach London zurück und komm nie wieder auf die Sache zu sprechen.«

»Nein, tu das nicht.« Der Gedanke, daß er mich erneut verlassen würde, versetzte mich in Panik. Der Gedanke, daß er bleiben würde, versetzte mich ebenfalls in Panik.

Erst hatte mich der Scheißkerl aus heiterem Himmel im Stich gelassen, und jetzt kam er zurück und erklärte mir, es sei alles meine Schuld, aber er liebe mich nach wie vor und wolle es noch einmal mit mir probieren.

Verhielt sich so ein vernünftiger Mensch?

»Ich sehe, wie dich das alles überwältigt«, sagte er, jetzt wieder ganz der umgängliche James. »Das ist ja auch durchaus verständlich. Du hast geglaubt, du wärest allein, und merkst jetzt, daß dein altes glückliches Leben wieder da ist. Es muß schwer sein, mit all dem auf einmal klarzukommen.«

»Das kannst du laut sagen«, murmelte ich.

»Ich laß dich jetzt ein paar Stunden allein.«

»Danke.« Vor Erleichterung fiel ich fast in mir zusammen.

»Ich kümmere mich um Flugkarten. Wann würdest du gern nach London zurückfliegen?«

»Ich weiß nicht.« Erneut überfiel mich Panik. Ich wollte nicht nach London zurück. Jedenfalls nicht mit James.

»Am besten gleich, was?« Er zwinkerte mir zu. »Wie lange brauchst du, bis du gepackt hast?«

»Oh, James, ich weiß nicht«, sagte ich, von Entsetzen geschüttelt. »Wahrscheinlich ewig, denk nur an Kates Sachen und das alles.«

»Ach ja, Kate«, sagte er, als sei sie ihm gerade wieder eingefallen. »Für sie muß ich natürlich mitbuchen.«

»Unternimm vorerst bitte nichts«, sagte ich. »Laß mir ein bißchen Zeit, das alles zu verarbeiten.«

»Na schön«, sagte er mit gerunzelter Stirn. »Ich vernachlässige natürlich meine Arbeit, solange ich hier bin, und möchte daher so rasch wie möglich zurück, nachdem wir alles geklärt haben.«

»Darüber können wir später noch sprechen«, sagte ich und begleitete ihn an die Haustür.

»Sieh aber zu, daß es nicht zu lange dauert«, sagte er. »Immerhin ...«

»Zeit ist Geld, ich weiß, ich weiß«, beendete ich matt den Satz für ihn.

Ich schloß die Tür hinter ihm, lehnte mich dagegen und blieb eine Weile so stehen. Ich fühlte mich sehr schwach.

»Ist er weg?« zischte eine Stimme. Es war Mum, die den Kopf aus dem Schlafzimmer steckte und zu mir in die Diele hinabspähte.

»Ja«, sagte ich.

»Stimmt was nicht?« fragte sie, als sie meinen entsetzten Ausdruck sah.

»Doch, doch«, sagte ich mit matter Stimme.

»Gut«, sagte sie.

»James hat gesagt, daß er mich immer noch liebt«, sagte ich ausdruckslos.

»Was?« kreischte sie.

»Ich hoffe, du hast ihm gesagt, daß er sich das an den Hut stecken kann«, rief eine Stimme hinter Mum.

»Das ist ja großartig«, sagte Mum und kam im Eilschritt die Treppe herunter. »Komm rein, Kind. Setz dich. Erzähl mir alles.« Sie führte mich in die Küche.

»Wo ist Kate?« fragte sie.

»Im Eßzimmer«, erwiderte ich und setzte mich erschöpft an den Küchentisch.

»Ich hol sie«, sagte Mum und eilte davon. Im nächsten Augenblick war sie zurück, gespannte Neugier auf ihrem Gesicht.

»Was hat er gesagt?« fragte sie ungeduldig.

»Daß er mich noch immer liebt und mich zurückhaben will«, sagte ich ausdruckslos.

»Ist das nicht großartig?« rief meine Mutter.

»Vermutlich«, sagte ich zweifelnd.

»Und was ist mit dieser Denise?« fragte sie und sah mich aufmerksam an.

»Wie es scheint, hat er sie nie geliebt«, sagte ich leise. »Er hat sich ihr nur in die Arme geworfen, weil er das Gefühl hatte, von mir keine Aufmerksamkeit, Fürsorge und Liebe zu bekommen.«

»Und die Sache mit ihr ist vorbei?« fragte meine Mutter.

»Ja«, sagte ich.

»Glaubst du ihm?« fragte sie.

»Komischerweise, ja«, sagte ich.

»Dann ist es ja gut«, sagte meine Mutter.

»Meinst du?« fragte ich.

Sie schwieg einige Augenblicke. Sie schien über etwas nachzudenken. Als sie wieder sprach, klang ihre Stimme sonderbar feierlich.

»Mach nicht den Fehler, daß du vor lauter Stolz nicht verzeihen kannst«, sagte sie. »Du liebst ihn noch. Er liebt dich noch. Wirf nicht alles weg, nur weil du gekränkt bist.«

Ich schwieg weiter, sie sprach weiter. Dabei schimmerte in ihren Augen ein ferner, träumerischer Glanz.

»In vielen Ehen kriselt es mal«, sagte sie. »Die Menschen kommen darüber weg. Sie lernen zu verzeihen. Nach einer Weile lernen sie sogar zu vergessen. Wenn man sich Mühe gibt und zusammenbleibt, ist die Ehe gewöhnlich stabiler als zuvor.«

Oh nein! dachte ich. *Das kenne ich. Das ist der Film, in dem die Mutter der Tochter gesteht, daß sie vor Jahren ein Verhältnis hatte, beispielsweise mit dem besten Freund ihres Mannes. Oder, wahrscheinlicher, daß der Vater ein Verhältnis hatte. (»Was«, fragt die Tochter, »willst du damit sagen, Dad hatte ein Verhältnis?«) Die Mutter war entschlossen, ihn zu verlassen und die Kinder mitzunehmen. (»Du warst damals noch ganz klein.«) Aber sie blieb. Sie vergab ihm. Der Vater war vor Reue völlig zerknirscht. Jetzt war ihre Ehe stabiler als zuvor.*

Sollte Mum die Absicht gehabt haben, irgend etwas in der Art zu erzählen, schien sie sich das jetzt anders zu überlegen. Der träumerische Blick verschwand aus ihren Augen.

Sie kehrte in die Gegenwart zurück.

»Es kostet natürlich Zeit, bis alle Kränkungen vergessen sind«, sagte sie. »Du kannst nicht erwarten, daß das von heute auf morgen passiert. Aber im Laufe der Zeit heilt auch diese Wunde.«

»Ich weiß nicht recht, Mum«, murmelte ich. »Es kommt mir alles so falsch vor.«

»Wieso?« fragte sie.

»Ich weiß nicht ...«, seufzte ich. »Ich hab' kein Gefühl des ... des ... *Triumphes*, des Sieges. Außerdem bin ich immer noch sauer auf ihn.«

»Dazu hast du auch allen Grund«, sagte sie. »Sprich mit ihm darüber. Vielleicht könnt ihr miteinander zur Eheberatung gehen. Aber laß nicht zu, daß dich dein Zorn blind für alles andere macht. Schließlich sprechen wir vom Vater deines Kindes. Wenn du deinen Zorn nicht runterschlucken kannst, denk an Kate. Tu es für sie. Willst du deinem Kind den Vater nehmen, nur weil du sauer auf ihn bist?« Mit diesen Worten beendete sie ihren leidenschaftlichen Appell.

Bevor ich antworten konnte, legte sie schon wieder los. – Mit einem neuen leidenschaftlichen Appell: »Dein Wunsch, zu triumphieren oder dich als Siegerin zu fühlen, ist ein leeres und hohles

Gefühl. In einer solchen Situation gewinnen zu wollen ist wirklich kindisch. Da gibt es keinen Gewinner und keinen Verlierer. Wenn du dich entschließen kannst, deine Ehe weiterzuführen, hast du gewonnen und bist Siegerin!«

Sie hätte Reden für Revolutionäre schreiben können. Das ging richtig unter die Haut!

»Na schön«, sagte ich ein wenig zweifelnd. »Wenn du sicher bist.«

»Ganz und gar«, sagte sie zuversichtlich. »Deine Ehe ist eine Zeitlang gut gelaufen. Schön, ihr hattet Probleme, und die wurden nicht richtig gelöst. Aber wahrscheinlich habt ihr beide daraus gelernt.«

»Vermutlich«, sagte ich.

»Und daß er dich wiederhaben will, zeigt, daß du so schlimm nicht gewesen sein kannst, wie er dich hinstellt«, sagte sie mit breitem Lächeln. Aber das fand ich nicht lustig. Es fiel mir nach wie vor schwer zu glauben, daß ich so schwierig gewesen sein sollte.

Wer war es noch, der gesagt hatte: ›Vorsicht mit Wünschen – sie könnten in Erfüllung gehen?‹ Und irgendein Heiliger hatte gesagt: ›Es werden mehr Tränen wegen erhörter Gebete vergossen als wegen solcher, die nicht erhört worden sind.‹

Ich begriff, was die Leute damit meinten. James hatte mich tief verletzt. Ich hatte ihn so sehr geliebt. Ich hatte ihn, meine Ehe und mein früheres Leben zurückgewollt. Jetzt, da ich all das haben konnte, wußte ich nicht mehr, worum das ganze Hickhack gegangen war.

Ich konnte meine Ehe zurückhaben, mußte aber zuvor einsehen, daß ich unreif, schwierig, egoistisch und für James eine Last gewesen war. Das fiel mir ungeheuer schwer. Sicher, es mußte wohl stimmen, denn es gab für ihn keinen anderen Grund, mich zu verlassen. Aber wenn ich nicht einmal wußte, was ich falsch gemacht hatte – wie zum Teufel konnte ich dann verhindern, daß sich das wiederholte?

Ich fühlte mich noch immer sehr gedemütigt und verletzt, weil er es mit der dicken blöden Kuh getrieben hatte. Aber er wollte nicht zulassen, daß ich ihm das sagte. Ich schien mich nicht darüber beklagen zu dürfen, weil ich dann einen egoistischen und unreifen Eindruck gemacht hätte. So oder so – ich konnte nicht gewinnen.

Ich wußte, daß ich ihn liebte, konnte mich aber nicht richtig erinnern, was ich an ihm eigentlich liebte. Er war so … so … so *aufgeblasen*, humorlos und kalt. War er schon immer so gewesen?

Und wie würde die Zukunft aussehen? Würde ich Angst haben, vorlaute Bemerkungen zu machen und ihm lustige Geschichten zu erzählen? Würde ich Angst haben, mich bei ihm anzulehnen und mich geborgen zu fühlen, so wie früher, wenn er sich allein und unverstanden fühlte? Unsere Rollen hatten sich umgekehrt.

Ich wußte nicht, wie wir uns zueinander verhalten sollten. Alles würde ich neu lernen müssen. Das machte mir wahnsinnig angst. Was war dagegen einzuwenden, wie es früher gewesen war? Offensichtlich alles, wenn man James hörte.

Mir aber hatte es so gefallen. Und ich war nicht sicher, daß es anders funktionieren könnte.

Allerdings gab es nur eine Möglichkeit, das herauszufinden: zu ihm zurückkehren und es noch einmal versuchen. Das würde ich tun müssen, und sei es nur um Kates willen. Es war den Versuch wert, denn es war sehr schön gewesen. Aber jetzt war es entsetzlich.

Ich war immer noch wütend, fühlte mich nach wie vor so gekränkt und erniedrigt, daß ich ihm am liebsten jedesmal einen Schlag versetzt hätte, wenn er sagte, wie kindisch ich sei.

Es nützte nichts. Tief durchatmen. Brust raus und Schultern straffen.

Ich würde mit ihm nach London zurückkehren. Kate hatte einen Anspruch auf ihren Vater. Und ich würde die Dinge richtig machen können.

Merkwürdig. Man möchte etwas unbedingt haben. Wenn man es dann bekommt, muß man so viel daran in Ordnung bringen und renovieren – Zwischenwände herausnehmen, elektrische Leitungen und Armaturen erneuern –, daß man sagt, was soll's, ich will's nicht mehr. Ich nehm mit was viel Kleinerem vorlieb, auch wenn es keinen Garten hat, vorausgesetzt, es ist *fertig*.

Mum saß nach wie vor da und sah mich besorgt an.

»Es ist schon in Ordnung. Ich *gehe* zu ihm zurück. Ich versuch's noch mal.« Ich wußte wirklich nicht, was ich sonst hätte sagen sollen.

Seufzend stand ich auf. »Am besten ruf ich James an und sag ihm, daß ich zurückkomme.« Ich ging mit dem Gefühl zum Telefon, als stellte ich mich einem Erschießungskommando. Ich rief in seiner Pension an.

»Ich hab' mir überlegt, was wir besprochen haben«, sagte ich, als ich ihn am Apparat hatte, »und ich hab' mich entschieden.«

»Und zwar wie?« fragte er kurz angebunden.

»Ich komme mit zurück. Ich versuch's noch mal.«

»Gut«, sagte er. Ich konnte das leichte Lächeln in seiner Stimme hören. »Gut. Diesmal geben wir uns mehr Mühe, was?«

»Und keine Denise mehr?« fragte ich.

»Niemand mehr, wenn alles wunschgemäß verläuft«, sagte er. Mir gefiel die verhüllte Drohung nicht, die darin lag.

»Du weißt, daß mir das nicht leichtfällt«, sagte ich unruhig. »Ich fühle mich immer noch verraten und verletzt. Das geht nicht von einem Tag auf den anderen vorbei.«

»Natürlich nicht«, stimmte er in seinem überaus vernünftigen Ton zu. »Aber du mußt dir Mühe geben, diese Gefühle zu überwinden, nicht wahr. Wenn du mir nicht verzeihen kannst, hat das Ganze keine Zukunft.«

»Ich weiß«, sagte ich. Fast tat es mir leid, daß ich ihn angerufen hatte. Dann holte ich tief Luft.

»Du hattest auch unrecht, oder nicht?«

»Das hab' ich bereits zugegeben«, sagte er kalt. »Wollen wir das den Rest unseres Lebens jeden Tag wieder aufwärmen?«

»Nein ..., aber«, sagte ich.

»Aber nichts«, sagte er. »Das ist jetzt vorbei. Wir müssen es vergessen und den Blick auf die Zukunft richten.« *Für dich ist das viel einfacher als für mich*, dachte ich. Aber ich sagte nichts. Es war sinnlos. Es würde zu nichts führen.

»Für wann soll ich den Flug zurück nach London buchen?« fragte er in mein verärgertes Schweigen hinein.

»Ach, James, ich weiß nicht. Ich brauch ein paar Tage, um alles auf die Reihe zu kriegen«, sagte ich. Die Vorstellung, abreisen zu müssen, jagte mir Entsetzen ein.

»Claire, ich kann nicht noch ein paar Tage warten«, sagte er gereizt. »Ich hab' gerade jetzt sehr viel zu tun.«

»Da hast du doch eigentlich Glück gehabt, daß ich mich schon nach zwei Tagen bereit erklärt habe, mit zurückzukommen«, sagte ich verbittert. »Wenn ich mich nun gewehrt hätte und es eine ganze Woche gedauert hätte, mich zu überzeugen?«

»So zu denken führt zu nichts«, sagte er glatt. »Ich hab' dich überzeugt. Das ist das Entscheidende.« Er schwieg. Nach einer Weile fragte er, offenbar um sich zu vergewissern: »Ich *habe* dich doch überzeugt?« Wenn ich es nicht besser gewußt hätte, wäre ich versucht gewesen zu sagen, daß seine Worte unsicher klangen.

»Ja, James«, sagte ich mit trübseliger Stimme. »Das hast du.«

»Alles wird gut«, sagte er. »Du wirst sehen.«

»Ja«, sagte ich. Ich war alles andere als sicher, hatte aber weder Lust noch die Kraft, das zu sagen.

»Du kannst doch ohne weiteres gleich nach London fliegen«, sagte ich. »Ich komm dann Anfang nächster Woche mit Kate nach.«

»Warum muß das eine ganze Woche dauern?« Er klang ärgerlich.

»Na ja ... ich hab' dies und jenes zu erledigen«, sagte ich unsicher, »und ich muß mich von verschiedenen Leuten verabschieden.«

»Es wäre mir lieber, wenn ihr früher kommen würdet«, sagte er streng.

»Tut mir leid, James, aber ich brauche die Zeit wirklich, um mich an die veränderte Lage zu gewöhnen«, sagte ich matt.

»Na ja, von mir aus – solange du es dir nicht anders überlegst«, sagte er mit einem Lachen, das erzwungen klang.

»Bestimmt nicht«, sagte ich müde. Mir war bewußt, daß ich dazu gar keine Möglichkeit hatte. »Bestimmt nicht.«

»Gut«, sagte er. »Vielleicht sollte ich aber wirklich gleich zurückfliegen. Wenn ich auf schnellstem Wege zum Flughafen fahre, krieg ich noch eine Maschine. Hoffentlich erstatten die mir hier im Hotel die Übernachtung.«

»Wie schade, daß ich mich nicht früher entschieden habe«, sagte ich. »Wahrscheinlich ist es jetzt zu spät, dein Geld zurückzubekommen.«

»So ist das nun mal«, sagte er leichthin. Was für ein Arschloch! Ich hatte das ganz und gar sarkastisch gemeint!

»Ich ruf dich aus London an, sobald ich zurück bin«, versprach er.

»Tu das«, sagte ich ruhig.

»Grüß mir Kate«, sagte er.

»Wird gemacht.«

»Und auf bald.«

»Ja, auf bald.«

31

»Und wann gehst du nach London zurück?« fragte meine Mutter.

»Was denn, du gehst nach London zurück?« kreischte Helen.

»Ja«, murmelte ich im Bewußtsein dessen, wie erbärmlich ich ihr vorkommen mußte.

»Du bist ja nicht ganz dicht!« rief sie aus.

»Aber Helen, du verstehst nicht ...« Ich bemühte mich, es ihr zu erklären. »Es war nicht seine Schuld. Er hatte es wirklich schwer mit mir. Ich hab' Ansprüche gestellt und war kindisch, und damit ist er nicht fertig geworden. Also hat er sich aus reiner Verzweiflung einer anderen an den Hals geworfen.«

»Und das nimmst du ihm ab?« fragte sie höhnisch und grinste angewidert. »Du bist ja beknackt. Schlimm genug, daß er eine andere gebumst hat, aber daß er die Schuld jetzt auch noch auf dich schiebt, ist total daneben. Hast du eigentlich keine Selbstachtung?«

»Es geht um mehr als Selbstachtung«, beharrte ich im verzweifelten Versuch, Helen zu überzeugen. Wenn mir das gelang, konnte ich vielleicht sogar mich überzeugen. »Er ist der Vater meines Kindes. Und wir waren glücklich miteinander. Sehr glücklich.« (Das war die reine Wahrheit.) »Wenn wir uns Mühe geben, können wir es wieder sein.«

»Und wieso siehst du dann so elend aus?« wollte sie wissen. »Müßtest du nicht vor Freude strahlen? Der Mann, den du liebst, nimmt dich wieder in Gnaden auf. Obwohl er dir untreu war.«

»Helen, das reicht«, verwies ihr Mum den Sarkasmus. »Du kannst das nicht beurteilen. Du warst noch nicht verheiratet und hast auch kein Kind.«

»Das will ich auch ganz bestimmt nicht, wenn man dabei so verblödet wie die da«, schnaubte sie und sah mich verächtlich an.

Mit den Worten: »Du bist total *bekloppt*!« stapfte sie aus dem Zimmer. Danach herrschte eine Weile Schweigen.

»Ganz unrecht hat sie nicht«, sagte meine Mutter schließlich.

»Was willst du damit sagen?« fragte ich teilnahmslos.

»Na ja, du wirkst nicht gerade ... fröhlich. Du willst es dir doch nicht anders überlegen, was?«

»Nein«, seufzte ich. »Ich bin es uns allen schuldig, es noch mal zu probieren. Aber es kommt mir alles falsch vor, so, als würde ich manipuliert. Ich fühle mich irgendwie von ihm überrumpelt. Als wollte er die Sache unbedingt durchpeitschen. Es kommt mir vor, als müßte ich dankbar sein, ihn zurückzukriegen. Ja, das ist es – als müßte ich *dankbar* sein!«

»Aber bist du das denn nicht? Immerhin hast du die Möglichkeit, noch mal neu anzufangen. Nicht jede Frau hat das«, sagte meine Mutter.

»So meine ich das nicht«, sagte ich. Ich wollte unbedingt, daß sie verstand, damit ich es selbst verstand. »Er gibt mir das Gefühl, als müßte ich froh sein, weil ich seine Großzügigkeit eigentlich nicht verdiene. Als wäre er nett zu mir, ohne dazu verpflichtet zu sein. Als täte er es aus lauter Herzensgüte, weil er eben ein guter Mensch ist. Etwa so in der Art. Ich weiß nicht. Es kommt mir unaufrichtig vor.«

»Aber er ist doch gut zu dir«, sagte sie und hielt sich an dem einzigen fest, was ihr wichtig war.

»Ja, aber ...«

»Aber was?

»Aber ... aber ... sicher, er ist gut zu mir, aber so wie bei einem ungezogenen Kind, dem man verzeiht, wenn es was ausgefressen hat. Ich mag ja vieles sein, aber ein ungezogenes Kind bin ich nicht.«

»Wahrscheinlich bildest du dir das alles nur ein«, sagte sie, im Versuch, mir zu helfen.

»Danke, Mum!«

»Es kann für ihn nicht einfach gewesen sein, zurückzukommen, klein beizugeben und einzugestehen, daß er im Unrecht war.«

»Aber das ist es ja gerade. Er hat nicht klein beigegeben. Er hat kaum zugegeben, daß er im Unrecht war.«

»Claire, wahrscheinlich erwartest du zuviel. Du darfst nicht erwarten, daß er dir tränenüberströmt den Inhalt eines ganzen Blumenladens vor die Füße legt und dich auf Knien anfleht, ihn zurückzunehmen«, sagte sie.

»Hübsch gewesen wäre es ja«, gab ich zu.

»Wichtiger als Blumen ist Liebe«, sagte sie.

»Sicher«, gab ich ihr niedergeschlagen recht. »Aber ich hab' das Gefühl, daß er mich in eine Falle gelockt hat«, platzte ich schließlich heraus, als ich endlich begriff, was ich empfand. »Ich muß unentwegt vollkommen sein, denn sonst läßt er mich wieder sitzen. Ich kann kein Wort gegen ihn sagen, weil das der Beweis dafür wäre, daß ich nur an mich denke. Ich hab' das Gefühl, ich muß ihm schrecklich dankbar sein, daß er mich wieder aufnimmt, und ich darf nie wieder wagen, mich über irgendwas zu beklagen. Er aber kann sich aufführen, wie er will, und ich muß den Mund halten.«

»Du brauchst dir nun wirklich keine weiteren Eskapaden von ihm gefallen zu lassen«, polterte meine Mutter. »Beim kleinsten Hinweis darauf, daß eine andere Frau im Spiel ist, kommst du sofort wieder nach Hause.«

»Danke, Mum.«

»Aber inzwischen sei froh, daß du einen neuen Anfang machen kannst. Gib dir Mühe. Tu dein Bestes. Ich wette, daß du angenehm überrascht sein wirst.«

»Ich will's versuchen«, versprach ich. Was hatte ich denn noch zu verlieren?

»Eins noch«, sagte sie ein wenig unbehaglich.

»Ja?«

»Ich weiß nicht, ob ich es dir sagen soll.«

»Sag schon!« verlangte ich.

»Adam hat angerufen«, sagte sie betreten. »Er wollte dich sprechen.«

Adam! Mein Herz sank. Es kann auch mein Magen gewesen sein. Auf jeden Fall ist irgend etwas *gesunken*.

»Wann hat er angerufen?« fragte ich atemlos, aufgeregt und glücklich. Mir schwamm der Kopf. Genau die Gefühle, die James in mir hätte wachrufen sollen.

»Ein paarmal«, gab sie äußerst betreten zu. »Gestern morgen, gestern nachmittag, als du geschlafen hast. Und gestern abend, als du aus warst.«

»Warum hast du mir das nicht gesagt?«

»Ich war nicht der Ansicht, daß es richtig wäre, dich abzuhalten, während du deine Angelegenheiten mit James regelst«, sagte sie kleinlaut.

»Das zu beurteilen hättest du mir überlassen sollen«, sagte ich ärgerlich. »Du hast ihm doch gestern abend nicht etwa gesagt, wo ich war?«

»Doch«, antwortete sie trotzig. »Ich hab' ihm gesagt, daß du mit deinem Mann aus warst. Warum nicht? Es war doch die Wahrheit, oder?«

»Ja, aber ...« Ich wußte nicht, was ich sagen sollte.

Es spielte ja auch keine Rolle mehr. Ich würde nach London zurückkehren. Zu James. Mit Adam war Schluß.

Aber ich mußte ihn sehen, mich von ihm verabschieden. Ich mußte ihm danken, daß er so gut zu mir gewesen war. Immerhin hatte ich mich mit ihm schön, begehrenswert, interessant und als etwas Besonderes gefühlt.

»Hat er seine Telefonnummer hinterlassen?« fragte ich voller Hoffnung.

»Äh, nein«, sagte Mum und sah beschämt beiseite.

»Vielleicht ruft er noch mal an«, sagte ich voll Zuversicht.

»Schon möglich«, stimmte sie zweifelnd zu. Was *hatte* sie ihm nur gesagt?

»Und wenn er anruft, möchte ich mit ihm reden, hast du gehört?« sagte ich.

»Kein Grund, mir den Kopf abzureißen«, murmelte sie.

Wie versprochen, rief James am späten Dienstagabend an, um zu sagen, daß er gesund und munter in London angekommen war. Er wollte wissen, ob ich schon einen Termin für meine Abreise hätte.

»Noch nicht«, sagte ich matt. »Aber ich verspreche dir, daß ich mich bald darum kümmern werde.«

»Ich bitte dich darum«, sagte er mit einem hörbaren anzüglichen Grinsen in der Stimme. Dabei überlief mich ein Schauer der

Besorgnis, ja, fast der Angst. Die Vorstellung, wieder bei ihm zu schlafen, mit ihm ins Bett zu gehen, war nicht unbedingt angenehm.

Kaum hatte ich – dankbar – aufgelegt, als das Telefon erneut klingelte.

Adam! Der schöne, hochgewachsene, lustige, liebe, gütige Adam.

»Hallo, Claire«, sagte er mit seiner hinreißenden Stimme.

»Hallo, Adam.« Ich war so froh, ihn zu hören. Ich kam mir wie ein kleines Mädchen vor, als müßte ich kichern und albern lächeln. Ich war ganz kribbelig.

»Ich habe gehört, daß man gratulieren darf«, sagte er mit kalter, harter Stimme. Das war wie ein Eimer kaltes Wasser auf meine Freude, ihn zu hören.

»W ... wie meinst du das?« fragte ich. Offenbar sah er in mir ein hartherziges Biest, eine Frau, die ihn verführt hatte, weil es ihr Befriedigung verschaffte, der an ihm als Mensch aber nichts lag und die jetzt, da ihr Mann zurückgekehrt war, keine Verwendung mehr für ihn hatte.

»Helen hat mir gerade gesagt, daß du zu James nach London zurückgehst«, sagte er anklagend.

»Das stimmt«, räumte ich ein. »Ich halte es für meine Pflicht. Wegen Kate.«

»Und was ist mit mir?« fragte er. Fast wäre ich bei dieser Frage in Tränen ausgebrochen. Am liebsten hätte ich ihm gesagt, daß mir bei der bloßen Vorstellung schlecht wurde, zu diesem selbstgerechten, scheinheiligen Schweinehund zurückzukehren.

In meinen Augen wurde James nämlich mit jeder Sekunde schlimmer, Adam hingegen immer begehrenswerter und verlockender. Ich sehnte mich förmlich danach, bei ihm zu sein.

Aber das konnte ich ihm nicht gut sagen. Ich mußte es mit James versuchen. Wenn ich mir jetzt wünschte, mit einem anderen zusammenzusein, wäre das unserer Ehe nicht besonders förderlich.

»Es wird schon klappen«, sagte ich.

»So sieht es aus«, gab er bitter zur Antwort.

Ich schämte mich so sehr, daß ich kein Wort herausbrachte.

»Und was ist mit mir?« fragte er. »Hat dir der Sonntag abend eigentlich gar nichts bedeutet?«

»Doch, selbstverständlich«, sagte ich stockend.

»Besonders viel kann das aber nicht gewesen sein, wenn du nicht mal zwei Tage später zu einem anderen zurückgehst«, sagte er unumwunden.

»Adam, so ist es nicht ...« Verzweifelt bemühte ich mich, es ihm zu erklären. »Ich muß ... Ich muß es noch mal probieren.«

»Warum? Er hat sich dir gegenüber doch abscheulich verhalten«, sagte er.

»Ja, aber ... Es war nicht wirklich seine Schuld.«

Adam lachte kalt.

»Wessen denn? Laß mich raten. Er hat gesagt, es wäre *deine* Schuld gewesen«, sagte er dann.

»Ja, aber weißt du ...«

»Ich kann es einfach nicht glauben«, fiel er mir zornig ins Wort. »Du bist eine kluge Frau – eine *sehr* kluge Frau – und läßt dich von diesem Hornochsen an die Wand drücken. Was hat er dir gesagt?« fuhr er fort, einmal in Schwung gekommen. »Mal sehen. Vielleicht: ich brauchte unbedingt eine Frau im Bett, als du schwanger warst, und du konntest mir den Gefallen ja nicht tun. War es das?«

»Nein«, sagte ich leise.

»Oder: er hat sich vernachlässigt und unbeachtet gefühlt, weil du dich viel zu sehr auf das Kind konzentriert hast, und deshalb mußte er sich seine Zuneigung woanders holen?«

»Auch das nicht«, erwiderte ich, froh, daß er noch nicht auf die richtige Lösung gekommen war.

»Ich verstehe, daß du nicht bereit bist zu sagen, *warum* es angeblich deine Schuld ist«, schnaubte er. »Aber du kannst Gift darauf nehmen, daß es *nicht* deine Schuld ist. Warum läßt du dich eigentlich so von ihm manipulieren?«

Eine sehr berechtigte Frage, dachte ich. Warum ließ ich zu, daß mich James so manipulierte? *Ach ja, ich weiß wieder.*

»Weil es früher so gut mit uns geklappt hat, ist es der Mühe wert, es noch mal zu versuchen«, erklärte ich Adam. Das allerdings klang sogar mir unaufrichtig und schwach.

»Mit dir war es wirklich herrlich«, sagte ich zaghaft. »Ich habe mich schön und als etwas Besonderes gefühlt. Du hast mir mein Selbstwertgefühl wiedergegeben.«

»Jederzeit zu Diensten«, sagte er sarkastisch.

»Bitte sei mir nicht böse«, sagte ich betrübt. »Glaub mir, es tut mir wirklich leid. Mir bleibt keine Wahl. Ich muß so handeln.«

»Natürlich hast du eine Wahl«, sagte er.

»Nein«, gab ich zur Antwort. »Einmal von allem anderen abgesehen – was ist mit Kate?«

»Du willst also nur wegen Kate eine verheerende Beziehung zu einem Mann wiederaufnehmen, der dich nicht achtet und dem auch nichts an dir liegt?« fragte er.

»Ihm liegt an mir«, begehrte ich auf.

»Dann zeigt er das aber auf sehr eigenartige Weise«, sagte Adam.

»Könnten wir nicht Freunde sein?« fragte ich im verzweifelten Versuch, etwas Angenehmes aus all diesem Unerfreulichen zu bewahren.

»Nein.«

»Warum nicht?« fragte ich verzagt.

»Weil ich nicht glauben kann, daß ich mit derselben Frau rede, mit der ich am Sonntag abend zusammen war. Ich habe dich für intelligent gehalten und gedacht, daß du Selbstachtung besitzt und weißt, was du willst.«

»Ich *bin* intelligent, ich *habe* Selbstachtung«, sagte ich fast in Tränen. Ich wollte ihn nicht verlieren und mußte ihn unbedingt überzeugen. Mir war klar, daß es unter den gegenwärtigen Umständen keine Beziehung zu Adam geben konnte, aber ich fand ihn nach wie vor wunderbar und wollte unbedingt seine Freundschaft.

»Auf keinen Fall kann ich mit dir befreundet sein«, seufzte er, »denn ich möchte so viel mehr von dir. Jede Wette, daß auch du das nicht durchhalten würdest. Wir fühlen uns zu sehr zueinander hingezogen.«

»Wenn keine Freundschaft möglich ist, kann es gar nichts geben«, sagte ich. Es tat mir zwar in der Seele weh, aber ich mußte das sagen. Ich konnte nicht zu James zurückkehren und mich zugleich nach Adam verzehren. In diesem Punkt mußte ich hart sein, das würde die Dinge leichter machen. Ein sauberer offener Bruch war auf lange Sicht weniger schmerzlich. Allerdings war ich nicht auf seine Antwort gefaßt.

»Dann gibt es eben gar nichts«, sagte er förmlich.

Das hatte ich jetzt davon, daß ich es hatte darauf ankommen lassen.

Panik überfiel mich. Wegen des Tons, in dem er das sagte. Weil ich begriff, wie enttäuscht er von mir war. Weil mir klar wurde, daß ich ihn nie wiedersehen würde.

»Kann ich nicht deine Telefonnummer haben?« stieß ich hervor.

Ich konnte den Gedanken nicht ertragen, jetzt so mit ihm Schluß zu machen. Ich klammerte mich an die Hoffnung, daß er sich mir gegenüber freundschaftlich verhalten würde.

Ich hoffte, wenn er mich seiner Freundschaft versicherte, wäre das der Beweis dafür, daß ich es richtig gemacht hatte.

»Nein«, sagte er, und an seiner Stimme merkte ich, daß er nicht bereit war, darüber zu diskutieren.

»Warum nicht?« fragte ich trotzdem.

»Was hättest du davon?« wollte er wissen.

»Ich könnte dich anrufen«, sagte ich.

»Und wozu würdest du mich anrufen wollen?« fragte er.

»Um mit dir zu reden«, sagte ich, fast in Tränen. »Ich möchte dich nicht verlieren.«

»Sei nicht dumm, Claire«, sagte er, »du hast dich entschieden. Du wirst in London mit einem anderen zusammenleben. Du kannst uns nicht beide haben. Es hat keinen Sinn, daß du mich anrufst, um mit mir zu reden. Zwischen dir und mir kann es keine Freundschaft geben. Ende.«

»Es gibt wohl nichts mehr, was ich noch sagen könnte, was?« sagte ich traurig, als ich merkte, daß ich nicht bekommen würde, was ich gern gehabt hätte. Er würde mir seinen Segen nicht geben. Warum sollte er auch?

»Nein«, sagte er.

»Ich hab' dich wohl schlecht behandelt?« fragte ich.

»Du hast dich selbst schlecht behandelt«, sagte er kalt.

»Ich hab' dich enttäuscht, nicht wahr?« fragte ich, unfähig zu verhindern, daß ich auch noch Salz in seine Wunden rieb.

»Ja«, sagte er nach kurzem Zögern.

»Tja, äh …, dann mach's gut«, sagte ich und kam mir wie ein Idiot dabei vor. Ich wollte so vieles sagen, brachte aber lediglich Platitüden heraus.

»Tu ich, verlaß dich drauf«, sagte er.

»Es tut mir leid«, sagte ich und fühlte mich elend.

»Nicht so sehr wie mir«, sagte er. Dann legte er auf.

Ich blieb eine ganze Weile am Telefon stehen. Es kam mir vor, als müßte mein Herz zerspringen. Außerdem empfand ich lähmende Angst. Hatte ich einen schrecklichen Fehler gemacht? Stand ich an einem Wendepunkt meines Lebens? War ich für Adam wirklich wichtig?

Spielte das eine Rolle? Immerhin hatte ich mich für die Richtung entschieden, in die ich gehen wollte. Aber war es die richtige?

Woher sollte ich das wissen? Mir schwirrte der Kopf. Ich hatte Angst und fühlte mich den Dingen nicht gewachsen.

Zwei Möglichkeiten lagen vor mir. Ein Leben mit James, und vielleicht eines mit Adam.

Hatte ich den falschen Weg eingeschlagen? Hatte ich mein Schicksal falsch verstanden? War der Bruch mit James vorherbestimmt gewesen, damit ich Adam kennenlernte und sehr viel glücklicher würde? Mußte ich diesen Schmerz erleiden, damit meine Kräfte wuchsen? Hatte ich alle Zeichen falsch gedeutet? Alles falsch verstanden?

Es war zu spät. Ich hatte meinen Entschluß getroffen. Und ich wollte mich daran halten. Wenn ich mich immer wieder umentschied, würde ich mich nur verrückt machen.

Meine Zukunft lag bei James. Adam existierte in meinem Leben nicht mehr. Für ihn war ich wahrscheinlich ohnehin nur eine gute Nummer für eine Nacht gewesen. Jedenfalls bildete ich mir ein, daß ich *gut* gewesen war. Vielleicht hatte sich alles nur auf der körperlichen Ebene abgespielt. – Vielleicht aber auch nicht.

Was sollte ich nur tun? Ich mußte darüber hinwegkommen. Ich würde darüber hinwegkommen. Selbstverständlich. Ich hatte ihn schließlich nur drei Wochen lang gekannt.

Nur hatte er, nun, Sie wissen schon ..., er hatte einen bleibenden Eindruck hinterlassen. Er hatte mich auf eine unerwartete Weise angerührt. Er hatte in mir das Bedürfnis ausgelöst, mich um ihn zu kümmern. Er hatte mir auf eine Weise, wie es James nicht mehr konnte, das Gefühl gegeben, etwas Besonderes und Wunderbares zu sein.

He! Vielleicht war all das ja nur mein beutesüchtiges Ego. James konnte keine positiven Gefühle mehr in mir erwecken, also hatte ich mich auf den nächstbesten Mann gestürzt, der dazu imstande war.

Aber ehrlich gesagt, glaube ich nicht, daß es das war. Adam war etwas Besonderes. Adam und ich waren etwas Besonderes. Jetzt allerdings nicht mehr.

Und nun verachtete er mich. Wegen der Dummheit, mit der ich auf James' beschissene Erklärung hereingefallen war. Wegen der Geschwindigkeit, mit der ich aus Adams Bett gesprungen und mit einem anderen auf und davon gegangen war, auch wenn dieser andere mein Mann war.

Es tat wirklich weh, daß Adam so wenig von mir hielt. Allerdings konnte ich ihm keinen Vorwurf daraus machen. Ich hatte für mich selbst auch nicht besonders viel Achtung übrig.

32

Nachdem ich am Dienstag mit Adam telefoniert hatte, gab ich mir große Mühe, ihn zu vergessen. Sobald er mir in den Sinn kam, verdrängte ich diese Gedanken. Ich versuchte, an angenehme Dinge zu denken, zum Beispiel das Leben Londons. Die Aussicht, in meine eigene Wohnung zurückzukehren. Daran, wie schön es sein würde, alle meine Freunde wiederzusehen. Wie interessant, wenn ich wieder arbeitete. Wie angenehm, wieder in einer Stadt zu leben, in der jeder zweite Laden ein Schuhgeschäft ist.

Und mit James würde alles gut werden. Ich hätte also wirklich glücklich sein müssen. Ich hatte alles zurückbekommen, wonach ich mich im ersten Monat nach seinem Weggang so sehr gesehnt hatte.

Mein Leben würde wieder lebenswert sein. Als hätte James' kleiner Seitensprung nie stattgefunden. Wenn ich Glück hatte, würde es mir gelingen, diese drei Monate aus meinem Leben zu streichen und so weiterzumachen wie vorgesehen. Kate würde ihren Vater haben und ich meinen Mann. Wir würden unser altes Leben wieder aufnehmen. Und wenn ich mir Mühe geben mußte, ein bißchen ernsthafter, etwas weniger quirlig und mehr auf James' Wohlergehen und Seelenfrieden bedacht zu sein, war das ein geringer Preis dafür.

Es würde nicht so unangenehm sein, wie es sich anhörte, wenn ich mich anstrengte. Ich würde in meine neue Persönlichkeit hineinwachsen. Es würde gut für mich sein und die Angst, die ich empfand, dahinschwinden.

Natürlich hing meine Trauer zum Teil damit zusammen, daß ich mich von meiner Familie trennen mußte. So schlimm sie waren, ich hatte mich im Laufe der Zeit an sie gewöhnt. Ihre anarchische Vorstellung von Familienleben schien mir unendlich erstrebenswerter als das ruhige und geordnete Dasein an der Seite von James, das vor mir lag.

Sie alle würden mir fehlen: Mum, Dad und Anna. Zum Teufel, womöglich würde mir sogar Helen fehlen. Womöglich aber auch nicht.

Ich fand die ganze Sache schwierig. Immer wieder stieg Wut gegen James in mir auf, zusammen mit dem Gefühl, daß er mich über den Tisch gezogen hatte. Nur mit Mühe konnte ich den Impuls unterdrücken, ihn anzurufen und ihm zu sagen, was für ein egoistischer Scheißkerl er war. Daß er kein Recht hatte, so zu tun, als wäre alles Vorgefallene meine Schuld. Daß ich weder schlecht noch selbstsüchtig, noch unreif sei. Dann aber stellte ich mir vor, wie er auf meine ohnmächtige Wut reagieren würde. Er würde mit Hilfe rationaler Erklärungen und Schuldsprüche dafür sorgen, daß ich mich noch minderwertiger fühlte als zuvor. Noch frustrierter. Als hätte ich mich selbst noch mehr enttäuscht.

Beherrschen konnte ich meine Wut nur deswegen, weil ich an irgendeinem Punkt und in irgendeiner Weise unrecht gehabt hatte, wenn auch völlig unbeabsichtigt. Immer wieder hallte mir im Kopf nach, was er an jenem Abend im italienischen Restaurant gesagt hatte: »Wenn es so wunderschön war, wie du sagst – warum hätte ich dann gehen sollen?«

Mir blieb keine Wahl. Ich mußte anerkennen, daß es meine Schuld war. Sonst wäre er nicht fortgegangen, hätte den entsetzlichen Schritt nicht getan, ein Verhältnis anzufangen, hätte nicht geglaubt, daß er eine andere liebte.

James war weder ein Don Juan, noch handelte er unüberlegt. Er dachte über alles lange und gründlich nach – zu lange und zu gründlich für meinen Geschmack. Er tat nichts Dummes und Sinnloses, nur weil es ihm Spaß machte. Vermutlich hatte er keinen Ausweg gesehen, war wohl am Ende gewesen.

Die Dinge würden sich wieder einrenken. Schließlich würde bei James wieder alles normal werden. Es würde lediglich eine Weile dauern. Bestimmt war es richtig, was ich tat.

Schließlich entschied ich mich, am Dienstag kommender Woche nach London zurückzukehren. Damit blieb mir genug Zeit zum Packen. Noch wichtiger aber war, daß mir genug Zeit blieb, James gegenüber eine positive Haltung einzunehmen, meine Vorbehalte gegen ihn aufzugeben.

Nachdem ich zwei Tage lang hektisch Kleider in einen Koffer gepackt hatte, nur um sie später in einer Ecke von Helens Kleiderschrank versteckt wiederzufinden, sie erneut aus dem Schrank genommen und in den Koffer gepackt, ein paar Stunden später unter Helens Bett entdeckt, wieder eingepackt hatte und so fort, beschloß ich, James am Freitag nachmittag im Büro anzurufen, um ihm zu mitzuteilen, wann der Flug am Dienstag ankommen würde. Es war ziemlich merkwürdig. Seit seiner Abreise hatte er mich jeden Tag mindestens einmal angerufen und sich erkundigt, wann ich kommen würde. Es sah beinahe so aus, als könne er es nicht *abwarten*, bis er mich wiedersah. Als hätte er Angst, ich würde nicht kommen. Natürlich folgerte mein böser und zynischer Teil, daß er seit seinem Auszug bei Denise weder mit einer Frau im Bett gewesen war noch ihm jemand den Abwasch gemacht hatte, und so war es kein Wunder, daß er mit einer gewissen Dringlichkeit auf meine Rückkehr wartete.

Gleichzeitig aber kam es mir ungewöhnlich vor, von ihm erwartet oder gebraucht zu werden, nachdem er mich in Dublin so herablassend und abweisend behandelt und mir das Gefühl vermittelt hatte, er tue mir einen Gefallen, wenn er mich wieder bei sich aufnehmen würde.

Auch wenn er das recht geschickt verbarg, hatte ich den Eindruck, daß er mir gegenüber unsicher war und nicht so recht wußte, was er von mir halten sollte. Aber er hätte sich keine Sorgen zu machen brauchen.

Ich kam ja zurück. Es war nicht unbedingt meine Absicht gewesen, aber ich kam zurück.

Ich rief in seinem Büro an. Eine Männerstimme sagte: »Mr. Webster ist im Augenblick leider nicht im Büro.«

Wir alle wissen, wie es jetzt weitergeht. Das ist die Stelle im Buch, an der die körperlose Stimme fortfährt und sagt: »Mr. Webster ist mit seiner Freundin Denise zur Vorsorgeuntersuchung beim Gynäkologen«, oder »Mr. Webster hat sich den Nachmittag frei genommen, um nach Hause zu gehen und seine Freundin Denise zu bumsen«, oder etwas in der Art. Ich sage dann flüsternd: »Vielen Dank. Nein, Sie brauchen ihm nichts auszurichten«, lege mit zitternder Hand auf und storniere den Rückflug nach London.

Doch nichts dergleichen geschah. Die körperlose Stimme fragte: »Mit wem spreche ich bitte?«

Darüber mußte ich einen Augenblick lang nachdenken. Mit *wem* sprach er? Dann fiel es mir ein.

»Äh, mit seiner Frau«, sagte ich.

»Claire!« rief der Mann aus und war die Herzlichkeit in Person, womöglich um seine Betroffenheit zu verbergen. »Wie geht es? Hier spricht George. Ist ja großartig, von dir zu hören.«

George und James waren nicht nur Teilhaber, sondern auch Freunde. Vermutlich meinte George in seiner machohaften, biertrinkenden Wir-Männer-Manier, er sei auch mit mir befreundet. Auf jeden Fall war er umgänglich. Solange man gewisse Wesenszüge einfach hinnahm, wie sie waren, konnte man wahrscheinlich gut mit ihm auskommen. Beispielsweise würde ich ihm nicht nachsagen, daß er Rugby spielte, doch sah er sich mit Sicherheit Rugby-Spiele an.

Aber er war freundlich. Ich konnte ihn gut leiden, und seine Frau Aisling war ein fröhlicher Mensch. Wir hatten uns alle schon häufig miteinander betrunken.

»Hallo, George«, sagte ich ein wenig verlegen. Es war das erste Mal seit unserer Trennung, daß ich mit ihm sprach, und ich merkte, daß ich nicht wußte, was ich sagen sollte. Sollte ich die Sache ansprechen oder nicht? Sollte ich so tun, als wäre nichts vorgefallen und alles in bester Ordnung?

Oder sollte ich den Stier bei den Hörnern packen und mit Äußerungen voll Selbstironie eine Art Witz daraus machen? Vielleicht so: »Ich bin Claire. Aber du kannst Denise zu mir sagen, wenn du dir den Namen besser merken kannst.«

Mir wurde klar, daß ich mich in den ersten Wochen nach meiner Rückkehr sehr häufig in dieser Situation befinden würde. Großer Gott, es würde schrecklich demütigend sein.

Aber George rettete mich, indem er unumwunden auf die Sache zu sprechen kam.

»Du gehst also zu ihm zurück«. Er lachte. »Gott sei Dank. Vielleicht kriegen wir von ihm dann ja mal wieder ’n anständiges Stück Arbeit zu sehen.«

»Oh«, sagte ich höflich.

»Ja«, fuhr er so voll Herzlichkeit und Jovialität fort, daß ich vermutete, er habe ein ausgedehntes und flüssiges Mittagessen hinter sich (immerhin war es Freitag). »Wie soll ich das sagen, Claire? Es war weiß Gott nicht einfach mit ihm. Du weißt ja, wie er ist. Es fällt ihm schwer, über seine Gefühle zu reden – na ja, das gilt wohl für uns alle –, und er ist stolzer, als ihm guttut. Aber ein Blinder konnte sehen, wie sehr er an dir hängt. Ein Blick genügte, um zu erkennen, daß er ohne dich völlig am Boden war. Ich sage dir: am Boden! Jedes weitere Wort ist da überflüssig! Ein wahrer Segen, daß du ihn wieder aufgenommen hast. Wir hätten ihn sonst vor die Tür setzen müssen.« Breites, glucksendes Drei-Halbe-zum-Mittagessen-Gelächter von George.

Was zum Teufel wollte er damit sagen? Lachte er mich etwa aus? Das war ja wohl nicht möglich. Heiße Tränen der Scham und des Zorns traten mir in die Augen. War ich zum öffentlichen Gespött geworden? Würde jeder auf meine Kosten herzlich lachen?

Schön, schön, offen gestanden muß ich zugeben, daß ich unter anderen Umständen die erste gewesen wäre, die aus vollem Hals über eine verlassene Ehefrau gelacht hätte, wenn sie ihren vom Pfad der Tugend abgekommenen Mann mit so dankbarer Eile wieder auf der heimischen Koppel willkommen geheißen hätte. Und ich hätte dumm sein müssen zu glauben, daß sich die Leute nicht insgeheim darüber lustig machten, welch lächerliches Bild ich bot, indem ich James so ohne weiteres wieder aufnahm.

Aber ich konnte nicht glauben, daß George so unverhohlen über mich spottete. Ich hatte durchaus gemerkt, daß James ohne mich alles andere als am Boden zerstört war. Auf jeden Fall mußte es George klar sein, daß ich das wußte. Sogar Männer sprachen ja wohl gelegentlich über etwas anderes als Fußball oder Autos – bestimmt auch James und George.

Normalerweise war George richtig freundlich. Ich verstand nicht, warum er Witze riß über das, was zwischen James und mir war. Warum verhielt er sich so grausam?

Ich war richtig verletzt. Aber ich konnte nicht weinen. Ich mußte mich der Situation stellen. Das Ganze im Keim ersticken. Andernfalls würde jeder glauben, er hätte das Recht, sich über mich lustig zu machen.

»Tatsächlich?« fragte ich mit dick aufgetragenem Sarkasmus, im Versuch, mit einem Wort klarzumachen, daß mir James zwar nur ein geringes Maß an Achtung entgegengebracht hatte, man mich aber deswegen in keiner Weise als Zielscheibe des öffentlichen Spotts anzusehen brauchte. James mochte mich schlecht behandeln – nun, ich würde das nicht zulassen, aber Sie verstehen schon, was ich meine –, nur gab das niemandem irgendein Recht.

Was für eine Frechheit George sich da herausnahm! Dabei hatte ich ihn immer gemocht.

Aber er reagierte nicht auf mein ›tatsächlich?‹ und schien überhaupt nicht davon gekränkt zu sein. Gutmütig fuhr er fort: »Ich bin kein Fachmann für Beziehungen, aber ich freue mich, daß ihr beiden diese üble Geschichte bereinigt habt. Ich kann nur sagen, es war sehr anständig von dir, ihm zu verzeihen. Es muß furchtbar für dich gewesen sein. Aber vermutlich hast du gemerkt, wie sehr er leidet, als du seinen Zustand gesehen hast – fast wie eine Leiche auf Urlaub, was?«

Ich spürte, wie sich in meinem Kopf vor Verwirrung alles drehte. Was wurde da gespielt? Machte sich George etwa doch über mich lustig?

Ich war mir nicht sicher, denn was er sagte, *klang* aufrichtig.

Wenn er mich aber nicht verspottete, wovon zum Teufel sprach er dann? Und was meinte er mit ›Leiche auf Urlaub?‹ Sprachen wir über denselben James? Denselben scheinheiligen, selbstgerechten James, der nach Dublin gekommen war, um sich mit mir auszusprechen?

Doch bevor ich meine verwirrten Gedanken ordnen konnte, fuhr George schon fort. Er war in der Stimmung zu reden. Die

Langeweile des Freitag nachmittags und das viele Bier zum Mittagessen hatten ihm, wie es schien, die Zunge gelöst.

»Ich hoffe nur, Claire«, sagte er mit gespielter Strenge, »daß du vernünftig warst und ihm nicht sofort verziehen hast. Hoffentlich hast du zumindest ein paar größere Schmuckstücke und einen Urlaub auf den Malediven aus ihm rausgeholt.«

Macht der Witze? fragte ich mich, völlig durcheinander. Ich kann von Glück reden, daß er mich überhaupt wieder haben wollte. Fast hätte ich *ihm* den Schmuck und den Urlaub versprechen müssen.

»Äh ...«, sagte ich. Aber George war nicht zu bremsen.

»Er liebt dich so sehr und war überzeugt, daß er keine Aussichten hatte, weißt du das? Er war sicher, daß du mit ihm nichts mehr zu tun haben wolltest. Und wer könnte dir daraus einen Vorwurf ma ...?«

»George!« fiel ich ihm mit Nachdruck ins Wort. Ich mußte dahinterkommen, was da gespielt wurde. »Wovon redest du eigentlich?«

»Von James«, sagte er überrascht.

»Du meinst, er hat unter der Trennung gelitten?« fragte ich.

»So kann man das auch sagen«, sagte George mit einem Lachen. »Mit ›fix und fertig‹ wäre sein Zustand meiner Ansicht nach aber besser beschrieben.«

»Aber woher willst du das wissen?« fragte ich schwach und überlegte, aus welcher Quelle George seine Informationen beziehen mochte. Offensichtlich hatte man ihm etwas Falsches berichtet.

»Von James«, sagte er. »Wir reden gelegentlich miteinander, mußt du wissen. Ihr Frauen habt nicht das Monopol auf offenen und rückhaltlosen Meinungsaustausch!«

»Ja, aber ... Ich meine, bist du sicher?«

»Na klar«, sagte er entrüstet. »Die Vorstellung, ohne dich zu leben, hat ihn gequält. Immer wieder hat er zu mir gesagt: ›George, ich liebe sie so sehr. Wie kann ich es anstellen, daß ich sie zurückbekomme?‹ Und ich hab' ihm geraten: ›Sag ihr die Wahrheit. Sag, daß es dir leid tut.‹ Er hat mich mit seinem Gerede verrückt gemacht!«

»Stimmt das?« stammelte ich. Mehr brachte ich nicht heraus. Mir schwirrte der Kopf. Das paßte nicht im entferntesten zu dem, was wirklich vorgefallen war. Was wurde gespielt?

»Ich weiß, daß es für dich sehr schwer gewesen sein muß«, fuhr George in mitfühlendem Ton fort. »Aber für James war es das auch. Du weißt doch, daß er es nicht haben kann, wenn er im Unrecht ist. Ehrlich gesagt, kommt es ja auch selten vor. Daher ist es für ihn wohl fast unmöglich zuzugeben, daß er einen schrecklichen Fehler gemacht hat, und sich dann dafür zu entschuldigen. Andererseits bin ich sicher, daß du sein ›tut mir leid‹ schon nicht mehr hören kannst.« Wieder lachte er brüllend.

Inzwischen war ich sicher, daß sich George nicht über mich lustig machte. Er schien nicht darauf aus zu sein, mir einen ausgeklügelten und grausamen Streich zu spielen, sondern ernst zu meinen, was er sagte. Doch ich konnte nicht verstehen, warum seine Darstellung der Ereignisse so deutlich von der abwich, die ich von James kannte.

Weit davon entfernt, der Worte ›tut mir leid‹ überdrüssig zu sein, hätte ich sie nur allzu gern gehört. Vermutlich hätte ich diese Worte von James' Lippen nicht einmal dann erkannt, wenn sie mich angesprungen und gebissen hätten.

Aber ich mußte mich konzentrieren, denn schon redete George weiter. »Merkwürdigerweise hat James immer geglaubt, du würdest mal ein Verhältnis anfangen, und jetzt hat er es getan.«

Ich konnte mir denken, worauf er hinauswollte. Immer hatte ich als diejenige gegolten, die über die Stränge schlug, in James hingegen sah alle Welt den Musterknaben. Dennoch fragte ich George, wie das zu verstehen sei.

»Weil du es ohne Parties nicht aushalten konntest«, erklärte er. »Du warst die Lebenslustige, auf die alle flogen. Außerdem«, fuhr er fort, »hat James immer gemeint, er wäre nicht gut genug für dich. Ständig hatte er Sorge, er wäre zu ernsthaft und langweilig für dich. Weißt du, wir Steuerberater haben es mit den Frauen nicht einfach. Sie finden uns nicht besonders aufregend – sollte man das für möglich halten?«

»Ich hatte gar nicht gewußt, daß James der Ansicht war, zu ernsthaft und langweilig für mich zu sein«, sagte ich schwach.

»Na, hör mal«, sagte George ungläubig. »Würdest du nicht selber sagen, daß von euch beiden du die Muntere und Lebenslustige bist?«

»Das schon«, stimmte ich zögernd zu, denn ich wollte unbedingt, daß er weitersprach.

»Zwar ist James eine Seele von Mensch«, fuhr George fort, »doch man kann von ihm ja nun wirklich nicht sagen, daß er ein Partylöwe ist und alle Leute zum Lachen bringt, oder?« Er lachte.

»Wohl nicht«, sagte ich. »Aber wenn ich etwas ruhiger wäre, müßte er sich vielleicht nicht so langweilig vorkommen.«

»Und welchen Sinn hätte das?« rief George aus. »Dann wärst du nicht mehr du selbst.«

Das ist mir bekannt, dachte ich, *aber genau das erwartet James von mir.*

»Na ja, vielleicht sagt es ihm nicht zu, mit einem so unbeschwerten und lebhaften Menschen wie mir zusammenzuleben«, erklärte ich George. »Vielleicht bin ich ihm auf die Nerven gegangen.« Was ich tat, war unverzeihlich. Ich horchte George nach Strich und Faden aus, damit er die Geheimnisse seines Freundes ausplauderte.

»Das ist doch Quatsch«, sagte George lachend. »Natürlich bist du ihm nicht auf die Nerven gegangen. Sicher, manchmal ist es ihm schwergefallen. Aber das liegt an seinem Ego und seiner Unsicherheit. Es ist bestimmt nicht immer einfach, mit jemandem zusammenzuleben, der viel beliebter ist als man selbst.«

»Ich verstehe«, sagte ich matt. Und wissen Sie was? Ich glaube, ich hatte tatsächlich angefangen zu verstehen. Sollte ich George das sagen?

Ich konnte nicht mehr in mich aufnehmen, sonst würde mir der Kopf platzen. Ich mußte unbedingt über all das nachdenken, was ich gerade gehört hatte. Also begann ich mich aus der Unterhaltung mit George herauszustehlen.

»Wie kommt es, daß du auf einmal ein solcher Fachmann für zwischenmenschliche Beziehungen bist?« frotzelte ich. »Du bist ja ganz einfühlsam, so richtig Neuer Mann.«

»Ach, äh«, sagte er, zugleich verlegen und geschmeichelt. »Aisling hat mir ein Buch zu dem Thema geschenkt.«

»Ach so«, sagte ich. »Na, jedenfalls vielen Dank, George. Du hast mir sehr geholfen.«

»Das freut mich«, sagte er. »Alles wird sich wieder einrenken, Du wirst schon sehen.«

Das wird es nicht, dachte ich.

»James hat deine Vitalität als Bedrohung empfunden (hier verwendete George den angelesenen Beziehungsjargon), anstatt zu begreifen, daß deine Lebhaftigkeit seine Gelassenheit ergänzen kann (der gleiche Jargon)«, sagte George, und es klang, als läse er es aus einem Psychologie-Lehrbuch ab.

»Aber du kannst an dieser Krise wachsen und« – leicht verlegene Pause – »die Parameter eurer Beziehung neu festlegen.«

»Toll, George«, sagte ich, darauf bedacht, das Gespräch zu beenden. Ich war nicht sicher, wie lange ich diese Unterhaltung noch ertragen konnte. »Du hast dich ja richtig mit deinen Empfindungen auseinandergesetzt.«

»Ja«, sagte er schüchtern. »Ich bin sogar dabei, meine feminine Seite zu erkunden.«

Normalerweise wäre diese Äußerung aus seinem Mund zum Brüllen gewesen, aber ich fühlte mich verwirrt und verängstigt.

»Es ist eine Freude, mit einem so einfühlsamen Mann zu reden«, sagte ich. »Du hast die Dynamik der Beziehung zwischen James und mir wirklich verstanden. Das könnte nicht jeder Mann.«

»Danke, Claire«, sagte er stolz. Ich konnte ihn fast über das ganze Gesicht strahlen hören. »Ich hab' das Gefühl, daß ich 'ne ganze Menge gelernt hab. Und ich hab' auch keine Angst mehr zu weinen.«

»Gut, gut«, sagte ich munter und fürchtete, er könnte es mir an Ort und Stelle beweisen wollen.

Wie kann ich das Gespräch nur beenden, ohne ihm den Eindruck zu vermitteln, als interessierte mich sein Fortschritt auf Gefühlsebene nicht, überlegte ich verzweifelt. Ich merkte, daß ich ihm eine weitere Frage stellte.

»Kümmerst du dich auch um dein inneres Kind, hegst und pflegst du es?« fragte ich mit sanfter Stimme.

»Äh, was?« fragte er verwirrt. Ich hatte ihn ausgetrickst. Aisling hatte ihm den zweiten Band noch nicht geschenkt. »Ich hab' keine Kinder, Claire, das weißt du doch.«

»Na klar«, sagte ich freundlich. Es hatte keinen Sinn, ihn zu sehr zu bedrängen und damit alle von Aisling gelegten Grundlagen zu zerstören.

»George«, unterbrach ich schroff seine geradezu lyrische Schilderung dessen, wie gut es sich für James ausgewirkt hatte, daß er seinem Rat gefolgt war, und wie glücklich James und ich künftig sein würden ...

»George«, wiederholte ich ein wenig lauter, weil ich wollte, daß er mir zuhörte. »Mal sehen, ob ich das richtig verstanden habe«, sagte ich. »James liebt mich. Er hat mich immer geliebt. Er hat sich unsicher gefühlt und gefürchtet, er könnte zu langweilig für mich sein. Hab' ich das richtig verstanden?«

»Aber das weißt du doch alles selbst«, sagte George. Es klang verwirrt.

»Ich frage nur zur Sicherheit«, sagte ich leichthin.

George plapperte unaufhörlich weiter. Vielleicht bildete ich mir das nur ein, aber war es möglich, daß er über eine ›männliche Periode‹ sprach?

Ich konnte ihm kaum zuhören, schließlich mußte ich mir den Kopf über wichtigere Dinge zerbrechen.

Warum hatte James zu George gesagt, er liebe mich leidenschaftlich und fürchte mich zu verlieren, zu mir aber, er wolle mich aus reiner Herzensgüte wieder bei sich aufnehmen, obwohl es fast unmöglich sei, mit mir zu leben?

Ein Blinder konnte sehen, daß eine leichte Unstimmigkeit zwischen den beiden Versionen bestand. James hatte entweder George oder mich belogen.

Ich konnte mich des Eindrucks nicht erwehren, daß ich das Opfer seiner Unaufrichtigkeit war. Ich mußte mit ihm sprechen. Das mußte ich genau wissen.

»George«, sagte ich, ihn erneut unterbrechend, »ich muß mit James sprechen. Sagst du ihm bitte, daß er mich anrufen soll? Es ist wichtig.«

»Wird gemacht«, versprach er. »Er müßte etwa in einer halben Stunde zurück sein.«

»Danke«, sagte ich. »Bis dann.« Ich legte auf.

Ich versuchte zu verstehen, was mir George unwissentlich mitgeteilt hatte. James hatte also immer mich geliebt und sich dadurch bedroht gefühlt, daß ich …, nun, daß ich *ich* war. Besser kann ich es nicht sagen.

Mußte er deswegen etwas mit einer anderen anfangen? Und warum sagte er mir dann, alles sei meine Schuld? Warum sagte er mir, ich müsse mich grundlegend ändern, wenn unsere Ehe eine Zukunft haben sollte?

Ich war nicht sicher, was da gespielt wurde. Aber eins wußte ich: irgend etwas stimmte nicht.

33

Um mich zu vergewissern, rief ich Judy an.

»Claire!« sagte sie. Es klang begeistert. »Bist du wieder in London?«

»Noch nicht«, sagte ich kläglich. Bevor sie etwas darauf erwidern konnte, platzte ich heraus: »Ich muß unbedingt mit dir reden.«

»Nur zu«, sagte sie. »Fehlt dir was? Du klingst ein bißchen aufgeregt.«

»Bin ich auch, aufgeregt und verwirrt«, sagte ich. »Ich weiß nämlich nicht, was gespielt wird.«

»Was wo gespielt wird?« fragte sie freundlich.

»Du weißt doch, daß James und ich uns wieder vertragen haben«, begann ich.

»Ja«, sagte sie.

»Wußtest du schon, daß ich schuld an dem Verhältnis war, das James mit Denise angefangen hat?«

»Wie in Dreiteufelsnamen kommst du darauf?« fragte sie entsetzt.

»Das hat er mir gesagt. Er hat mich als unreif und egoistisch hingestellt, als jemand, der Ansprüche stellt und keine Rücksicht auf andere nimmt. Nur unter der Bedingung, daß ich mich grundlegend ändere, will er es noch einmal mit mir versuchen.«

»Augenblick mal. Hat er gesagt, *er* will mit *dir* einen neuen Versuch machen?« fragte Judy ungläubig. »Da stimmt doch was nicht.« Wenn Judy das auch so sah, bildete ich es mir nicht ein. Aber ich war nicht sicher, ob ich darüber erleichtert sein sollte oder nicht.

»Können wir noch mal von vorne anfangen?« fragte Judy. »James hat also gesagt, er mußte fremdgehen, weil das Zusammenleben mit dir so schwierig war. Hab' ich das richtig verstanden?«

»Ja«, sagte ich bekümmert. Ich muß zugeben, so wie Judy das sagte, klang es ausgesprochen falsch. Irgendwie hatte es aus James' Mund sehr viel *vernünftiger* geklungen.

»Und jetzt sagt er, *er* will mit *dir* einen neuen Anfang machen, vorausgesetzt, du änderst dich?« fuhr sie fort. »In welcher Hinsicht sollst du dich ändern?«

»Ach, du weißt schon«, murmelte ich. »Nicht mehr so viele Parties geben und auch nicht auf so viele Parties gehen. Gesetzter sein und mehr Rücksicht nehmen.«

»Ach so«, sagte sie aufgebracht. »Du sollst wohl genau so ein langweiliges Arschloch werden wie er? Der verdammte Scheißkerl hätte dich wohl am liebsten immer und überall unter seinem Spielverderber-Blick?«

Sie schwieg. Dann kam ihr ein weiterer Gedanke. »Du bist ja wohl nicht so vertrottelt, daß du diesen Blödsinn *glaubst*. Merkst du nicht, daß das ein uralter Trick ist?«

»Wieso?« fragte ich. Ich wollte es gar nicht hören.

»Er geht fremd. Er merkt, was für einen großen Fehler er gemacht hat. Er möchte dich zurückhaben, weil er dich in Wirklichkeit liebt – das kann jeder Dummkopf sehen –, aber er hat Angst, daß du nichts mehr von ihm wissen willst. Also tut er so, als wäre alles deine Schuld gewesen, damit du ein schlechtes Gewissen kriegst und dankbar bist, wenn er dich immer noch haben will, obwohl du dich so abscheulich aufgeführt hast.« »Und außerdem«, sagte sie, tief Atem holend, bevor sie wutentbrannt fortfuhr, »außerdem weiß ich zufällig, daß er lügt.«

»Ach?« sagte ich. Mehr brachte ich nicht heraus.

»Ja«, sagte sie. »Michael hat es mir gesagt.«

Judys Freund, und zugleich ein guter Freund von James.

»Vor etwa einem Monat war er mit James in der Kneipe, wo sie ein paar Halbe kippen wollten. Wahrscheinlich sind es ein paar Dutzend Halbe geworden. Jedenfalls hat sich James vollaufen lassen und überhaupt nicht wieder aufgehört, von dir zu reden. Michael sagt, daß er total in dich verknallt ist und es immer war. Daß er dich schon immer mehr geliebt hat als du ihn, und ständig Angst hatte, dich zu verlieren. Damit ist er nicht fertig geworden.

Daher hat er beschlossen, als das Kind kam und so weiter, das Handtuch zu werfen und sich mit Denise davongemacht. Offen gestanden konnte die ihr Glück nicht fassen, einen solchen Fang zu machen.«

»Ach so«, sagte ich ruhig. »Das ist interessant, denn George hat mir heute etwas ziemlich Ähnliches erzählt.«

»Ich kann nicht *glauben*, daß du es nötig hattest, daß George oder ich dir das sagen würde. Hast du nicht gewußt, daß James verrückt nach dir war? Und zugleich wußte er nie, ob er dich würde halten können.« Es klang ganz so, als wäre Judy zutiefst von mir enttäuscht.

»Und wie er dich immer manipuliert hat«, schäumte sie. »Wie er jede Situation ausnutzt, um dich zu unterdrücken. Er sagt dir, es ist deine Schuld, daß er dich sitzenlassen hat und daß er wieder geht, wenn du nicht spurst. Typisch!«

»Laß mich 'nen Augenblick über das Ganze nachdenken«, sagte ich.

»Na klar«, sagte Judy. Es klang ein wenig betreten. »Als ich vorhin gesagt hab', daß er ein langweiliger Scheißkerl ist, meinte ich nicht ...«

»Schon in Ordnung«, sagte ich freundlich. »Du hast es gesagt, aber es spielt keine Rolle.«

»Du weißt doch, wie das ist«, fuhr sie fort. »In der Hitze des Augenblicks sagt man so manches.«

»*Judy*«, sagte ich. »Hör doch um Gottes willen damit auf. Ich muß die Sache klar sehen.«

»Tut mir leid, tut mir leid«, sagte sie. »Nur zu.«

»James hatte ein Verhältnis und sagt, es ist meine Schuld. Stimmt's?« fragte ich Judy.

»So hast du das gesagt«, stimmte sie zu.

»Er hätte sich bei mir entschuldigen müssen, hat es aber nicht getan. Stimmt's?«

»So ist es«, sagte Judy.

»Er hat jeden davon überzeugt, daß er mich liebt. Außer mir. Stimmt's?«

»Stimmt.«

»Er hat mich verletzt, gedemütigt, verunsichert, vor allen unmöglich gemacht, mich belogen, meine Selbstachtung untergraben und verlangt, ich soll mich dafür entschuldige, daß ich so bin, wie ich bin. Stimmt's?«

»Stimmt.«

»Und er ist nicht bereit, mich um Entschuldigung zu bitten oder zu trösten. Stimmt's?«

»Stimmt.«

»So einen Mann brauche ich nicht. Stimmt's?«

»Stimmt! Aber … äh … Claire, was willst du tun?«

»Den Scheißkerl umbringen.«

»Claire, sachte«, stotterte Judy.

»Laß gut sein«, seufzte ich. »Ich tu es nicht. Aber ich würg ihm eins rein, wo's ihm weh tut.«

»Dagegen ist nichts einzuwenden«, sagte sie erleichtert. »Er ist es nicht wert, daß du für ihn in den Knast gehst.«

»Danke für deinen vernünftigen Rat«, sagte ich. »Du hast recht. Er *ist* ein langweiliger Scheißkerl, was?«

»*Reinsten Wassers*«, sagte sie voll Überzeugung.

»Ich meld mich bald wieder«, sagte ich. »Alles Gute. Bis dann.«

Und jetzt? Es war wohl klüger zu warten, bis James mich anrief. Aber ich war nicht mehr unsicher. Ich hatte eine Stinkwut auf James und fand, daß es nur recht und billig war, ihm das mitzuteilen. Persönlich.

James rief kurz darauf zurück. Er schien hocherfreut, daß ich angerufen hatte. Mein Zorn drohte mich zu übermannen, so daß ich es kaum fertigbrachte, höflich mit ihm zu sprechen.

»Wie schön, dich zu hören«, sagte er.

»Was machst du heute abend, James?« fragte ich unvermittelt.

»Äh, eigentlich nichts«, sagte er. Ich bilde mir ein, daß ihn mein abrupter Ton ein wenig aufgeschreckt hat.

»Gut«, sagte ich. »Sieh doch bitte zu, daß du gegen acht zu Hause bist. Ich muß mit dir sprechen.«

»Äh, worüber denn?« fragte er. Es klang ein wenig besorgt.

»Das wirst du schon sehen«, sagte ich ausweichend.

»Nein, sag's mir jetzt«, sagte er, deutlich besorgt.

»Nein, James, du mußt schon bis heute abend warten«, sagte ich freundlich, aber unerbittlich.

Er schwieg.

»Dann also bis acht«, sagte ich abschließend.

»In Ordnung«, murmelte er. Ich legte auf.

Ich dachte über all das nach, was ich soeben erfahren hatte. Mir war *klar* gewesen, daß ich nicht so schlecht war, wie mich James hingestellt hatte. Das hing keineswegs damit zusammen, daß ich nicht bereit war einzusehen, daß ich nicht weiß wie gut war, andererseits wollte ich natürlich nicht glauben, daß ich ein besonders schlechter Mensch wäre ... nun, Sie wissen schon, was ich meine. Ich hatte den Verdacht gehabt, daß mich James belog oder zumindest stark übertrieb, als er mir zu verstehen gab, ich hätte mich während unserer ganzen Ehe wie ein schreckliches, kindisches, egoistisches und rücksichtsloses Weib aufgeführt.

Aber ich hatte nicht verstanden, welchen Grund er hatte, mich deswegen zu belügen.

Offensichtlich hatte er versucht, mich zurechtzustutzen – zumindest auf eine Größe, die ihm paßte –, als er mir klargemacht hatte, daß ich ein solcher Mensch gewesen sei.

Ihm hatte meine Selbstsicherheit nicht gepaßt. Da er Angst davor hatte, beschloß er in häßlicher und zynischer Weise, mein Selbstbewußtsein vollständig zu untergraben, damit ich von ihm abhängig würde. So ein Mistkerl! Ich glaube, ich hatte ihn weniger gehaßt, als ich dahintergekommen war, daß er mit Denise ins Bett ging. Das hier war eine üblere Art von Verrat.

»Mum«, rief ich die Treppe hinab.

»Was?« rief sie aus der Küche.

»Ich brauch dich.«

»Wozu?«

»Ich möchte, daß du mich zum Flughafen fährst und dich eine Weile um Kate kümmerst.«

»Wovon zum Kuckuck redest du?«

»Ich flieg nach London. Du mußt dich um Kate kümmern«, sagte ich in durchaus vernünftigem Ton.

»Ist schon Dienstag?« fragte sie verwirrt.

»Nein, Freitag. Ich flieg aber trotzdem nach London.«

»Und am Dienstag wieder?« fragte sie und sah mich ein wenig erstaunt an.

»Möglich«, sagte ich. Ich konnte ihr darauf keine Antwort geben. Ich wußte es selbst noch nicht.

»Was soll das alles?« fragte sie mißtrauisch.

»Ich muß verschiedenes mit James klären«, sagte ich.

»Ich dachte, das hättest du schon getan«, sagte sie. Von ihrem Standpunkt aus war das ganz vernünftig.

»Hab' ich auch«, sagte ich betrübt. »Aber in der letzten Stunde sind weitere, wie soll ich sagen, *Hinweise* ans Licht gekommen, und ich muß hin und mit ihm sprechen.«

»Wann kommst du wieder?« fragte sie.

»Bald«, versprach ich. »Bitte, Mum, das ist wichtig. Ich brauch deine Hilfe.«

»Schon gut«, sagte sie. Es klang etwas entgegenkommender. »Bleib, so lange es nötig ist.«

»Höchstens einen oder zwei Tage«, sagte ich.

»Gut.«

»Du müßtest mir auch Geld leihen.«

»Übertreib es nicht.«

»Bitte.«

»Wieviel?«

»Nicht viel. Den Flug rechne ich über die Kreditkarte ab. Aber ich brauch Bargeld für kleinere Ausgaben. Du weißt schon, U-Bahn-Fahrkarten, Schlagringe und so weiter.«

»Wenn ich es nächste Woche zurückkriege, kann ich dir fünfzig geben.«

»Fünfzig sind reichlich«, sagte ich. Ich hoffte es jedenfalls. Ich hatte keine Ahnung, wo ich die Nacht verbringen würde, aber irgendwie war mir klar, daß es nicht in meinem Londoner Doppelbett mit James sein würde.

Es würde sich finden. Ich hatte mehrere frühere Freunde, die sich nie so recht mit ihrem Los abgefunden hatten. Zumindest hätte ich also ein Dach über dem Kopf. Und eine Erektion im Rücken.

Ich zog mich passend für den Anlaß an. Das war das mindeste. Dazu habe ich mich aber nicht etwa, wie Sie jetzt vielleicht annehmen, in einen Kampfanzug mit Stahlhelm und Tarnnetz voll Laub samt Munitionsgurt über der Brust geworfen. Nein, ich habe einen verführerischen kurzen schwarzen Rock angezogen, dazu eine schwarze Jacke, dünne Strümpfe und superhohe Absätze. Ich hätte auch noch ein schwarzes kesses Hütchen mit einem kleinen Schleier daran aufgesetzt, wenn ich eins gehabt hätte. Aber zum Glück hatte ich keins.

Ich wollte aussehen wie ein richtiges mieses Biest aus der Hölle. Im Rückblick vermute ich, daß der Hut übertrieben gewirkt hätte. Damit hätte ich lediglich ausgesehen wie eine von den feinen Witwen, die immer so dekorativ am Grab stehen und die von der ganzen Stadt gehaßt werden, weil alle vermuten, daß sie ihren Mann umgebracht und das ganze Geld geerbt haben, das er der Gemeinde für den Bau eines neuen Krankenhauses hatte hinterlassen wollen.

Mum sah ein wenig erstaunt drein, als ich in so dramatischem Aufzug die Treppe herunterkam, hielt es aber nach einem Blick auf mein entschlossenes, wütendes Gesicht für besser, nichts zu sagen.

»Können wir?« fragte ich.

»Ja«, sagte sie. »Ich muß nur noch die Autoschlüssel suchen.« Ich seufzte – das konnte *Tage* dauern.

Während sie von Zimmer zu Zimmer rannte, Handtaschen auf den Küchentisch ausleerte, Manteltaschen durchwühlte und mit sich selbst redete wie das weiße Kaninchen in *Alice im Wunderland* (es *war* doch das weiße Kaninchen, oder?), ging die Haustür auf, und Helen kam mit ihrem üblichen Pomp und Prunk herein.

»Stellt euch nur vor!« rief sie.

»Was?« fragte ich mürrisch und uninteressiert.

»Adam hat eine Freundin!« Alles Blut wich mir aus dem Gesicht, und mein Herz wäre fast stehengeblieben. Wovon sprach sie? War jemand hinter die Sache mit mir und ihm gekommen?

»Und wartet nur!« fuhr Helen begeistert fort. »Er hat ein Kind!« Ich sah sie verständnislos an. War das ihr Ernst?

»Was für ein Kind?« brachte ich heraus.

»Ein Menschenkind, ein kleines Mädchen«, sagte Helen aufgebracht. »Was hast du denn erwartet? Vielleicht ein Giraffenkind? Großer Gott, manchmal machst du mir Angst.«

In meinem Kopf drehte sich alles. Was hatte das zu bedeuten? Wann war das passiert? Warum hatte er mir nichts davon gesagt?

»Ja, ist es denn ein neues Kind, oder wie?« fragte ich. Ich gab mir keinerlei Mühe, die Verzweiflung in meiner Stimme zu unterdrücken, aber mit ihrer üblichen Empfindsamkeit schien Helen das nicht zu merken.

»Glaub ich nicht«, sagte sie. »Sie ist anders als Kate. Sie hat Haare und sieht nicht aus wie ein alter Mann.«

»Kate sieht nicht aus wie ein alter Mann«, sagte ich hitzig.

»Na klar«. Helen lachte. »Sie ist kahlköpfig, dick und hat keine Zähne.«

»Hör bloß auf«, sagte ich böse. »Sie kann dich hören. Kleine Kinder verstehen, was man sagt. Sie ist schön.«

»Mach dir bloß nicht ins Hemd«, sagte Helen herablassend. »Ich weiß wirklich nicht, warum du so gereizt bist.«

Ich sagte nichts. Das war ein entsetzlicher Schlag.

»Es war zum Brüllen komisch«, fuhr Helen fort. »Adam hat seine Freundin und das Kind mit an die Uni gebracht, und jetzt behauptet die Hälfte der Studentinnen, sie wollen sich umbringen. Die Prüfung bei Professorin Staunton kann er sich natürlich auch abschminken. Wie die ihn angesehen hat! Ich schwöre dir, sie *haßt* ihn.«

»Ja, äh, habt ihr denn seine Freundin vorher noch nicht gesehen?« fragte ich. Ich versuchte, die Sache zu verstehen. Hatte er mich an der Nase herumgeführt und in Wirklichkeit etwas mit ihr gehabt? So mußte es sein. Man kann ja nicht einfach in einen Supermarkt gehen und da ein Kleinkind mit Haaren auf dem Kopf kaufen. So etwas braucht seine Zeit.

»Nein, wir kannten sie nicht«, sagte Helen. »Sie hatten, wie es heißt, vor ewigen Zeiten einen gewaltigen Krach. Er selber hatte sie und das Kind lange nicht gesehen. Aber jetzt sind sie wieder zusammen.«

Helen begann aus Leibeskräften irgendein widerliches Lied darüber zu trällern, wie schön es ist, erneut mit dem Geliebten beisammen zu sein. Singend tänzelte sie die Treppe empor.

»Warte«, wollte ich ihr nachrufen. »Ich bin noch nicht fertig. Ich muß dich noch unendlich viel fragen.«

Aber sie ging ins Badezimmer und knallte die Tür hinter sich zu. Dort sang sie unverdrossen weiter, war aber deutlich schwächer zu hören. Ich stand in der Diele, von Verzweiflung überwältigt, und kam mir vor wie eine große Idiotin.

Das Sprichwort hat schon recht: niemand ist so närrisch wie ein alter Narr.

Ich darf mich damit jetzt nicht beschäftigen, sagte ich mir. Ich werde darüber nachdenken, wenn alles anders ist. Wenn ich glücklich bin und die Lage sich geklärt hat. Aber nicht jetzt.

Ich zwang mich, nicht mehr daran zu denken. Ich ging in die Kammer meines Gehirns, in der all meine Gedanken über Adam lebten, stellte den Strom ab und vernagelte Türen und Fenster mit Brettern, damit nichts hinein oder hinaus gelangen konnte.

Dort sah es ziemlich scheußlich aus. Es konnte nicht ausbleiben, daß Klagen von den benachbarten Gedanken kamen. Aber ich hatte keine Wahl. Ich versuchte, auf die eine oder andere Weise mit meiner Ehe ins reine zu kommen, und konnte nichts brauchen, was mich davon ablenkte.

Endlich fand Mum die Autoschlüssel. Mit Kate stieg ich zu ihr ins Auto und ließ mich zum Flughafen fahren. Unterwegs redeten wir nicht miteinander. Ich spürte, daß es sie juckte, mich zu fragen, was eigentlich los war, aber sie hielt Gott sei Dank den Mund.

Es war wie ein Wunder, aber zeitweise brachte ich es tatsächlich fertig, die Gedanken an Adam abzustellen. Wahrscheinlich war ich so wütend auf James, daß in meinem Kopf einfach kein Platz mehr für etwas anderes war. In meinem ausverkauften Sorgentheater zerbrachen sich bereits Tausende und Abertausende von Gedanken den Kopf über James. Für solche, die gern noch Einlaß gefunden hätten, um sich den Kopf über Adam zu zerbrechen, gab es nicht einmal mehr Stehplätze. Möglicherweise war das ungerecht, aber auch hier galt der Grundsatz, wer zuerst kommt, mahlt zuerst.

Kate allein zu lassen war entsetzlich, aber sie mitzunehmen wäre nicht recht gewesen. Ich bin überzeugt, daß es sich katastrophal auf ein Kind auswirkt, wenn es mitbekommt, wie die Mutter den Vater umbringt.

In der Abflughalle gab ich Kate zum Abschied einen Kuß. »Bis bald, mein Schatz«, sagte ich. Dann umarmte ich meine Mutter.

»Darf ich dich was fragen?« sagte sie besorgt und sah mich aufmerksam an, um zu sehen, ob ich vor Wut in die Luft ging.

»Nur zu«, sagte ich, bemüht, einen freundlichen Klang in meine Stimme zu legen.

»Ist James zu dieser Denise zurückgekehrt?« fragte sie.

»Nicht daß ich wüßte.« Ich lächelte ihr bitter und beruhigend zu.

»Gott sei Dank«, sagte sie, erleichtert aufatmend.

Ach je. Arme Mum. Wenn sie nur wüßte. Über Denise machte ich mir keine Sorgen. Die Sorge, um die es hier ging, war weit umfangreicher als Denise. Das wollte wirklich etwas heißen.

Mal ehrlich – sollte man nicht glauben, daß ich inzwischen angefangen hatte, zu vergessen und zu vergeben? War es nicht Zeit, daß ich aufhörte, Denise herunterzumachen? Es ist alles nicht so einfach.

Ich drehte mich auf meinen aufreizend hohen Absätzen um und stöckelte entschlossen quer durch die Abflughalle. Das war nicht einfach, da ich ständig mit allen möglichen Leuten zusammenstieß, die inmitten von Koffern und Reisetaschen lässig herumstanden und plauderten, wobei sie die Ellbogen auf ihre Gepäckwagen stützten, als hätten sie beliebig viel Zeit. Sie taten so, als wäre das gar kein Flughafen und niemand müßte eine Maschine bekommen. Jedenfalls keine, die im nächsten Jahrzehnt startete.

In aller Eile versuchte ich einen Flug nach London zu buchen. Es war unmöglich. Die umgängliche und außerordentlich gelassene Angestellte der Aer Lingus war lediglich bereit, mir zu gestatten, daß ich ihn auf lässige, entspannte Weise buchte.

Zwischen einem Gespräch über den russischen Präsidenten (ist nicht Alkohol eine Geißel der Menschheit?) und einer Plauderei über das Wetter (hoffentlich regnet es nicht gleich wieder) gelang es mir mit knapper Not, für einen Flug nach London, der demnächst starten würde, auf die Warteliste zu kommen.

Es gab keinerlei Probleme. Schade, denn es kam nicht oft vor, daß ich ausgesprochen schlecht gelaunt und imstande war, meinen Standpunkt selbst zu vertreten, auf meinem Recht zu beharren, Krach zu schlagen und so weiter. Das wäre eine ideale Gelegenheit gewesen.

Ich war wunderbar geladen und hätte am liebsten einen ordentlichen Streit vom Zaun gebrochen. Aber jedermann war zuvorkommend und umgänglich, und alles lief wie geschmiert. Verdammt.

Es war zehn nach fünf.

Der Flug verlief ohne irgendwelche Zwischenfälle.

Es wäre großartig gewesen, wenn der wichtig aussehende Geschäftsmann neben mir versucht hätte, ein Gespräch mit mir anzufangen oder, noch besser, mit mir zu flirten, damit ich meine schlechte Laune so richtig an ihm hätte auslassen können.

Ganz ehrlich, ich war richtig kindisch. Ich *sehnte* mich förmlich nach einem Anlaß, etwas Gehässiges zu sagen. Ich überlegte, ob ich es nicht mal mit einer Stimme wie der von Joan Collins probieren sollte. Sie wissen schon, so ganz von oben herab, wobei meine Worte klingen würden, als fielen Eiswürfel klirrend in ein Glas. Ich hätte sagen können: »Es lohnt sich wirklich nicht, mich anzusprechen. Ich habe eine Saulaune und weiß nicht, wie lange ich es durchhalten würde, mich Ihnen gegenüber höflich zu verhalten.«

Aber abgesehen davon, daß er undeutlich »'tschuldigung« murmelte, während er in der Gegend meiner Hüfte nach seinem Sicherheitsgurt tastete, nahm mich der Mann überhaupt nicht zur Kenntnis. Er holte einfach einen Roman von Catherine Cookson aus seiner eindrucksvoll aussehenden ledernen Aktentasche und hatte sich in Null Komma nichts in ihn vertieft. Bestimmt kennen Sie ihn. Es geht darin um das unehelich geborene junge Mädchen mit dem bordeauxfarbenen Muttermal, hinter der ihr Vetter her ist. Die Stiefmutter prügelt sie mit einer Reitgerte, ein Landjunker vergewaltigt sie, als sie dreizehn ist, und auf der Flucht vor ihm gerät sie mit einem Fuß in eine Kaninchenfalle, so daß man ihn amputieren und die Wunde mit einem rotglühenden Schürhaken ausbrennen muß, wobei ihre Schreie zwischen den Schlackenhaufen widerhallen. Oder ist das der Inhalt aller Romane von Catherine Cookson?

Jedenfalls begeisterte sich der Mann weit mehr für seine Lektüre als für mich, was mich ein bißchen kribbelig machte. In meiner miesen Gemütsverfassung sehnte ich mich nach einer Möglichkeit, mich an jemandem zu reiben. Ich wollte mich sozusagen auf die richtigen Gemeinheiten einstimmen, die ich später abfeuern würde. Aber es gab keine Gelegenheit.

Dann schämte ich mich und versuchte mit meinem Sitznachbarn ein Gespräch anzufangen. Ich lächelte ihm übertrieben zu, als er mir das Tablett mit dem Imbiß reichte, bot ihm freundlich an, sein Milchtütchen zu öffnen, als er damit Schwierigkeiten hatte, und schenkte ihm mein Pfefferminz, damit er es für sein Töchterchen mit nach Hause nehmen konnte (sein eigenes hatte er gegessen) – und so weiter.

Er erwies sich als äußerst umgänglich. Wir sprachen über das Buch, das er las, und ich empfahl ihm einige Autoren. Bei der Landung in Heathrow redeten wir einander schon mit Vornamen an. Wir schüttelten uns zum Abschied die Hand, bestätigten einander, daß es ein Vergnügen gewesen sei, uns kennenzulernen, und wünschten einer dem anderen aufrichtig eine gute Weiterreise.

Dann war ich wieder allein. Allein mit meinen Gedanken, meiner Angst und meiner Wut. Abgesehen von den neunzig Milliarden Menschen, die in Heathrow herumwuselten, war ich ganz allein in London.

Wäre das jetzt ein Film und nicht ein Buch, würden Sie Bilder von roten Doppeldeckerbussen und schwarzen Taxis sehen, die am Parlamentsgebäude und an Big Ben vorbeifahren, Polizisten mit komischen Helmen, die den Verkehr vor dem Buckingham-Palast regeln, und lächelnde Mädchen, die in superkurzen Röcken unter einem Schild mit der Aufschrift ›Willkommen in Carnaby Street‹

stehen. Da das hier aber ein Buch ist, müssen Sie Ihre Fantasie bemühen.

In Heathrow ging es, nun... in Heathrow ging es, nun... es ging hektisch zu. Könnte man sagen. Der Wahnsinn in Reinkultur. Ich konnte nicht glauben, daß es überhaupt so viele Menschen gab. Es kam mir vor wie ein Renaissance-Gemälde vom Jüngsten Gericht, in das Leben gekommen war. Oder wie die Eröffnungsfeier der Olympischen Spiele.

Exotisch gekleidete Menschen aus aller Herren Ländern, die sich in allen Sprachen unter der Sonne unterhielten, rannten an mir vorüber. Warum hatten es bloß alle so *eilig*?

Der Lärm war ohrenbetäubend. Lautsprecherdurchsagen teilten mit, was so alles verlorengegangen war: kleine Jungen, erwachsene Männer, teure Gepäckstücke, Geduld, die Beherrschung, der Verstand. Es gab so gut wie nichts, was nicht verlorengegangen war.

Ich hatte ganz vergessen, daß London so war. Früher einmal hatte ich bei diesem Tempo mühelos mitgehalten. Jetzt aber lebte ich wieder im deutlich gemütlicheren und gelasseneren Dubliner Rhythmus. Verschreckt und von der Zahl der Menschen überwältigt, stand ich wie die Unschuld vom Lande in der Ankunftshalle und entschuldigte mich matt, wenn man mich anstieß und laut anschnauzte.

Dann riß ich mich zusammen. Schließlich war das nur *London*. Immerhin hätte ich auch irgendwo sein können, wo es wirklich furchterregend zugeht – beispielsweise in Limerick. Entschuldigung, war nur ein Scherz.

Wohin das Auge fiel, *überall* sah man kleine Gruppen von Geschäftsleuten. Sie standen in ihren abscheulichen Anzügen da und warteten entweder auf ihr Gepäck oder auf einen Flug. Ihre Aktentaschen, die wahrscheinlich voller Pornozeitschriften steckten, hatten sie auf den Boden neben sich gestellt.

Alle tranken Bier, drückten einander um die Wette männlich die Hand, verströmten den Eindruck, richtig nette Kumpel zu sein, und wetteiferten darum, wer das brüllendste Gelächter, die herabsetzendste Äußerung über seine Frau oder die primitivste Bemerkung über eine der Frauen machen konnte, die am Kongreß teilgenommen hatten, von dem sie kamen oder zu dem sie unterwegs waren. Aus den verschiedenen Gruppen klang es zu mir herüber: »Die würde ich nicht mal dann aus dem Bett schmeißen, wenn sie furzen würde wie ein Waldesel« und: »Nee, die hat viel zu kleine Titten« und: »Die war schon mit jedem im Bett, sogar mit den Lehrlingen aus dem Posteingang.«

Was wohl der Sammelbegriff für eine Gruppe von Geschäftsleuten sein mag? Da gibt es doch bestimmt was. Ein Kongreß von Geschäftsleuten? Eine Aktentasche von Geschäftsleuten? Eine Sitzung von Geschäftsleuten? Ein Polyester von Geschäftsleuten? Ein Nadelstreifen von Geschäftsleuten?

Es hat keinen Sinn. Keiner dieser Begriffe vermittelt das volle Ausmaß der *Widerwärtigkeit* jener kleinen Gruppen. Wie wäre es mit Unaufrichtigkeit von Geschäftsleuten? Untreue von Geschäftsleuten? Illoyalität von Geschäftsleuten?

Ich merkte, wie einer von ihnen anzüglich zu mir hersah. Rasch blickte ich beiseite. Er wandte sich wieder den vier oder fünf Männern zu, bei denen er stand, und sagte etwas. Lautes Gelächter erscholl, und sie alle drehten und reckten sich und machten lange Hälse, um mich gründlich mustern zu können. Die Mistkerle! Am liebsten hätte ich sie umgebracht.

Sie waren so unansehnlich und unscheinbar. Wie kamen sie dazu, sich mir – oder irgendeiner anderen Frau – gegenüber so arrogant aufzuspielen? Sie sollten dankbar sein, wenn eine Frau bereit war, sie wenigstens mit einer Zange anzufassen. *Der Teufel soll sie holen*! dachte ich wütend. Es wurde Zeit zu verschwinden.

Ich mußte auf kein Gepäck warten, da ich nicht die Absicht hatte, so lange zu bleiben, daß ich welches brauchte. So blieb mir wenigstens die Hölle des Gepäck-Karussells erspart.

Ich holte tief Luft, straffte die Schultern, machte ein entschlossenes Gesicht und begann mich durch die Halle in Richtung U-Bahn-Station voranzuarbeiten. Entschlossen schob ich mich durch all die anderen Menschen, wie ein Amazonas-Forscher, der sich mit der Machete den Weg durch dichtes Unterholz bahnt.

Schließlich erreichte ich den U-Bahnhof. Es war deutlich zu sehen, daß Japan dort eine Volkszählung veranstaltete. Nachdem ich, wie es mir vorkam, mehrere Jahre gewartet hatte, während die Söhne Nippons an den Fahrkartenautomaten herumprobierten – ich hatte immer gedacht, das wären alles solche technischen Wunderknaben? –, besorgte ich mir eine Fahrkarte und stieg in eine U-Bahn nach London. Für ein Taxi reichten meine Mittel nicht. Der Wagen war voll und enthielt einen Vertreter von jedem Volk der Erde. Ich brauche an keiner Sitzung des Sicherheitsrats der Vereinten Nationen teilzunehmen. Ich war schon da.

Irgendwie waren die überfüllte U-Bahn und die unbequeme und unangenehme Fahrt ein Geschenk des Himmels. Wäre ich nicht schon vor dem Einsteigen voll Mordlust gewesen, ich wäre es nach dem Aussteigen bestimmt gewesen.

Ein Mitreisender war so entgegenkommend, mich von meiner bevorstehenden Auseinandersetzung mit James abzulenken, indem er in jeder Kurve sein steifes Glied gegen mich drückte.

Gegen zehn vor acht kam ich an meiner Haltestelle an.

34

Als ich von der Treppe der U-Bahn-Station auf die Straße trat, in der ich wohnte, gab es mir einen Stich. Alles war so schmerzlich vertraut: der Zeitungsstand, der Waschsalon, der Schnapsladen, der Inder, wo wir oft unser Essen geholt hatten.

Einerseits kam es mir vor, als läge es Lichtjahre zurück, daß ich dort gewohnt hatte, dann wieder hatte ich das Gefühl, nie fort gewesen zu sein. Während ich mit pochendem Herzen unserer Wohnung zustrebte, merkte ich, daß meine Knie merkwürdig zitterten.

Das überraschte und erschreckte mich ein wenig. Ich hatte nicht erwartet, daß mich die Rückkehr in die vertraute Umgebung so mitnehmen würde. Als ich um die Ecke bog und unsere Fenster sah, traten mir Schweißperlen auf die Stirn. Ich verlangsamte meinen Schritt.

Jetzt, da ich angekommen war, wußte ich nicht so recht, was ich tun sollte.

Wäre ich doch nicht hier! Hätte ich doch nicht herkommen müssen! Muß ich mich dieser Auseinandersetzung stellen? fragte ich mich aufgebracht. Vielleicht habe ich ja unrecht, und James liebt mich, wie ich bin. Vielleicht sollte ich einfach umkehren, zurückfliegen und so tun, als wäre alles in Ordnung.

Ich stand an der Haustür des Wohnblocks und drückte mein brennendes Gesicht gegen die kühle Scheibe. Meine Wut war abgeflaut. Ich war überhaupt nicht mehr zornig, aber ich hatte Angst, und ich war unbeschreiblich traurig.

Ein Taxi bog um die Ecke. Es war frei. Ein Hoffnungsschimmer durchzuckte mich. *Ich könnte es anhalten und einfach verschwinden,* dachte ich. *Ich muß das nicht bis zum bitteren Ende führen.*

Vor der Tür des Blumenhändlers stand ein Körbchen mit Rosen. Apropos ›Körbchen‹. Ich mußte unbedingt ein paar von meinen BHs mitnehmen. Jetzt, da mein Busen – leider – wieder so war wie früher, waren mir alle BHs, die ich in Irland hatte, zu groß.

Diese momentane Unaufmerksamkeit erwies sich als schicksalhaft: Das Taxi fuhr vorüber. Es sah ganz so aus, als würde ich nicht fortgehen. Jedenfalls jetzt noch nicht. Ich würde mich James stellen und herausfinden, was los war.

Denk dran, warum du hier bist – oh, das weiß ich durchaus noch: weil mich James belogen hatte. Und zwar über das, was unsere Beziehung ausmachte, seine Empfindungen mir gegenüber.

Erneut spürte ich Wut in mir aufsteigen. Gut. Die Sache war nicht ganz so alptraumhaft, wenn ich wütend war. Unsicher holte ich tief Luft.

Sollte ich klingeln und damit James von meinem Kommen in Kenntnis setzen? Oder sollte ich einfach hineinmarschieren, als wenn mir die Wohnung gehörte? Dabei wußte doch jeder, daß sie mir nur zur Hälfte gehörte. Dann aber dachte ich, *der Teufel soll es holen, es ist meine Wohnung. Ich schließ selbst auf, verdammt noch mal.*

Meine Hand zitterte, während ich in meiner Handtasche nach dem Schlüsselbund kramte. Es dauerte ewig, bis der Schlüssel im Schloß war.

Der vertraute und alte Erinnerungen wachrufende Geruch des Treppenhauses traf mich mit voller Wucht in der Magengrube. Es roch wie zu Hause. Ich gab mir große Mühe, nicht darauf zu achten – für Gefühlsduselei war das nicht der richtige Zeitpunkt.

Der Aufzug brachte mich in den zweiten Stock. Zögernd ging ich über den Flur zur Wohnungstür. Als ich hörte, daß der Fernseher lief, sank mein Herz noch tiefer. Also war James zu Hause. Jetzt gab es kein Zurück mehr.

Ich schloß auf und trat, um Lässigkeit bemüht, ins Wohnzimmer. Bei meinem Anblick hätte James fast einen Herzschlag bekommen.

Perverserweise hätte es mich befriedigt, wenn ich ihn bei irgend etwas Abartigem erwischt hätte. Vielleicht bei sadomasochistischen Spielchen mit einer Vierzehnjährigen, oder besser noch, *einem* Vierzehnjährigen. Oder, noch besser, einem vierzehnjährigen Schaf. Oder am besten dabei, wie er sich im Fernsehen eine drittklassige Gameshow ansah (was nun *wirklich* abscheulich und unverzeihlich wäre).

Dann hätte ich ihm nicht gegenüberzutreten brauchen, sondern einfach davongehen können, im Bewußtsein, daß er ein absoluter Widerling war. Ohne jeden Zweifel. Alles paßte ins Bild.

Aber der widerspenstige Mistkerl blickte so unschuldig und zurechnungsfähig drein, als hätte er es den ganzen Tag geübt. Er las Zeitung, während im Hintergrund *Die Leute von Eaton Place* lief. Sogar das Glas neben ihm enthielt Cola und nicht etwa Alkohol. Alles ganz einwandfrei.

»Cl ... Claire, was tust du hier?« keuchte er und sprang vom Sofa auf. Er machte ein Gesicht, als hätte er ein Gespenst gesehen.

Es muß aber auch ein schlimmer Schock für ihn gewesen sein. Seines Wissens befand ich mich Hunderte von Kilometern entfernt in einer anderen Stadt.

Andererseits hätte er sich ruhig ein *bißchen* freuen können, daß ich da war. Hätte überraschtes Entzücken zeigen können statt entsetztem Erschrecken.

Wenn er mich wirklich liebte, sich keiner Schuld bewußt war, nichts zu verbergen hatte oder sich wegen nichts zu schämen brauchte, wäre er da nicht vor Begeisterung aus dem Häuschen gewesen?

Er wirkte nervös. Sie wissen schon, unruhig, auf der Hut. Wahrscheinlich fragte er sich, warum ich gekommen war. Ihm war *klar*, daß etwas faul war.

Schlagartig begriff ich, daß ich mir nichts eingebildet hatte. Irgend etwas stimmte ganz und gar nicht. Ich brauchte nur sein Gesicht zu sehen.

Ich darf jetzt nicht traurig sein, sagte ich mir. Später kann ich untröstlich sein und mich hängenlassen, aber jetzt muß ich stark bleiben.

»W ... wie schön, daß du hier bist«, sagte er. In seiner Stimme schwang Entsetzen mit. Er wirkte ein wenig hysterisch.

Als ich in sein bleiches, besorgtes Gesicht sah, kam eine solche Wut in mir hoch, daß ich ihn am liebsten gebissen hätte.

Aber ich *wollte* wütend sein. Wut tut gut, sagte ich mir. Sie hält den Schmerz fern. Sie gibt mir Kraft.

Ich sah mich im Wohnzimmer um und schenkte ihm ein warmherziges Lächeln, obwohl ich am ganzen Leibe zitterte.

»Sieht hübsch aus«, sagte ich freundlich. Ich war überrascht, daß meine Stimme nicht zitterte. »Ich sehe, du hast deine Bücher und Schallplatten und alles wieder eingeräumt. Und ...«

Ich ging an ihm vorüber ins Schlafzimmer und riß den Kleiderschrank auf. »... wie ich sehe, hast du auch deine Sachen zurückgehängt. *Sehr* gemütlich.«

»Claire, was tust du hier?« brachte er heraus.

»Freust du dich denn nicht, mich zu sehen?« fragte ich kokett und geziert zurück.

»Doch, natürlich!« rief er aus. »Nur ... ich meine ... ich hab' nicht damit gerechnet, daß du kommst ..., weißt du ... ich dachte, du wolltest anrufen.«

»Mir ist durchaus klar, was du gedacht hast, James«, sagte ich und fixierte ihn mit einem abschätzenden Blick.

Ich muß sagen, trotz des Vorgefühls bevorstehenden Unheils machte mir die Sache allmählich Spaß.

Ein kurzes Schweigen trat ein.

»Stimmt was nicht, Claire?« fragte er mißtrauisch. Er schien Angst zu haben. Sobald ich die Wohnung betreten hatte, mußte ihm klar gewesen sein, daß ich keine Sendbotin der Liebe war. Andernfalls hätte er sich nicht so schuldbewußt und furchtsam verhalten.

Vielleicht hatte er bereits mit George gesprochen und wußte, daß ich sein doppeltes Spiel durchschaut hatte? Vielleicht hatte er eine Art Kraftprobe erwartet?

Immerhin wollte er über das sprechen, was nicht in Ordnung war. Eigentlich ganz vernünftig, oder nicht? Vielleicht würde doch noch alles gut werden. Oder war ich einfach nur unsagbar rührselig?

»Ja, James«, sagte ich mit schmeichelnder Stimme. »Etwas ist nicht in Ordnung.«

»Was?« fragte er und sah mich argwöhnisch an.

»Ich hatte heute ein äußerst aufschlußreiches Gespräch mit George«, teilte ich ihm leichthin mit.

»Ach ja?« fragte er, bemüht, sich davon nicht beeindrucken zu lassen. Aber in seinem Gesicht zuckte etwas. War es Furcht? Ärger?

»Hmmmm«, sagte ich und betrachtete meine Fingernägel. »So ist es.«

Schweigend stand James da und sah mich an wie eine Maus die Katze.

»Ja«, fuhr ich im Plauderton fort. »Er hat mir die Situation zwischen dir und mir völlig anders geschildert als du.«

»Oh«, sagte er und schluckte heftig.

»Es sieht ganz so aus, als hättest du mich immer geliebt«, sagte ich. »Und als wäre das einzige Problem, das du mit mir hattest, deine Angst, ich könnte dich verlassen.«

Er schwieg störrisch.

»Stimmt das, James?« fragte ich in scharfem Ton.

»Auf George würde ich nicht hören«, sagte er. Offenkundig hatte er seine Fassung ein wenig zurückgewonnen.

»Genauso sehe ich das auch«, gab ich samtweich zur Antwort. »Deswegen hab' ich Judy angerufen. Und rate mal, was sie mir erzählt hat – haargenau dasselbe wie er.« Wieder antwortete mir Schweigen.

»Meinst du nicht«, fragte ich, »daß es Zeit ist, mir zu sagen, was nun stimmt?«

»Hab' ich schon getan«, brummelte er.

»Oh nein«, korrigierte ich ihn mit lauter Stimme. »Du hast ein Verhältnis angefangen und mich an dem Tag verlassen, an dem ich dein Kind zur Welt gebracht habe, und hast später beschlossen, daß du mich zurückhaben wolltest. Statt mir das offen und ehrlich zu sagen, hast du dir einen Haufen Lügen ausgedacht, mich heruntergemacht und mich egoistisch, kindisch, rücksichtslos und dumm genannt.« (Hier hob sich meine Stimme um mehrere Dezibel.) »Und statt dich für dein abscheuliches Verhalten zu entschuldigen, hast du behauptet, alles sei meine Schuld.« (Meine Stimme wurde noch lauter.) »Dann hast du dich entschlossen, mich umzumodeln. Du wolltest aus mir eine kleine Duckmäuserin machen, die dir nicht widerspricht, dich nicht in den Schatten stellt und der gegenüber du dich nicht unsicher fühlen mußt.«

»So war das nicht«, begehrte er schwach auf.

»Es war *genau* so«, brüllte ich. »Ich kann es bloß nicht fassen, daß ich so dämlich war, deine lächerliche Geschichte zu glauben.«

»Claire, du mußt mir zuhören«, sagte er gereizt.

»Ich denke nicht daran«, erklärte ich ihm wütend. »Warum sollte ich dir zuhören? Willst du mir noch mal einen Haufen Lügen auftischen?

Nun?« schrie ich, als er keine Antwort gab. Ich setzte mich und sah ihn an, wollte, daß er etwas sagte, wollte, daß er einlenkte. *Überzeuge mich*, flehte ich stumm. *Ich möchte unrecht haben.* Sag *mir, daß ich unrecht hab'. Bitte erklär es mir. Ich geb mich auch mit einer Entschuldigung zufrieden. Wenn du dich nur entschuldigst, das genügt schon.*

Langsam ließ er sich auf das Sofa sinken, das Gesicht in den Händen vergraben. Obwohl ich irgendeine Reaktion erwartet hatte, zuckte ich doch ein wenig zusammen, als ich merkte, daß er weinte.

Großer Gott! Was sollte ich jetzt sagen?

Ich kann nicht haben, wenn ein erwachsener Mann weint. Eigentlich stimmt das nicht. Gewöhnlich kenne ich kein schöneres Gefühl, als einen erwachsenen Mann weinen zu sehen. Vor allem, wenn ich ihn selbst dazu gebracht habe. Es gibt nichts Besseres als das eigene Machtgefühl dabei.

Wenn er weinte, konnte das nur bedeuten, daß ihm sein widerwärtiges Verhalten mir gegenüber wirklich leid tat und alles wieder gut würde. Er würde um Entschuldigung bitten. Er würde zugeben, daß er ganz und gar im Unrecht war.

Meine Härte begann zu schwinden. Als er mir dann aber das Gesicht zuwandte, konnte ich nicht glauben, was ich sah. Er war wütend! »Das ist typisch für dich«, brüllte er.

»Was?« fragte ich matt.

»Du bist so unglaublich egoistisch«, schrie er. Wie mit einem Schlag waren alle Spuren seines tränenreichen Ausbruchs getilgt.

»Wieso?« fragte ich verblüfft.

»Alles war in bester Ordnung!« schrie er. »Alles war geklärt. Wir wollten einen neuen Anfang machen, du wolltest versuchen, erwachsen und ein bißchen rücksichtsvoller zu sein. Aber du konntest die Dinge nicht einfach auf sich beruhen lassen, nicht wahr?«

»Was hätte ich denn tun sollen?« fragte ich sanftmütig. »George sagt so, und du sagst was völlig anderes. Was er sagt, ist viel glaubhafter, vor allem, nachdem Judy es mir bestätigt hat.«

Ich gab mir wirklich große Mühe, vernünftig zu sein. Ich sah, wie wütend er war, und es machte mir angst. Aber ich wollte mich nicht unterkriegen lassen. Bitte, lieber Gott, betete ich, gib mir die Kraft, standzuhalten. Laß mich nicht wieder die Schuld für alles auf mich nehmen. Nur dieses eine Mal möchte ich nicht als Schwächling dastehen.

»Mir ist klar, daß du George und Judy lieber glaubst als mir«, sagte er. »Das ist natürlich angenehmer als die Wahrheit aus meinem Mund.«

»Ich will der Sache auf den Grund gehen«, sagte ich und bemühte mich, ruhig zu bleiben. »Ich möchte nur wissen, warum du George sagst, du liebst mich und hast Angst, mich zu verlieren, mir aber, daß du mich kaum ertragen kannst. Das paßt einfach nicht zusammen.«

»Was ich dir gesagt hab', ist die Wahrheit«, sagte er eingeschnappt.

»Und was du George gesagt hast?« fragte ich.

»Der hat das falsch verstanden«, gab er knapp zurück.

»Und Judy ebenfalls?« fragte ich kalt.

»Vermutlich«, sagte er leichthin.

»Und Aisling, Brian und Matthew haben es auch falsch verstanden?«

»Muß wohl so sein«, sagte er wegwerfend.

»Sei bitte vernünftig, James«, sagte ich ernsthaft. »Es ist doch nicht gut möglich, daß die *alle* unrecht haben. Was meinst du?«

»Ist es ohne weiteres«, sagte er schroff. »Sie haben unrecht.«

»Überleg doch«, bat ich ihn. »Jemand *muß* hier die Unwahrheit sagen.« Allmählich überkam mich Verzweiflung. »Meine Freunde und ich sprechen über alles; da hätte dir klar sein müssen, daß mir die abweichenden Darstellungen früher oder später zu Ohren kämen.« Wortlos saß er mit verschränkten Armen auf dem Sofa und sah mich trotzig an.

Gott im Himmel! Es war wie Zähneziehen. Aber ich war bereit, es noch einmal zu probieren. Ganz gleich, was geschah, ich würde ruhig sein und mich bemühen, ihn nicht umzubringen. Ich würde versuchen, nicht aus der Haut zu fahren. Ich würde mich zusammennehmen und ihn nicht verletzen, wie ich es eigentlich gewollt hatte. Noch einmal würde ich meinen Stolz hinunterschlucken und ihm klarmachen, daß ich bereit war, seinen Seitensprung zu verzeihen. Das fiel mir nicht leicht, kann ich Ihnen sagen. Schon gar nicht, wo ich gleichzeitig versuchte, mich gegen ihn zu behaupten und mich nicht vollständig von ihm einschüchtern zu lassen.

Ich bemühte mich, daran zu denken, daß es nur einen schmalen Grat zwischen extremen Positionen gab. Entweder verstand ich ihn: das konnte dazu führen, daß ich ihm als Fußabstreifer diente, oder ich behauptete mich gegen ihn: dann war es möglich, daß ich zur wild gewordenen Rächerin wurde.

»Wir müssen uns wirklich Mühe geben, die Sache ins reine zu bringen«, sagte ich. Dabei gelang es mir wunderbarerweise, gelassen zu klingen. »Willst du meine Fragen bitte einfach mit ›Ja‹ oder ›Nein‹ beantworten?«

»Was für Fragen?« gab er mißtrauisch zurück.

»Zum Beispiel, ob es der Wahrheit entspricht, daß es meine Schuld war, daß du mich verlassen hast?«

»Willst du hier etwa ein Verhör mit mir anstellen?« fragte er empört. »Das hat mir noch gefehlt! Wofür hältst du dich eigentlich? Du willst mich wohl als eine Art Verbrecher hinstellen!«

»Nein«, sagte ich, vor Verzweiflung den Tränen nahe. »Wirklich nicht. Ich möchte einfach, daß du mit mir sprichst, mir sagst, was du wirklich empfindest, was tatsächlich los ist. Ich möchte, daß du ehrlich zu mir bist. Sonst gibt es für uns keine Zukunft.«

»Ich verstehe«, giftete er mich an. »Du möchtest also Dinge von mir hören wie ›Du bist ein großartiger Mensch, und ich weiß nicht, wie ich dir untreu sein konnte‹. Ist es das?« *Ja*, dachte ich.

»Nein«, sagte ich matt. »Sondern lediglich …«

»Ich soll wohl ganz allein die Schuld auf mich nehmen, was?« sagte er mit erhobener Stimme. »Ich soll der Böse sein, ›der Mann, den du und all deine Freunde mit Begeisterung hassen‹. Ist das der Dank für alles, was ich für dich getan habe?« schloß er brüllend, sein Gesicht dicht an meinem.

»Aber du bist der Böse«, sagte ich verwirrt. »Schließlich hattest du das Verhältnis, nicht ich.«

»Großer Gott«, schrie er, er schrie *wirklich*. »Du wirst wohl nie aufhören, mir mit dieser alten Leier ein schlechtes Gewissen machen zu wollen. Ich sage dir eins, ich habe kein schlechtes Gewissen. Ich hab' dich immer gut behandelt. Jeder weiß das. Du bist die Böse, nicht ich!« Darauf trat Schweigen ein. Der Raum vibrierte förmlich davon. Ich saß ganz still, völlig verstört.

Wütend stieß James die Luft aus und ging im Zimmer auf und ab. Er sah mich nicht an. Ich merkte, daß ich zitterte. *Bin ich wirklich die Böse*? fragte ich mich. *Ist es so, wie er sagt*?

Eine leise Stimme in meinem Kopf forderte mich auf, nicht albern zu sein. Die Sache war weit genug gegangen. Ich mußte das ernst nehmen, was ich als wahr erkannt hatte. Nicht ich hatte ein Verhältnis gehabt, sondern James, und es war seine eigene Entscheidung gewesen. Niemand hatte ihn dazu gezwungen, schon gar nicht ich. Mir hatte er gesagt, es sei fast unmöglich, mich zu lieben, jedem anderen aber hatte er gesagt, er liebe mich aus tiefster Seele.

Er wollte, daß ich die Schuld für *sein* Verhältnis auf mich nahm. Während ich zitternd mit meinem Gedankenwirrwarr dasaß, wurde mir eines absolut klar, was ich vorher nicht begriffen hatte. James war um keinen Preis bereit, sein Unrecht einzusehen. Es war ihm unmöglich, einzugestehen, daß niemand anders als er die Schuld an seinem Seitensprung trug, obwohl er sich darüber klar sein mußte. Es war kaum vorstellbar, daß sich die Erinnerung an Denise so mühelos auslöschen ließ… Die Zeit verstrich. Die Spannung hing schwer in der Luft.

An seiner Reaktion merkte ich, daß er unter keinen Umständen bereit sein würde zuzugeben, daß er mich belogen, George hingegen die Wahrheit gesagt hatte. Ich aber glaubte nun einmal George. Er konnte sich das nicht aus den Fingern gesogen haben – von allem anderen einmal abgesehen, wäre er dazu viel zu dumm gewesen! Bestimmt hatte James damit gerechnet, was er George gesagt hatte, würde mir nie zu Ohren kommen. Daher hatte er angenommen, er könnte einerseits George sagen, wie sehr er mich liebte, ohne befürchten zu müssen, daß ich ihm auf die Schliche käme, mir hingegen, es falle ihm schwer, einen so schwierigen und selbstsüchtigen Menschen wie mich zu lieben. Ich wußte, daß James unsicher und verletzlich war. Privat wie im Beruf mußte er immer alles unter Kontrolle haben. So hatte er offenbar auch in bezug auf mich in jeder Beziehung sicher sein wollen.

Noch immer entschlossen, der widersprüchlichen Darstellung auf den Grund zu gehen, änderte ich meine Taktik. Einerseits hätte ich James am liebsten zum Teufel geschickt, ihm erklärt, was für ein verantwortungsloser und unreifer Gefühlskrüppel er sei und daß ein Kind erkennen könne, wie er mich zu manipulieren versuche. Andererseits lag es auf der Hand, daß er Angst hatte oder verwirrt war.

Vielleicht brauchte er jemanden, der seine Ängste formulierte, weil er das nicht selbst konnte. Vielleicht war es richtig, ihn zu beruhigen. Es war einen nochmaligen Versuch wert.

»Einen Menschen zu lieben ist keine Schande«, sagte ich sanft. »Du weißt das. Es ist auch kein Zeichen von Schwäche, wenn man sich deswegen manchmal unsicher fühlt. Das ist menschlich und völlig in Ordnung. Falls du George gesagt hast, daß du mich sehr liebst, hast du keinen Grund, das jetzt zu bestreiten. Ich werde es nicht gegen dich verwenden. Auch in Dublin wäre es nicht nötig gewesen, so zu tun, als liebtest du mich kaum. Großer Gott, niemand würde dich verdammen, weil du deine Frau liebst. Aber der Seitensprung war ein Fehler.« (Es fiel mir ausgesprochen schwer, das zu sagen, das können Sie mir glauben, aber ich brachte es heraus.) »Niemand ist vollkommen«, fuhr ich fort. »Wir alle machen Fehler. Du kannst mir ungescheut die Wahrheit sagen, das weißt du. Du brauchst keine Spiele zu spielen, um dich zu schützen. Wir können die Sache gemeinsam lösen und eine normale Ehe führen.« Ich hörte auf. Ich war erschöpft.

Es gab eine Pause, in der ich kaum zu atmen wagte. James saß schweigend da, den Blick zu Boden gerichtet. Jetzt kam es darauf an.

»Claire«, sagte er schließlich.

»Ja«, sagte ich angespannt und verängstigt.

»Ich weiß nicht, was für ein bescheuertes Psychogewäsch du da redest, aber ich sehe keinen Sinn darin«, sagte er. Damit war die Sache klar. Ich hatte verloren.

»Ich verstehe nicht, wo das Problem liegen soll«, fuhr er fort. »Ich hab' nie gesagt, daß ich dich nicht liebe. Ich hab' nur gesagt, daß du dich ändern mußt, damit wir weiter zusammenleben können. Ich hab' gesagt, daß du rücksichtslos bist und erwachsen werden mußt ...«

»Was du gesagt hast, weiß ich, James«, unterbrach ich ihn, bevor er die ganze Litanei wiederkäute. Es klang, als läse er sie von einem Manuskript ab. Oder als wäre er ein Roboter, der darauf programmiert war, die Liste immer wieder herunterzubeten – es genügte, einen Knopf zu drücken, und er legte los. Davon hatte ich inzwischen genug.

Ich hatte keine weiteren Erniedrigungen nötig, nein, wirklich, vielen Dank. Ich war außerstande, noch mehr Zorn zu schlucken. Ehrlich, keinen einzigen Mundvoll. Aber er war köstlich. Selbst gemacht?

Ich hatte mein Bestes getan. Es hatte nicht genügt, aber ich war unter keinen Umständen bereit, noch mehr zu tun. Es war einfach nicht der Mühe wert.

»Na gut«, sagte ich.

»Gut?« fragte er.

»Ja«, bestätigte ich.

»Wunderbar«, sagte er. Es klang väterlich und selbstgefällig. »Aber bist du auch sicher? Ich möchte nicht, daß du alle paar Monate wieder mit der Sache ankommst und sie mir unter die Nase reibst.«

»Das tue ich bestimmt nicht«, sagte ich.

Mit viel Geraschel und weit umständlicher, als nötig war, nahm ich meine Zeitung und meine Tasche, stand auf und begann, mir die Jacke anzuziehen.

»Was tust du?« fragte James, erkennbar verwirrt.

Mit erstaunter und unschuldiger Miene fragte ich ihn: »Was glaubst du?«

»Woher soll ich das wissen«, sagte er.

»Dann sag ich es dir wohl besser, was?« fragte ich entgegenkommend.

»Äh ... ja«, sagte er. Es überlief mich kalt, ihn so besorgt zu hören.

»Ich gehe«, sagte ich.

»Du *gehst*?« rief er aus. »Warum zum Teufel? Wir haben doch gerade alles geklärt.« Dann lachte er erleichtert. »Großer Gott, entschuldige«, sagte er. »Einen Augenblick lang dachte ich ...« Er schüttelte den Kopf über seine eigene Dummheit. »Aber natürlich mußt du zurück. Du mußt ja deine Sachen und Kate holen. Aber offen gestanden hatte ich mehr oder weniger gehofft, du würdest über Nacht bleiben und wir könnten uns ... äh ... einander wieder ein bißchen ... annähern. Na ja. Wir können auch noch ein paar Tage warten. Wann also kommst du am Dienstag?«

»Ach, James«, sagte ich mit einem leisen Lachen voll falschem Mitgefühl. »Du hast es immer noch nicht begriffen, was?«

»Was?« fragte er mißtrauisch.

»Ich komme am Dienstag nicht.« Freundlich setzte ich hinzu: »Und auch an keinem anderen Tag.«

»Was soll das jetzt wieder, verdammt noch mal?« stieß er hervor. »Gerade haben wir alles geklärt, und jetzt kommst du daher und ...«

»Nichts haben wir geklärt. Überhaupt nichts«, unterbrach ich ihn kalt. »Möglich, daß *du* was geklärt hast – dein Bild von dir selbst als netter Kerl hat keinen Kratzer. Für mich hat sich nichts geklärt.«

»Und worüber haben wir dann in der vergangenen Stunde geredet?« fragte er in aggressivem Ton.

»Eben.«

»Was?« blaffte er und sah mich an, als wäre ich ein bißchen verrückt geworden.

»Ich habe ›eben‹ gesagt. Worüber *haben* wir geredet?« fragte ich ihn. »Was mich betrifft, hätte ich genausogut an die Wand reden können.«

»Ach, geht es wieder um dich?« fragte er boshaft. »Sonst ist dir nichts wichtig, nur du, deine Gefühle und ...« Das genügte.

»Halt die Klappe«, gebot ich ihm, sehr viel lauter, als ich beabsichtigt hatte. Er war so verblüfft, daß er es tatsächlich tat.

»Ich hör mir den Blödsinn nicht mehr an, wie widerlich ich angeblich bin«, brüllte ich. »*Ich* bin nicht mit anderen ins Bett gegangen, wohl aber *du*. Zu allem Überfluß bist du so unreif und selbstsüchtig, daß du es weder zugeben, noch die Schuld dafür auf dich nehmen kannst.«

»*Ich* soll unreif und selbstsüchtig sein?« fragte James erstaunt. »*Ich*?« wiederholte er melodramatisch und wies ungläubig auf seine Brust. »Ich!? Mir scheint, du bringst hier was durcheinander.«

»Keineswegs«, brüllte ich. »Ich weiß, daß ich nicht vollkommen bin, aber ich kann das zumindest zugeben.«

»Und warum gibst du dann nicht zu, daß du in unserer Ehe egoistisch und rücksichtslos warst?« fragte er mit dem Ausdruck des Triumphes.

»Weil es nicht stimmt!« sagte ich. »Das war mir gleich klar, aber weil ich dich liebte und dir entgegenkommen wollte, hab' ich mir eingeredet, daß es stimmen mußte. Ich dachte, wenn ich mich selbst in den Griff bekäme, könnte ich auch unsere Ehe in den Griff bekommen. Aber es lag gar nicht an mir. Du wolltest mich nur manipulieren.«

»Das wagst du mir zu sagen?« fragte er mit zornrotem Gesicht. »Nach allem, was ich für dich getan habe? Ich war ein vollkommener Ehemann!«

»Niemand bezweifelt, daß du im Verlauf der Jahre sehr gut zu mir warst«, sagte ich mit eisiger Ruhe. »Aber ich denke, du wirst im Rückblick merken, daß das auf Gegenseitigkeit beruhte. Wir haben einander geliebt. Es gehörte dazu. Aber im Laufe der Zeit scheinst du auf deine eigene Propaganda hereingefallen zu sein. Es war nicht in Ordnung, daß du mit einer anderen ein Verhältnis hattest. Dafür gibt es keine Rechtfertigung.«

James sagte nichts. Mit einem Mal schien er keine empörte Antwort zur Hand zu haben. »Aber du bist nicht der erste«, fuhr ich fort, »der sich nicht so verhält, wie er sollte. Das bedeutet nicht das Ende der Welt. Wir hätten darüber hinwegkommen können. Aber du möchtest unbedingt ohne Fehl und Tadel dastehen. Das ist dir wichtig.« Ich ging auf die Tür zu.

»Ich kann nicht verstehen, warum du gehst«, sagte er.

»Das ist mir klar«, sagte ich.

»Sag mir, warum«, forderte er mich auf.

»Nein.«

»Warum zum Teufel nicht?« wollte er wissen.

»Weil ich es immer wieder versucht habe. Warum solltest du gerade jetzt zuhören, wenn du es vorher nicht getan hast? Ich denke nicht daran, weiterhin meine Zeit zu vergeuden. Ich versuche es nicht noch einmal.«

»Ich liebe dich«, sagte er leise. Der Mistkerl. Es klang, als ob er es ernst meinte. Ich biß mich auf die Lippe. Das war nicht der Zeitpunkt, schwach zu werden.

»Das ist nicht wahr«, sagte ich mit fester Stimme.

»Doch«, begehrte er erneut auf.

»Nein«, teilte ich ihm mit. »Wenn du mich liebtest, hättest du kein Verhältnis angefangen.«

»Aber …«, setzte er an.

»Außerdem hättest du mir dann auf keinen Fall die Rolle einer unausstehlichen Frau zugedacht, die vor dir zittert«, fuhr ich laut fort, bevor er aufs neue seine Ansprache vom Stapel lassen konnte, »und du hättest auch nicht versucht, mich zu manipulieren oder über mich zu bestimmen. Vor allem aber würde es dir nichts ausmachen zuzugeben, daß du unrecht hast. Wenn du mich liebtest, hättest du die Kraft, über deinen Schatten zu springen und mich um Verzeihung zu bitten.«

»Aber ich liebe dich doch«, sagte er und griff nach meiner Hand. »Das mußt du mir glauben!«

»Ich glaube dir nicht«, sagte ich und schlug seine Hand voll Abscheu beiseite. »Ich weiß nicht, wen oder was du liebst, aber bestimmt nicht mich.«

»Doch.«

»Nein, James«, gab ich mit äußerster Gelassenheit zurück. »Du hättest gern irgendeinen Schwachkopf, über den du bestimmen kannst. Warum gehst du nicht zu Denise zurück?«

»Ich will nicht Denise, sondern dich«, sagte er.

»Sehr bedauerlich«, sagte ich gleichmütig, »denn mich kannst du nicht haben.«

Das war ein wenig zuviel für ihn. Er sah aus, als hätte man ihn in den Magen getreten. Sie wissen schon – ein bißchen so, wie ich an dem Tag ausgesehen habe, als er sagte, er würde mich verlassen. Dabei hatte ich keineswegs etwas so Boshaftes wie Vergeltung beabsichtigt, wenn Sie verstehen, was ich meine.

»Und weißt du, was das Allerschlimmste ist?« fragte ich ihn.

»Was?« sagte er bleich.

»Daß ich jetzt an mir selbst zweifle. Dir zuliebe war ich zu dem Versuch bereit, mich zu ändern. Du hast mich dazu gebracht, meine Persönlichkeit aufzugeben, wolltest mich zerstören. Und ich hab' das zugelassen!«

»Es war zu deinem Besten«, sagte er. Es klang allerdings nicht sehr überzeugend. Ich sah ihn mit zusammengezogenen Augen an.

»Überleg dir genau, was du als nächstes sagst, du Arsch. Es könnten deine letzten Worte sein«, schnauzte ich ihn an. Er wurde noch bleicher, soweit das möglich war, und hielt den Mund fest geschlossen.

»Ich laß mich nie wieder schikanieren«, sagte ich entschlossen. Ich stelle mir gern vor, daß ich in der Situation etwas von dem Mumm hatte, mit dem Scarlett O'Hara erklärte: ›Gott ist mein Zeuge, ich will nie wieder frieren oder hungern.‹ Ich fuhr fort: »Ich werde stets die bleiben, die ich bin. Ich werde mir treu bleiben, im Guten wie im Schlechten. Und falls mich je ein Mann zu ändern versucht, auch wenn es Ashley wäre, werde ich mich so schnell von ihm trennen, daß ihm schwindelig wird.« James merkte gar nicht, daß ich aus *Vom Winde verweht* zitierte. Keinerlei Fantasie.

»Ich hab' dich nie zu schikanieren versucht«, sagte er ganz empört.

»Diese Diskussion ist beendet«, sagte ich, weil ich merkte, daß meine Kräfte nachließen.

»Lassen wir die Vergangenheit ruhen«, sagte er eifrig. »Wie wäre es denn mit... wie wäre es denn, wenn ich dir verspreche, daß ich dich künftig nie schikanieren werde?«

Es klang, als wäre ihm gerade ein großartiger und völlig neuer Gedanke gekommen. Verglichen mit James hätte Archimedes, als er wegen seiner Entdeckung, begeistert ›Heureka‹ rufend, aus dem Bad sprang, reserviert und zurückhaltend gewirkt.

Ich sah ihn verächtlich und zugleich voll Mitleid an. »Natürlich wirst du mich in Zukunft nicht mehr schikanieren«, sagte ich, »denn du wirst keine Gelegenheit dazu haben.«

»Das ist nicht dein Ernst«, sagte er. »Sicher überlegst du es dir noch mal.«

»Bestimmt nicht«, sagte ich mit leise klirrendem Lachen.

»Doch«, beharrte er. »Ohne mich hältst du es gar nicht aus.« Damit hatte er allerdings, wie ich fürchte, das Falsche getroffen.

»Wohin gehst du?« fragte er empört, als er sah, daß ich nach meiner Tasche griff.

»Nach Hause«, sagte ich einfach. Noch konnte ich das letzte Flugzeug nach Dublin erreichen.

»Das kannst du nicht«, sagte er und stand auf.

»Wart's ab«, sagte ich und drehte mich noch einmal um die eigene Achse, was mit den hohen Absätzen wunderbar ging.

»Was ist mit der Wohnung? Was ist mit Kate?« fragte er.

Gut zu wissen, daß die Wohnung auf seiner Prioritätenliste höher stand als sein Kind.

»Du hörst von mir«, versprach ich in Erinnerung an das, was er mir an jenem entsetzlichen Tag im Krankenhaus gesagt hatte. Dann ging ich zur Tür.

»Du kommst bestimmt wieder«, sagte er, während er mir in die Diele folgte. »Ohne mich hältst du nicht durch.«

»Das hast du schon mal gesagt«, sagte ich. »Und vergiß nicht Luft zu holen«, waren meine letzten Worte, bevor ich die Tür hinter mir ins Schloß zog.

Erst an der U-Bahn-Station brach ich in Tränen aus.

35

Über die Fahrt nach Heathrow weiß ich nicht mehr viel. Ich war völlig benommen.

Ich wußte, daß ich das Richtige getan hatte. Zumindest nahm ich an, daß ich das Richtige getan hatte. Der Haken war, daß im wirklichen Leben Entscheidungen nie mit Hinweisschildern versehen sind. Es ist nicht so, daß das ewige Glück abonniert hat, wer in die eine Richtung abbiegt, und das Leben dessen in einer Katastrophe endet, der die andere Richtung nimmt. Im wirklichen Leben läßt sich oft kaum sagen, welche Entscheidung man treffen muß, weil das, was man gewinnt und was man aufs Spiel setzt, gelegentlich – häufig – dicht beieinander liegen.

Wie hätte ich wissen können, ob ich richtig gehandelt hatte? Es wäre schön gewesen, wenn jemand mit einer Goldmedaille oder einem Pokal auf mich zugekommen wäre, mir die Hand geschüttelt, auf die Schulter geklopft und mich zur richtigen Entscheidung beglückwünscht hätte.

Ich wollte, daß mein Leben ablief wie ein Computerspiel. Wer sich falsch entscheidet, hat sein Leben verscherzt. Wer sich richtig entscheidet, gewinnt Punkte. Ich wollte es einfach wissen, wollte Sicherheit haben.

Immer wieder zählte ich mir die Gründe auf, warum es für mich und James keine Zukunft geben konnte. Er wollte aus mir einen Menschen machen, der ich nicht war. So, wie ich war, war er mit mir nicht glücklich, und ich würde nicht glücklich sein, wenn ich mich so änderte, daß er glücklich war. Außerdem gefiel mir sein Heiligenkomplex nicht. Sollte ich zu ihm zurückkehren, wäre er glücklich, weil er dann annehmen würde, ich billigte alles, was er tat, so wie er bereits selbst sein Tun billigte. Wahrscheinlich würde beim ersten Streit in unserer neuen, verbesserten Ehe alles wieder aufbrechen. Mich hielt James für flatterhaft und unreif, dabei war er selbst aufgeblasen und scheinheilig. Für mich war es mit

Sicherheit die beste Lösung, unsere Ehe zu beenden. Dennoch blieb Raum für leise Zweifel.

Ich überlegte, ob ich sie hätte retten können, wenn ich umgänglicher, stärker, freundlicher, energischer, geduldiger, gütiger, netter, gemeiner oder grausamer gewesen wäre, das Heft mehr in die Hand genommen oder den Mund gehalten hätte? Mit solchen Gedanken folterte ich mich.

Letzten Endes hatte ich die Entscheidung getroffen. Ich hatte gesagt, daß unsere Ehe nicht weitergehen könnte. Zwar war mir klar, daß mir James so recht keine Wahl gelassen hatte, aber trotzdem hatte die Entscheidung *ich* gefällt. Deshalb fühlte ich mich entsetzlich schuldig.

Dann befahl ich mir, nicht so albern zu sein. Sein Vorschlag war das Papier nicht wert, auf dem er nicht stand. Es wäre lediglich eine vorgespiegelte Beziehung zu seinen Bedingungen geworden, und sie hätte bestimmt nicht länger als eine Woche gehalten. Falls aber doch, wäre sie zu Lasten meines Glücks gegangen – ein Pyrrhus-Sieg.

Immer mehr drehten sich meine Gedanken im Kreise, während mich die U-Bahn dem Flughafen entgegenschaukelte und ich mich in dieselben Gedankengänge verrannte.

Großer Gott! Wie mir dieses ganze Erwachsensein zuwider war! Ich haßte es, Entscheidungen treffen zu müssen, wenn ich nicht wußte, was mich hinter der nächsten Tür erwartete. Ich wollte eine Welt, in der sich Gut und Böse deutlich voneinander unterscheiden ließen. Eine Welt, in der schicksalsschwere Musik ertönt, sobald der Bösewicht auf der Leinwand erscheint, damit man es auch ja merkt.

Eine Welt, in der man sich entscheiden muß, ob man im von Düften durchwehten Park mit der schönen Prinzessin spielen oder vom abscheulichen Ungeheuer in der übelriechenden Grube gefressen werden möchte. Das fällt nicht schwer, was? Keine Entscheidung, über die man sich den Kopf zerbrechen müßte und die einen nachts nicht schlafen ließe.

Es ist nicht schön, Opfer zu sein, aber verdammt noch mal, es läßt die Dinge in ziemlich klarem Licht erscheinen. Zumindest weiß man, daß man im *Recht* ist.

Vermutlich war ich enttäuscht. Sehr enttäuscht. Ich hatte James einmal geliebt. Ich war nicht sicher, ob ich ihn noch liebte, oder, sofern das der Fall war, ob es noch dieselbe Art von Liebe war wie zuvor. Sich zu versöhnen wäre schöner gewesen, als sich nicht zu versöhnen, wenn Sie verstehen. Damit aber meine ich eine Versöhnung, die wirklich funktioniert hätte. Nicht irgendeinen sinnlosen Kompromiß.

Außerdem war ich traurig, dann wütend, und zum Schluß fühlte ich mich schuldig. Danach war ich wieder traurig. Ein schrecklicher Alptraum!

Ein Gedanke sorgte dafür, daß ich nicht ganz und gar den Verstand verlor. Nichts hinderte mich daran, zu James zurückzukehren. Nur Mut! Ich konnte an jedem beliebigen Bahnhof aussteigen, den Zug in die Gegenrichtung nehmen, zur Wohnung zurückgehen und ihm sagen, daß ich im Unrecht war und wir es erneut miteinander versuchen sollten. Aber ich tat es nicht.

So benommen, verwirrt, unsicher, konfus und verzweifelt ich war, so begriff ich doch: wenn ich ihn wirklich geliebt hätte, wirklich bei ihm hätte sein wollen, wäre ich zurückgekehrt.

Also wußte ich, daß ich das Richtige tat. Das dachte ich jedenfalls. Dann ging es wieder von vorn los.

Die Hektik in Heathrow hatte sich deutlich gelegt. Alles war viel ruhiger. Es war herrlich, wie am ersten Tag des Winterschlußverkaufs.

Ich bekam einen Platz in einer praktisch leeren Maschine. Da ich eine ganze Sitzreihe für mich hatte, konnte ich in aller Ruhe schluchzen und mich ausheulen, sofern mich das Bedürfnis danach überkam.

Die Stewardessen schienen nicht so recht zu wissen, was sie von mir halten sollten. Immer wieder standen sie beieinander und sahen besorgt zu mir her. Vermutlich glaubten sie, ich hätte in England abtreiben lassen.

In Dublin regnete es. Die Landebahn glänzte in der Dunkelheit. Die Ankunftshalle lag verlassen. Als ich an den bewegungslosen und stummen Gepäck-Förderbändern vorüberging, hallten meine aufreizend hohen Absätze auf dem Steinboden wider.

Da niemand von meiner Rückkehr wußte, holte mich auch niemand ab. Es schien überhaupt niemand dazusein, der jemanden abholen wollte.

Mein Blick fiel auf einen einsamen Gepäckträger. Er teilte gerade einem verwirrten Mann mit, daß man es als Pech ansehen könne, einen Flug zu verpassen, zwei Flüge zu verpassen aber sei Leichtsinn.

Mit lautem Klack-Klack ging ich an all den Geschäften vorüber, vor denen die Scherengitter herabgelassen waren, an der verdunkelten Wechselstube und den verlassenen Schaltern der Mietwagenfirmen. Schließlich erreichte ich den Ausgang.

Ein einziges Taxi wartete in der regennassen Nacht. Der Fahrer las Zeitung. Er sah aus, als stünde er schon seit mehreren Tagen da.

Er fuhr mich in unerwartetem Schweigen nach Hause. Die einzigen Geräusche kamen von den Scheibenwischern und vom Regen, der auf das Wagendach trommelte.

Wir fuhren durch schlafende Vorstädte, bis er mich schließlich vor unserem Haus absetzte. Alle Fenster waren dunkel. Ich dankte ihm freundlich für die Fahrt. Er dankte mir freundlich für den Betrag, den ich ihm gab. Wir verabschiedeten uns. Es war zehn nach eins.

Leise ging ich ins Haus. Ich wollte niemanden wecken. Nicht etwa aus Rücksicht auf die anderen, fürchte ich. Sondern weil ich keine der unvermeidlichen Fragen beantworten wollte.

Ich sehnte mich danach, Kate zu sehen, doch sie war nicht in meinem Zimmer. Mum hatte wohl nicht mit meiner Rückkehr gerechnet und ihr Bettchen mit ins Elternschlafzimmer genommen.

Aber ich wollte Kate im Arm halten. Sie fehlte mir so sehr. Auf Zehenspitzen schlich ich mich zu meinen Eltern ins Schlafzimmer, um Kate zu holen, wobei ich verzweifelt hoffte, Mum nicht zu wecken.

Was mir gelang. Dann fiel ich erschöpft ins Bett und schlief mit Kate in meinen Armen ein.

36

Als ich am nächsten Morgen erwachte, fühlte ich mich ein wenig besser. Nicht von meinem Kummer geheilt oder dergleichen, aber eher bereit, darauf zu warten, daß es besser würde und der Schmerz aufhörte.

Ich hatte die Entscheidung getroffen, nicht wieder mit James zusammenzuleben, und nach dem Prinzip der sofortigen Bedürfnisbefriedigung gehofft, mich gleich darauf großartig zu fühlen. Ich hatte erwartet, daß mir nach dem Grundsatz ›Weg mit dem Alten, her mit dem Neuen!‹ die Früchte meines Entschlusses sogleich in den ungeduldigen Schoß fallen würden. Ich wollte mich von allem lösen, was zu meinem früheren Leben gehörte, nicht die Spur einer Empfindung für James übrigbehalten, nicht den leisesten Zweifel, nicht die kleinste Unentschiedenheit. Ich wollte eine augenblickliche wunderbare Verwandlung. Und – daß mich die Beziehungsfee mit ihrem Zauberstab berührte und mit ihrem glitzernden Zauberpulver bestäubte, so daß ich von einem Augenblick auf den anderen alles vergaß, was ich je für James empfunden hatte, ja sogar, daß er je existiert hatte.

Am liebsten hätte ich meinen Kummer unter meinem Kissen liegengelassen, damit er am nächsten Morgen fort war. Hätte mir nicht mal was ausgemacht, wenn statt seiner anschließend kein Geld dort gelegen hätte.

Aber es gab keine Wunderheilung und keine Beziehungsfee. Das hatte ich schon längst gemerkt. Da mußte ich allein durch. Mir wurde klar, daß ich Geduld brauchte. Die Zeit würde zeigen, ob es richtig gewesen war, James zu verlassen.

Ich war nach wie vor nicht sicher, ob es richtig war, aber bei ihm zu bleiben wäre mit Sicherheit falsch gewesen. Lösen Sie mal diesen Widerspruch auf, wenn Sie können. Und falls Sie dahinterkommen – würde es Ihnen was ausmachen, es mir zu erklären?

James rief am nächsten Morgen um acht Uhr an. Ich weigerte mich, mit ihm zu sprechen. Der nächste Anruf kam um zwanzig vor neun. Dito. Dann um zehn nach neun. Wieder dito. Nach einer unerwarteten Unterbrechung bis fast elf Uhr folgten drei Anrufe rasch aufeinander. Dito, dito und dito. Um Viertel nach zwölf kam wieder einer. Dito. Auch um fünf vor eins, um fünf nach eins und um zwanzig nach eins kam jeweils ein Anruf. Dito und so weiter. Fast den ganzen Nachmittag rief James etwa jede halbe Stunde an. Eine letzte Salve folgte gegen sechs. Dito. Siehe oben.

Mum fing alle Anrufe ab, den ganzen Tag über. Es war wirklich sehr freundlich von ihr. Ich muß sagen, wenn es darauf ankommt, ist die Frau ihr Gewicht in Mars-Riegeln wert.

Dad kam um zwanzig nach sechs von der Arbeit und platzte um zwanzig vor sieben in das Zimmer, wo ich mit Kate und allen Papieren saß, die mit der Wohnung zu tun hatten. Er brüllte: »Claire, geh um Gottes willen hin und rede mit ihm!«

»Ich hab' ihm nichts zu sagen«, sagte ich liebenswürdig.

»Mir egal«, blaffte er. »Die Sache geht zu weit. Er wird die ganze Nacht anrufen, bis du drangehst und mit ihm redest.«

»Dann leg doch einfach den Hörer daneben«, schlug ich vor und wandte meine Aufmerksamkeit wieder den Papieren zu.

»Das geht nicht«, sagte er verzweifelt. »Helen legt das verdammte Ding immer wieder auf.«

»Ist doch wahr! Warum soll mein Leben darunter leiden, daß du einen Geisteskranken geheiratet hast?« ertönte Helens Stimme von irgendwo hinter der Tür.

»Bitte, Claire«, flehte Dad.

»Na schön«, sagte ich und legte den Stift hin, mit dem ich mir Notizen gemacht hatte.

»Was willst du?« fragte ich in den Hörer.

»Bist du inzwischen zu Verstand gekommen?« wollte er wissen. Es klang erzürnt.

»Mir war nicht aufgefallen, daß ich ihn verloren hätte«, sagte ich höflich. Er ging nicht weiter darauf ein.

»Ich habe den ganzen Tag angerufen, und deine Mutter sagt, du willst nicht mit mir reden«, sagte er gereizt und verärgert.

»Damit hat sie recht«, bestätigte ich freundlich.

»Aber wir müssen miteinander reden«, sagte er.

»Müssen wir überhaupt nicht«, sagte ich.

»Ich liebe dich«, sagte er ernsthaft. »Wir müssen die Sache klären.«

»Da gibt es nichts mehr zu klären, James«, sagte ich kalt. »Wir haben so viel geklärt, wie wir können, und sind jetzt am Ende. Du glaubst, daß du recht hast, und ich denke, daß du unrecht hast. Ich bin nicht bereit, noch mehr Zeit oder Energie damit zu verschwenden, daß wir festzustellen versuchen, ob der eine oder andere es sich anders überlegt. Ich wünsche dir alles Gute und hoffe, in erster Linie um Kates willen, daß wir die Sache zivilisiert hinter uns bringen können. Zu besprechen aber gibt es wirklich nichts mehr.«

»Was ist nur in dich gefahren?« fragte James. Es klang erstaunt. »So warst du früher nie. Du hast dich irgendwie geändert. Du bist so hart geworden.«

»Ach, hab' ich dir das nicht gesagt?« sagte ich beiläufig. »Mein Mann hat mich betrogen. Das muß sich irgendwie auf mich ausgewirkt haben.«

Das war äußerst unfreundlich von mir, ich weiß. Aber ich konnte der Versuchung nicht widerstehen.

»Sehr lustig, Claire«, sagte er.

»Eigentlich nicht«, korrigierte ich ihn. »Lustig war es überhaupt nicht.«

»Sieh mal«, sagte er, und es klang verärgert, »damit erreichen wir nichts.«

»Das ist mir ganz recht«, sagte ich, »denn nichts ist genau das, was ich erreichen möchte.«

»Sehr witzig, Claire, sehr spaßig«, sagte er boshaft.

»Vielen Dank«, gab ich mit übertriebener Höflichkeit zurück.

»Jetzt hör mal zu«, sagte er und klang mit einem Mal geradezu amtlich und noch aufgeblasener als sonst. Fast konnte ich im Hintergrund Papiere rascheln hören. »Ich habe dir einen ... äh ... Vorschlag zu machen.«

»Ach ja?« fragte ich.

»Ja«, sagte er. »Claire, ich liebe dich wirklich und möchte nicht, daß wir auseinandergehen. Damit du dich besser fühlst, bin ich zu einem … äh … äh … Zugeständnis bereit.«

»Nämlich?« fragte ich. Es interessierte mich eigentlich kaum. Es war mir sogar ziemlich gleichgültig.

Entsetzt merkte ich, daß er inzwischen nichts, aber auch gar nichts mehr sagen konnte, um die Lage zu verbessern. Ich liebte ihn nicht mehr. Ich weiß nicht, warum oder wann ich damit aufgehört hatte. Aber so war es.

Er sprach weiter, und ich versuchte mich auf seine Worte zu konzentrieren. »Ich bin bereit, auf die Forderung, daß du dich ändern mußt, zu verzichten, wenn du zu mir zurückkommst und weiter mit mir lebst«, sagte er. »Offensichtlich hast du etwas dagegen, dich zu einem reiferen und glücklicheren Menschen zu entwickeln, und auch all die anderen … äh … Sachen, über die wir geredet haben, scheinen deinen Beifall nicht zu finden. Solltest du bereit sein, deinen Entschluß zur Trennung rückgängig zu machen, kann ich mich damit abfinden, daß du so bist, wie du früher warst. So schlimm warst du auch wieder nicht«, sagte er widerwillig.

Wut durchströmte mich. Einen Augenblick lang vergaß ich, daß es mir nicht mehr wichtig war. Man stelle sich nur vor, was für eine maßlose *Unverfrorenheit* er da vom Stapel gelassen hatte! Eine bodenlose Frechheit. Ich traute meinen Ohren kaum. Das sagte ich ihm auch.

»Freust du dich denn nicht?« fragte er vorsichtig.

»Freuen soll ich mich? Mich freuen?« kreischte ich. »Natürlich freue ich mich nicht. Damit machst du die Sache nur schlimmer.«

»Aber wieso denn?« jammerte er. »Ich sage dir, daß ich dir verzeihe und alles gut sein wird.« Fast wäre ich explodiert. Ich hatte ihm so vieles zu sagen.

»Du willst mir verzeihen?« fragte ich ungläubig. »*Du* verzeihst *mir*. Nein, nein und tausendmal *nein*, James, das siehst du alles völlig falsch. Wenn es hier jemanden gibt, der zu verzeihen hat, bin ich das. Nur denke ich nicht daran.«

»Augenblick mal«, erhob er wütend Einspruch.

»Angeblich waren doch meine Unreife und Selbstsucht der Grund dafür, daß du das Verhältnis mit der fetten Kuh angefangen hast. Jetzt willst du von einem Augenblick auf den anderen darüber hinwegsehen, damals aber war es dir so wichtig, daß du mir untreu werden mußtest. Was denn nun, James? Entscheide dich! Entweder ist es wichtig, oder es ist unwichtig.«

»Es ist wichtig«, sagte er.

»Dann kannst du auch nicht darüber hinwegsehen«, sagte ich zornentbrannt. »Wenn du von mir ein bestimmtes Verhalten erwartest und es dir wichtig ist – welche Art von Beziehung hätten wir dann, wenn ich nicht so sein kann, wie du dir das vorstellst?«

»Na schön«, sagte er. Es klang hoffnungslos. »Es ist nicht wichtig.«

»Dann muß ich dich aber fragen, warum du das Verhältnis angefangen hast«, sagte ich triumphierend.

»Können wir die Sache nicht einfach auf sich beruhen lassen?« fragte er. In seiner Stimme lag Panik.

»Nein, James. Du magst das können, aber für mich ist das nicht so einfach.«

»Claire«, flehte er. »Ich tu, was du willst.«

»Möglich«, sagte ich betrübt. »Möglich.«

Ich hatte keine Lust mehr, mich mit ihm auseinanderzusetzen und mit ihm zu streiten. Es war mir gleichgültig geworden.

»Ich leg jetzt auf«, sagte ich.

»Wirst du über meinen Vorschlag nachdenken?« fragte er.

»Sicher«, versprach ich. »Aber mach dir keine Hoffnungen.«

»Ich kenne dich, Claire«, sagte er. »Du wirst es dir anders überlegen. Alles wird gut werden.«

»Leb wohl, James.«

Tatsächlich dachte ich über seinen Vorschlag nach. Das war ich Kate schuldig. Die Argumente für und gegen eine Wiederaufnahme unserer Beziehung flogen in meinem Kopf hin und her wie Tennisbälle.

Das einzige, worüber ich nicht hinwegsehen konnte, was ich nicht hinwegargumentieren konnte, von dessen Gegenteil ich mich nicht überzeugen konnte, war, daß mir nichts mehr an ihm lag.

Zwar wünschte ich ihm nichts Schlechtes, aber ich liebte ihn nicht mehr wie früher. Ich hätte gern gewußt, wie es dazu gekommen war, aber das konnte viele Gründe haben. Er hatte mich betrogen – daran gab es nichts zu rütteln, sosehr er wünschte, daß ich darüber hinwegsah. Damit hatte er wohl einen großen Teil meines Vertrauens zu ihm zerstört. Daß er mir anschließend die Schuld dafür zuschob, sagte mir auch nicht besonders zu. Vielleicht war der Grund aber auch der, daß er nicht Manns genug war, zu seinem Tun zu stehen und dafür um Verzeihung zu bitten. Damit hatte er einen großen Teil der Achtung zerstört, die ich für ihn empfunden hatte. Nicht einmal jetzt war er bereit zuzugeben, daß er im Unrecht war. Obwohl er seine Forderungen an mich herunterschraubte, klang alles, was er sagte, immer noch so, als täte er mir einen Gefallen.

Er war fremdgegangen und hatte das Ganze damit verschlimmert, daß er mich wie einen Trottel behandelte.

Vielleicht war es aber auch so, daß ich mir nichts mehr aus kleinen Männern machte.

Ich wußte nur eins: wenn die Liebe tot ist, ist sie tot. Niemand kann sie wiedererwecken, wenn sie ihren letzten Atemzug getan hat.

Zwei Tage später rief ich James an und erklärte ihm, daß es zu keiner Aussöhnung kommen werde.

»Du stehst dir mit deinem Stolz selbst im Weg«, sagte er, als hätte ihm jemand das Stichwort geliefert.

»Absolut nicht«, sagte ich müde.

»Es macht dir Spaß, mich zu bestrafen«, fuhr er fort.

»Aber nein«, log ich. (*Natürlich* war es schön, den Spieß umdrehen zu können.)

»Ich kann warten«, versprach er.

»Tu's bitte nicht«, gab ich zur Antwort.

»Ich liebe dich«, flüsterte er.

»Mach's gut«, sagte ich.

Er rief weiter an, etwa zwei- bis dreimal täglich. Wahrscheinlich wollte er feststellen, ob ich es mir anders überlegt hatte, ob ich, wie er es ausdrückte, zu Verstand gekommen war. Ich behandelte ihn freundlich. Es kostete mich nichts. Er sagte, ich fehlte ihm. Wahrscheinlich meinte er es ernst.

Ein wenig ärgerten mich die Anrufe. Schwer zu glauben, daß ich noch vor drei Monaten jemanden umgebracht hätte, nur um einen Anruf von James zu bekommen. Jetzt war es eher so, daß ich jemanden umbringen würde, wenn die Anrufe *nicht* aufhörten.

Dann legte sich mein Zorn, und ich empfand nur noch Trauer.

Das Leben ist ziemlich merkwürdig.

37

Ich hätte nicht sagen können, daß ich glücklich war. Aber ich fühlte mich auch nicht elend und nicht so völlig am Boden wie damals, als mich James verlassen hatte.

Ich glaube schon, daß ich gefaßt war. Ich hatte mich damit abgefunden, daß mein Leben nie wieder so aussehen würde wie zuvor und nie so sein würde, wie ich es geplant hatte. Was ich mir erhofft hatte, würde nie geschehen. Ich würde keine vier Kinder mit James haben. Er und ich würden nicht miteinander alt werden. Obwohl ich immer dafür sorgen wollte, daß meine Ehe von Dauer sein und nicht zerbrechen würde, konnte ich jetzt ohne allzu großen Kummer zur Kenntnis nehmen, daß sie *doch* in die Brüche gegangen war.

Natürlich war ich traurig. Ich trauerte mit meinem idealistischen Ich, das mit so hochgespannten Erwartungen geheiratet hatte. Sogar wegen James war ich traurig.

Ich fühlte mich wirklich älter – und wie! Und ich fühlte mich weiser.

Außerdem hatte ich wohl – durch bittere Erfahrung – etwas Demut gelernt. Ich konnte wirklich nur über wenig bestimmen – in meinem eigenen Leben wie im Leben anderer.

Wenn ich Leute sagen hörte: »Nichts geschieht ohne Grund« oder »Wenn Gott eine Tür schließt, öffnet er eine andere«, kostete es mich keine besondere Mühe mehr, ihnen nicht ins Gesicht zu springen. Ehrlich gesagt, es fiel mir nicht im geringsten schwer.

Ich hatte nicht das Gefühl, daß mein Leben ganz und gar vorbei war. Auf unwiederbringliche Weise verändert, ja aber gewiß nicht vorüber.

Meine Ehe war gescheitert, aber ich hatte ein schönes Kind. Ich war geborgen in einer wunderbaren Familie, hatte sehr gute Freunde und einen Arbeitsplatz, an den ich zurückkehren konnte. Womöglich würde ich eines Tages sogar einen netten Mann kennenlernen, dem es nichts ausmachte, außer mir auch Kate anzunehmen. Oder wenn ich lange genug wartete, würde vielleicht Kate einen netten Mann kennenlernen, dem es nichts ausmachte, außer ihr auch mich anzunehmen. Bis dahin, hatte ich beschlossen, würde ich mit meinem Leben einfach weitermachen und, sollte der ideale Mann auftauchen, für ihn irgendwo Platz schaffen.

Ich erledigte all den langweiligen Papierkram, den ich längst hätte erledigen sollen. Na ja, vielleicht hätte ich ihn auch nicht schon ewig lange erledigen sollen. Möglicherweise war ich damals noch gar nicht bereit dazu. Möglicherweise war jetzt der richtige Zeitpunkt.

Jedenfalls spielte es nicht die geringste Rolle. Entscheidend ist, daß der juristische Kram damals liegengeblieben war und jetzt erledigt wurde.

Ich wollte das Sorgerecht für Kate. James sagte, er werde keinen Einspruch dagegen erheben, wenn er sie oft besuchen dürfe. Das war mir mehr als recht, denn ich wollte, daß sie und ihr Vater einander kannten. Mir war bewußt, wieviel Glück ich damit hatte, daß James so vernünftig war. Er hätte auch mit voller Absicht querschießen können, und man muß es ihm hoch anrechnen, daß er es nicht tat.

Wir einigten uns über die Wohnung und beschlossen, sie zu verkaufen. Bis ein Käufer gefunden war, sollte er weiter darin leben.

Dieser Punkt erwies sich übrigens als recht schlimm. Als er von meinem Anwalt die Papiere bekam, nahm er das ziemlich übel auf. Vermutlich, weil er da endgültig begriffen hatte, daß es vorbei war.

»Du kommst also wirklich nicht zurück?« fragte er traurig.

Obwohl ich das Ganze selbst in die Wege geleitet hatte und es genau meinen Absichten entsprach, überkam auch mich tiefe Traurigkeit und aufrichtiges Bedauern. Hätten sich die Dinge doch nicht so entwickelt! Wäre es nie dahin gekommen! Aber so war es nun einmal.

Tränenreiche Versöhnungen gibt es im schwülstigen Liebesroman; im wirklichen Leben nur selten. Wenn aber doch, kommt es meist dann dazu, wenn einer der Beteiligten etwas getrunken hat – oder beide.

Ewig lange war niemand an der Wohnung interessiert. Irgendwie war mir das recht, denn die Vorstellung, daß jemand anders in den Räumen leben könnte, die ich nach wie vor als *mein* Zuhause ansah, ging mir sehr gegen den Strich. Andererseits bereitete mir das auch Sorgen, denn ich hatte nur wenig Geld. Ich neige dazu, die Verantwortung dafür, daß es mit dem Verkauf nichts wurde, James zu geben. Vermutlich hat er alle Interessenten belabert und mit seinem Gerede über Steuererleichterungen auf Hypotheken und dergleichen zu Tode gelangweilt. Wahrscheinlich sind sie eingeschlafen, bevor sie überhaupt das Schlafzimmer zu sehen bekamen. Aber ich sollte nicht so unfreundlich über ihn reden. Er meinte es gut.

Ich sprach mit meiner Vorgesetzten und teilte ihr mit, daß ich Anfang August wieder einsteigen könne. Wäre mir nicht schon vorher so elend gewesen, hätte die Vorstellung, daß ich wieder an die Arbeit gehen mußte, fast genügt, wieder depressiv zu werden.

Mag sein, daß ich den falschen Beruf hatte, mag sein, daß ich mich nicht wahrhaft berufen fühlte. Es kann aber auch einfach daran liegen, daß ich verdammt faul war. Was auch immer – ich gehöre nicht zu den Glücklichen, denen ihre Arbeit große Freude macht (ehrlich gesagt, halte ich die für etwas merkwürdig). Bestenfalls sah ich in der Arbeit ein Mittel zum Zweck, schlimmstenfalls die Hölle auf Erden. Ich konnte es gar nicht abwarten, in Rente zu gehen. Nur noch einunddreißig Jahre! Es sei denn, ich hatte Glück und starb vorher.

Nur ein Witz, Ehrenwort.

Es waren also noch fünf Wochen, bis ich zurück in die Tretmühle mußte. Wieder sieben Stunden Büroarbeit am Tag, fünf Tage die Woche, achtundvierzig Wochen im Jahr. Großer Gott im Himmel!

Warum war ich nicht reich zur Welt gekommen? – Tut mir schon leid, daß ich das gesagt habe. Ich weiß, daß ich keinen Grund zum Klagen hatte. Ich durfte von Glück sagen, daß ich eine Stelle hatte. Ich hätte auch nur gern jemanden gehabt, der sich um mich und Kate kümmerte. Ich wollte nur meine Fantasien ein bißchen ausleben. Auch wenn James und ich zusammengeblieben wären, hätte ich wieder arbeiten müssen. Es war einfach so, daß die Rückkehr in den Beruf mich wieder daran erinnerte, wie allein ich jetzt eigentlich war. Wieviel Verantwortung ich hatte. Ich arbeitete nicht mehr nur für mich – mein Kind war auf mich angewiesen.

Gewiß, James würde sich finanziell um Kate kümmern, das schon. Glauben Sie mir, das war mir klar. Schließlich hatte ich einen teuren Anwalt, um das zu beweisen! Man kann auch nicht sagen, daß James geizig oder knauserig gewesen wäre. Ehre, wem Ehre gebührt und so weiter, und so weiter. Aber die Zeiten, in denen ich mein gesamtes Monatsgehalt für Lippenstifte, Zeitschriften und Alkohol verpulvern konnte, waren vorüber. Schon längst.

Das Erwachsenendasein ist gar nicht so angenehm, wie es immer hingestellt wird. Nicht die Spur. Jetzt war es zu spät, aber ich wünschte doch, ich hätte das Kleingedruckte gelesen. Ich wollte mein Geld zurück, aber ich hatte das verdammte Ding schon benutzt und konnte es nicht mal mehr umtauschen.

Ich fand für Kate und mich eine Unterkunft in London. Na ja, eigentlich hatte Judy die gefunden. Von Dublin aus wäre das unmöglich gewesen, es sei denn, ich hätte die Bereitschaft gezeigt, den Betrag der Staatsverschuldung für Maklergebühren aufzubringen.

Ein entfernter Bekannter einer entfernten Bekannten von Judy würde im Juli eine Stelle in Norwegen antreten und brauchte jemanden, der sich ein dreiviertel Jahr um seine Wohnung kümmerte. Die Miete war so, daß ich sie mir leisten konnte, und die Gegend war nicht allzu schlecht. Judy hatte die Wohnung gesehen und versicherte mir, daß sie ein Dach, einen Fußboden und die übliche Zahl an Wänden hatte. Dann teilte sie dem entfernten Bekannten ihrer entfernten Bekannten wahrheitswidrig und wider besseres Wissen mit, es handle sich bei mir um eine ordentliche, saubere, ruhige und zahlungsfähige Zeitgenossin. Keine Ahnung, ob sie Kate überhaupt erwähnt hat.

Andrew – der Wohnungsinhaber – rief mich an, weil er sichergehen wollte, daß es sich bei mir nicht um eine Wahnsinnige handelte, die sein kostbares Hab und Gut mit Benzin übergoß und anzündete, bevor er den Flughafen erreicht hatte.

Am Telefon gab ich mich so korrekt, wie ich nur konnte. Ich betonte, daß Reinlichkeit eine Zier sei und man für Einbrecher und Schmutzfinken die Todesstrafe einführen solle.

»Vielleicht genügt es ja auch, sie öffentlich auszupeitschen. Das würde sie Mores lehren«, sagte er.

»Hmmm«, machte ich unverbindlich, weil ich nicht sicher war, ob er das ernst meinte oder nicht.

Andrew schickte mir einen Mietvertrag, und ich schickte ihm allerlei Referenzen und Bankbestätigungen, vor allem aber schickte ich ihm Geld. (Ich hatte es mir von Dad geliehen – würde ich je erwachsen werden?)

In den nächsten vierzehn Tagen führten wir detaillierte Telefongespräche über die Frage, was ich mit seiner Post tun sollte, und welchen seiner Pflanzen man Witze erzählen mußte. Außerdem verpflichtete ich mich, ihm *Brookside* aufzuzeichnen und jede Woche eine Kassette zu schicken.

Er gab mir allerlei nützliche Ratschläge. So wies er mich darauf hin, daß die Frau, die unter ihm wohnte, verrückt sei.

»Gut«, sagte ich unvorsichtigerweise. »Wahrscheinlich wird sie mir gefallen.«

»Und kaufen Sie nichts im ersten China-Restaurant«, warnte er mich. »Bei denen hat man einen Schäferhund in der Tiefkühltruhe gefunden. Der Chinese ein Stück weiter ist viel besser.«

»Danke«, sagte ich.

»Brauchen Sie ruhig alles auf, was Sie in der Küche oder in der Bar finden«, bot er mir an.

»Danke«, sagte ich begeistert.

»Ich laß Ihnen eine Nummer da, unter der Sie mich erreichen können«, sagte seine körperlose Stimme, »falls was schiefgeht, rufen Sie ruhig an.«

»Danke«, sagte ich erneut.

»Ich bin sicher, daß es Ihnen hier gefallen wird«, versprach er. »Es ist eine wunderbar luftige Wohnung.«

»Schön«, sagte ich und schluckte. »Danke.« Ich bemühte mich, nicht an meine eigene wunderschöne Wohnung zu denken, die ich im Laufe der Jahre selbst renoviert, eingerichtet und verschönert hatte. Eines Tages kauf ich mir eine andere, versprach ich mir selbst. Wenn es soweit ist.

Noch schlimmer fühlte ich mich, als mir klar wurde, daß Immobilienmakler gewöhnlich dann von einer ›wunderbar luftigen Wohnung‹ sprechen, wenn die Fensterscheiben kaputt sind. Ach je.

»Ich bin im Oktober kurz in London«, sagte er. »Ich hoffe, daß wir uns dann treffen können.«

»Das wäre schön«, sagte ich.

Netter Kerl, dachte ich, als ich auflegte. *Für einen Neo-Nazi.*

Ich fragte mich, wie er wohl aussehen mochte.

38

Männer. Ach ja, Männer. Früher oder später mußte die Frage ja aufs Tapet kommen. Ich möchte hier einen oder zwei Punkte klarstellen. Mir gefiel dieser Andrew nicht. Was er sagte (abgesehen von seinen Worten über die öffentliche Auspeitschung), klang ganz nett. Offiziell war ich wieder ledig, und es gab einige Denkmuster, in die ich einfach zurückglitt. Ich konnte nichts dazu! Es lag offenbar an meinen Genen. Oder an meinen Hormonen.

Jedenfalls war ich neugierig. Es konnte nicht schaden, sich ein paar Fragen zu stellen; es mußten ja nicht gleich Taten folgen. Bestimmt würde ich nicht zum erstbesten Mann ins Bett springen, der mich ermunternd ansah. Wenn ich so dringend einen Mann gewollt hätte, wäre ich da nicht bei James geblieben?

Andererseits weiß ich genau, daß Sie mir wahrscheinlich nicht glauben, nachdem ich mich mit Adam so aufgeführt hatte. Na schön, dann lassen Sie es eben sein, aber Adam war eine Ausnahme, etwas Besonderes.

Sie wissen inzwischen, daß er eine Freundin und ein Kind hatte. Was halten Sie davon? Ziemlich aufregend, was?

Irgendwo paßte es. Irgendwie war immer klar, daß er ein schreckliches Geheimnis hatte und daß mehr dahintersteckte, als man auf den ersten Blick annahm. Aber ich hatte eigentlich eher erwartet, daß es sich dabei um Drogensucht, eine kurze Haftstrafe oder etwas handelte, das ihm eine Art Ruhm oder traurige Berühmtheit verschafft hatte. Mit Sicherheit war ich nicht auf die Neuigkeit gefaßt, daß Adam Familie hatte oder häuslich veranlagt war.

Es war eine richtige Überraschung, und zwar eine unangenehme. Doch als Helen mir davon berichtete, hatte ich mich weder vollständig auf die Mitteilung konzentrieren noch mich richtig aufregen können. Ich war ein wenig abgelenkt, weil ich doch gerade dabei war, nach London zu fliegen und meine Ehe zu beenden, und so weiter. Nein, es war bestimmt keine gute Nachricht, aber ich war viel zu sehr mit anderen Dingen beschäftigt, als daß ich mich ihr hätte stellen und über das nachdenken können, was ich dabei empfand.

Auch in den folgenden Wochen bemühte ich mich, die Sache wegzuschieben. Schließlich hatte ich einen Haufen Dinge zu erledigen und konnte es mir nicht leisten, meine Zeit mit Tagträumen zu vergeuden. Außerdem war die Sache mit Adam und mir schon vorbei gewesen, bevor ich das mit seinem Kind erfahren hatte. Es lohnte sich also nicht, über ihn nachzudenken. Adam war Vergangenheit.

Um ganz offen zu sein, machte ich mit meinen Gedanken einen Bogen um ihn. An ihn zu denken machte mich nicht glücklich. Es schmerzte. Wenn es aber doch zufällig dazu kam, überlebte er in meinen Gedanken keine fünf Sekunden, etwa so wie ein Seemann, der in den eisigen Wassern der Antarktis über Bord geht. Die Alarmglocken schrillten, und zwei untersetzte Wachmänner wurden hereingeschickt, um ihn schleunigst an die frische Luft zu setzen.

Sobald er mir in den Sinn kam, hatte ich das Glück, mich in irgendein unglaublich kompliziertes und langweiliges juristisches Dokument vertiefen zu müssen.

Außerdem war Helen ziemlich viel zu Hause. Sie arbeitete für ihre Prüfungen und sorgte für ein unvorstellbares Ausmaß an Störungen. Sie beklagte sich bitter, stellte Fragen und sprach davon, daß sie mit allen Dozenten ins Bett gehen müsse, wenn sie bestehen wollte. Damit lenkte sie mich nicht nur von Adam, sondern auch von allem anderen ab – außer von meinen Fantasievorstellungen in Zeitlupe, in denen ich sie kaltblütig ermordete.

Mittlerweile war es Juni, und es war wunderbar warm. Wenn ich mir mit Kate allein im Garten hinter dem Haus die Sonne ins Gesicht scheinen ließ und mich im Halbschlaf so richtig entspannt fühlte, trieben meine Gedanken, die sich eigentlich mit James hätten beschäftigen sollen, mitunter ganz zufällig adamwärts, und ich mußte daran denken, wie liebenswert er gewesen war und wie wohl ich mich mit ihm gefühlt hatte.

Wenn ich nicht aufpaßte, vermißte ich ihn bei solchen Gelegenheiten und war traurig, daß er nicht da war. Aber nur einen Augenblick. Es gefiel mir nicht, daß ich ihn vermißte. Es gefiel mir wirklich nicht, an ihn zu denken.

Offen gesagt gefiel mir nicht, was mir Helen gesagt hatte. Diese Nachricht war meinem Herzen nicht willkommen gewesen – und auch keinem anderen meiner inneren Organe. Allerdings hatte ich nicht das Gefühl, daß mich Adam hintergangen hatte, denn als verheiratete Frau hatte ich kaum das Recht, mich über den Stand der Dinge aufzuregen. Nach dem, was ich aus Helens unklarer Erzählung herausgefiltert hatte, war ich ziemlich sicher, daß er und seine Freundin getrennte Wege gegangen waren, als er sein kleines Abenteuer mit mir hatte – wenn man es überhaupt ein kleines Abenteuer nennen darf. Wäre mir der Begriff nicht so zuwider, ich hätte es wahrscheinlich einen One-night stand genannt, der es so offensichtlich gewesen war.

Ich glaube, ich fühlte mich ein bißchen, ich weiß nicht recht, *reingelegt*. Ich Dummkopf hatte mir durch die Aufmerksamkeit schmeicheln lassen, mit der mich Adam umgeben hatte. Es war herrlich gewesen, sich so begehrt und bewundert zu fühlen. Vor allem nach dem, was ich mit James erlebt hatte.

Und jetzt hatte ich den Eindruck, daß er mich nur wegen Kate gewollt hatte. Nicht, daß er Kate hätte haben wollen oder irgend etwas Krankhaftes in der Art. Aber er hatte mich gewollt, weil ich Mutter war. Wahrscheinlich hatte ich ihn an seine Freundin erinnert. Ich wußte nicht, wie die Beziehung zwischen den beiden aussah, aber falls sie ihm mit dem Kind davongelaufen war, dürfte ihm das sehr nahegegangen sein, und vielleicht hatte er mich als eine Art Ersatz angesehen.

Es war … nun, es war mir wohl ein wenig peinlich. Ich hatte es großartig gefunden, daß Adam auf mich verfallen war, dabei hatte er gar nicht mich gemeint, sondern die Umstände, unter denen ich lebte.

Ich war verletzt. Auch kam ich mir blöd vor, weil ich geglaubt hatte, daß ein so wundervoller Mann allen Ernstes an einem so gewöhnlichen Menschen wie mir Interesse finden konnte. Was hatte ich mir da nur eingebildet?

Ich konnte zu meiner Verteidigung lediglich anführen, daß ich nicht ganz bei Sinnen gewesen war. Ich hatte eine Menge durchgemacht, und mein klarer Verstand war damals bei mir nur selten aufgetaucht.

Da wir gerade von Adam sprechen, ich gebe zu, daß ich mich über ihn ärgerte. Nicht sehr. Aber ein bißchen. Ich grollte ihm, weil er mit meinen Gefühlen gespielt hatte. Einerseits hatte er so getan, als sei ich etwas Besonderes, und dann hatte er die scheinheilige Ansprache gehalten, daß ich zu James zurückkehren müsse. Dazu hatte er kein Recht, wenn ihm nichts an mir lag. Das Recht darauf, mir ein schlechtes Gewissen zu machen, muß man sich *verdienen*. Ich durfte es keinesfalls so leichtfertig herschenken, wie ich das gewöhnlich tat.

Aber im Laufe der Zeit und je öfter ich im sonnenbeschienenen Garten vor mich hindöste, änderten sich meine Gefühle.

Allmählich entdeckte ich die andere Seite der Medaille und begann die Sache geradezu metaphysisch zu betrachten. Dazu neigte ich normalerweise nicht. Kann sein, daß ich zuviel Sonne abbekam.

Vielleicht war mir Adam aus einem bestimmten Grund über den Weg gelaufen, überlegte ich. Mit ihm hatte ich mich so wohl gefühlt, er hatte mein Selbstvertrauen so sehr wiederhergestellt, daß ich genug Kraft hatte, mich James zu widersetzen. Vielleicht hatten die selbstgerechten Worte, mit denen Adam auf Distanz gegangen war, dazu beigetragen, daß ich die richtige Entscheidung wegen James treffen konnte.

Ich hätte gern gedacht, daß Kate und ich Adam geholfen hatten, über den Schmerz der Trennung von seinem Kind und seiner Freundin hinwegzukommen. Vielleicht hatten wir ihm geholfen zu erkennen, wie wichtig sie für ihn waren, je nachdem, ob er sie verlassen hatte oder sie ihn.

Es war wunderbar zu spüren, wie die Bitterkeit von mir abfiel. Nach und nach wurde ich richtig froh, daß ich Adam kennengelernt hatte. Ich hatte den Eindruck, er und ich seien einander aus einem bestimmten Grund für einen Moment begegnet. Die Sache *mußte* von kurzer Dauer sein. Ich redete mir ein, daß wir beide davon profitiert hatten.

Das konnte natürlich ohne weiteres mystischer und abergläubischer Mumpitz sein. Aber eigentlich gehöre ich nicht zu denen, die in Ereignissen Gründe, Hinweise, Erklärungen oder Vorzeichen sehen. Im Gegenteil, ich mache mich, wie schon früher gesagt, grundsätzlich über Leute lustig, die behaupten, daß alles aus einem bestimmten Grund geschieht. Natürlich war ich nie so gemein wie Helen, aber zugleich war ich weit davon entfernt, nachsichtig zu sein. Oh Existentialismus, dein Name ist Claire.

Gewöhnlich würde ich das etwa so sagen: »Adam und ich sind miteinander ins Bett gegangen, weil uns beiden nach Bumsen war. Weiter nichts.« Aber sosehr ich mich bemühte, ich brachte es nicht fertig, zynisch zu sein.

Natürlich war das sehr beunruhigend, aber was sollte ich tun?

Jedenfalls war es jetzt sehr viel angenehmer, draußen im Garten hinter dem Haus zu liegen. Wenn ich an Adam dachte, kam es mir nicht jedesmal vor, als drehte man mir ein Messer in den Eingeweiden herum. Ein eigentümlicher Friede überkam mich. Ich hatte es nicht mehr nötig, mich belogen, im Stich gelassen, gedemütigt oder wie ein Idiot zu fühlen. Es war ein Vergnügen, Adam zu kennen, auch wenn uns nur eine kurze Zeit zusammen vergönnt gewesen war. Vielleicht war es besser so.

Sie wissen ja, wie das ist. Manchmal lernt man einen großartigen Menschen kennen, aber die Sache dauert nur kurz. Zum Beispiel im Urlaub, in der Bahn oder in einer Schlange an der Bushaltestelle. Jemand kommt kurz mit dem eigenen Leben in Berührung, aber auf eine ganz besondere Weise. Statt zu trauern, weil man nicht länger mit diesem Menschen zusammensein kann oder nicht die Möglichkeit hat, sich besser kennenzulernen, sollte man doch lieber froh sein, daß man sich überhaupt getroffen hat, oder nicht?

Ich empfand sehr deutlich, daß ein Kapitel meines Lebens zu Ende gegangen war. Ich bereitete mich auf die Rückkehr nach London vor, sowohl was meine Gefühle als auch was meine Kleidung betraf.

Ich begann zu packen. Wie berauscht trug ich alles an Klamotten zusammen, was mir in die Finger fiel. Dabei warf ich mein Netz weit aus, stöberte in allen Kleiderschränken im Haus herum, vor allem in Helens, und ließ keine Schublade ungeöffnet, keinen Kleiderbügel uninspiziert.

Obwohl ich mich weiterhin mit allen in meiner Familie herumstritt, wußte ich, daß es gräßlich sein würde, sie zu verlassen. Vor allem der Abschied von meiner Mutter würde mir schwerfallen. Nicht nur, weil es so praktisch war, daß sie sich um Kate kümmern konnte. Nein wirklich, im Ernst, ich wußte, daß sie mir entsetzlich fehlen würde. Ein erneuter Abschied vom Elternhaus. Eigentlich schlimmer als beim ersten Mal vor sieben Jahren, denn damals war ich voll Begeisterung aufgebrochen und hatte in meiner Eile, meine bevorstehende Freiheit richtig zu genießen, gar nicht schnell genug verschwinden können.

Jetzt war das anders. Ich war sieben Jahre älter und müder. Die Aussicht, meine eigenen Sachen zu bügeln und meine Rechnungen selbst zu bezahlen, war nichts Neues mehr.

Aber ich mußte nach London zurück. Schließlich war dort meine Arbeit, und mir war nicht aufgefallen, daß mir in Dublin jemand die Tür eingerannt hätte, um mir eine Stelle anzubieten. Allerdings hatte ich mich, offen gestanden, auch um keine bemüht.

Wichtiger aber war, daß Kates Vater in London lebte. Ich wollte, daß sie ihn oft sah, daß sie wußte, sie hatte einen Vater, der sie liebte (nun, ich war sicher, er würde sie lieben, wenn er sie besser kannte), daß es in ihrer Kindheit und Jugend einen Mann gab. Ich war nämlich nicht sicher, ob ich bei ihr die Vaterrolle hätte übernehmen können, wenn sie das gewollt hätte. Vielleicht würde ich eines Tages einen anderen Mann kennenlernen, aber große Hoffnungen machte ich mir da nicht.

Als ich jetzt daran dachte, meldeten sich weitere Sorgen. Wenn Kate nun den neuen Mann nicht leiden konnte? Wenn sie eifersüchtig würde, einen Wutanfall bekam und davonlief? Großer Gott!

Darüber würde ich mir jetzt den Kopf nicht zerbrechen. Es war wohl ein bißchen voreilig, wo ich doch schon alle Hände voll damit zu tun hatte, mich darüber zu grämen, daß ich wohl nie wieder einen Mann kennenlernen würde.

Na ja, so ernst habe ich das nun auch wieder nicht gemeint. Ich *litt* nicht darunter, daß ich nie wieder einen Mann haben würde. Ich machte mir einfach ein bißchen Sorgen.

Ich beschloß, am 15. Juli nach London zurückzukehren. So konnte ich mich mit Kate an die neue Wohnung gewöhnen und jemanden finden, der sich um sie kümmerte, bevor ich wieder arbeiten mußte.

Dann stieß ich, wie nicht anders zu erwarten, auf völlig neue Sorgen. Wie konnte ich mich um Kate kümmern, wenn ich allein war? Ich war inzwischen so davon abhängig geworden, daß meine Mutter da war und mir erklärte, warum Kate nicht aufhörte zu schreien, zu essen, sich zu erbrechen oder was auch immer.

»Du kannst mich jederzeit anrufen«, versprach Mum.

»Danke«, sagte ich unter Tränen.

»Und ich bin sicher, daß du klarkommst«, sagte sie.

»Meinst du?« fragte ich kläglich. Zwar war ich fast dreißig, konnte mich aber in der Nähe meiner Mutter immer noch wie ein Kleinkind aufführen.

»Aber ja«, sagte sie. »Wie stark ein Mensch ist, weiß er erst, wenn er es sein muß.«

»Da hast du vermutlich recht«, gab ich zu.

»Bestimmt«, sagte sie fest. »Sieh dich an. Du bist doch eigentlich ganz gut zurechtgekommen, trotz allem, was du durchgemacht hast.«

»Möglich«, sagte ich zweifelnd.

»Wirklich«, sagte sie. »Vergiß nicht: was dich nicht umbringt, macht dich stärker.«

»Bin ich stärker?« fragte ich matt mit meiner kindlichsten Stimme. »Großer Gott«, sagte sie. »Wenn du so sprichst, frag ich mich das auch.«

»Oh«, sagte ich betroffen. Ich wollte, daß sie nett zu mir war und mir sagte, ich sei großartig und könne mit allem fertig werden.

»Claire«, sagte sie. »Es hat keinen Sinn, mich zu fragen, ob du stärker bist. Das mußt du wissen.«

»Gut, dann bin ich es«, sagte ich kampflustig.

»Schon besser«. Sie lächelte. »Und vergiß nicht. Du hast das gesagt, nicht ich.«

Am Mittwoch vor unserer Abreise war ich mit Anna und Kate im Garten. Es war nach wie vor schön. Anna hatte gerade, äh, wie soll ich sagen, eine Stelle aufgegeben und noch keine neue gefunden, und so hatten wir beide die vergangene Woche damit zugebracht, mit verschiedenen Bikini-Oberteilen und abgeschnittenen Shorts im Garten herumzuliegen, um braun zu werden.

Ich hatte die Nase vorn. Meine Haut wurde leicht braun, die von Anna aber nicht. Dafür war Anna zierlich und zerbrechlich und sah im Bikini so bezaubernd aus, daß ich mir daneben wie eine Elefantenkuh vorkam. Ich war zwar nicht mehr dick, aber sie war so zartgliedrig, daß ich im Vergleich kolossal wirkte. Ich hatte nichts dagegen, kräftig zu sein, wollte aber nicht unbedingt aussehen wie eine Kugelstoßerin aus dem Ostblock.

Wenn ich also im Bräunungskrieg die Oberhand behielt, war das nur recht und billig.

Als die Gene verteilt wurden, hatte sie den zierlichen, schmalen Leib bekommen und ich die glatte, goldene Haut.

Sie hatte dünne Beine, ich nicht. Ich hatte einen Busen, sie nicht. Gerechtigkeit muß sein.

Unsere Aufmerksamkeit wurde mit einem Mal auf das Küchenfenster gelenkt. Mum hatte den Store gehoben, gestikulierte und klopfte an die Scheibe.

»Was will sie?« fragte Anna schläfrig.

»Ich glaube, sie winkt uns«, sagte ich, während ich träge den Kopf von meiner Liege hob, um zu ihr hinzusehen.

»Hallo«, sagten wir beide und wedelten müde mit den Armen. Mum klopfte weiter. Ihre Gesten wirkten jetzt viel heftiger und eindeutiger.

»Geh du«, sagte ich zu Anna.

»Ich kann nicht«, sagte sie. »Geh du.«

»Ich bin zu müde«, sagte ich. »Du mußt gehen.«

»Nein, du«, sagte sie und schloß die Augen.

Mum kam in den Garten marschiert.

»Telefon, Claire!« brüllte sie. »Und wenn ich das nächste Mal ans Fenster klopfe, kommst du rein. Ich tu das nicht für meine Gesundheit, mußt du wissen.«

»Tut mir leid, Mum.«

»Paß auf Kate auf«, sagte ich zu Anna, während ich ins Haus rannte.

»Hmmm«, knurrte sie.

»Und reib sie noch mal gut mit Sonnenmilch ein«, rief ich über die Schulter.

Als ich in die Küche stolperte, sah ich im Dämmerlicht des Hauses nach der grellen Sonne im Garten fast nichts.

Ich nahm den Hörer in die Hand. »Hallo«, sagte ich.

»Claire«, sagte James.

»Ah, hallo, James«, sagte ich und fragte mich, was zum Teufel er wollte. Wenn er mich nicht anrief, um zu sagen, daß er die Wohnung verkauft hatte, wollte ich nichts von ihm hören.

»Wie geht es dir?« fragte er höflich.

»Gut«, sagte ich kurz angebunden und hoffte, daß er schnell zur Sache kommen würde.

»Claire«, sagte er mit großem Nachdruck. »Ich muß dir was sagen.«

»Nur zu«, forderte ich ihn freundlich auf.

»Ich hoffe, es macht dir nichts aus, aber ich hab' jemand kennengelernt.«

»Oh«, sagte ich. »Und was soll ich jetzt sagen? Herzlichen Glückwunsch?«

»Nicht nötig«, sagte er. »Aber ich dachte, ich sag es dir besser, weil du doch beim vorigen Mal so ein Theater gemacht hast.«

Mit übermenschlicher Selbstbeherrschung brachte ich es fertig, nicht aufzulegen.

»Vielen Dank, James«, sagte ich. »Sehr aufmerksam von dir. Wenn du jetzt bitte entschuldigen möchtest, ich muß aufhören.«

»Aber willst du denn nicht alles über sie erfahren?« sagte er rasch.

»Nein«, sagte ich.

»Macht es dir nichts aus?« fragte er besorgt.

»Nein.« Ich lachte.

»Sie ist viel jünger als du«, sagte er anzüglich. »Erst zweiundzwanzig.«

»Gut für dich«, sagte ich gelassen.

»Sie heißt Rita«, sagte er.

»Hübscher Name«, erklärte ich.

»Sie ist Versicherungskauffrau«, sagte er. Es klang ein wenig verzweifelt.

»Wie wunderbar«, rief ich aus. »Da habt ihr bestimmt viel gemeinsam!«

»Was zum Teufel stimmt mit dir nicht?« brüllte er.

»Ich weiß nicht, wovon du redest«, gab ich zurück.

»Warum tust du so, als wär dir das alles egal?« donnerte er. »Ich hab' dir gerade erzählt, daß ich eine neue Freundin habe.«

»Ich nehme an, daß ich deshalb so tue, als wäre mir das alles egal, weil es mir tatsächlich egal ist«, war das einzige, was mir einfiel. »Ach, übrigens, James«, fuhr ich fort.

»Ja?« sagte er hoffnungsvoll.

»Kate geht es gut«, sagte ich. »Ich hoffe, das hast du nur aus Versehen nicht gefragt. Jetzt muß ich aufhören. Großartige Neuigkeit! Ich freu mich für dich. Hoffentlich ist die Sache von Dauer und so weiter. Tschüs.« Ich knallte den Hörer auf die Gabel.

Wie erbärmlich! Was sollte ich seiner Ansicht nach wohl tun? In Tränen ausbrechen und ihn anflehen, daß er mich wieder in Gnaden aufnahm? Hatte er denn nichts gelernt?

Ich kehrte in den Garten zurück. Anna war aufgewacht, saß da und spielte mit Kate. Sie war wirklich schön. Ich meine Kate. Anna war auch schön, kein Zweifel. Aber Kate war schöner. Sie war eine richtige kleine Persönlichkeit geworden. Wenn man mit ihr sprach, gab sie gurgelnde Laute von sich, lachte manchmal und suchte Blickkontakt. Fast war es, als könnte man sich mit ihr unterhalten. Jetzt gerade aber lachte sie nicht. Ihr rundes Gesichtchen leuchtete unter ihrem gelben Sonnenhut rosa, und sie sah aus, als hätte sie genug vom Sonnenbad. »Mir ist heiß und ich langweile mich«, sagte ihr Blick. »Außerdem hab' ich jetzt mit dieser Tussi genug geredet.«

»Wer war dran?« fragte Anna.

»James«, stieß ich hervor. Ich brachte seinen Namen kaum über die Lippen.

»Was will er?« fragte Anna.

»Mir mitteilen, daß er eine neue Freundin hat«, sagte ich schroff.

»Macht es dir was aus?« fragte sie besorgt.

»*Natürlich* nicht«, sagte ich empört.

»Und warum regst du dich dann so auf?« fragte Anna.

»Weil er mich dafür beim Sonnenbaden gestört hat. Ich mußte aufstehen und *hingehen*. Es ist wirklich nicht zu fassen! So ein Arschloch.«

Um James brauchte ich mir jetzt keine Sorgen zu machen, wohl aber um Kate.

»Meinst du nicht, daß sie einen Sonnenbrand hat?« fragte ich Anna besorgt. »Vielleicht hätte ich einen höheren Schutzfaktor nehmen sollen.«

»Möglich«, sagte sie zweifelnd. »Aber ich glaub nicht, daß es einen höheren *gibt*.«

Das stimmte. Ich hatte Kate mit einem Sun-Blocker mit höchstem bekanntem Schutzfaktor eingerieben. War ich eine überängstliche Mutter? Ich konnte nichts dazu. Ich machte mir Sorgen um die Kleine. Ich meine, schließlich war sie ein Säugling mit sehr zarter Haut. Ich wollte kein Risiko eingehen.

»Ich bring sie wohl besser rein«, sagte ich. »Vorsichtshalber.«

»Immer mit der Ruhe«, sagte Anna.

»Nein, ich bring sie rein«, sagte ich. »Sonst kriegt sie unter Umständen tatsächlich 'nen Sonnenbrand.«

»Geh nicht«, bat Anna. »Ich hab' keinen, mit dem ich reden kann.« Dann hörten wir Stimmen aus der Küche. Es wurde unruhig.

»Helen ist zurück«, sagte ich zu Anna. »Mit ihr kannst du reden.«

»Bitte nein«, stöhnte sie. »Sie redet bestimmt nur davon, daß sie sich umbringt, wenn sie durchfällt, und ob sie es über sich bringt, mit Professor Macauley ins Bett zu gehen. Dann stellt sie mir all die blöden Fragen über das alte Griechenland. Was weiß ich schon darüber?« fragte sie wie jemand, den man Unrecht tut. »Bloß weil ich sechs Wochen in einer Bar in Santorini gearbeitet hab', glaubt sie, ich müßte alles über Zeus und den ganzen Götterverein wissen.«

Seufzend begann sie, ihre Sachen zusammenzusuchen. »Ich glaub, ich komm mit dir rein.«

Doch bevor sie entfliehen konnte, platzte Helen in den Garten. Sie trug einen kurzen Jeansrock und ein T-Shirt. Mit ihrem aufgesteckten Haar sah sie schön wie immer aus. Bei unserem Anblick blieb sie stehen und musterte uns lange.

»Seht euch die Glückspilze an«, sagte sie verbittert.

»Hallo, Helen«, sagte Anna zurückhaltend.

»Ihr faulen Stücke liegt hier rum und laßt euch die Sonne auf den Pelz scheinen, während ich studieren muß, bis ich Schwielen am Hintern hab'«, fuhr sie vorwurfsvoll fort.

Ich beschattete die Augen mit der Hand, um ihr wütendes Gesicht genauer zu sehen. Erst da merkte ich, daß sie nicht allein war, sondern Besuch mitgebracht hatte. Einen hochgewachsenen, gutaussehenden Mann. Einen hinreißenden, blauäugigen, dunkelhaarigen, hochgewachsenen, gutaussehenden Mann mit kräftigen Kieferknochen, der ausgebleichte Jeans und ein weißes T-Shirt trug.

Seit ich ihn das letzte Mal gesehen hatte, war er braun geworden. Ich hatte nicht geglaubt, daß er noch besser aussehen könnte, aber es sah ganz danach aus, als hätte ich mich geirrt. So ein Mistkerl!

»Hallo, Adam«, sagte ich und wäre fast in Tränen ausgebrochen.

»Hallo, Claire«, sagte er höflich.

Ich hielt den Atem an und wartete, daß er ins Haus zurückging. Dann merkte ich voll Entsetzen, daß er nicht daran dachte, wieder ins Haus zu gehen.

Mist, dachte ich gehetzt. *Jetzt kommt er auch noch her.*

Helen und Adam kamen zu der von Anna, Kate und mir geschaffenen kleinen Oase aus Sonnenliegen, Diät-Cola, Sonnenöl, Frauenzeitschriften und Chipstüten. Einen Augenblick blieb Adam stehen. Er überragte Anna und mich auf unseren Sonnenliegen turmhoch. Er wirkte nicht besonders entspannt, eher befangen und ein bißchen unfreundlich. Von seinem üblichen lockeren Charme war nichts zu sehen.

Mein Herz pochte. Ich hatte den Eindruck, schrecklich im Nachteil zu sein. Gott im Himmel, warum hatte Helen nicht ankündigen können, daß sie den schönen Adam mitbringen würde! Ich hätte mich zurechtmachen und einen hübschen Bikini anziehen können. Als ich sagte, daß ich mit abgeschnittenen Shorts und einem Bikini-Oberteil im Garten lag, wollte ich damit keine Sekunde damit andeuten, ich hätte wie eine dieser appetitlichen Puppen aus *Baywatch* ausgesehen. Großer Gott, nein! Die Shorts aus wirklich abscheulichem Jeansstoff waren uralt und noch dazu aberwitzig abgeschnitten. Sie sahen an mir scheußlich aus und machten einen richtigen Breitwandhintern. Und die Lycra-Fasern meines Bikini-Oberteils waren ausgeleiert, so daß es richtig schlabberte.

Hier haben wir den Unterschied zwischen der Werbung und dem richtigen Leben. Immer, wenn in einem solchen Filmchen ein Mann unverhofft nach Hause kommt, hat seine Frau zufällig gerade geduscht und sich mit duftender Körperlotion eingerieben. Ihr Haar ringelt sich in nassen Löckchen unter dem Handtuch hervor, und sie sieht auf völlig unschuldige und natürliche Weise so absolut großartig aus, daß man sich übergeben muß.

Im wirklichen Leben kann man wetten, daß unsereins dann am allerallerschlimmsten aussieht, wenn der Mann, den man mag/liebt/haben möchte, unerwartet auftaucht. Jedenfalls war das bei mir *immer* so. Sie haben da vielleicht etwas mehr Glück.

Wenn er doch nicht einfach dastehen und auf mich herabsehen würde, dachte ich nervös.

»Adam, du stehst mir in der Sonne«, sagte ich und versuchte, es spaßig klingen zu lassen. »Setz dich doch.« Er setzte sich. Es war verblüffend, wie anmutig das Hinsetzen bei einem so großen und breitschultrigen Mann aussehen konnte. 'tschuldigung, ich hätte das nicht bemerken sollen. Ich hätte mit Sicherheit nichts darüber sagen sollen.

Er lächelte zu Anna hinüber.

»Hallo«, sagte er.

»Hallo, Adam«, säuselte sie.

»Na, wie geht's?« Es klang, als interessiere es ihn wirklich.

Wieso fragst du sie und nicht mich? hätte ich fast gerufen.

»Gut«, sagte Anna und lächelte scheu zurück.

»Großer Gott«, murmelte Helen und warf Anna einen Blick zu, in dem deutlich erkennbar der Vorwurf ›erbärmliches Weibsstück‹ lag.

Adam und Anna murmelten weiter miteinander. Dann wandte Helen ihre Aufmerksamkeit mir zu.

»Runter da«, befahl sie und versuchte, mich von der Sonnenliege zu schubsen. »Ich hatte grad eine Prüfung und muß mich hinlegen.«

»Von mir aus«, sagte ich und stand auf. »Ich wollte sowieso grade gehen.«

Es war mir wichtig, sie wissen zu lassen, daß sie mich nicht gezwungen hatte, meine Liege aufzugeben, sondern daß ich aus freien Stücken ging. Kindische Machtspiele.

»Ach ja«, sagte Anna rasch, mit einem Gesicht so rot wie eine Tomate. »Ich geh auch.«

»Wohin gehst du?« fragte Helen mich.

»Rein«, sagte ich.

»Ist ja großartig«, sagte sie. Sie war richtig sauer. »Ich hatte grad 'ne schwere Prüfung und muß heut abend noch den ganzen Stoff für Anthropologie lernen, und du willst nicht mal fünf Minuten hierbleiben und dich mit mir unterhalten, damit ich mich ein bißchen entspannen kann.«

»Aber für Kate ist es zu heiß«, sagte ich.

»Geh schon«, sagte sie finster. »Geh.«

Sie sah zu Adam hinüber. »Wir fangen in zehn Minuten an, in Ordnung?«

»In Ordnung«, stimmte er zu.

»Was machen wir zuerst?« fragte sie.

»Was möchtest du als erstes machen?« gab er zurück.

Genau die richtige Antwort. Offensichtlich wußte er, wie man mit Helen umgehen mußte.

»Vielleicht könnten wir uns mit Familien beschäftigen, in denen es nicht funktioniert«, sagte Helen mit boshaftem Lachen. »Darüber weißt du doch so gut Bescheid.«

»Helen«, mahnte Anna mit entsetzter Stimme.

»Was denn?« sagte Helen kampflustig. »Ich hab' nur Spaß gemacht. Außerdem *weiß* er es tatsächlich. Stimmt doch?« fragte sie Adam.

»Ich glaube schon«, sagte er entgegenkommend.

Das genügte. Ich wollte nicht länger bleiben. Ich nahm Kate auf und ging mit ihr über den Rasen (Rasen! Was für ein Witz!). Die paar Meter kamen mir vor wie Dutzende von Kilometern. Ich konnte an nichts anderes denken, als daß sich Adams Augen an meinem äußerst unansehnlichen Hintern in den gräßlichen Shorts festsaugten.

Schließlich erreichte ich die Sicherheit der Küche.

Dann merkte ich, daß ich meine Zeitschrift im Garten gelassen hatte. Da konnte sie von mir aus auch bleiben! Um keinen Preis wollte ich aus freien Stücken wieder in Adams Nähe kommen.

Oje! Ich war sehr verstört, denn während der letzten Wochen hatte ich angefangen zu vermuten, daß er vielleicht gar nicht so besonders anziehend und meine Urteilskraft in meinem Zustand der Verlassenheit beeinträchtigt war. Vielleicht war ich für seine Aufmerksamkeit so dankbar gewesen, daß ich mir eingeredet hatte, er sei wunderbar.

Aber es stimmte. Der Kerl war wunderbar. Ich hatte es mir nicht eingebildet, es war keine Täuschung.

Und sonnengebräunt sah er noch besser aus. Seine Arme waren in dem T-Shirt richtig kräftig und muskulös.

Großer Gott! Es war mehr, als ich ertragen konnte; immerhin lebte ich jetzt seit fast fünf Monaten enthaltsam, wenn ich die eine Nacht mit Adam nicht rechnete.

In Wirklichkeit war es natürlich viel länger gewesen, denn in den letzten vier oder fünf Monaten der Schwangerschaft hatte mich James nicht angerührt.

Was aber hatte Adam nur? Warum war er mir gegenüber so kalt und abweisend? Dazu gab es eigentlich keinen Grund. Fürchtete er, ich würde ihn anspringen? Hatte er Sorge, ich könnte mich nicht beherrschen? Meinte er auf Abstand bleiben zu müssen?

Darüber braucht er sich keine Gedanken zu machen, dachte ich. Vor mir war er sicher. Ich würde nicht versuchen, mich zwischen ihn und seine Freundin zu drängen. So dumm wie früher war ich nicht mehr. Ich war imstande, eine aussichtslose Situation richtig einzuschätzen.

Ist doch sonderbar, dachte ich, während ich Kate nach oben trug. Als ich Adam das letzte Mal gesehen hatte, war ich gerade aus seinem Bett gekommen. Wir waren so intim miteinander gewesen, wie es zwei Menschen nur sein können. Und jetzt verhielten wir uns wie Fremde, die auf höfliche Distanz miteinander verkehren.

39

Im Haus ging es Kate sehr viel besser. Sie lächelte, brabbelte und trat munter um sich, als ich sie in ihre Trageschale legte. Ich hielt sie an den heißen Füßchen und spielte mit ihr Radfahren – das mochte sie. Zumindest hoffte ich das, denn mir machte es ungeheuren Spaß. Dann klopfte es an der Tür meines Zimmers. Was war da los? In unserem Hause klopfte *niemand.*

Die Tür öffnete sich, und Adam steckte den Kopf herein. Weil er alles derart überragte, sah das Zimmer von einem Augenblick auf den anderen wie eine Puppenstube aus.

Großer Gott, dachte ich erschreckt und ließ Kates Beinchen unvermittelt los. *Was will er hier*?

Vielleicht konnte er nicht glauben, wie gräßlich meine Shorts waren, und wollte noch einmal nachsehen.

»Kann ich kurz mit dir sprechen, Claire?« fragte er ein wenig verlegen.

Zwar stand er groß und gutaussehend da, doch lag auf seinem schönen Gesicht ein besorgter Blick.

Ich sah ihn an, und etwas passierte in mir (Nein! Nicht das!), etwas Wunderbares.

Mein Herz hob sich, und eine Welle des Entzückens durchströmte mich. Sie war so stark, daß sie mich fast umgeworfen hätte. Plötzlich war ich voller Hoffnung, Freude und Glück. Es war das Hochgefühl, das man hat, wenn man glaubt, alles ist verloren, und dann merkt, daß alles gut wird.

Sie wissen schon – das Gefühl, das man nur ein- oder zweimal im Leben empfindet.

»Selbstverständlich«, sagte ich.

Er trat zu uns, schüttelte Kates Füßchen und setzte sich dann neben mich aufs Bett. Dabei senkte sich die Matratze bis fast auf den Fußboden, aber das war egal.

»Claire«, sagte er und sah mich mit seinen ach so blauen Augen flehend an. »Ich möchte dir die Sache mit meiner Freundin und meinem Kind erklären.«

»Ach ja?« fragte ich und versuchte, meiner Stimme einen kühlen und geschäftsmäßigen Klang zu verleihen. Ganz so, als übte er keine ungeheuer beunruhigende Wirkung auf mich aus.

Seine Größe und seine Nähe waren überwältigend. Wie schon gesagt, war mir als erstes an ihm seine Männlichkeit aufgefallen. Jetzt kam es mir vor, als hätte er das Bett mit Testosteron besprengt. Oder als wäre er mit einem von den Weihrauchkesseln durch das Zimmer gegangen, wie die Priester sie beim Segen schwingen, nur daß er statt mit Weihrauch mit Männer-Essenz gefüllt war.

Ich konnte nichts dazu, daß ich daran dachte, mit ihm ins Bett zu gehen. Es war nur menschlich. Wenn man mich sticht, blute ich dann nicht? Wenn man mir einen hinreißenden Mann unter die Nase hält, will ich ihm dann nicht die Kleider vom Leibe reißen? Ich meine, *ich* mache die Spielregeln nicht.

Ich mußte mich unbedingt beherrschen. Adam war nicht gekommen, um mir seinen Körper anzubieten. Er war gekommen, zumindest hoffte ich das, damit wir uns klarwerden konnten, was geschah, wenn wir einander begegneten – was auch immer es sein mochte. Dann konnten wir vielleicht Freunde sein.

Ich merkte, daß ich wirklich gern mit ihm befreundet gewesen wäre. Er war so interessant, aufmerksam und angenehm im Umgang – eben besonders. Seine Freundin hatte allen Grund, sich glücklich zu schätzen.

»Claire«, sagte er. »Danke, daß du mir die Gelegenheit gibst, mit dir zu reden.«

»Großer Gott«, sagte ich. »Mach dich doch nicht so klein.«

»Es ist nur so ... Ich weiß nicht«, sagte er unsicher. »Es war wohl ein bißchen ... *überraschend* für dich, als Helen dir sagte, daß ich ein Kind habe.«

»Ja, überraschend war es ...«, sagte ich mit feinem Lächeln.

»Möglicherweise ist es das falsche Wort«, sagte er und fuhr sich mit der Hand durch das herrliche seidenweiche Haar.

»Möglicherweise«, stimmte ich zu. Aber freundlich.

»Ich hätte es dir sagen müssen«, sagte er.

»Warum?« fragte ich. »Wir sind ja nicht miteinander gegangen oder so was.« Er sah mich an. Er wirkte betrübt.

»Trotzdem meine ich, daß ich es dir hätte sagen müssen. Allerdings hatte ich Angst, dich damit abzuschrecken«, sagte er.

»Angesichts meiner eigenen Lebensumstände war das kaum anzunehmen«, gab ich zurück.

»Aber ich dachte, du würdest dich fragen, was für ein sonderbarer Mensch das sein muß, der das eigene Kind nicht sehen darf. Ich wollte es dir sagen. Ich stand schon oft kurz davor, aber immer hat mich im letzten Augenblick der Mumm verlassen.«

»Und warum sagst du es mir jetzt?« fragte ich.

»Weil alles geregelt ist«, sagte er.

»Na, da hast du aber Glück gehabt, daß dich Helen heute hierher eingeladen hat und ich zufällig da bin«, sagte ich mit einer gewissen Schärfe.

»Claire«, sagte er unruhig. »Wenn du nicht hier gewesen wärest, hätte ich dich angerufen. Ich hatte ohnehin gedacht, du wärest schon längst wieder in London. Sonst hätte ich mich viel früher gemeldet.«

»*Wirklich*«, versicherte er mir, als er meinen zweifelnden Blick sah.

»Na schön«, sagte ich großzügig. »Ich will es dir glauben. Und jetzt erzähl«, forderte ich ihn auf und bemühte mich, freundlich zu reden, damit er nicht merkte, wie mich die Neugier fast auffraß.

Für Schicksalsberichte habe ich sogar dann etwas übrig, wenn ich am Rande selbst mit hineinverwickelt bin.

Aus Kates Bettchen kam eine Reihe merkwürdiger blubbernder Geräusche. *Bitte schrei nicht, Liebling*, hoffte ich verzweifelt. *Nicht jetzt. Ich möchte das* wirklich *hören. Es ist Mami wichtig.*

Und sollte man es für möglich halten? Sie wurde wieder still. Offensichtlich hatte sie etwas Gutes von ihrem Vater geerbt.

Aber jetzt, meine Damen und Herren... Adam breitete die ganze Geschichte vor mir aus.

»Ich war schon lange mit Hannah zusammen...«, begann er.

»Wer ist Hannah?« unterbrach ich ihn.

Bevor eine Geschichte anfängt, ist es immer wichtig zu klären, wer die Hauptpersonen sind.

»Die Mutter meines Kindes«, erklärte er.

»Aha«, sagte ich. »Weiter.«

»Ich war lange mit ihr zusammen, etwa zwei Jahre«, sagte er.

»Ja?«

»Und dann war Schluß«, sagte er.

»Oh«, sagte ich. »Das klingt aber ein bißchen plötzlich.«

»War es aber nicht. Eigentlich ist keiner von uns beiden mit einem anderen durchgebrannt oder so was in der Art. Die Sache war einfach an ihr natürliches Ende gekommen.«

»Aha.« Ich nickte.

»Also haben wir uns getrennt«, fuhr er fort.

»Ja«, sagte ich. »Noch kann ich dir folgen.«

»Aber ich mochte sie nach wie vor gern«, sagte er. »Sie fehlte mir. Doch immer, wenn wir uns sahen, war es schrecklich. Sie weinte und fragte, warum es nicht geklappt hatte, und wollte wissen, ob wir es nicht noch mal miteinander versuchen könnten und so weiter.«

»Ja«, sagte ich. Kam mir alles sehr vertraut vor.

»Und jedesmal landeten wir wieder im Bett«, sagte er.

Er sah ein wenig peinlich berührt drein, als er das sagte. Ich wußte nicht, warum. Ich meine, das tun doch *alle*, wenn sie sich von jemandem trennen, den sie früher geliebt haben und in gewisser Hinsicht immer noch lieben, oder etwa nicht? Es ist die Regel.

Eine Frau trennt sich von dem Mann, mit dem sie zusammen war, sagt, sie möchte mit ihm befreundet bleiben, trifft ihn eine Woche später ›zum ersten freundschaftlichen Glas‹, betrinkt sich, sagt, wie komisch, daß man sich nicht einmal liebevoll berühren kann, die beiden küssen einander, die Frau hört auf und sagt, »Nein, das dürfen wir nicht«, sie küssen einander wieder, sie hört auf und sagt, »Das ist ja lachhaft«, sie küssen einander noch einmal, sie sagt, »Vielleicht nur dies eine Mal. Es ist nur, weil du mir so sehr fehlst.« Sie fahren mit dem Bus zu seiner Wohnung, schlafen praktisch im Vorgarten wildfremder Leute miteinander, kaum daß sie aus dem Bus gestiegen sind, sie geht mit zu ihm, alles ist so vertraut, sie weint, weil sie weiß, daß sie nicht mehr dort hingehört. Sie gehen miteinander ins Bett, sie weint erneut, sie schläft ein, hat entsetzliche Träume, in denen die beiden in einer Minute zusammen und in der nächsten wieder getrennt sind, und wenn sie am nächsten Morgen aufwacht, wäre sie am liebsten tot.

Alle Welt kennt diese Regel. Sie gehört zu den Hauptgrundsätzen für das Ende einer Liebesbeziehung. Adam mußte schon sehr weltfremd sein, wenn er annahm, es sei ausschließlich ihm so gegangen.

»Jedenfalls wurde Hannah schwanger.«

»Ach je«, sagte ich mitfühlend. Er sah mich aufmerksam an. Er glaubte wohl, das sei Sarkasmus. War es aber nicht, ehrlich.

»Wir haben darüber geredet und hin und her überlegt. Sie wollte heiraten. Ich wollte nicht, weil ich es nicht für besonders klug hielt. Ich sah keinen Sinn darin, nur deshalb zu heiraten, um dem Kind ein Elternhaus zu geben, wenn seine Eltern einander nicht mehr lieben.«

»Hmmmm«, sagte ich unverbindlich. Theoretisch hatte er natürlich recht. Aber von Frau zu Frau tat mir die unglückliche Hannah doch leid.

»Jetzt hältst du mich wahrscheinlich für einen absoluten Schweinehund«, sagte er und sah ein bißchen elend drein.

»Eigentlich nicht«, sagte ich. »Ich geb dir recht, daß in einer solchen Situation mit Heiraten nichts gewonnen ist.«

»Du hältst mich *doch* für einen Schweinehund«, sagte er. »Das merke ich.«

»Tu ich *nicht*«, sagte ich ärgerlich. »Erzähl bitte weiter.«

Für meinen Geschmack kam in seiner Geschichte viel zuviel Charakterentwicklung und nicht genug Handlung vor.

»Wir überlegten, daß Hannah das Kind bekommen und zur Adoption freigeben könnte, aber das wollte sie nicht. Dann haben wir uns über die Möglichkeit einer Abtreibung unterhalten.«

Ich konnte nicht umhin, rasch zu Kate hinüberzusehen. Ich hatte das Gefühl, daß ich unglaubliches Glück gehabt hatte, weil ich an eine Abtreibung nicht einmal hatte denken müssen, als ich merkte, daß ich schwanger war.

»Die Lösung schien uns durchaus vorstellbar«, sagte er müde. »Aber keiner von uns beiden wollte sie.«

»Das glaube ich«, murmelte ich und bemühte mich, das so klingen zu lassen, als ob ich ihm glaubte.

Aber ich fragte mich: *Meint der das ernst*?

Immer hatte ich den Verdacht gehabt, daß die meisten Männer in der Abtreibung eine Art Sakrament sehen, ein großzügiges Geschenk des Himmels, das ihr Leben unkompliziert und angenehm gestalten soll, eine Lösung für ärgerliche kleine Probleme wie Kinder, die sonst ihr vergnügtes Junggesellenleben durcheinanderbringen könnten.

Natürlich gibt es auch solche, die eine Abtreibung selbstgerecht und scheinheilig als Mord bezeichnen. Das tun vor allem Männer gern, deren Freundin nicht gerade schwanger ist. Sobald aber der Frau an ihrer Seite etwas ›passiert‹ und sie ein Kind erwartet, sieht die Sache gewöhnlich ganz anders aus. Blitzschnell ist der Abtreibungsgegner-Aufkleber aus dem Heckfenster des Autos verschwunden, und ein neuer verkündet: ›Mein Bauch gehört mir‹, oder am besten gleich: ›Ihr Bauch gehört mir.‹

Sie sind oft die ersten, die zu bedenken geben, daß vielleicht jetzt nicht der rechte Zeitpunkt ist, ein Kind zu bekommen, und eigentlich nichts dabei ist abzutreiben. Es sei einfacher, als einen Zahn zu ziehen, und in den meisten Fällen müsse die Frau nicht einmal über Nacht bleiben. Man brauche auch keine Schuldgefühle zu haben, weil es sich in diesem Stadium noch nicht um ein Kind handele, sondern lediglich um ein paar Zellen. Sie erklären auch, sie würden mitkommen und die Frau anschließend abholen. Vielleicht werde man in ein paar Wochen gemeinsam ein Wochenende lang ausspannen, damit sie besser darüber hinwegkomme. Bevor die Frau weiß, wie ihr geschieht, liegt sie in einer teuren Klinik auf dem Operationstisch, hat ein am Rücken offenes Papierkleid an, eine Kanüle im Arm und zählt von zehn bis eins.

Tut mir leid! Ich hab' mich hier ein bißchen ablenken lassen.

Wie Sie vielleicht gemerkt haben, habe ich in dieser Sache einen durchaus eigenen Standpunkt, aber vielleicht ist jetzt nicht der richtige Zeitpunkt, in allen Einzelheiten darüber zu reden. Es mag genügen zu sagen, daß Adam meiner Überzeugung nach nicht zu den hier beschriebenen Männern gehörte.

Eins noch, dann höre ich auf. Man bringe mir einen mittellosen schwangeren Mann, dem die Freundin davongelaufen ist, und fordere ihn *dann* auf, sich öffentlich hinzustellen und zu erklären, daß er die Abtreibung nach wie vor ablehnt. Ha! Ich möchte wetten, er würde wie ein geölter Blitz zum nächsten Fährhafen sausen, um in England machen zu lassen, was in Irland verboten ist.

Jetzt aber zurück zu Adam, dem Feministen.

Er erklärte immer noch ganz besorgt und ernsthaft die Situation, wobei er mich mit einem flehenden Blick seiner schönen Augen ansah.

Wissen Sie eigentlich schon, daß er entzückende Wimpern hatte? Richtig dicht und lang und ... tut mir leid. Ähem.

»Ich hab' Hannah gesagt, wenn sie das Kind bekommen wollte, würde ich alles tun, was ich kann, um ihr zu helfen«, sagte er. »Ich hab' ihr versprochen, sie finanziell zu unterstützen und angeboten, daß das Kind gern bei mir leben könnte. Oder bei ihr. Wir könnten uns die Aufgabe auch teilen. So, wie es ihr am liebsten wäre. Ich wollte, daß sie das Kind bekam, wußte aber auch, daß die Entscheidung letzten Endes bei ihr lag. Ich konnte das nicht für sie entscheiden und wollte sie nicht dazu drängen, das Kind zu bekommen, weil ich wußte, daß sie Angst hatte. Sie war erst zweiundzwanzig.«

»Ach je«, sagte ich. »Wie traurig.«

»Ja«, sagte er geknickt. »Es war wirklich schlimm.«

»Was ist dann passiert?«

»Ihre Eltern haben eingegriffen. Als sie dahinterkamen, daß wir über eine Abtreibung nachgedacht hatten, sind sie ausgerastet. Gut, kann man verstehen. Dann haben sie Hannah meinem angeblich schlechten Einfluß entzogen und zu sich nach Haus in Sligo geholt.«

»Gott im Himmel«, sagte ich und stellte mir vor, wie die junge Frau weit von allen menschlichen Ansiedlungen entfernt in einem Turm eingesperrt war, etwa so wie Rapunzel mit dem langen goldenen Haar. »Fürchterlich. Das ist ja barbarisch! Wie im Mittelalter.«

»Nein«, sagte er rasch, bestrebt, die Dinge richtigzustellen. »So schlimm war es nicht. Sie haben es gut gemeint. Sie wollten nur das Beste für das Kind. Schließlich war es ihr Enkel, und sie wollten sicher sein, daß Hannah nicht abtreiben ließ. Aber wann immer ich anrief, ließen sie mich nicht mit ihr sprechen. Sie sagten, daß ich nach der Geburt des Kindes keinen Kontakt mit Hannah oder dem Kind haben dürfte.«

»Im Ernst?« fragte ich empört. »So was habe ich noch nie gehört. Nun, ich glaube doch. Aber nur über verrückte Menschen ohne Manieren. Wie ist es dann weitergegangen? Hatte Hannah einen eigenen Kopf? Hat sie ihren Eltern die Meinung gesagt? Schließlich war sie eine erwachsene Frau!«

»Damals wollte sie mich auch nicht sehen«, sagte er unbeholfen. »Ich bin nach Sligo gefahren, und sie hat mir gesagt, daß sie nichts mehr von mir wissen wollte und ich mich nach der Geburt von ihr und dem Kind fernhalten sollte.«

»Aber warum?« rief ich aus.

»Weiß ich nicht«, sagte er unglücklich. »Ich nehme an, sie war verbittert, weil ich sie nicht heiraten wollte. Außerdem war sie sauer, weil ich ihr das Kind angehängt hatte. Ihre Eltern hatten sie überzeugt, daß ich der Sohn des Satans sein müsse, da ich auf den Gedanken einer Abtreibung verfallen war.«

»Ich verstehe«, sagte ich. »Und wie ist es weitergegangen?«

»Ich habe mich juristisch beraten lassen, um zu sehen, was ich tun konnte. Und weißt du was, ich hab' so gut wie *keine* Rechte. Aber selbst wenn ich darauf hätte bestehen können, mein Kind zu sehen, wollte ich mich nicht auf eine juristische Auseinandersetzung einlassen. Ich konnte nicht glauben, daß mir Hannah das antun würde. Es war gräßlich.« Er schwieg einige Augenblicke.

Kate war verdächtig still, fiel mir auf. Aber alles schien gut zu sein.

»Am schlimmsten war es nach der Geburt«, fuhr Adam fort. »Ich wußte nicht einmal, ob es ein Junge oder Mädchen war, ob es gesund zur Welt gekommen war, nichts. Dann hab' ich ihre Eltern angerufen, und ihr Vater hat mir gesagt, es sei ein Mädchen, und alles sei in Ordnung. Hannah ging es auch gut. Aber sie wollte nicht mit mir sprechen, wie er sagte.«

»Wie schrecklich«, stieß ich hervor.

»Ja, das war es. Ein ganzes Jahr lang habe ich nichts erfahren«, sagte er. »Es war ein Alptraum. Ich war völlig machtlos.«

Das Geräusch von Schritten auf der Treppe lenkte meine Aufmerksamkeit von Adams übler Lage ab. Dann platzte Helen ins Zimmer. Sie ließ den Blick zwischen Adam und mir hin und her wandern. »Was geht hier vor?« fragte sie erstaunt.

Ich verstummte vollständig und brachte kein Wort heraus. Ich wußte nicht, was ich ihr sagen sollte.

Wie schon zuvor rettete mich Adam. »Helen«, sagte er freundlich, »würde es dir was ausmachen, wenn ich eine Weile mit Claire rede?«

»Ja!« sagte sie aufsässig. »Das würde es.« Einen Moment sagte sie nichts, während sie mit ihrer Neugier kämpfte. Dann wollte sie wissen, was wir zu besprechen hatten.

»Das erkläre ich dir später«, sagte er mit einem freundlichen Blick. Eine Weile blieb sie an der Tür stehen. Auf ihrem wunderschönen kleinen Gesicht lagen Mißtrauen und Eifersucht erkennbar im Widerstreit miteinander.

»Fünf Minuten«, sagte sie, schleuderte mir einen giftigen Blick zu und stolzierte hinaus.

»Ach Gott«, sagte ich. »Du gehst wohl besser.«

»Nein«, sagte er. »Sie ist sowieso schon stinksauer auf mich. Da kann ich ebensogut bleiben und zu Ende erzählen.«

»In dem Fall komme es über dein Haupt«, sagte ich nervös, voll Bewunderung für seinen Mut.

»Und wenn schon«, sagte er unbeeindruckt. »Wie gesagt habe ich ein ganzes Jahr lang nichts von ihr gehört. Gerade als ich mich mit der Sache abzufinden begann, ist sie vor einem Monat aus heiterem Himmel aufgetaucht. Ich konnte es nicht glauben! Und sie hatte Molly bei sich.«

»Wer ist Molly?« fragte ich. »Etwa dein Kind?«

»Ja«, sagte er. »Ist das nicht ein fürchterlicher Name für ein kleines Mädchen?«

»Mir gefällt er«, sagte ich gekränkt. Ich vermute, daß ich ein wenig empfindlich bin, weil der Name meines Kindes auch nicht unbedingt zu den glanzvollsten gehört.

»Na ja«, sagte Adam. »Aber du müßtest sie sehen. Sie ist bezaubernd. Man hätte ihr einen schönen Namen geben können, beispielsweise Mirabelle oder ...«

»Ist das nicht ein Restaurant?« fiel ich ihm ins Wort. Mir gefiel die Richtung nicht, die unser Gespräch nahm. Schon gar nicht, wo Kate in Hörweite lag. Ich wollte nicht, daß sie einen Komplex bekam. Ihre Aussichten waren weiß Gott ohnehin nicht besonders großartig. Ich fürchtete, daß man mir in dreißig Jahren die Schuld geben würde, wenn sie eine drogensüchtige, an Bulimie leidende Alkoholikerin und zwanghafte Ladendiebin wäre. Und daß sie dann sagen würde, es sei meine Schuld, weil ich ihr keinen hübschen und modischen Namen gegeben hatte.

»Zerbrich dir nicht den Kopf über den Namen deines Kindes«, sagte ich. »Erzähl weiter.«

»Schön«, fuhr er fort. »Wir haben uns dann wieder vertragen, würde ich sagen. Sie hat gemeint, es täte ihr leid, daß sie mich nicht von Anfang an mit einbezogen hatte, und wollte wissen, ob es für einen neuen Anfang zu spät wäre.«

»Und?« fragte ich.

»Zuerst wollte ich ihr sagen, daß sie abhauen soll«, erwiderte er.

Großer Gott! Fast hätte ich laut nach Atem ringen müssen. Ich konnte kaum glauben, daß sich Adam so *normal* aufführte.

Letzte Meldung: Große Neuigkeit – Schlagzeile – ›Adam ist sauer!‹

»Dann aber habe ich gemerkt, daß ich mich damit ins eigene Fleisch schneiden würde«, fuhr er fort.

Wie enttäuschend, dachte ich. Einen Augenblick lang hatte ich angenommen, er werde sich unreif und kindisch verhalten. Na ja, es würde sicher noch eine andere Gelegenheit geben.

»Wir haben uns also vernünftig über das Sorgerecht für Molly geeinigt. Hannah und ich sind wieder Freunde – zumindest geben wir uns Mühe«, sagte er.

»Oh«, sagte ich verblüfft. »Oh.«

Was ›Freunde‹ wohl bedeuten mochte? Gingen sie bei jeder sich bietenden Gelegenheit miteinander ins Bett, oder waren sie wirklich nur ›Freunde‹?

Das festzustellen, gab es nur eine Möglichkeit. Ich holte tief Luft.

»Äh, bedeutet das, daß ihr beide wieder miteinander geht?« fragte ich und bemühte mich, das möglichst beiläufig klingen zu lassen.

»Nein«. Er lachte und sah mich dabei an, als wollte er fragen: »Hast du denn *gar nicht* aufgepaßt?« (*Gott sei Dank*!) »Nein«, wiederholte er. »Ich dachte, das wäre klar. Darum geht es ja gerade. Und deswegen ist diese Lösung so großartig. Ich kann mich um mein Kind kümmern, ohne eine Liebesbeziehung zu Hannah haben zu müssen.« Eilig fügte er hinzu: »Gleichzeitig aber kann ich mit Hannah befreundet sein, weil ich sie achte und bewundere.« Offensichtlich war ihm der schöne Schein wichtig.

»Und bist du wirklich froh, dein Kind sehen zu können?« fragte ich freundlich.

Er nickte und sah dabei aus, als würde er gleich in Tränen ausbrechen.

Bitte nicht, dachte ich erschreckt. *Mir steht das Getue mit dem Neuen Mann bis hier. Hör bloß auf, deine blöden Gefühle rauszuhängen. Halt dich von deiner weiblichen Seite fern! Wenn ich dich in ihrer Nähe erwische, schmier ich dir eine.*

Eine leise Stimme in meinem Kopf forderte mich auf: »Frag ihn doch!«

»Verpiß dich«, murmelte ich zurück.

»Vorwärts«, sagte sie erneut. »Frag ihn. Was hast du zu verlieren?«

»Nein«, sagte ich und fühlte mich sehr unbehaglich. »Laß mich zufrieden.«

»Du bist doch ganz wild darauf, es zu erfahren«, erinnerte mich die Stimme. »Und du verdienst es auch.«

»Halt die Schnauze«, sagte ich mit zusammengebissenen Zähnen. »Ich werde ihn nicht fragen!«

»Dann tu ich es eben«, sagte die Stimme.

Zu meinem Entsetzen merkte ich, daß sich mein Mund öffnete, eine Stimme herauskam und Adam fragte: »Und deswegen also warst du gern mit mir zusammen? Wegen Kate? Weil ich ein Kind habe?« Es war mir so peinlich!

Ich konnte nicht glauben, daß ich es fertiggebracht hatte, das zu fragen.

Man konnte sich mit meinem Unterbewußten *nirgendwo* zeigen.

»Nein!« sagte Adam. Eigentlich brüllte er es mehr. »Nein, nein, nein. Ich hatte so große Angst, daß du das vermuten würdest. Daß du die Situation psychologisch durchleuchten und glauben würdest, ich wäre gern mit dir zusammen, weil ich nach einer Art Ersatz für mein Kind und meine Freundin suchte.«

»Daraus kannst du mir ja wohl kaum einen Vorwurf machen«, sagte ich, aber nicht böse oder aggressiv.

»Man braucht mich doch nicht zu ködern, damit ich Lust hab', mit dir zusammenzusein!« sagte er. »Du bist fantastisch!« Darauf gab ich keine Antwort. Ich saß nur da, halb verlegen und halb entzückt.

»Ernsthaft«, fuhr er fort. »Das mußt du mir glauben. Was für eine Art Selbstvertrauen hast du eigentlich? Du bist wunderbar. Sag bloß nicht, du hättest das nicht gewußt.

Hast du es etwa nicht gewußt?« fragte er, als ich nicht antwortete.

»Nein«, murmelte ich.

»Sieh mich an«, sagte er. Er legte mir sacht die Hand auf die Wange und drehte mein Gesicht zu sich herum. »Hör mir bitte zu. Du bist so schön. Außerdem bist du klug, lustig und umgänglich. Das sind ein *paar* von den Gründen, warum ich so gern mit dir zusammen bin. Daß du ein Kind hast, spielt dabei überhaupt keine Rolle.«

»Ehrlich?« fragte ich. Ich bekam einen knallroten Kopf und wurde wie ein schüchternes, kleines Mädchen.

»Ehrlich«, lachte er. »Ich hätte dich sogar gemocht, wenn du kein Kind hättest.« Er lächelte. Er sah schön aus.

Großer Gott! Ich schmolz dahin.

»Ehrlich«, wiederholte er.

»Ich glaube dir«, sagte ich. Auch ich lächelte. Ich konnte es nicht verhindern.

Wir saßen auf dem Bett und grinsten einander blöd an. Nach einer Weile sagte er, mich freundlich neckend: »Du hast also schließlich doch meinen Rat befolgt.«

»Wieso?« fragte ich. »Ach, du meinst wegen James. Nun, ich bin nicht zu ihm zurückgegangen. Das hat aber nichts mit dem zu tun, was *du* gesagt hast.«

»Schön, schön«. Er lachte. »Ich bin nur froh, daß du es dir anders überlegt hast. Es spielt wirklich keine Rolle, wer das ausgelöst hat. Du verdienst einen sehr viel besseren Mann als ihn.«

»Darf ich dich was fragen?« sagte ich.

»Nur zu«, gab er zur Antwort.

»Wie sieht Hannah aus?«

Er warf mir einen wissenden Blick zu und lachte ein wenig, bevor er sprach. »Sie hat braune Augen und lange blonde Locken. Sie ist etwa so groß wie Helen oder Anna.«

»Oh«, sagte ich.

»Zufrieden?« fragte er.

»Wieso?«

»Daß sie dir nicht entfernt ähnlich sieht. Daß ich nicht versucht habe, sie durch dich zu ersetzen.« Man mußte es ihm lassen: So schnell entging ihm nichts. Ich war froh, daß mir diese Hannah in keiner Hinsicht ähnelte. Jetzt aber war ich schrecklich eifersüchtig, weil sie nach allem, was er gesagt hatte, vermutlich zierlich und schön war.

Gott im Himmel! Konnte man je erreichen, daß ich zufrieden war? Ich mußte lachen. Es war albern von mir.

»Ja, Adam, ich bin froh, daß du nicht versucht hast, sie durch mich zu ersetzen. Aber jetzt gehst du am besten wieder zu Helen«, sagte ich und stand auf.

Dann stand er auf, und sofort kam ich mir winzig vor. Wir standen beide da, ohne recht zu wissen, was wir sagen sollten. Ich wußte nur, daß ich nicht Lebewohl sagen wollte.

»Du bist eine ganz besondere Frau«, sagte er. Er zog mich an sich und legte seine Arme um mich. Ich Dummkopf ließ es geschehen. Großer Fehler. Gewaltiger, kolossaler, *enormer* Fehler.

Bis zu dieser Umarmung hatte ich mich nicht schlecht gehalten. Doch kaum lag ich in seinen Armen, brach an der Gefühlsfront die Hölle los. In seinen Armen empfand ich Sehnsucht, Verlangen, Wollust (ja, sogar noch mehr!), Verlust und ein unbestimmtes warmes Gefühl. Unwillkürlich kam mir die Erinnerung daran, wie ich mich mit ihm gefühlt hatte. Ich hatte geglaubt, ich hätte vergessen, wie großartig es mit ihm war. Aber all das stürmte wieder auf mich ein.

Mein Kopf ruhte an seiner Brust. Durch den dünnen T-Shirt-Stoff spürte ich seinen Herzschlag, roch die gleiche angenehme Andeutung von Seife und warmer Männerhaut, an die ich mich erinnerte.

Ich wollte immer an seinen schönen, festen Körper gedrückt bleiben, zärtlich von seinen Armen gehalten, sicher vor allem Bösen.

Ich löste mich von ihm.

»Du bist auch nicht schlecht«, antwortete ich. Ich konnte nicht verstehen, warum mir dabei Tränen in den Augen standen.

»Laß es dir gutgehen«, sagte er.

»Du dir auch«, erwiderte ich. Ich entwand mich seinen Armen.

»Also dann. Leb wohl«, schniefte ich.

»Warum ›Leb wohl‹?« fragte er mit einem Lächeln.

»Weil ich am Sonntag zurück nach London muß. Also werde ich dich wohl nicht wiedersehen.« Ich merkte, daß ich kurz vor einem Tränenausbruch stand. Warum zum Teufel lächelte er? Wer gab ihm das Recht, so selbstzufrieden und glücklich dreinzuschauen? Hatte er kein Gespür für die Bedeutung des Augenblicks? Das war nicht zum Lachen! Ganz im Gegenteil.

Ich fühlte mich derart elend. Es war qualvoll. Wenn er doch nur *gehen würde*!

»Gehst du dann nie wieder aus?« fragte er. »Findet sich niemand, der sich um Kate kümmert?«

»Natürlich«, sagte ich traurig. »Trotzdem könnte ich dich nicht sehen, es sei denn, du fliegst gelegentlich für einen Abend nach London. Und das sehe ich nicht so recht.«

»Nein«, sagte er nachdenklich. »Du hast recht. Es wäre nicht sinnvoll, für einen Abend nach London zu fliegen, wenn ich schon da bin.«

Einen Augenblick lang dachte ich, ich hätte ihn falsch verstanden. Dann sah ich ihn an, sah sein lächelndes Gesicht und wußte, daß ich richtig gehört hatte.

Hoffnung durchströmte mich, ein so wunderbares Gefühl, daß ich glaubte, davon platzen zu müssen.

»Wovon redest du?« fragte ich und konnte kaum atmen. Ich mußte mich setzen.

»Ich, äh, ich zieh nach London«, sagte er. Er setzte sich neben mich auf das Bett. Obwohl er sich bemühte, ein ernsthaftes Gesicht zu machen, trat ein Lächeln auf seine Züge.

»Tatsächlich?« sagte ich mit quäkender Stimme. »Aber warum?« Und dann kam mir ein Gedanke.

»He, sag nichts – ich weiß schon. Du hast keine Bleibe und möchtest wissen, ob du bei mir auf dem Fußboden schlafen darfst. Nur ein paar Nächte, nicht länger als ein Jahr. Stimmt's?« sagte ich bitter.

Er platzte vor Lachen. »Claire, du bist wirklich komisch!« sagte er.

»Wieso?« fragte ich verärgert. »Worüber lachst du?«

»Über dich!« sagte er und konnte sich überhaupt nicht beruhigen. »Ich *habe* eine Wohnung. Ich bin nicht so blöd, nett zu dir zu sein, nur um dich fragen zu können, ob ich bei dir wohnen darf. Ich bin doch kein Selbstmörder. Als ob ich nicht genau wüßte, daß du mich in dem Fall umbringen würdest!«

»Dann ist es ja gut«, sagte ich, ein wenig besänftigt. Zumindest hatte er eine Spur Achtung vor mir.

»Glaubst du, ich wäre deswegen raufgekommen, um mit dir zu reden?« fragte er sehr viel ernsthafter. »Vielleicht bin ich ja der

Dümmere von uns beiden, aber ich hatte gedacht, ich hätte deutlich gesagt, wie sehr ich dich mag und wieviel mir an dir liegt. Glaubst du mir nicht?«

»Du kannst mir keinen Vorwurf machen, daß ich mißtrauisch bin«, sagte ich grollend.

»Da hast du recht«, seufzte er. »Dann müssen wir uns eben Mühe geben, dich davon zu überzeugen, wie großartig du bist und daß ich keine Hintergedanken habe, wenn ich in deiner Nähe sein will. Es geht weder um dein Kind noch um deine Wohnung. Ich mag dich, weil du's bist.«

»Wirklich?« flüsterte ich und fühlte mich mit einem Mal sehr lebendig und begehrenswert. Auch richtig mächtig und war meines Frauseins und seines Mannseins bewußt, spürte das Vibrieren der unausweichlichen körperlichen Anziehung zwischen uns. Seine Augen wurden dunkel, das Blau war fast schwarz.

»Ich will dich«, sagte er sehr ernsthaft. Mit einem Mal wurde es still im Zimmer. Nicht einmal Kate gab einen Mucks von sich. Man hätte die sexuelle Spannung mit dem Messer schneiden können. Ich löste sie auf, bevor einer von uns beiden oder wir beide plötzlich in Flammen standen.

»Eins wüßte ich gern«, sagte ich, bemüht, meine Stimme geschäftsmäßig klingen zu lassen. »Was tust du in London?«

»Ich hab' 'ne Stelle«, sagte er, als wäre das die vernünftigste Erklärung von der Welt.

»Und dein Studium?« fragte ich verwirrt. »Gibst du das auf?«

»Nein«, sagte er. »Ich mach ein Abendstudium.«

»Warum das?« fragte ich, da ich immer noch nicht richtig verstand.

»Weil ich jetzt arbeiten muß. Schließlich hab' ich ein Kind zu unterhalten. Hier in Dublin gibt es keine Stellen. Mein Vater hat mich an eine Handelsbank in London vermittelt. So kann ich trotzdem meinen Abschluß machen. Ich muß es einfach ein bißchen anders anpacken, und es dauert ein bißchen länger.«

»Und was ist mit Molly?« klagte ich. »Gerade erst hast du sie kennengelernt und mußt sie schon wieder verlassen. Das ist doch schrecklich!« Diesmal sah *er* verwirrt drein.

»Aber sie kommt mit«, sagte er. Es klang ein wenig erstaunt. »Ich nehme sie mit nach London.«

»Großer Gott«, flüsterte ich. »Sag mir nicht, daß du sie entführst? Ich hab' schon von Vätern gehört, die so was tun.«

»Ach!« sagte er ärgerlich. »Hannah *möchte*, daß ich sie mitnehme. Sie hat für eine Weile genug von der Verantwortung und will auf Weltreise gehen. Wahrscheinlich ist es kein Zufall, daß sie mit einem Mal Gewissensbisse kriegte, weil sie mich Molly nicht hatte sehen lassen. Vermutlich ist ihr mit einem Mal aufgegangen, daß sie für ein Jahr ein Kindermädchen braucht.«

»Toll«, sagte ich. »Das klingt ideal. Und warum wollen sich Hannahs Eltern nicht um die arme Molly kümmern?«

»Sie hat sich mit ihnen zerstritten, als sie ihnen erklärt hat, daß sie ein Jahr weg will«, erklärte Adam. »Und ich denke, daß Molly es bei mir gut haben wird. Ich geh mit ihr zum Therapeuten, sobald sie reden kann.

Es ist nur ein Scherz«, sagte er, als er mein entsetztes Gesicht sah. »Klar, daß es für ein Kind nicht ideal ist, aus seiner Umgebung gerissen zu werden und bei seinem Vater aufzuwachsen, der es nicht mal kennt, während sich die Mutter ein Jahr lang auf und davon macht. Ich kann nur versuchen, mein Bestes zu tun.«

»Und was ist, wenn Hannah zurückkommt und sie wieder mit nach Irland nehmen möchte?« fragte ich, von Sorgen zerfressen.

»Ach, Claire«, sagte er sanft und nahm meine Hand. »Reg dich doch nicht unnötig auf. Wer weiß, was in einem Jahr ist? Darüber zerbrech ich mir den Kopf, wenn es soweit ist. Können wir nicht einfach eine Weile in der Gegenwart leben?« Ich sagte nichts. Ich dachte nach. Er hatte recht.

Wenn das Glück im Leben eines Menschen eine Gastrolle spielt, ist es wichtig, die Gelegenheit beim Schopf zu packen. Vielleicht bleibt es nicht lange. Wenn es aber erst einmal fort ist – wäre es dann nicht schrecklich, die ganze Zeit darüber nachgegrübelt zu haben, wie lange das Glück bleibt, statt es einfach zu genießen?

»Jetzt würde ich gern zum Hauptgrund meines Besuchs kommen«, fuhr er mit einem Mal zielstrebig fort. »Darf ich dich was fragen?«

»Natürlich«. Ich lächelte.

»Wenn ich zu direkt bin, sag's mir«, fuhr er mit zögerndem Charme fort, »aber meinst du, wir könnten uns in London ab und zu mal treffen? Vielleicht könnten wir uns ja einen Babysitter teilen. Natürlich bin ich jederzeit gern bereit auszuhelfen, wenn du mal jemand brauchst, der auf Kate aufpaßt.«

»Danke, Adam«, sagte ich in höflichem Ton. »Ich würde dich sehr gern in London sehen. Und wenn du mal jemand brauchst, der auf Molly aufpaßt, kannst du mich selbstverständlich fragen.«

»Im Ernst«, sagte er mit einer Stimme, die um mehrere Oktaven gesunken war. »Das ist für mich sehr wichtig. Werden wir uns wirklich in London sehen können?«

»*Selbstverständlich*«, sagte ich lachend. »Ich würde dich sehr gern sehen.«

Ich hob den Blick und sah ihm in die Augen. Das Lächeln gefror mir, als ich den Ausdruck seines Gesichts erkannte. Bewunderung lag darin, Begierde und vielleicht sogar Liebe.

»Ach, Claire«, stieß er hervor, als er sich niederbeugte, um mich zu küssen. »Du hast mir so gefehlt.«

In diesem Augenblick muß Kate wohl zu dem Ergebnis gekommen sein, daß man sie lange genug nicht zur Kenntnis genommen hatte, und sie legte los wie eine Polizeisirene.

Außerdem platzte Helen zur Tür herein und blieb bei unserem Anblick wie angewurzelt stehen. Sie ließ das Bild in Ruhe auf sich wirken, wie wir da beide auf dem Bett saßen, Adam meine Hand hielt und ich den Kopf gehoben hatte, um auf seinen Kuß zu warten. Jedes Wort einzeln betonend sagte sie: »Ich traue meinen Augen nicht.«

Ich wappnete mich für den Ausbruch. Ihre Vergeltung würde fürchterlich sein. Ich sah zu Boden und hörte mit Entsetzen, wie Helen weinte.

Helen weinen? Bestimmt irrte ich mich. Das hatte es noch nie gegeben! Ich sah voll schlechten Gewissens und Mitgefühl zu ihr hin, selbst fast in Tränen.

Und dann begriff ich, daß sie nicht weinte. Das Luder lachte! Sie konnte überhaupt nicht wieder aufhören. »Du und Adam«, sagte sie, den Kopf schüttelnd, während ihr Lachtränen über das Gesicht liefen. »Was für eine *Schande.*«

»Wieso das?« fragte ich verärgert. Mitgefühl und schlechtes Gewissen waren rasch vergessen. »Was stimmt deiner Ansicht nach mit mir nicht?«

»Nichts«, sagte sie. »Nichts. Aber du bist so alt und ....« Sie hörte auf, konnte nicht weitersprechen. Sie fand das alles so lustig. »Dein Gesichtsausdruck! Als hättest du Angst! Und ich dachte, er ist scharf auf mich!« rief sie aus und lachte erneut los. Offenbar fand sie die Situation so zum Brüllen komisch, daß sie nicht einmal aufrecht stehen konnte. Sie lehnte sich an die Wand und krümmte sich vor Lachen.

Ich saß da und sah sie kalt an, während Kate aus Leibeskräften plärrte.

Adam sah leicht verwirrt drein.

Sollte an der Sache etwas lustig sein, konnte ich das nicht erkennen.

Ich nahm Kate auf, bevor ihr ein Blutgefäß platzte, und nickte Adam zu. »Sprich du mit Helen«, bat ich ihn. Er stand auf und folgte ihr aus dem Zimmer.

Ich wiegte Kate auf den Armen und versuchte, sie zu beruhigen. Sie war ein wunderbares Kind, aber ich schwöre bei Gott, manchmal erwischte sie den völlig falschen Zeitpunkt.

Ich konnte hören, daß Helen die ganze Treppe hinab lachte.

Nach einer Weile kam sie wieder.

»Du verdammtes Miststück«, sagte sie fröhlich und setzte sich neben mich aufs Bett. »Du hast uns alle ausgetrickst. Hast so getan, als wärst du wegen James geknickt, und dabei warst du die ganze Zeit hinter Adam her.«

»Nein, Helen ...«, widersprach ich matt. »So war es nicht.«

Sie achtete nicht darauf. Sie hatte Wichtigeres im Kopf.

»Wie ist er?« fragte sie, schob sich verschwörerisch näher und senkte ihre Stimme zu einem kaum hörbaren Flüstern. »Hat er einen Großen, Dicken?«

»Wie kannst du so was fragen?« fragte ich und tat entrüstet.

»Ich sag es auch nicht weiter«, log sie.

»Helen!« sagte ich. Mir war ein wenig schwindlig. Ich glaube, es wäre mir lieber gewesen, sie wäre so richtig wütend auf mich gewesen. Jetzt mußte ich erdulden, daß sie meine beste Freundin spielte, um zu ermitteln, wie Adam im Bett war, damit sie es überall rumerzählen konnte.

»Wo ist er überhaupt?« fragte ich.

»In der Küche. Da macht er sich bei Mum lieb Kind. Aber das kann dir ja egal sein«, sagte sie begeistert. »Ich glaube, er liebt dich.«

»Ach, Helen, hör doch auf«, sagte ich. Allmählich fühlte ich mich erschöpft.

»Nein, wirklich, ich bin davon überzeugt«, bekräftigte sie.

»Ehrlich?« fragte ich. Es war leicht, mich zum Narren zu halten. Ich hätte auf nichts von dem hören sollen, was sie sagte. In meinem Alter hätte ich wirklich mehr Verstand haben müssen.

»Ja«, sagte sie. Es klang ungewöhnlich ernsthaft.

»Warum?« fragte ich.

»Weil er vorhin einen Mordsständer hatte, als er von dir sprach.« Sie kreischte vor Lachen. »Jetzt hab' ich dich aber reingelegt, was?«

»Ach, hau doch ab«, sagte ich. Ich hatte für einen Tag genug gehabt.

»'tschuldige«. Helen kicherte. »Nein, wirklich, es tut mir leid. Ich glaube, daß er dich liebt, ehrlich. Und du mußt zugeben, wenn jemand was von verliebten Männern versteht, bin ich das.« Womit sie nicht ganz unrecht hatte.

»Liebst du ihn?« wollte sie wissen.

»Ich weiß nicht«, sagte ich verlegen. »Um dazu was zu sagen, kenne ich ihn wirklich nicht gut genug. Aber ich mag ihn sehr. Genügt das?«

»Das muß genügen«, sagte sie nachdenklich. »Ich hoffe, ihr liebt euch. Ich hoffe, daß ihr beide sehr glücklich miteinander werdet.«

»Danke, Helen«, sagte ich tief gerührt. Tränen stiegen mir in die Augen. Ihre guten Wünsche beschämten mich.

»Ja«, sagte sie versonnen. »Ich hab' da eine Wette mit der blöden Kuh Melissa Saint laufen, daß sie es nicht schafft, Adam vor Ende des Sommers ins Bett zu kriegen. Ich hatte schon angefangen, mir ein bißchen Sorgen zu machen, aber das ist jetzt in Ordnung. Ein

Geschenk des Himmels. Wenn du dafür sorgst, daß sie ihn nicht zu sehen kriegt, hat sie keine Chance mehr. Ich hab' noch nie hundert Pfund so leicht verdient«, sagte sie und rieb sich schadenfroh die Hände.

»Ja«, fuhr sie fort, und es klang sehr zufrieden. »Ich muß sagen, daß das hervorragend gelaufen ist. Wirklich hervorragend.«

Marian Keyes über Marian Keyes

Guten Tag. Ich heiße Marian Keyes – na ja, eigentlich nicht, aber das kommt später – und wurde im September 1963 geboren. Ich war einen Monat überfällig, und ich frage mich oft, wie mein Leben wohl aussähe, wenn ich zum vorgesehenen Zeitpunkt auf die Welt gekommen wäre, wie ich als dynamischer und munterer Löwe statt als abwägende und allen Gefahren aus dem Wege gehende Jungfrau wäre. Das aber werden wir nie erfahren.

Ich habe lange schwarze Haare. Das ist ein bißchen merkwürdig, weil alle anderen in unserer Familie sehr blond sind. Meine Mutter stammt aus Clare, und möglicherweise hatte eine ihrer Ahnfrauen ein Techtelmechtel mit einem der Jungs von der im Sturm untergegangenen spanischen Armada. Das könnte eine Erklärung für meine schwarzen Haare sein. Meine Augen sind grün. Manchmal sagen mir Leute, ich sähe aus wie Vivien Leigh. Die haben dann meist was getrunken oder wollen sich Geld von mir leihen. Später tut es ihnen sehr leid, daß sie den Mund aufgemacht haben, weil ich den Rest der Woche hindurch ›so ein Unsinn‹ sage und ihnen mit meinem imaginären Fächer einen Klaps auf den Arm gebe.

Ich habe vier jüngere Geschwister. Bis zu meinem dritten Lebensjahr war ich das einzige Kind im Haus und regierte infolgedessen mit eiserner Hand. Als Niall zur Welt kam, trug ich meine Nase so hoch, daß sie mir schon fast auf dem Hinterkopf saß. Als eineinhalb Jahre später bei meiner Mutter die Wehen einsetzten, weil meine Schwester Caitriona herauswollte, war ich so empört, daß ich meinem Vater sagte, er brauche sich nicht die Mühe zu machen, meine Mutter ins Krankenhaus zu fahren, sie könne ohne weiteres den Bus nehmen.

Schon in sehr jungen Jahren machte ich mir Sorgen über alles, aber auch wirklich alles. Bis auf den heutigen Tag ist es das erste, was ich morgens tue – noch bevor ich die Augen aufschlage.

Mit sieben Jahren hatte ich solche Angst, zu spät zur Schule zu kommen, daß ich eine Zeitlang vollständig angezogen zu Bett ging und mein Nachthemd darüber trug. Einige Monate lang war ich von der neurotischen

Panik besessen, unser Haus werde über Nacht abbrennen, und so stellte ich vorsichtshalber eine Schüssel voll Wasser zu Löschzwecken ins Badezimmer – bis mich meine Mutter eines Tages fragte, was zum Teufel ich da täte. Sie war es leid, jeden Abend über die Schüssel zu stolpern, wenn sie sich im Bad die Zähne putzen wollte.

Mein erster Schultag war fantastisch. Erst als es mir am nächsten Morgen dämmerte, daß ich wieder und wieder hingehen müßte, begriff ich, warum sich andere so heftig über die Schule beklagten.

Bis ich acht Jahre alt war, lebten wir in Cork. Dann zogen wir um, für kurze Zeit nach Caven, danach für zweieinhalb Jahre nach Galway, bis unsere Familie schließlich in Dublin Fuß faßte.

Ich war mir meiner hinterwäldlerischen Herkunft immer bewußt, und ich war dankbar, wenn sich Dubliner mir gegenüber anständig und freundlich verhielten.

Mit zwölf Jahren wäre ich gern Nonne geworden. Im Rückblick führe ich diesen Wunsch auf das durch die häufigen Umzüge hervorgerufene Trauma zurück. Nach wenigen Monaten hatte sich dieser Wunsch überlebt. An seine Stelle trat eine ausgeprägte Pubertät. Mehrere Jahre hindurch knallte ich Türen, heulte, klagte, daß mich niemand verstünde, schrieb Gedichte, wozu ich mich in mein Zimmer einschloß, träumte von Jungen, stibitzte meiner Mutter das Make-up und war überzeugt, daß ich sterben müßte, wenn ich einen bestimmten Pullover oder ein anderes Kleidungsstück nicht bekam – was damals eben gerade Mode war –, und verhandelte hart mit meinem Vater über die Uhrzeit, zu der er mich von der Disco in der Jungenschule abholen sollte. Wie sehnte *ich mich nach dem Tag, an dem er nicht am Tor auf mich wartete. Ich war also im großen und ganzen durchaus normal für ein Mädchen meines Alters.*

Mit vierzehn Jahren trank ich zum erstenmal Alkohol. Er entzündete in mir ein Feuer, das sich schließlich zu einer tobenden Hölle auswuchs, in der ich fast umgekommen wäre.

Doch lange sah ich das nicht so, sondern hatte den Eindruck, daß mir ein wunderbares Geschenk gemacht worden war. Jetzt hatte ich etwas, das mir meine Schüchternheit nahm, mir Selbstvertrauen schenkte und es mir sogar möglich machte, mit – man glaubt es kaum! – Jungen *zu reden.*

Sechzehn Jahre lang habe ich getrunken. Während meiner Teenager-Zeit konnte ich mir nicht einmal vorstellen, nüchtern in eine Disco oder zu einer Party zu gehen. Ich hielt mich für völlig normal. Ich war überzeugt, daß alle das taten. Davon später mehr.

Mit achtzehn Jahren fing ich in Dublin ein Jurastudium an. Es bildete einen rein zufälligen Hintergrund für mein aus Parties, Kellerbars und ganz allgemeinen Ausschweifungen bestehendes Leben. Was von mir als Studentin erwartet wurde, war mir durchaus bekannt. Ich wußte, daß man voraussetzte, ich würde mich betrinken, Drogen nehmen (womit ich leider nicht dienen konnte), Vorlesungen schwänzen, mich absonderlich kleiden, mich etwa eine Woche vor dem Examen mit einem streberischen Kommilitonen anfreunden, um mir von ihm alle Mitschriften des Studienjahres auszuleihen, sechs Tage lang ohne Nachtschlaf auszukommen, während ich mir einhämmerte, was darin stand, und schließlich und nicht zuletzt mein Examen zu bestehen.

Ich schloß mein Jurastudium im Jahre 1984 mit befriedigendem Ergebnis ab. Zwar grenzt das ans Wunderbare, wenn man bedenkt, wieviel ich nicht getan habe, es ist zugleich aber auch eine entsetzliche Schande. Wer weiß, was ich hätte leisten können, wenn ich ein bißchen gearbeitet hätte.

Ursprünglich hatte ich in Blackhall Place weiterstudieren wollen, doch hatte man mir inzwischen eine Anstellung in der Gesundheitsbehörde Eastern Health Board angeboten. Da mich das leicht verdiente Geld lockte, nahm ich sie an, mit der ernsthaften Absicht, mein Studium fortzusetzen. Allerdings tat ich es dann nicht – ich weiß bis auf den heutigen Tag nicht genau, warum. Ob es womöglich einfach altmodische Faulheit war? Sie hat durchaus etwas für sich.

Außerdem waren meine nihilistischen Neigungen wieder aufgeflammt, unter denen ich auch schon früher gelitten hatte. Es fiel mir schwer, mich dazu zu bringen, irgend etwas zu tun, weil ich den Eindruck hatte, daß nichts wirklich wichtig und letzten Endes nichts wirklich von Bedeutung war. Vielleicht hätte ich eine Behandlung mit Antidepressiva brauchen können.

Schließlich und endlich hatte ich keine Lust, mich dadurch kaputtzumachen, daß ich gleichzeitig Geld verdiente und studierte, denn eigentlich wollte ich gar nicht Anwältin werden. Dasselbe galt für die Hälfte der Leute in meinem Kurs. Wir studierten nur deshalb Jura, weil unsere Noten nicht gut genug waren, um Medizin zu studieren, aber besser als die der armen Teufel, die in der geisteswissenschaftlichen Fakultät gelandet waren.

Was wir studierten, war uns eigentlich nicht wichtig (richtig studiert wurde ohnehin nicht). Wir wollten einfach auf der Universität das wirkliche Leben und die damit verbundene Verantwortung noch drei Jahre lang von uns fernhalten. Wenn die Leute in der Vergabestelle für Studienplätze beschlossen, daß wir Jura studieren sollten, konnte uns das nur recht sein.

Kurz gesagt: ich war verantwortungslos und zu nichts nütze. Ich trank ständig, so oft und so viel ich mir leisten konnte.

Ich habe eineinhalb Jahre lang bei Eastern Health Board gearbeitet (›gearbeitet‹ im weitesten Sinne), und zwar in der Abteilung, die sich mit der Adoption von Kindern und ihrer Unterbringung in Pflegefamilien beschäftigt.

Dann bin ich nach London gezogen. Auf mein Leben dort hatte ich große Hoffnungen gesetzt. Vermutlich hatte ich angenommen, es werde all meine Schwierigkeiten lösen und sei gleichbedeutend mit der Erhörung all meiner Gebete. Ich würde eine großartige Stelle bekommen (in Dublin gab es weder großartige noch überhaupt Stellen), einen wunderbaren Mann kennenlernen (es gab in Dublin weder wunderbare Männer noch andere) und mich endlich in meiner Haut rundum wohl fühlen.

Ich handelte nach dem Grundsatz, daß meine Aussichten, mich in London daheim zu fühlen, ebenso groß seien wie die irgendeines anderen Menschen, da niemand wirklich dort hingehörte.

Als Hausbesetzer zogen ein schwuler Freund und ich in eine Wohnung, die im einundzwanzigsten Stock eines Hochhauses lag. Ich war fest überzeugt, das sei jetzt das wirkliche Leben.

An meinem zweiten Tag in London ging ich in die King's Road und brachte ein Stück Hühnerbrust aus dem Supermarkt nach Hause. Ich fühlte mich großartig, weil ich in der King's Road eingekauft hatte.

Einen Vorteil hatte die besetzte Wohnung in jenem häßlichen Hochhaus: von ihr aus hatte man einen wunderbaren Blick über große Teile

Londons. Nur schade, daß es die unansehnlichen und armen Bezirke der Stadt waren.

An meinem dritten Tag in London blieb ich mit dem Aufzug stecken, und die Feuerwehr mußte einige attraktive Männer in gelben Plastikhosen schicken, damit die mich herausholten. Ich hatte große Angst – immerhin steckte ich über eine Stunde in der Kabine und war überzeugt, daß ich zwanzig Stockwerke tief zu Tode stürzen würde. Da der Aufzug zwischen zwei Stockwerken steckengeblieben war, mußten die Feuerwehrleute das Dach abnehmen, um mich herauszuholen.

An meinem, ich glaube, fünften Tag in London, hielt der Aufzug im fünfzehnten Stock des Hochhauses an, und als sich die Türen öffneten, trat ein sehr asiatisch aussehender Mann ein. Er hatte einen Schäferhund bei sich, der so groß war, daß er sich am Hindernisrennen Grand National hätte beteiligen können, und trug ein langes Küchenmesser unter dem Arm. Außer ihm war nur noch ich in dem Aufzug. Ich empfand eher Interesse als Angst und hatte das Gefühl, versehentlich ins Leben eines anderen Menschen geraten zu sein.

An meinem vermutlich zehnten Tag in London entblößte sich vor mir ein Mann in der U-Bahn. Ich zuckte mit keiner Wimper – inzwischen hatte ich die Stadt im Griff.

Sechs Wochen lang war ich arbeitslos, und der Teil meines Ichs, dem es Spaß machte, so zu tun, als wäre er erwachsen, freute sich darüber. Es war für mich ein neues Erlebnis, auf den Markt zu gehen und ungeheuer billig Gemüse einzukaufen, wobei es keine Rolle spielte, daß es schon ziemlich angegammelt war. Oder im Supermarkt Käsereste zu herabgesetzten Preisen zu kaufen. Oder die auf dem Magnetstreifen meiner Wochenkarte gespeicherte Gültigkeitsdauer zu manipulieren, damit ich mir keine neue kaufen mußte, wenn sie abgelaufen war. Und natürlich unanständige Summen für Alkohol auszugeben. Das änderte sich nie.

Nach sechs Wochen bekam ich eine Anstellung. Allerdings war es nicht das, was ich mir vorgestellt hatte. Niemand wollte eine junge Frau mit irischem Jura-Examen beschäftigen. Und niemand wollte eine Mitarbeiterin haben, die in Irland in der Verwaltung gearbeitet hatte. Also bekam ich eine Stelle als Kellnerin in einem sehr coolen Lokal namens Videocafé. Ich fand es grandios. Es war mir gleichgültig, daß der Inhaber ein kokainsüchtiger Verrückter war, der Leute nach Lust und Laune rausschmiß. Einmal habe ich eine Geschichte gehört, die vielleicht nicht stimmt: eines Abends soll er alle Kellnerinnen mit blauen Augen auf die Straße gesetzt haben. Ich würde sagen, daß das totaler Blödsinn ist. Wahrscheinlich hatten sie braune Augen.

In jenem Lokal habe ich mit Unterbrechungen etwa ein Jahr lang gearbeitet. Dann ging es mit mir aufwärts, und ich fand einen achtbaren Arbeitsplatz, nämlich in einem Büro. Vor etwa sieben Jahren bekam ich dann die Stelle, wo ich heute noch tätig bin. Ich arbeite in der Verwaltung einer Fachhochschule für Architektur, die sich zur Avantgarde zählt. Ehrlich gesagt weiß ich nicht so recht, warum ich noch dort arbeite, denn mein Interesse an avantgardistischer Architektur ist ebenso groß wie daran, die Pocken zu kriegen. Möglicherweise ist es noch geringer.

Was in der näheren Umgebung meines Arbeitsplatzes vor sich geht, ist mir absolut rätselhaft. Irrigerweise hatte ich angenommen, bei Architektur gehe es um das Entwerfen und Bauen von Häusern und dergleichen. O nein, so prosaisch ist das nicht! Man ermutigt die Studenten, den ›Raum zu erleben‹, sich ›in eine andere Dimension einzufühlen‹ und ähnlicher Unsinn.

Die meisten Studenten und ein großer Teil der Mitarbeiter sind ziemlich überkandidelt, und es vergeht kaum ein Tag, ohne daß ein Student einen Koller bekommt oder zwei Dozenten in wilden Streit miteinander geraten. Es ist wirklich unterhaltsam und macht großen Spaß. Wahrscheinlich ist das der Hauptgrund dafür, daß ich es so lange da ausgehalten habe.

Eine Weile war ich der Ansicht, daß ich gern als Steuerberaterin arbeiten würde. Daher habe ich mich in Abendkursen ausbilden lassen und bin jetzt geprüfte Steuerbevollmächtigte. Für den Augenblick habe ich alle Pläne, aufzustocken und ›richtige‹ Steuerberaterin zu werden, auf Eis gelegt. Ich hoffe, daß ich sie ganz aufgeben kann, wenn es mit meinem Schreiben so klappt, wie ich mir das vorstelle.

Weiter vorn habe ich gesagt, daß ich immer ›gern einen gekippt‹ habe. Im Laufe der Jahre hat sich dieser Hang verstärkt. Es ist nach wie vor nicht ganz eindeutig, wann genau ich Alkoholikerin geworden bin. Mit Sicherheit bin ich nicht eines Morgens wach geworden und habe zu mir gesagt: »Tja, gestern abend habe ich als Alkoholikerin getrunken.« Vermutlich ist es auch nicht wirklich wichtig, wann *das war. Entscheidend ist, daß ich jetzt Alkoholikerin war.*

Es war eine zutiefst unangenehme Erfahrung, für alle um mich herum wie auch für mich selbst.

Überrascht merkte ich morgens beim Aufwachen, daß ich unbedingt etwas zu trinken brauchte. Noch überraschter war ich, daß ich dann morgens tatsächlich auch trank. Dann aber hörte die Überraschung auf, und es wurde zum Normalzustand.

Tag für Tag betrunken zu sein wurde mir zur Gewohnheit. Sobald ich wieder nüchtern war, griff ich einfach nach der nächstbesten Flasche und ließ mich erneut vollaufen. Ich ging nicht zur Arbeit. Ich aß nicht. Ich wusch mich nicht. Nichts war mir wichtig, außer ich selbst und mein Alkohol. Ihn liebte ich über alles. Ich hatte richtige Saufexzesse. Dann war ich wieder eine Weile nüchtern, konnte den Alltag bewältigen und andere überzeugen, daß ich mir diesmal wirklich Mühe geben würde aufzuhören. Daß ich wirklich nicht mehr trinken würde.

Es ist einfach zum Brüllen. Ich war fest überzeugt, ich sei zu klug, um zu einer Trinkerin zu werden. Obwohl ich mich wie eine typische chronische Trinkerin aufführte, glaubte ich, anders zu sein. Ich war überzeugt, jederzeit aufhören zu können, wenn ich das nur wollte.

Es wurde immer schlimmer. Ich hatte fast keine Freunde mehr, weil ich sie so oft belogen und im Stich gelassen hatte. Ich war nicht bereit, meine Wohnung zu verlassen und mich mit anderen zu treffen, weil ich dann keine Möglichkeit gehabt hätte zu trinken. Ich merkte allmählich ganz deutlich, daß ich diese Hölle, denn das war mein Leben, nicht länger aushalten würde.

Ich war körperlich krank und wog kaum noch fünfundvierzig Kilo, ich war seelisch und emotional krank sowie geistig bankrott.

Ich nahm eine Überdosis. Es war ein ziemlich hilfloser Selbstmordversuch. Anschließend sorgte mein Vater dafür, daß ich an meinem Arbeitsplatz beurlaubt wurde und eine Entziehungskur machte. Sie dauerte sechs Wochen, danach war ich sechs Wochen in Dublin.

Mein Leben sieht jetzt völlig anders aus. Es grenzt an ein Wunder. Seit über drei Jahren bin ich trocken, und es waren die herrlichsten, schönsten, fantastischsten Jahre meines Lebens.

Alles, was ich mir je erträumt habe, ist Wirklichkeit geworden. Schon immer hatte ich schreiben wollen, aber nie etwas in der Richtung unternommen. Es war im September 1993. Mir war elend, weil ich gerade fünf Tage ununterbrochen getrunken hatte. In einer Zeitschrift las ich eine Kurzgeschichte, die einen Preis gewonnen hatte. Sie war ganz hübsch, aber eine Stimme in meinem Kopf sagte: »Du könntest eine mindestens ebenso gute schreiben.« Ich nahm Stift und Papier und fing an. Ich verfaßte eine Kurzgeschichte über einen Engel. Es war unglaublich: sie kam aus dem Nichts, und ich warf sie in einem Zug auf das Papier. In den nächsten drei Monaten verfaßte ich vier weitere Kurzgeschichten, auf die ich sehr stolz bin. Ich trank sehr viel und schaffte es, die Geschichten zwischen den Saufexzessen zu schreiben. Im Januar 1994 bin ich dann in den Entzug gegangen, und mein Schreiben hörte erst einmal auf. Als ich im April 1994 nach London zurückkehrte, versuchte ich einige meiner Geschichten veröffentlichen zu lassen. Ich schickte sie an Poolbeg und einen anderen irischen Verlag und erwähnte in meinem Begleitbrief, daß ich fünfzehntausend Wörter eines Romans fertig hätte. Das stimmte aber nicht, ich dachte lediglich, es werde einen guten Eindruck machen. Dann kam ein Brief von Kate Cruise O'Brien aus dem Hause Poolbeg, die mir mitteilte, ihr gefielen die Geschichten, sie könne aber von einem unbekannten Autor keinen Band mit Kurzgeschichten herausbringen, und sie würde gern die fünfzehntausend Wörter meines angeblichen Romans lesen. Da muß ich mich dann wohl hinsetzen und sie schreiben, *dachte ich. Also habe ich in einer Woche zwölftausend Wörter zu Papier gebracht, ihr das Ergebnis geschickt, und es hat ihr gefallen.*

Nichts in meinem Leben hat mich je so befriedigt und mir solche Freude gemacht, wie an ›Wassermelone‹ zu arbeiten. Schreiben ist eine ungeheuer befriedigende Tätigkeit. Ich hätte nie geglaubt, daß mir irgendeine Arbeit je Spaß machen würde, aber ich habe das Gefühl, endlich zu wissen, wozu ich auf der Welt bin. Und es ist so leicht. *Der größte Teil von ›Wassermelone‹ hat sich praktisch von selbst geschrieben. Ich kann es gar nicht abwarten, mit dem nächsten Buch anzufangen.*

Und so viele andere wunderbare Dinge sind mir in der Zeit meines Nüchternseins widerfahren. Bei den Anonymen Alkoholikern habe ich einige ganz außergewöhnliche Menschen kennengelernt: kluge, begabte, lustige und warmherzige Menschen.

Zum ersten Mal in meinem Leben weiß ich, was Seelenfrieden ist. Die Welt ist nicht der schwarze Sumpf des Übels, für den ich sie immer gehalten hatte. Ich freue mich richtig, am Leben zu sein. Während ich früher nie zufrieden war, beglücken mich jetzt unzählige kleine Dinge. Ich habe eine wunderbare Familie, die ich sehr liebe, und viele gute Freunde.

Und ich habe geheiratet. Das zu glauben fällt mir am schwersten. Denn jede meiner Beziehungen ist früher oder später mit Tränen zu Ende gegangen, entweder seinen oder meinen. Ich war der Meinung, nie eine Liebesbeziehung auf partnerschaftlicher Ebene haben zu können, mit einem Mann, den ich mag, achte, begehre, liebe und mit dem ich gern zusammensein möchte, wenn ich siebzig bin. Und ich war überzeugt, wenn ich je eine solche Beziehung hätte, würden meine selbstzerstörerischen Triebe dafür sorgen, daß sie zugrunde ginge. Das aber ist nicht geschehen.

Das also bin ich. Was könnte ich noch über mich sagen? Ich lese gern, und zwar alles, von kitschigen Liebesromanen bis hin zu Barbara Cartland. Nein, das war ein Spaß. Ich lese alles, von kitschigen Liebesromanen bis zu Gore Vidal. Gewöhnlich lese ich in vier Büchern gleichzeitig. Ich gehe gern ins Kino und mag eher ausgefallene und etwas schräge Filme als irgendwelche Hollywood-Schinken, um die ein großes Spektakel gemacht wird. Ich gehe auch gern ins Theater, vermeide aber Klamauk-Stücke, wie sie etablierte Theater oft bieten; ihnen ziehe ich kleine Experimentierbühnen vor. Ich esse und rede gern, am liebsten beides gleichzeitig. Ich schlafe jede Nacht zehn Stunden und esse täglich etwa vier Schokoladenriegel.

Ach ja, mein Name: Ich heiße in Wirklichkeit Mary Catherine. Auf diesen Namen bin ich getauft worden, und er steht auch auf meiner Geburtsurkunde. Da meine Mutter ebenfalls Mary heißt, haben meine Eltern beschlossen, mich Marian zu rufen, um Verwechslungen zu vermeiden. Kein Wunder, daß ich so sonderbar bin.

Möglicherweise ist es aber auch ganz gut, daß sie mich Marian genannt haben, denn ich war als Kind so ungeheuer neurotisch – vielleicht wäre ich total plemplem geworden, wenn man mich mit einem Hinterwäldlernamen wie Mary Kate gerufen hätte.

Jetzt aber gefällt mir der bäuerische und bodenständige Name Mary Kate, vor allem, wo es richtig im Trend liegt, Ire zu sein. Ich ermuntere alle Leute, mich Mary Kate zu nennen.

Das wäre es, mehr oder weniger. Mein Freund, Entschuldigung, mein Mann, *sagt, ich sei der großartigste Mensch, dem er je begegnet ist. Aber er ist voreingenommen und hat wohl auch ein bißchen Angst vor mir. Wer noch mehr über mich wissen will, soll sich ruhig bei mir melden.*

Mai 1997

Marian Keyes